중학교

국어 2-1
평가문제집

이삼형 교과서편

구성과 특징

대단원 미리 보기

대단원의 학습 목표와 대단원에서 배울 내용을 정리하고, 확인 문제를 통해 이를 확인하도록 하였습니다.

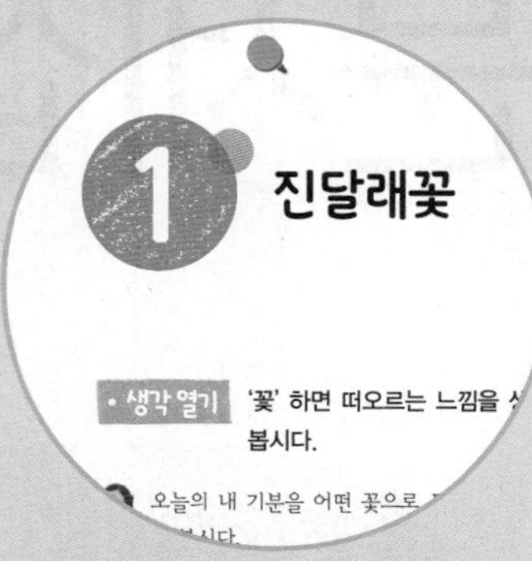

소단원 도입

교과서의 소단원 도입 활동인 '생각 열기'의 내용을 확인하고, 소단원의 학습 목표와 핵심 원리를 이해하도록 하였습니다.

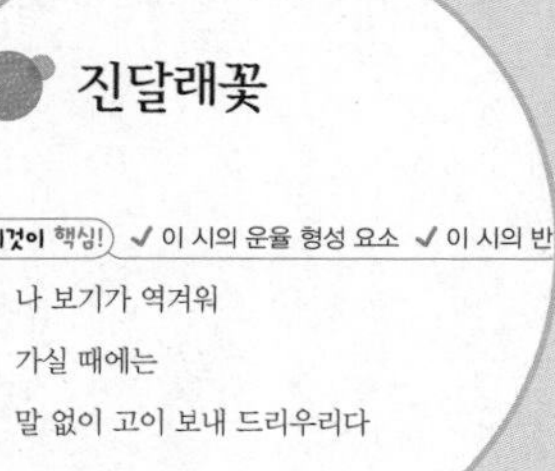

소단원 본문

'이것이 핵심'과 '핵심 확인'를 통해 글의 구성 단계별 핵심 내용을 정리하고, '핵심 개념'을 통해 활동 단원의 주요 개념을 확인하도록 하였습니다. '확인 문제'의 풍부한 문제를 바탕으로 본문의 내용을 꼼꼼하게 확인 · 평가할 수 있도록 하였습니다.

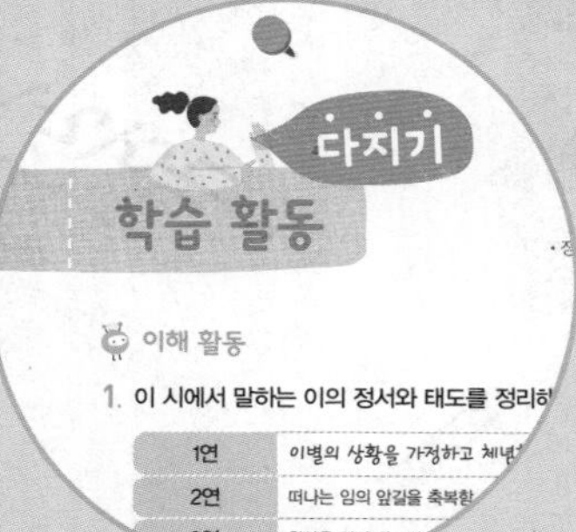

학습 활동 다지기

학습 활동의 예시 답을 확인하고 이에 따른 문제를 풀어 봄으로써 소단원의 주요 내용을 확인하고, '수행 평가 대비 활동'을 통해 창의 · 융합 활동을 바탕으로 한 수행 평가를 대비할 수 있도록 하였습니다.

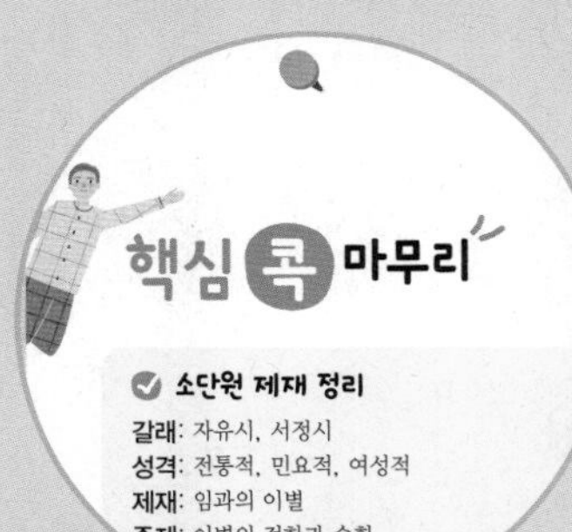

핵심 콕 마무리

소단원 제재의 핵심 내용과 소단원 학습 내용의 핵심 원리를 한눈에 확인할 수 있도록 정리하였습니다.

소단원 핵심 문제

소단원에서 꼭 알아야 할 다양한 유형의 핵심 문제를 풀어 봄으로써 자신의 실력을 평가해 보도록 하였습니다. 또한 서술형 문제의 비중을 높여 내신에서 논술형 문제를 대비할 수 있도록 하였습니다.

단원 + 단원

대단원에 포함된 각 소단원을 연결하는 '단원 + 단원' 활동을 정리하고, 각 활동에 대한 해설과 예시 답안을 제시하였습니다.

대단원 확인 문제

각 소단원에서 배운 학습 내용을 종합적으로 평가하도록 하였습니다. 시험에 꼭 나올 만한 문제를 통해 대단원의 내용을 정확히 이해하였는지 확인하고, 내신을 완벽하게 대비하도록 하였습니다.

차례

4 함께 만드는 의미

5 이해를 돕는 매체

개성과 표현

(1) 진달래꽃 (2) 열보다 큰 아홉 (3) 양반전

대단원 학습 목표

문학 자신의 가치 있는 경험을 개성적인 발상과 표현으로 형상화할 수 있다.
쓰기 생각이나 느낌, 경험을 드러내는 다양한 표현을 활용하여 글을 쓸 수 있다.

• 정답과 해설 p.2

(1) 진달래꽃

자신의 가치 있는 경험을 개성적인 발상과 표현으로 형상화할 수 있다.

- 시 「진달래꽃」을 감상하고, 운율과 반어의 표현 원리와 효과 이해하기
- 시 「진달래꽃」에서 배운 운율과 반어를 활용하여 자신의 경험 표현하기

「진달래꽃」에 나타난 운율과 반어의 표현을 찾아보고, 이를 통해 운율과 반어의 특징과 표현 효과를 이해한다. 또한 단원에서 배운 운율과 반어의 표현을 효과적으로 활용하여 자신의 가치 있는 경험을 개성적으로 표현해 볼 수 있도록 한다.

(2) 열보다 큰 아홉

자신의 가치 있는 경험을 개성적인 발상과 표현으로 형상화할 수 있다.
생각이나 느낌, 경험을 드러내는 다양한 표현을 활용하여 글을 쓸 수 있다.

- 수필 「열보다 큰 아홉」을 통해 역설, 관용 표현 등의 원리와 효과 이해하기
- 수필 「열보다 큰 아홉」에서 배운 역설, 관용 표현 등의 다양한 표현을 활용하여 자기 생각이나 느낌, 경험 표현하기

「열보다 큰 아홉」을 읽고 이에 나타난 역설과 관용 표현을 찾아 역설, 관용 표현의 특징과 효과를 이해한다. 또한 단원에서 배운 역설과 관용 표현 등의 다양한 표현을 활용하여 자기 생각이나 느낌, 경험을 글로 표현해 볼 수 있도록 한다.

(3) 양반전

자신의 가치 있는 경험을 개성적인 발상과 표현으로 형상화할 수 있다.
생각이나 느낌, 경험을 드러내는 다양한 표현을 활용하여 글을 쓸 수 있다.

- 소설 「양반전」을 감상하고, 풍자의 표현 원리와 효과 이해하기
- 소설 「양반전」에서 배운 풍자의 표현을 활용하여 자기 생각이나 느낌, 경험 표현하기

「양반전」을 읽고 이에 나타난 풍자의 표현을 찾아 풍자의 특징과 효과를 이해한다. 또한 단원에서 배운 풍자의 표현을 활용하여 자기 생각이나 느낌, 경험을 효과적으로 표현해 볼 수 있도록 한다.

운율과 반어, 역설과 관용 표현, 풍자 등 다양한 표현 방법을 활용하면, 자기 생각이나 경험을 더 효과적으로 표현할 수 있어.

개성적이란 다른 이와 뚜렷이 구별되는 것을, **발상**이란 어떤 생각을 해 내는 것을, **표현**이란 생각이나 느낌을 언어 등의 형상으로 드러내어 나타내는 것을 말한다.

확인 문제

01 운율에 대한 설명으로 옳으면 ○, 틀리면 ×표를 하시오.

(1) 소리의 일정한 규칙적 질서로, 시를 시답게 만드는 일차적 요소이다. (　　)
(2) 함축적 의미를 지닌 언어의 사용에 의해 형성된다. (　　)

02 다음 설명에 해당하는 표현 방식을 〈보기〉에서 찾아 기호를 쓰시오.

보기		
㉠ 반어	㉡ 역설	㉢ 풍자

(1) 실제로 표현하고자 하는 뜻과 반대로 표현하는 것 (　　)
(2) 현실의 부정적인 대상이나 모순을, 웃음을 통해 넌지시 비판하는 것 (　　)
(3) 겉으로는 모순된 표현이지만 그 속에 삶의 진실이나 진리를 담고 있는 것 (　　)

03 다음 빈칸에 들어갈 말을 순서대로 쓰시오.

□□ 표현이란 어떠한 표현이 습관적으로 사용되면서 특별한 뜻을 나타내는 것으로, '발 없는 말이 천리 간다.'와 같은 □□이 이에 해당한다.

진달래꽃

• 생각 열기 '꽃' 하면 떠오르는 느낌을 생각하며 아래의 활동을 해 봅시다.

오늘의 내 기분을 어떤 꽃으로 표현할지 말해 보고, 그 까닭을 이야기해 봅시다.

예시 답 나는 오늘 기분이 좋아서 내 기분을 아침에 활짝 핀 나팔꽃으로 표현할 수 있을 것 같다.

개성적인 꽃 이름과 꽃말을 찾아서 발표해 봅시다.

예시 답 애기똥풀꽃. 줄기를 자르면 나오는 노란색의 즙이 아기의 똥과 비슷하다고 해서 지어진 이름이라고 한다. 그래서 꽃말도 '엄마의 사랑과 정성'이다.

• 학습 목표로 내용 엿보기

"꽃을 활용하니 나의 경험이나 감정을 개성적으로 표현할 수 있었어. 이렇게 문학에서 개성을 살려 나타낼 수 있는 표현 방법으로는 무엇이 있을까? 시에서 개성적인 표현을 찾아 나의 경험을 표현하는 데 활용해 보자."

핵심 1 시 「진달래꽃」을 감상하고, 운율과 반어의 표현 원리와 효과 이해하기

핵심 2 시 「진달래꽃」에서 배운 운율과 반어를 활용하여 자신의 가치 있는 경험을 개성적으로 표현하기

핵심 원리 이해하기 운율과 반어

1. 운율

시를 읽을 때 느껴지는 말의 가락으로, 읽는 이에게 안정감과 즐거움을 느끼게 하며 시의 분위기를 형성해 줌.

운율의 형성 방법
- 일정한 음보를 반복함.
- 일정한 글자 수를 반복함.
- 같은 시어나 시구를 반복함.
- 같거나 비슷한 문장 구조를 반복함.
- 음성 상징어(의성어, 의태어)를 반복함.

2. 반어

겉으로 표현한 내용과 속마음에 있는 내용을 서로 반대로 말하는 표현 방법으로, 의미를 강조하고 표현 효과를 높임.

예 (그릇을 깨뜨린 아이에게 엄마가) "잘했다." → '잘하지 못했다.'라는 의미를 반대로 표현함으로써 그릇을 깨뜨린 것은 잘못된 행동임을 더욱 강하게 전달함.

개념 확인 콕콕 • 정답과 해설 p.2

01 다음 빈칸에 들어갈 알맞은 말을 쓰시오.

> 시를 읽으면 산문을 읽을 때와 달리 말의 가락을 느낄 수 있는데, 이를 (   )이라고 한다.

02 시에서 운율을 형성하는 방법과 거리가 먼 것은?

① 특정 시어를 반복한다.
② 음보를 일정하게 반복한다.
③ 같은 표현 방법을 반복한다.
④ 글자 수를 일정하게 반복한다.
⑤ 유사한 문장 구조를 반복한다.

03 반어에 대한 설명으로 적절한 것은?

① 대상을 다른 대상에 직접 빗대어 표현함.
② 말하고자 하는 내용을 그와 반대로 표현함.
③ 대상을 실제보다 훨씬 크거나 작게 표현함.
④ 서로 반대되는 대상이나 내용을 내세워 표현함.
⑤ 겉으로 의미가 모순되고 이치에 맞지 않게 표현함.

04 다음 중 반어의 표현 방법이 사용된 것은?

① 내 마음은 호수요 / 그대 노 저어 오오.
② 풀이 눕는다 / 바람보다 더 빨리 눕는다
③ 먼 훗날 당신이 찾으시면 / 그때에 내 말이 '잊었노라'
④ 돌담에 속삭이는 햇발같이 / 풀 아래 웃음 짓는 샘물같이
⑤ 이러매 눈 감아 생각해 볼밖에 / 겨울은 강철로 된 무지갠가 보다.

본문 안내

이 소단원은 운율, 반어 등의 표현 원리와 효과를 이해하고, 이를 바탕으로 자신의 가치 있는 경험을 개성적으로 표현하기 위한 단원이다. 시인은 자기 생각이나 느낌을 효과적으로 전달하기 위해 다양한 표현 방식을 사용하는데, 시 「진달래꽃」은 특히 운율과 반어의 표현을 통해 임과의 이별에 따른 슬픔과 이를 극복하려는 의지를 효과적으로 형상화하고 있다. 이 시를 감상하며 운율과 반어의 원리와 효과를 파악하고, 배운 내용을 활용하여 자신의 경험을 개성적이고 참신하게 표현해 보도록 한다.

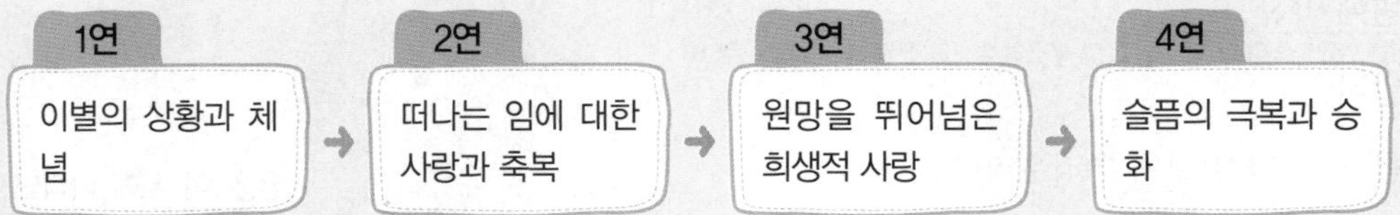

본문 개관

★ **글쓴이 소개** 김소월

시인. 본명은 정식. 향토적이고 서정성이 강한 내용을 민요적인 가락에 담아 전통적인 한의 정서를 노래한 시를 많이 남겼다. 주요 작품으로 「엄마야 누나야」, 「접동새」, 「산유화」, 「초혼」, 「먼 후일」 등이 있다.

★ **갈래** 자유시, 서정시

이 시는 정해진 형식이나 운율에 구애받지 않고 자유로운 형식으로 이루어진 자유시이며, 임과의 이별에 따른 슬픔의 정서를 주관적으로 표현한 서정시이다.

★ **성격** 전통적, 민요적, 여성적

이 시는 우리 민족의 전통적 정서라고 할 수 있는 이별의 정한을 3음보의 민요조 가락에 담아, 애절한 여성의 목소리로 노래하고 있다.

★ **제재** 임과의 이별

이 시는 임과 이별하는 상황을 바탕으로 내용을 전개하고 있다. 이 시에서 설정하고 있는 이별의 상황은 현재가 아니라 미래에 있을지도 모르는 가상의 상황으로, 있을지도 모를 이별의 슬픔을 가정하여 임에 대한 화자의 헌신적인 사랑을 보여 주고 있다.

★ **주제** 이별의 정한과 승화

이 시의 화자는 임과 이별하는 상황에서 슬픔의 눈물을 보이지 않고, 오히려 떠나는 임 앞에 자신의 분신과도 같은 존재인 진달래꽃을 뿌려 임이 가시는 길에 밟고 가게 하겠다고 노래하고 있다. 임과의 이별에 따른 슬픔의 정서를 사랑과 희생, 그리고 축원이라는 태도로 승화시키고 있는 시이다.

진달래꽃

김소월

이것이 핵심! ✔ 이 시의 운율 형성 요소 ✔ 이 시의 반어적 표현과 효과

나 보기가 역겨워
가실 때에는
말 없이 고이 보내 드리우리다

영변에 약산
영변은 평안북도의 한 지명으로, 그 부근의 약산은 진달래 군락으로 유명함.
진달래꽃
아름 따다 가실 길에 뿌리우리다

가시는 걸음걸음
놓인 그 꽃을
사뿐히 즈려밟고 가시옵소서
위에서 내리눌러 밟고

나 보기가 역겨워
가실 때에는
㉠죽어도 아니 눈물 흘리우리다

핵심 확인 이 시의 운율 형성 요소

음보의 반복	각 연의 1~2행과 3행을 모두 세 마디로 끊어 읽게 됨.
같은 종결 어미의 반복	'드리우리다', '뿌리우리다', '흘리우리다'에서 종결 어미 '-우리다'가 반복됨.
같은 시구의 반복	1연과 4연에서 '나 보기가 역겨워 / 가실 때에는'이라는 시구가 반복됨.
수미상관의 구조	첫 연인 1연과 끝 연인 4연의 형태가 유사함.

'죽어도 아니 눈물 흘리우리다'에 나타난 반어적 표현과 효과

표면적 의미	임이 떠나도 절대로 눈물을 흘리지 않겠다.	반어적 표현을 통해 임이 떠나지 않기를 바라는 시적 화자의 소망을 강하게 전달함.
↕		
내면적 의미	임이 떠나면 눈물을 많이 흘릴 것이다.	

확인 문제

• 정답과 해설 p.2

01 이 시에 대한 설명으로 적절한 것은?

① 민요조의 율격을 바탕으로 한 정형시이다.
② 시간의 흐름에 따라 시상을 전개하고 있다.
③ 임에 대한 감정을 직설적으로 드러내고 있다.
④ 강인한 남성적 어조로 이별의 슬픔을 노래하고 있다.
⑤ 실제 지명을 사용하여 향토적 분위기를 자아내고 있다.

02 이 시에 나타난 화자의 정서·태도 변화를 바르게 나열한 것은?

① 원망 – 순응 – 사랑 – 축복
② 원망 – 슬픔 – 체념 – 축복
③ 체념 – 축복 – 희생 – 인고
④ 체념 – 희생 – 인고 – 원망
⑤ 희생 – 원망 – 체념 – 인고

핵심

03 이 시의 표현상 특징으로 적절하지 않은 것은?

① 시행을 규칙적으로 배열하여 운율을 형성하고 있다.
② 각운을 의도적으로 사용하여 음악성을 높이고 있다.
③ 대조적 시어를 사용하여 화자의 태도를 부각하고 있다.
④ 반어적 표현을 통해 화자의 심정을 효과적으로 드러내고 있다.
⑤ 첫 연을 마지막 연에 변형, 반복하여 구조적 안정감을 얻고 있다.

핵심 서술형

04 ㉠에 담긴 속뜻을 서술하시오.

학습 활동

• 정답과 해설 p.2

이해 활동

1. 이 시에서 말하는 이의 정서와 태도를 정리해 봅시다.

1연	이별의 상황을 가정하고 체념함.
2연	떠나는 임의 앞길을 축복함.
3연	원망을 뛰어넘는 희생적 사랑을 보임.
4연	이별의 슬픔을 참아 내고자 함.

이해 다지기 문제

1 이 시의 화자에 대한 이해로 적절하지 않은 것은?

① 1연: 사랑하는 임과 현재 이별하고 있다.
② 2연: 떠나는 임의 앞길을 축복하고 있다.
③ 3연: 자기희생적인 사랑을 보여 주고 있다.
④ 4연: 애이불비(哀而不悲)의 태도를 드러내고 있다.
⑤ 4연: 인고의 의지로 이별의 슬픔을 극복하려 하고 있다.

2. 이 시에서 진달래꽃이 뜻하는 바를 말해 봅시다.

예시 답 • 떠나는 임에 대한 말하는 이의 원망과 슬픔이 담긴 소재야.
• 끝까지 임에게 헌신하려는 말하는 이의 순종과 정성이 담긴 소재야.

이해 다지기 문제

2 이 시에서 '진달래꽃'이 의미하는 바로 적절하지 않은 것은?

① 시적 화자의 분신
② 임을 잊겠다는 의지
③ 임의 앞길에 대한 축복
④ 임에 대한 정성과 순종
⑤ 임을 향한 지고지순한 사랑

목표 활동

1. 다음 활동을 통해 이 시의 운율을 알아봅시다.

1 이 시를 소리 내어 읽을 때, 끊어 읽게 되는 곳에 다음과 같이 V 표시를 해 보고, 규칙을 찾아봅시다.

나 보기가∨역겨워∨
가실 때에는∨
말없이∨고이 보내∨드리우리다∨

영변에∨약산∨/ 진달래꽃∨
아름 따다∨가실 길에∨뿌리우리다∨

가시는∨걸음걸음∨/ 놓인 그 꽃을∨
사뿐히∨즈려밟고∨가시옵소서∨

나 보기가∨역겨워∨/ 가실 때에는∨
죽어도∨아니 눈물∨흘리우리다∨

→ 1, 2행까지 세 번, 3행도 세 번 끊어 읽게 된다(3음보).

2 이 시에서 운율을 형성하기 위해 반복된 요소를 찾아봅시다.

3음보의 반복, 동일한 종결 어미('-우리다')의 반복, 동일한 시구('나 보기가 역겨워 / 가실 때에는')의 반복

3 이 시에서 형태상 가장 유사한 두 연과, 가장 이질적인 연을 찾아보고, 그 효과를 생각해 봅시다.

• 형태가 유사한 연: (1)연과 (4)연
• 효과 끝 연인 4연을 첫 연과 비슷한 형태로 마무리하여 주제를 강조하고 안정감을 주고 있다.

• 형태가 이질적인 연: (2)연
• 효과 1, 3, 4연은 각각 1행을 일곱 자, 2행을 다섯 자, 3행을 일곱 자, 다섯 자로 끊어 읽게 되어 전체적으로 7·5조의 음수율을 형성하지만, 2연은 1행을 다섯 자, 2행을 네 자, 3행을 여덟 자, 다섯 자로 끊어 읽게 되어 변형을 보인다. 2연에서 이러한 운율의 변조는 시의 리듬에 변화를 주면서 읽는 이의 주의를 환기하며 시의 정서를 심화시킨다.

목표 다지기 문제

1 이 시의 운율 형성 요소로 적절한 것을 골라 바르게 묶은 것은?

ㄱ. 3음보의 음보율
ㄴ. 수미상관의 구조
ㄷ. 3(4)·3조의 음수율
ㄹ. 동일한 종결 어미의 반복
ㅁ. 동일한 시구의 반복
ㅂ. 동일한 음성 상징어의 반복

① ㄱ, ㄴ, ㄷ, ㅁ　② ㄱ, ㄷ, ㄹ, ㅂ
③ ㄱ, ㄴ, ㄹ, ㅁ　④ ㄴ, ㄹ, ㅁ, ㅂ
⑤ ㄷ, ㄹ, ㅁ, ㅂ

2. 다음 창작 과정을 바탕으로, 자신의 경험을 운율을 살려 표현해 봅시다.

1 이 시에서 운율이 느껴지는 까닭을 말해 봅시다.

예시 답 '싹싹'을 시적 허용에 의해 '싸악싹'으로 표현하여 리듬감을 살렸고, 이러한 의성어를 반복적으로 사용하여 운율을 형성하였다. 또한 '~을 ~는'의 구조가 반복되며 세 글자씩 끊어 읽게 됨으로써 운율이 느껴진다.

2 이 시와 같이 자신의 경험 속의 한 장면을 운율을 살려 표현해 봅시다.

예시 답 살랑살랑 부는 바람 / 살랑살랑 웃는 내 맘

목표 다지기 문제

2 위의 학생 시를 읽은 친구들의 반응으로 적절하지 않은 것은?

① 유찬: 글자 수를 일정하게 맞추어 리듬감을 잘 살렸네.
② 관우: 글자 수를 맞추려고 시적 허용을 사용한 것 같아.
③ 채원: 의태어를 반복해 읽으니 운율이 더 잘 느껴져.
④ 헌준: 같은 문장 구조의 반복도 음악적 효과를 내는군.
⑤ 수현: 결국 운율은 반복에 의해 형성된다고 볼 수 있군.

시의 언어 표현에서 만나는 리듬감, 운율

시를 소리 내어 읽으면 음악을 들을 때처럼 리듬감을 느끼게 되는데, 이때의 리듬감을 '운율'이라고 합니다. 운율은 시어나 문장 구조를 반복하거나 시를 규칙적으로 끊어 읽게 하거나 의성어(소리를 흉내 낸 말), 의태어(모양을 흉내 낸 말)를 쓰는 등의 여러 방법으로 만들어집니다. 이러한 운율은 일상적으로 쓰이는 말에 새로운 감각을 일깨워 주어 시를 감상할 때 즐거움을 느끼게 하며, 시의 분위기를 형성해 줍니다.

3. 「진달래꽃」에서 말하는 이의 마음을 어떻게 드러내고 있는지 파악해 봅시다.

1 4연의 표현 속에 감춰진 뜻을 써 보고, 표현의 효과를 알아봅시다.

겉으로 드러난 표현		속에 감춰진 뜻
죽어도 아니 눈물 흘리우리다	↔	눈물을 많이 흘리겠습니다.

표현의 효과

실제로 말하고자 하는 바와 반대되는 말을 함으로써, 말하고자 하는 바가 더욱 절실하고 강하게 전달된다.

2 **1**에서와 같은 표현이 사용된 예를 일상에서 찾아 발표해 봅시다.

예시 답 그릇을 깨뜨리는 것처럼 무언가 잘못을 저지른 사람에게 상대방이 "잘했다."라고 말하는 것

목표 다지기 문제

3 이 시의 '죽어도 아니 눈물 흘리우리다'에 대한 설명으로 적절하지 않은 것은?

① 겉으로 보기에는 모순된 진술이다.
② 표면적 의미와 내면적 의미가 다르다.
③ 강한 부정으로 긍정의 의미가 드러난다.
④ 임을 결코 보내고 싶지 않음을 드러낸다.
⑤ 이별의 슬픔을 반어적으로 표현한 것이다.

개성 있게 강조하고 싶을 땐, 반어

표현의 효과를 높이기 위해 말하는 이가 실제와 반대되는 뜻의 말을 하는 표현 방식을 '반어'라고 합니다. 분명하게 잘못한 사람을 보고 "잘했다."라고 하는 것이나, 문학 작품에서 그리워하는 임에게 "잊었노라."라며 자기 생각과 반대되는 뜻의 말을 하는 것을 예로 들 수 있는데 이를 통해 실제로 말하고자 하는 바를 더욱 강조하여 드러내는 효과를 보게 됩니다.

창의·융합 활동

다음 노래를 듣고, 이어지는 활동을 해 봅시다.

혼자 하기

1. 이 노래의 제목에 쓰인 반어의 표현과 가사에 쓰인 운율을 이해해 봅시다.

> 가사의 내용을 볼 때 '좋은 날'이라는 제목은 <u>반어</u>의 표현인 것 같아.
> <u>'-ㄴ지', '-ㄴ 척', '-어' 등</u>의 반복으로 운율이 형성되고 있어.

혼자 하기

2. 이 노래에 사용된 운율 형성 방법과 반어의 표현을 참고하여 가사를 바꾸어 봅시다.

1 노래를 통해 전하고 싶은 주제를 생각해 봅시다.

예시 답 성적이 좋지 않은 성적표를 받았을 때의 기분

2 주제를 표현하기에 적절한 공간과 상황을 설정해 봅시다.

예시 답 학교가 끝난 후 집에 들어가 엄마께 성적표를 드리기 직전의 상황

3 이 노래에 사용된 운율을 참고하여, 가사를 바꿀 때 운율을 어떻게 형성할지 생각해 봅시다.

예시 답 '-ㄴ지', '-ㄴ 척' 등을 반복한다.

4 노래에 맞추어 제목과 가사를 바꾸어 봅시다.

예시 답 제목 보통날

어쩜 이렇게 집 안은 조용한 건지 / 오늘따라 왜 동생도 얌전한 건지
그냥 모르는 척 하나 못 본 척 / 내 것 아닌 척 딴 얘길 시작할까
아무도 못 보게 찢어 버릴까 / 눈물이 차올라서 고갤 들어
흐르지 못하게 또 살짝 웃어 / 하필 왜 성적표를 오늘 받아야 하는지
오늘 받을 모든 용돈 저 하늘 위로 / 한 번도 못 했던 말
울면서 할 줄은 나 몰랐던 말 / 나는요 시험이 힘든 걸 어떡해

수행 평가 대비 활동

| 수행 평가 TIP | 이 수행 평가 활동을 하기 위해서는 노래에서 운율 형성 요소와 반어의 표현을 찾고, 이를 참고하여 자신의 경험이나 생각을 바탕으로 제목과 가사를 바꾸어 표현해야 합니다.

1 평가 내용 확인하기

- 「좋은날」에 사용된 운율 형성 방법과 반어의 표현 이해하기
- 운율과 반어의 표현을 살려 제목과 가사 바꾸어 표현하기

2 평가 기준 확인하기

- 노래에서 운율과 반어의 표현을 찾았는가?

노랫말에서 규칙적으로 반복되는 말을 찾고, 실제 내용과 반대되는 말로 감정과 상황을 표현하고 있는 것을 찾아보아야 해요.

- 운율이나 반어를 살려 노래의 가사를 바꾸어 썼는가?

자신의 경험이나 생각을 떠올려 주제와 구체적인 상황을 설정한 후 운율과 반어의 표현을 활용해 노랫말을 바꾸어야 해요.

- 노래의 가사로 자신의 마음을 잘 표현하였는가?

전하고자 하는 뜻을 제목과 반대되는 말과 상황으로 자유롭게 표현하되, 가사를 바꾸어도 노래가 자연스럽게 불릴 수 있어야 해요.

수행 평가 +

- 운율과 반어의 표현 방법을 사용하여 짧은 노랫말이나 랩의 가사를 지어 봅시다.

도와줄게 자신이 잘 알고 있거나 좋아하는 노래의 노랫말을 활용하여 지어 보는 것도 좋습니다.

소단원 제재 정리

갈래: 자유시, 서정시
성격: 전통적, 민요적, 여성적
제재: 임과의 이별
주제: 이별의 정한과 승화
특징: ① 7 · 5조, 3음보의 전통적 율격을 사용함.
② 이별의 상황을 가정하여 시상을 전개함.
③ 이별의 슬픔을 반어적으로 표현하여 슬픔을 극복하고자 함.
④ 수미상관의 구조를 통해 주제를 강조하고 형태적 안정감을 얻음.

제재 한눈에 보기

기(起)	1연	이별의 상황과 체념
승(承)	2연	떠나는 임에 대한 사랑과 축복
전(轉)	3연	원망을 뛰어넘은 희생적 사랑
결(結)	4연	슬픔의 극복과 승화

↓

이별의 정한과 승화

핵심 원리

운율
- **운율의 뜻**: 시를 읽을 때 느껴지는 말의 가락
- **운율의 형성 요소**: 같은 시어나 시구의 반복, 같거나 비슷한 문장 (❶)의 반복, 일정한 음보의 반복, 일정한 글자 수의 반복, 음성 상징어(의성어, 의태어)의 반복 등

반어
- **반어의 뜻**: 실제로 표현하고자 하는 의미와 반대로 표현하는 방법
- **반어의 효과**: 말하려는 내용을 반대로 표현함으로써 말하는 이의 의도를 강조함.

핵심 내용

(1) 이 시의 운율

7 · 5조 3음보의 율격	자유시이면서도 7 · 5조, 3음보의 전통적인 율격을 사용함.
시행 배열의 규칙성	각 연의 1행에 2음보, 2행에 1음보를 배치하고 3행에서는 3음보를 배치하여 행 사이에 완급을 조절함.
'-우리다'의 반복	1, 2, 4연의 끝에 종결 어미 '-우리다'를 반복 사용하여 (❷)의 효과를 줌.
(❸)의 구조	첫 연과 마지막 연에 동일한 시구를 반복 사용하여 리듬감을 형성함.

(2) '진달래꽃'의 상징적 의미

진달래꽃

- 시적 화자의 분신
- 임에 대한 헌신적인 (❹)
- 떠나는 임에 대한 원망과 슬픔
- 시적 화자의 정성과 순종

↓

임이 떠나지 않기를 바라는 시적 화자의 마음을 붉은 꽃잎의 선명한 이미지로 형상화함.

(3) 이 시에 쓰인 반어적 표현

죽어도 아니 눈물 흘리우리다

표면적		내면적
'죽어도 눈물을 흘리지 않겠다.'라는 뜻의 극단적인 표현을 사용하면서 임을 순순히 보내 드리겠다고 말함.	↔	임이 떠난다면 너무나 슬퍼 한없이 울 것이며, 임을 결코 보내고 싶지 않다는 화자의 진심이 담김.

↓

진심을 숨기고 겉으로 (❺)의 말을 함으로써 감정의 절제를 통해 화자의 비애감을 강조하는 효과를 얻음.

정답 ❶ 구조 ❷ 각운 ❸ 수미상관 ❹ 사랑 ❺ 반대

소단원 핵심 문제

• 정답과 해설 p.3

[01~05] 다음 시를 읽고 물음에 답하시오.

나 보기가 역겨워
㉠가실 때에는
㉡말 없이 고이 보내 드리우리다

영변에 약산
진달래꽃
㉢아름 따다 가실 길에 뿌리우리다

가시는 걸음걸음
놓인 그 꽃을
㉣사뿐히 즈려밟고 가시옵소서

나 보기가 역겨워
가실 때에는
㉤죽어도 아니 눈물 흘리우리다

출제 예감 95%

01 이 시에 대한 설명으로 적절하지 않은 것은?

① 애절한 여성적 어조로 노래하고 있다.
② 향토색이 드러나는 소재를 사용하고 있다.
③ 이별의 슬픔을 종교적으로 승화시키고 있다.
④ 특정 어미를 반복하여 리듬감을 형성하고 있다.
⑤ 시적 화자의 정서를 자연물에 실어 표현하고 있다.

출제 예감 80%

02 이 시의 시상 전개 방식으로 적절한 것은?

① 선경후정의 방식
② 수미상관의 방식
③ 시간의 흐름에 따른 방식
④ 시선의 이동에 따른 방식
⑤ 어조의 변화에 따른 방식

출제 예감 90% 학습 활동 응용

03 시적 화자의 의도를 드러내는 방식이 이 시의 4연과 같은 것은?

① 우리들의 사랑을 위하여서는 / 이별이, 이별이 있어야 하네.
– 서정주, 「견우의 노래」
② 산에는 꽃 피네 / 꽃이 피네. / 갈 봄 여름 없이 / 꽃이 피네.
– 김소월, 「산유화」
③ 하늘은 날더러 구름이 되라 하고 / 땅은 날더러 바람이 되라 하네.
– 신경림, 「목계장터」
④ 뼈에 저리도록 생활은 슬퍼도 좋다. / 저문 들길에 서서 푸른 별을 바라보자
– 신석정, 「들길에 서서」
⑤ 타고 남은 재가 다시 기름이 됩니다. 그칠 줄을 모르고 타는 나의 가슴은 누구의 밤을 지키는 약한 등불입니까.
– 한용운, 「알 수 없어요」

출제 예감 85%

04 ㉠~㉤에 대한 이해로 적절하지 않은 것은?

① ㉠: 이별의 상황을 가정하고 있음을 알 수 있다.
② ㉡: 임의 뜻을 순순히 따르겠다는 체념의 자세가 드러나 있다.
③ ㉢: 임에 대한 사랑을 물량화하여 표현하고 있다.
④ ㉣: 자신을 버리고 떠나는 임에 대한 원망이 나타나 있다.
⑤ ㉤: 이별의 슬픔을 극복하겠다는 강한 의지를 엿볼 수 있다.

사고력 확장 문제 출제 예감 85% 학습 활동 응용 서술형

05 이 시의 진달래꽃과 〈보기〉의 꽃이 함축하고 있는 공통된 의미를 서술하시오.

보기

자줏빛 바위 가에
잡고 있는 암소 놓게 하시고,
나를 아니 부끄러워하시면
꽃을 꺾어 바치오리다.
– 어느 소 끄는 노인, 「헌화가」

소단원 핵심 문제

[06~17] 다음 시를 읽고 물음에 답하시오.

나 보기가 역겨워
가실 때에는
말 없이 고이 보내 드리우리다

영변에 약산
진달래꽃
㉠아름 따다 가실 길에 뿌리우리다

가시는 걸음걸음
놓인 그 꽃을
사뿐히 즈려밟고 가시옵소서

나 보기가 역겨워
가실 때에는
㉡죽어도 아니 눈물 흘리우리다

출제 예감 70%

06 이와 같은 글의 특징으로 적절하지 <u>않은</u> 것은?

① 말에서 가락이 느껴진다.
② 다양한 이미지를 떠올리게 한다.
③ 작가의 생각이 직접적으로 드러난다.
④ 상징적 의미를 지닌 언어를 사용한다.
⑤ 어법에 맞지 않는 표현을 쓰기도 한다.

출제 예감 90% 학습 활동 응용

07 이 시의 음악성을 뒷받침하는 요소로 보기 <u>어려운</u> 것은?

① 3음보의 율격
② 7·5조의 음수율
③ '-우리다'의 반복
④ 구체적 지명의 사용
⑤ 규칙적인 시행 배열

출제 예감 90% 학습 활동 응용

08 이 시의 시적 화자의 태도로 적절한 것은?

① 임이 자신을 빨리 잊고 떠나기를 바라고 있다.
② 이별의 슬픔을 참고 견디며 극복하려 하고 있다.
③ 이별의 원인을 자신에게서 찾으며 자책하고 있다.
④ 떠나는 임을 붙잡으며 적극적으로 만류하고 있다.
⑤ 떠나보낸 임에 대한 미련과 아쉬움을 드러내고 있다.

출제 예감 95%

09 이 시를 쓰기 위해 작가가 세웠을 계획으로 적절한 것은?

① 사물에 인격을 부여하여 친근한 느낌을 줘야겠군.
② 비유적 표현을 사용하여 한 폭의 그림처럼 표현해야겠군.
③ 색채를 뚜렷하게 대비하여 시각적 인상을 강화해야겠군.
④ 실제와 반대되는 말을 하여 화자의 정서를 강조해야겠군.
⑤ 영탄적 표현을 사용하여 화자의 고조된 감정을 나타내야겠군.

출제 예감 90%

10 이 시에서 〈보기〉의 설명에 해당하는 구절을 찾아 쓰시오.

보기

감각적 이미지를 통해 임에 대한 시적 화자의 자기희생적 사랑을 강하게 드러내고 있다.

출제 예감 85%

11 ㉠과 가장 잘 어울리는 한자 성어는?

① 고진감래(苦盡甘來) ② 낙화유수(落花流水)
③ 동병상련(同病相憐) ④ 만단정회(萬端情懷)
⑤ 산화공덕(散花功德)

출제 예감 90% 학습 활동 응용

12 ㉡에 사용된 표현의 효과에 대한 설명으로 적절한 것을 〈보기〉에서 모두 고른 것은?

보기
ㄱ. 관념적인 내용을 이해하기 쉽게 전달한다.
ㄴ. 시구에 담겨 있는 내면적 의미를 강조한다.
ㄷ. 화자의 정서와 심리를 우회적으로 드러낸다.
ㄹ. 화자의 복잡한 심정을 중의적으로 보여 준다.

① ㄱ, ㄴ ② ㄱ, ㄷ ③ ㄴ, ㄷ
④ ㄱ, ㄴ, ㄷ ⑤ ㄴ, ㄷ, ㄹ

출제 예감 70%

13 이 시에서 행위의 주체가 다른 연과 구별되는 연을 찾아 쓰시오.

출제 예감 85%

14 이 시를 감상한 학생들의 반응으로 적절하지 <u>않은</u> 것은?

① 아령: 임이 떠나는 상황을 가정하는 것으로 보아 화자는 이별에 대한 두려움을 갖고 있어. 누구나 소중한 것을 잃을까 두려워하니까.
② 민성: 화자는 낭만적인 사람 같아. 자신의 마음을 직접적으로 표현하지 않고 꽃을 뿌리는 것은 어쩌면 말보다 더 강렬한 사랑의 표현일 수 있으니까.
③ 재승: 화자의 헌신적 사랑은 이기적인 요즘 사람들에게 시사하는 바가 커. 떠나는 임에게 자신의 정성과 사랑을 아낌없이 보여 주는 건 쉬운 일이 아니니까.
④ 민정: 화자는 이별의 아픔을 감상에 치우치지 않고 절제된 감정으로 승화시키고 있어. 그래서 그 아픔이 더 진하게 느껴졌어.
⑤ 은빈: 화자가 눈물을 참겠다는 건 떠나는 임에게 미련을 가진다는 게 부질없다는 걸 깨달았기 때문이야. 시간이 약이라고 하니 화자의 상처도 언젠가는 아물 거야.

출제 예감 95%

15 이 시에서 화자가 궁극적으로 말하고자 하는 바로 가장 적절한 것은?

① 나는 임이 다시 돌아올 것을 믿는다.
② 나는 결코 임과 헤어지고 싶지 않다.
③ 이별 후에도 나는 임을 영원히 사랑할 것이다.
④ 나를 떠나는 임에게 더 이상 미련을 두지 않겠다.
⑤ 임이 나를 싫어하게 되면 내가 먼저 임을 떠나겠다.

사고력 확장 문제

[16~17] 이 시와 〈보기〉를 읽고 물음에 답하시오.

보기
아리랑 아리랑 아라리요
아리랑 고개로 넘어간다.
나를 버리고 가시는 임은
십 리도 못 가서 발병 난다.

– 작자 미상, 「아리랑」

출제 예감 75%

16 이 시와 〈보기〉를 비교하여 감상한 것으로 적절한 것은?

① 〈보기〉와 달리 이 시에는 화자의 자기희생적 태도가 드러나 있다.
② 이 시와 달리 〈보기〉에는 대상에 대한 연모와 축복이 드러나 있다.
③ 이 시와 달리 〈보기〉에는 정중한 부탁이나 기원의 어조가 드러나 있다.
④ 이 시와 〈보기〉 모두 모순 형용을 통해 회한의 정서를 드러내고 있다.
⑤ 이 시와 〈보기〉 모두 상징적인 시어를 통해 화자의 감정을 에둘러 표현하고 있다.

출제 예감 70% 서술형 논술 대비

17 운율과 주제의 측면에서 이 시와 〈보기〉의 공통점을 서술하시오.

열보다 큰 아홉

• 생각 열기 다음 속담은 어떤 상황에서 사용되는지 생각해 봅시다.

열 길은 알아도 한 길은 모른다는 말이 논리적으로 성립하는 표현인지 말해 봅시다.

예시 답 '열 길'에 비해 훨씬 짧은 길이인 '한 길'을 더 알기 어렵다고 하는 것이므로 논리적으로는 성립하지 않는 표현이다.

속담이 없다면 그 상황을 말로 나타내는 데 어떠한 어려움이 있을까요?

예시 답 속담을 사용하면 주어진 상황을 함축적으로 간결하게 표현할 수 있다. 이러한 속담이 없다면 상황에 관한 설명이 길어지고, 상대방에게 상황을 효과적으로 이해시키기가 어려울 것이다.

• 학습 목표로 내용 엿보기

"속담을 사용하면 어떤 생각이나 느낌이 더욱 간결하고 분명하게 전달될 때가 있어. 이 밖에 나만의 생각이나 느낌, 경험을 효과적으로 표현할 수 있는 참신한 방법들에는 무엇이 있을까? 관용 표현과 역설법 등을 사용해 내 생각이나 느낌을 표현해 봐야겠어."

핵심 1 「열보다 큰 아홉」을 읽고, 역설과 관용 표현의 원리와 효과 이해하기

핵심 2 역설과 관용 표현을 활용하여 생각과 느낌, 경험을 개성적으로 표현하기

핵심 원리 이해하기 역설과 관용 표현

1. 역설

겉으로는 모순되어 앞뒤가 맞지 않으나, 그 속에 중요한 진리가 함축된 표현 방법으로, 단조로운 문장의 형태에 변화를 주어 글쓴이의 의도를 강조하는 효과가 있음.

2. 관용 표현

많은 사람이 습관적으로 사용하여 굳어진 표현으로, 말하고자 하는 바를 보다 명확하고 간결하게 표현하고 전달하는 효과가 있음.

개념 확인 콕콕

• 정답과 해설 p.4

01 다음 빈칸에 들어갈 알맞은 말을 쓰시오.

> 관용어, 속담, 격언 등과 같이 원래의 뜻과는 다른 새로운 뜻으로 굳어서 쓰이는 표현을 (　　　　) 표현이라고 한다.

02 관용 표현의 효과로 적절하지 않은 것은?

① 짧은 말로 생각을 효과적으로 표현할 수 있다.
② 상황을 비유적으로 재치 있게 표현할 수 있다.
③ 설명하기 복잡한 상황을 간결하게 표현할 수 있다.
④ 말하고자 하는 바를 직접적으로 정확하게 표현할 수 있다.
⑤ 전하고자 하는 내용을 강조하고 인상 깊게 표현할 수 있다.

03 역설에 대한 설명으로 적절한 것은?

① 하나의 말로 두 가지 이상의 의미를 나타내는 표현 방법이다.
② 쉽게 판단할 수 있는 사실을 의문의 형식으로 나타내는 표현 방법이다.
③ 부정적인 대상이나 현실을 꼬집어 웃음을 유발하며 비판하는 표현 방법이다.
④ 겉으로 표현된 내용과 속에 숨어 있는 내용이 서로 반대되는 표현 방법이다.
⑤ 표면적으로는 이치에 맞지 않는 듯하지만, 그 속에 진리가 담긴 표현 방법이다.

04 다음 중 역설적 표현으로 볼 수 없는 것은?

① 눈물의 홍수
② 가난한 부자
③ 먹어서 죽는다
④ 찬란한 슬픔의 봄
⑤ 가깝지만 먼 사이

본문 안내

이 소단원은 역설, 관용 표현, 참신한 표현 등의 원리와 효과를 이해하고, 이를 바탕으로 자신의 생각이나 느낌, 경험을 개성적으로 표현하기 위한 단원이다. 수필 「열보다 큰 아홉」은 글쓴이가 다양한 표현 방법을 활용하여 숫자 '열'과 '아홉'을 비교, 대조하며 자신의 생각을 효과적으로 전달하고 있는 작품이다. 이 작품을 통해 다양한 표현의 원리와 효과를 익히고, 이를 활용하여 자신의 생각이나 느낌, 경험을 효과적으로 표현해 보도록 한다.

처음		중간		끝
'아홉'과 '열'이라는 수의 뜻에 대해 생각해 보기로 함.	→	우리나라에서는 완전한 수인 '열'보다 미래의 꿈과 가능성을 가진 '아홉'을 더 사랑했음.	→	청소년은 숫자 '아홉'이 지닌 특성을 닮음.

본문 개관

★ **글쓴이 소개** 이문구

소설가. 산업화에 따른 농촌의 해체와 잃어버린 고향을 향한 그리움의 문제에 주목하여 생생하고 구체적인 생활상을 사투리와 토속어가 반영된 독특한 문체로 형상화하였다. 소설집으로 『관촌수필』, 『유자소전』, 『내 몸은 너무 오래 서 있거나 걸어왔다』 등이 있다.

★ **갈래** 수필

이 글은 글쓴이가 자신의 생각을 일정한 형식에 얽매이지 않고 자유롭게 쓴 수필이다. 글쓴이는 '아홉'이라는 수에서 가치 있는 의미를 이끌어 내어 깨달음을 전달하고 있다.

★ **성격** 대조적, 교훈적

이 글은 숫자 '열'과 '아홉'이 지니고 있는 뜻을 대조적으로 밝히고 있으며, 숫자 '아홉'이 지닌 특성을 바탕으로 스스로가 부족하다고 생각하여 고민하고 있는 청소년들에게 교훈적인 메시지를 전달하고 있다.

★ **제재** '아홉'과 '열'이라는 수

이 글은 '아홉'과 '열'이라는 수가 지니고 있는 뜻에 대해 이야기하면서 완전한 수인 '열'보다 완전을 향해 가는 가능성의 수인 '아홉'이 더 크다는 생각을 드러내고 있다.

★ **주제** 청소년 시기는 '아홉'이라는 수처럼 아직 완전하지는 않지만 미래를 향한 가능성이 있다.

이 글에서 글쓴이는 꽉 차지 않은 가능성의 수인 '아홉'의 특성을 청소년에 대응시켜, 청소년은 '아홉'이라는 수처럼 아직 완전한 존재가 아니므로 미래를 향한 가능성이 있으며, 그로 인해 더 소중하고 가치 있는 존재가 될 수 있음을 말하고 있다.

열보다 큰 아홉

이문구

이것이 핵심! ✓ 이 글의 중심 소재

처음 **가** 오늘은 아홉과 열이라는 수가 지니고 있는 뜻에 대해서 생각해 보기로 합시다.

처음 ┊ '아홉'과 '열'이라는 수의 뜻에 대해 생각해 보기로 함.

핵심 확인 이 글의 중심 소재

'아홉'과 '열' 이라는 수	➡	'아홉'과 '열'이라는 수가 지니고 있는 뜻에 대해 이야기할 것임을 예고함.

이것이 핵심! ✓ 우리 조상들이 '열'보다 '아홉'을 더 사랑한 까닭 ✓ 이 글에 쓰인 관용 표현과 그 효과

중간 **나** 잘 아시다시피 열은 십 · 백 · 천 · 만 · 억 등의 십진급수에서 제일 먼저 꽉 찬 수입니다. 그러므로 이 열에 얼마를 더 보태거나 빼거나 한다면 그것은 이미 열이 아닌 다른 수가 됩니다.

무엇을 하기에 그 이상 좋을 수가 없이 알맞은 경우에 '십상 좋다'고 말하는 십상도, 열 십(十) 자와 이룰 성(成) 자에서 나온 말입니다. 그만큼 열이란 수는 이미 이룰 것을 이룩한 완전한 수이며, 성공을 한 수인 것입니다.

(십상: 꼭 맞게)

다 그러면 아홉이란 수는 어떤 수입니까? 두말할 필요도 없이 열보다 하나가 모자라는 수입니다. 다시 말하면, 완전에 거의 다다른 수, 거기에 하나만 보태면 완전에 이르게 되는 수, 그래서 매우 아쉬움을 느끼게 하는 수인 것입니다.

라 그러면 아홉은 정녕 열보다 적거나 작은 수일까요? 그렇지 않습니다. 예를 들어 보겠습니다.

끝없이 높고 너른 하늘을 십만 리 장천이라고 하지 않고 구만리장천이라고 합니다. 젊은이더러 앞길이 구만리 같은 사람이라고 하는 말과 같은 뜻이지요.

(장천: 끝없이 잇닿아 멀고도 넓은 하늘)

굽이굽이 한없이 서린 마음을 구곡간장이라고 하고, 굽이굽이 에워

확인 문제 • 정답과 해설 p.4

01 이와 같은 글에 대한 설명으로 적절하지 않은 것은?

① 특별히 정해진 형식이 없다.
② 글쓴이의 개성이 직접적으로 드러난다.
③ 사실에 근거하여 객관적으로 씌어진다.
④ 전문 작가가 아니어도 누구나 쓸 수 있다.
⑤ 읽는 이에게 교훈이나 감동을 줄 수 있다.

핵심

02 '열'과 '아홉'이라는 수에 대한 글쓴이의 생각으로 적절한 것은?

① '열'은 완전에 다다른 성공한 수이다.
② '열'은 얼마를 더 보태거나 뺄 수 없는 수이다.
③ '아홉'은 '열'보다 조금도 모자라지 않는 수이다.
④ '아홉'은 무엇을 하기에 그 이상 좋을 수 없는 수이다.
⑤ '아홉'은 완전에 이를 수 없어서 아쉬움을 느끼게 하는 수이다.

03 (다)와 (라)에서 공통으로 사용한 표현 방식에 대한 설명으로 적절한 것은?

① 어순을 의도적으로 바꾸어 표현하였다.
② 실제보다 훨씬 크거나 작게 표현하였다.
③ 사람이 아닌 것을 사람처럼 표현하였다.
④ 스스로 묻고 답하는 형식으로 표현하였다.
⑤ 당연한 사실을 의문문의 형식으로 표현하였다.

서술형

04 이 글에서 글쓴이가 다음과 같은 예를 통해 주장하려는 바는 무엇인지 서술하시오.

> 끝없이 높고 너른 하늘을 십만 리 장천이라고 하지 않고 구만리장천이라고 합니다.

도는 산굽이가 얼마인지 모르는 길을 구절양장이라고 하고, 통과해야 할 문이 몇이나 되는지 모르는 왕실을 구중궁궐이라고 하고, 죽을 고비를 수도 없이 넘기고 살아난 것을 구사일생이라고 표현하고 있습니다.

또 있습니다. 끝 간 데가 어디인지 모르는 땅속이나 저승을 구천이라고 하고 임금보다 한 계급 모자라는 대신인 삼공육경을 구경이라고 합니다. 문화재로 남아 있는 탑들을 보면, 구 층 탑은 부지기수로 많아도, 십 층 탑은 아직 보지 못하였습니다.

삼공육경: 조선 시대에, 삼정승과 육조 판서를 통틀어 이르던 말
부지기수: 헤아릴 수가 없을 만큼 많음. 또는 그렇게 많은 수효

(마) 동양에서는, 그중에서도 특히 우리나라에서는, 오랜 옛날부터 열보다 아홉을 더 사랑했습니다. 얼마나 사랑했으면 아홉 구 자가 두 번 든 음력 구월 구일을 중양절이니, 중굿날이니 하는 이름으로 부르면서, 천 년이 넘도록 큰 명절로 정하고 쇠어 왔겠습니까.

중양절: 세시 명절의 하나로 음력 9월 9일을 이르는 말

(바) 우리의 조상들이 열보다 아홉을 더 사랑한 것은 무슨 까닭이었을까요? 간단히 말해서 모든 일에 완벽함을 기대하지 않았다는 뜻이 아니었을까요? 다시 말하면, 이 세상에 완전한 것은 없다는 사실을, 우리의 선조들은 아주 오랜 옛날부터 익히 알고 있었다는 것입니다.

(사) 우리가 흔히 듣는 말에 ㉠"모든 기록은 깨어지기 위해서 있다."라는 말이 있습니다. 이 말이 맞지 않는 말이라면, 여러분이 아시다시피 세계 제일의 기록만을 수록하는 『기네스북』도 해마다 다시 찍어 내야 할 까닭이 없겠지요.

모든 기록이 반드시 깨어지기 마련인 것은, 그 기록을 이룩한 것이 인간이기 때문이라고 생각합니다. 인간은 저마다 무한한 가능성을 타고난 사실과 아울러서, 이 세상에 완전한 인간은 결코 어디에도 있을 수가 없다는 사실 또한 그 스스로가 증명해 주는 존재이기도 합니다.

이룩한: 어떤 큰 현상이나 사업 따위를 이룬

(아) 열이란 수가 넘치지도 않고 모자라지도 않고, 또 조금도 여유가 없는 꽉 찬 수, 그래서 다음도 없고 다음다음도 없이 아주 끝나 버린 수라는 점에서, 아홉은 열보다 많고, 열보다 크고, 열보다 높고, 열보다 깊고, 열보다 넓고, 열보다 멀고, 열보다 긴 수였으며, 그리하여 다음, 또 그 다음, 그도 아니면 그 다음다음을 바라볼 수 있는, 미래의 꿈과 그 가능성의 수였기에, 슬기롭고 끈기 있는 우리의 선조들에게 일찍부터 열보다 열 배도 넘는 사랑을 담뿍 받아 왔던 것입니다.

담뿍: 넘칠 정도로 가득하거나 소복한 모양

날개 확인 문제

05 '아홉'이 들어간 표현의 예로 적절하지 않은 것은?

① 굽이굽이 한없이 서린 마음을 구곡간장이라고 한다.
② 끝 간 데가 어디인지 모르는 땅속이나 저승을 구천이라고 한다.
③ 임금보다 한 계급 모자라는 대신인 삼공육경을 구경이라고 한다.
④ 죽을 고비를 수도 없이 넘기고 살아난 것을 구사일생이라고 표현한다.
⑤ 무엇을 하기에 그 이상 좋을 수가 없이 알맞은 경우에 십상 좋다라고 말한다.

06 (마)~(아)에 사용된 표현 방법이 아닌 것은?

① 설의법 ② 직유법 ③ 열거법
④ 반복법 ⑤ 도치법

핵심

07 ㉠과 같은 표현을 사용했을 때의 효과로 적절한 것은?

① 말을 건네는 듯한 표현으로 친근감을 줄 수 있다.
② 말하고자 하는 바를 반복하여 내용을 강조할 수 있다.
③ 문장에 변화를 주어 단조로움을 피하고 신선함을 줄 수 있다.
④ 함축적인 표현으로 내용을 간략하고 인상 깊게 전달할 수 있다.
⑤ 감탄사나 감탄형 어미 등을 써서 감정을 강하게 표현할 수 있다.

핵심 서술형 날개 확인 문제

08 (바), (아)의 내용을 바탕으로, 우리 조상들이 '열'보다 '아홉'을 더 사랑한 이유 두 가지를 서술하시오.

중간 | 우리나라에서는 완전한 수인 '열'보다 미래의 꿈과 가능성을 가진 '아홉'을 더 사랑했음.

핵심 확인 우리 조상들이 '열'보다 '아홉'을 더 사랑한 까닭

'열'	'아홉'
• 완전한 수, 성공을 한 수 • 꽉 찬 수, 아주 끝나 버린 수	• 완전에 거의 다다른 수 • 미래의 꿈과 그 가능성의 수

↓

이 세상에 완전한 것은 없다는 사실을 아주 오랜 옛날부터 알고 있었던 우리 조상들은 미래의 꿈과 그 가능성을 지닌 수인 '아홉'을 '열'보다 더 사랑함.

이 글에 쓰인 관용 표현과 그 효과

속담	격언
'앞길이 구만리 같다.'	'모든 기록은 깨어지기 위해서 있다.'

↓

길게 설명해야 할 내용을 간략하고 인상 깊게 전달함.

이것이 핵심! ✔ 이 글의 주제 ✔ 이 글의 제목에 쓰인 표현 방법

끝 ㉺ 하물며 여러분은 지금 한창 자라고, 한창 배우고, 한창 놀아야 할 중학생입니다. 여러분은 지금 무엇 한 가지도 완벽할 수가 없으며, 항상 어딘가가 부족하고 어설픈 것이 오히려 정상적인 학생입니다. 행여 무엇이 남들보다 모자란 것이 아닌가 싶어서 스스로 괴로워하고 외로워하고 서글퍼해 온 학생이 있다면, ㉠어떨까요, 이제부터라도 열이란 수보다 아홉이란 수를 더 사랑해 보는 것은.

끝 | 청소년은 숫자 '아홉'이 지닌 특성을 닮음.

핵심 확인 이 글의 주제

중학생들에게 '열'보다 '아홉'을 더 사랑해 보기를 권함. → 청소년은 숫자 '아홉'처럼 아직 완벽하지는 않지만 무한한 가능성을 지닌 존재임.

이 글의 제목에 쓰인 표현 방법과 그 효과

이 글의 제목		표현 방법과 효과
'열보다 큰 아홉'	→	역설적 표현을 통해 '아홉'은 미래의 꿈과 그 가능성을 담고 있는 수이기 때문에 '열'보다 더 클 수 있다는 글쓴이의 생각을 강조함.

09 이 글 전체의 특징으로 적절한 것은?

① 시간의 흐름에 따라 내용을 전개하고 있다.
② 다양한 예를 들어 독자의 이해를 돕고 있다.
③ 글쓴이가 직접 경험한 일을 바탕으로 서술하고 있다.
④ 전문가의 말을 인용하여 글의 신뢰도를 높이고 있다.
⑤ 예스러운 어투를 사용하여 글쓴이의 개성을 드러내고 있다.

핵심

10 이 글에서 글쓴이가 궁극적으로 말하고자 하는 것은?

① 청소년에게는 무엇 한 가지도 완벽함을 기대해서는 안 된다.
② 청소년은 스스로 괴롭고 외롭고 서글플 수밖에 없는 존재이다.
③ 청소년은 아직 완벽하지는 않지만 무한한 가능성을 지닌 존재이다.
④ 청소년은 부족하고 어설픈 것을 채우기 위해 부단히 노력해야 한다.
⑤ 청소년기는 한창 배우고 익혀서 남들보다 모자란 것을 채워야 하는 시기이다.

11 ㉠과 유사한 표현 방법이 쓰인 것은?

① 집채만 한 파도
② 슬프도다, 나라의 운명이
③ 산에는 꽃 피네, 꽃이 피네
④ 내 귀는 하나의 소라껍데기
⑤ 구름에 달 가듯이 가는 나그네

핵심 서술형

12 다음은 이 글의 제목에 대한 설명이다. 빈칸에 들어갈 적절한 말을 서술하시오.

'열보다 큰 아홉'은 표면상으로는 모순되지만 그 속에는 '______' 라는 나름의 진리가 담겨 있다.

학습 활동

• 정답과 해설 p.5

이해 활동

1. 이 글에 제시된 '열'과 '아홉'이 뜻하는 바를 정리해 봅시다.

'열'이 뜻하는 것	'아홉'이 뜻하는 것
• 이미 이룰 것을 이룩한 완전한 수, 성공을 한 수	• 완전에 거의 다다른 수, 하나만 보태면 완전에 이르게 되는 수, 아쉬움을 느끼게 하는 수
• 넘치지도 않고 모자라지도 않고, 조금도 여유가 없는 꽉 찬 수	• 열보다 많고, 크고, 길고, 높고, 깊고, 넓고, 멀고, 긴 수
• 다음도 없고 다음다음도 없이 아주 끝나 버린 수	• 다음, 그다음, 그 다음다음을 바라볼 수 있는, 미래의 꿈과 그 가능성의 수

이해 다지기 문제

1 다음 중, 가리키는 수가 나머지와 다른 것은?

① 완전한 수
② 성공을 한 수
③ 아주 끝나 버린 수
④ 아쉬움을 느끼게 하는 수
⑤ 조금도 여유가 없이 꽉 찬 수

2. 글쓴이의 생각을 다음과 같이 정리해 봅시다.

글쓴이의 생각

아홉은 미래의 꿈과 그 가능성의 수이기 때문에 열보다 더 사랑받는다.

이해 다지기 문제

2 다음 ㉠~㉢에 들어갈 알맞은 말을 쓰시오.

> 이 글에서 글쓴이는 숫자 [㉠]와/과 [㉡]의 뜻을 바탕으로, 청소년은 [㉠](이)라는 수처럼 아직 완벽하지는 않지만 미래를 향한 [㉢]을/를 지닌, 소중하고 가치 있는 존재임을 말하고 있다.

목표 활동

1. 이 글의 제목에 사용된 표현 방법과 그 효과를 알아봅시다.

1 이 글의 내용을 바탕으로, '열보다 큰 아홉'이라는 말을 통해 글쓴이가 전달하고자 하는 생각은 무엇인지 말해 봅시다.

예시 답 '아홉'은 미래의 꿈과 그 가능성을 담고 있는 수이기 때문에, '열'보다 크다고 할 수 있다.

2 이러한 표현 방법이 갖는 효과를 생각해 봅시다.

예시 답 글에 참신한 느낌을 주고, 글쓴이의 생각을 더욱 강조할 수 있다.

목표 다지기 문제

1 이 글의 제목에 쓰인 표현 방법에 대한 설명으로 적절한 것을 모두 고른 것은?

> ㄱ. 실제 뜻과 반대로 표현하는 방법이다.
> ㄴ. 언어 표현에는 논리적으로 문제가 없다.
> ㄷ. 글쓴이의 생각을 강조하는 효과가 있다.
> ㄹ. 모순된 표현 속에 어떤 진리를 담고 있다.
> ㅁ. 일반적인 생각이나 상식을 벗어난 표현이다.

① ㄱ, ㄴ, ㄷ　② ㄴ, ㄷ, ㄹ
③ ㄷ, ㄹ, ㅁ　④ ㄱ, ㄴ, ㄷ, ㅁ
⑤ ㄴ, ㄷ, ㄹ, ㅁ

숨어 있는 진실을 강조하는, 역설

역설은 겉으로는 모순되어 앞뒤가 맞지 않으나, 그 속에 진실이 함축된 표현 방식을 말합니다. 예를 들어 깃발을 '소리 없는 아우성'이라 표현한 것은 실제로 소리를 내는 것은 아니지만 아우성치듯 힘차게 나부끼는 깃발의 모습을 인상적으로 나타냅니다. 이러한 표현은 단조로운 문장의 형태에 변화를 주어 자기 생각을 강조하는 효과가 있습니다.

2. 이 글과 같이 제목에 역설 표현이 쓰인 책에 관한 서평을 읽고, 이어지는 활동을 해 봅시다.

『오래된 미래』의 제목은 얼핏 이해하기 힘들다. '오래된'과 '미래'의 뜻이 서로 모순되기 때문이다. 하지만 책을 다 읽은 후에는 이를 충분히 이해할 수 있을 것이다.

이 글에서 다루고 있는 인도 북동부의 '라다크' 지역은 자연과 조화를 이루며 아주 오랫동안 전통을 간직하고 자급자족의 삶을 지키는 곳이었다. 그러나 서구의 문물을 받아들이면서 라다크 사람들은 자신의 가난을 알게 되었고, 돈의 가치를 따지기 시작했으며, 무분별한 개발과 관광객들이 남긴 쓰레기로 자연환경 역시 심각하게 훼손되었다.

글쓴이는 이러한 라다크의 현실을 알리며 서구식 개발을 비판하고 있다. 그러나 무조건 기술 문명을 거부하고 전통 사회로 돌아가자고 하는 것은 아니다. 글쓴이가 우리에게 얘기하는 것은『오래된 미래』라는 역설적인 제목에서 보듯, 과거의 문화 속에서 우리가 나아가야 할 미래의 모습을 찾자는 것이다. 자연과의 공생, 자립, 검소함, 공동체, 그리고 내면적인 풍요로움 같은 것들, 라다크가 잃은 것들, 이미 지나간 '오래된' 것에 우리가 나아갈 '미래'가 있다.

1 '오래된 미래'라는 표현이 뜻하는 바는 무엇인지 이야기해 봅시다.

예시 답 과거를 통해 우리가 추구하는 미래를 엿볼 수 있다는 뜻이다.

2 '오래된 미래'라는 제목에 담긴 글쓴이의 의도를, 글쓴이의 태도와 관련지어 말해 봅시다.

예시 답 라다크의 사례를 바탕으로 서구식 개발 위주로 이루어진 현재를 비판하고, 과거 라다크의 자연과의 공생, 자립, 검소함, 공동체, 내면적인 풍요로움과 같은 가치를 배워 미래로 나아가야 함을 강조하기 위해서이다.

3 자신의 가치 있는 경험이나 생각을 역설의 표현을 활용해 나타내 봅시다.

예 만남은 곧 헤어짐이다. 학년이 올라간 것은 기쁘지만 1학년 때 친구들과 헤어지는 것은 슬픈 일이었다.

예시 답 지는 것이 이기는 것이다. 생각이 다른 친구와 의견 충돌이 있었는데, 내가 먼저 친구의 의견을 존중하고 받아들였더니 나중에 그 친구가 내게 진심으로 사과를 하였다.

목표 다지기 문제

2 『오래된 미래』를 읽고 난 후 학생들이 나눈 대화 내용으로 적절하지 않은 것은?

① 은세: 난 '오래된 미래'라는 역설적 제목이 참 독특하고 참신하게 느껴졌어.
② 세영: 맞아, 이 제목은 앞뒤 진술이 논리적으로 맞지 않는 모순된 표현으로 볼 수 있지.
③ 현근: 역설은 모순된 표현 속에 어떤 진리를 담고 있다고 배웠는데, 그럼 이 책의 글쓴이가 제목을 통해 말하고자 하는 바는 뭘까?
④ 예지: 이 책의 내용을 보면, 글쓴이는 서구식 개발로 인해 라다크의 공동체 문화와 자연환경이 훼손된 것을 안타까워하고 있어.
⑤ 초명: 그렇다면 결국 글쓴이는 제목의 역설적 표현을 통해 서구식 개발을 중단하고 과거의 전통 사회로 돌아가야 한다는 주장을 하고 있다고 볼 수 있네.

3 다음 중 '역설'의 표현 방법이 사용된 것은?

① 가난하다고 해서 외로움을 모르겠는가.
② 언제나 바다는 멀리서 진펄에 몸을 뒤척이겠지요.
③ 아아, 임은 갔지마는 나는 임을 보내지 아니하였습니다.
④ 모란이 지고 말면 그뿐, 내 한 해는 다 가고 말아, / 삼백예순 날 하냥 섭섭해 우옵내다.
⑤ 별 하나에 추억과 / 별 하나에 사랑과 / 별 하나에 쓸쓸함과 / 별 하나에 동경과 / 별 하나에 시와 / 별 하나에 어머니, 어머니

3. 다음 활동을 통해 관용 표현을 알아봅시다.

1 이 글에 나타난 다음 관용 표현이 어떤 상황에서 쓰이는지 정리해 봅시다.

예시 앞길이 구만리 같다.
→ 아직 나이가 젊어서 앞으로 어떤 큰일이라도 해낼 수 있는 세월이 충분히 있음을 표현할 때 쓴다.

- 모든 기록은 깨어지기 위해서 있다.
  → 아무리 대단한 기록이라도 깨어질 수 있으므로 더 큰 목표를 달성할 수 있음을 표현할 때 쓴다.

2 관용 표현을 쓰지 않았을 때와 비교하여 관용 표현의 효과를 적어 봅시다.

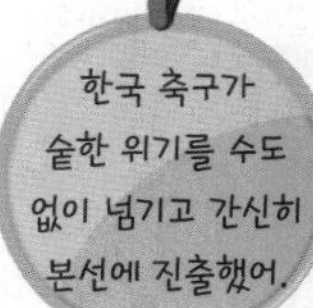

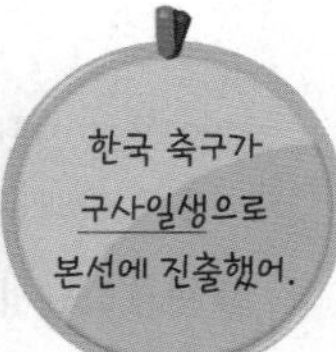

예시 답 말하고자 하는 바를 보다 명확하고 간결하게 표현하고 전달하는 효과가 있다.

목표 다지기 문제

4 다음은 관용 표현에 대한 설명이다. ㉠, ㉡에 들어갈 알맞은 말을 쓰시오.

> 관용 표현이란 어떠한 표현이 습관적으로 사용되면서 특별한 뜻을 나타내는 것을 말하는데, '앞길이 구만리 같다.'와 같은 [㉠](이)나 '모든 기록은 깨어지기 위해서 있다.'와 같은 [㉡] 등은 모두 이러한 관용 표현에 속한다.

5 관용 표현의 특성으로 적절하지 <u>않은</u> 것은?

① 우리의 국어 생활을 풍요롭게 해 준다.
② 비슷한 상황에서 두루 사용할 수 있다.
③ 시대의 변화에 따라 새롭게 만들어지기도 한다.
④ 주어진 상황을 직설적으로 간결하게 표현할 수 있다.
⑤ 말하려는 내용을 강조하고 인상 깊게 전달할 수 있다.

[참고 자료] 관용 표현의 유형

속담	사람들의 오랜 생활 체험에서 얻어진 생각이나 교훈을 간결하게 나타낸 어구나 문장 예 가는 말이 고와야 오는 말이 곱다.
격언	오랜 역사적 생활 체험을 통하여 이루어진 인생에 대한 교훈이나 경계 따위를 간결하게 표현한 짧은 말 예 황금 보기를 돌같이 하라.
관용어	특정한 관습적 뜻으로 사용되는 어구 예 아귀가 맞다.

명확하고 간결하게 뜻을 전달하는, 관용 표현

관용 표현은 많은 사람이 습관적으로 사용하여 굳어진 표현입니다. '발이 넓다'와 같은 관용어, '발 없는 말이 천 리 간다.'와 같은 속담, '시간은 금이다.'와 같은 격언 등이 이에 해당합니다.

4. 관용 표현을 활용하여 자신의 생각이나 경험을 표현해 봅시다.

1 주제를 정한 후, 이와 관련된 관용 표현들을 찾아서 발표해 봅시다.

예시

주제: 신체 부위와 관련한 관용 표현

- 배꼽: 배보다 배꼽이 더 크다, 배꼽 빠진다.
- 눈: 눈이 높다, 제 눈에 안경, 눈 가리고 아웅 한다, 눈에 콩깍지가 씌었다.
- 발: 발이 넓다, 언 발에 오줌 누기

예시 답

주제: 동물과 관련한 관용 표현

- 소: 소 잃고 외양간 고친다, 소 뒷걸음질 치다 쥐잡기, 쇠귀에 경 읽기(우이독경), 소 먹듯 하다.
- 쥐: 낮말은 새가 듣고 밤말은 쥐가 듣는다, 쥐구멍에도 볕 들 날 있다, 쥐 죽은 듯, 쥐 잡듯
- 호랑이: 호랑이도 제 말 하면 온다, 호랑이 담배 먹을 적, 호랑이 굴에 가야 호랑이 새끼를 잡는다.

2 찾은 표현의 정확한 뜻을 알아보고, 자신이 경험한 일 중에서 이러한 표현을 적용할 수 있는 사례가 있는지 이야기해 봅시다.

예 수선 일을 하는 어머니께서 일을 맡으셨는데, 수선을 해서 버는 돈보다 수선에 필요한 단추를 구하는 비용이 더 드는 배보다 배꼽이 더 큰 일이었다.

예시 답 • 짝꿍 민지와 함께 독서 공부 모임을 만들기로 했는데, 민지가 발이 넓어서 모임이 금방 꾸려졌다.
• 동생에게 함께 쓰는 물건을 제자리에 두라고 여러 번 말했지만, 매번 쇠귀에 경 읽기였다.

3 찾은 표현과 사례를 바탕으로 자신의 경험이 담긴 한 편의 짧은 이야기를 구성해 봅시다.

사용할 표현	배보다 배꼽이 더 크다.
표현의 뜻	기본이 되는 것보다 덧붙이는 것이 더 많거나 큰 경우를 비유적으로 이르는 말
관련 경험	엄마의 옷 수선
인물	나, 엄마, 손님

이야기의 구성	• 옷 수선 일을 하시는 엄마 • 손님이 급하게 옷의 단추 수선을 맡겼는데, 그 단추가 가게에 없었음. • 엄마는 바로 택시를 타고 단추 가게에 가서 단추를 사 와서 옷을 수선함. • 단추를 사러 가느라 가게를 닫아야 했고 택시 요금도 15,000원이 넘게 나왔는데, 옷 수선값으로 10,000원을 받음. • 엄마는 손님의 옷이 잘 수선된 것을 보며 만족하셨음.

예시 답

사용할 표현	쇠귀에 경 읽기
표현의 뜻	소의 귀에 대고 경을 읽어 봐야 단 한 마디도 알아듣지 못한다는 뜻으로, 아무리 가르치고 일러 주어도 알아듣지 못하거나 효과가 없는 경우를 이르는 말
관련 경험	물건 정리와 관련한 나와 동생의 일화
인물	나, 동생
이야기의 구성	• 나와 동생은 방을 함께 씀. • 동생은 평소에 방을 잘 정리하지 않고, 물건을 아무 곳에나 두어 잘 잃어버림. • 동생에게 함께 쓰는 물건을 원래 있던 곳에 두라고 여러 번 말하였지만 매번 지켜지지 않음. • 결국 나는 동생을 말로 설득하는 것을 포기하고, 앞으로는 물건을 제자리에 두지 않을 경우 설거지를 하는 것으로 벌칙을 정함.

4 **3**에서 구성한 이야기를 바탕으로 한 편의 글을 써 봅시다.

예시 답

제목 배보다 배꼽이 더 크면 어때?

엄마는 작은 가게에서 옷 수선 일을 하신다. 어느 날 손님이 급하게 옷을 맡기며 내일 아침까지 옷에 단추를 달아 달라고 수선을 부탁했다. 그런데 수선을 하려고 보니 옷에 맞는 단추가 다 떨어지고 없었다. 급하게 단추 가게에 연락하니, 배달하는 데 하루는 걸린다고 했다. 그때 엄마는 잠시의 망설임도 없이 택시를 타고 단추 가게에 가서 그 단추를 사서 돌아오셨다. 그 때문에 가게는 문을 일찍 닫아야 했고, 다른 수선 의뢰를 받지도 못했다. 엄마는 피곤하신 몸으로 그 옷을 밤늦도록 수선하셨다.

다음 날 아침 엄마는 그 손님에게 수선비로 10,000원을 받으셨다. 어제 택시비만 15,000원이 넘게 나왔는데……. 배보다 배꼽이 더 큰 상황이었다. 그래서 엄마께 여쭤보았다.

"엄마, 왜 10,000원만 받으셨어요? 택시비도 안 되잖아요. 배보다 배꼽이 더 크네요."

엄마는 웃으며 대답하셨다.

"그 손님의 옷이 잘 수선되었으니 그걸로 충분해. 때로는 배보다 배꼽이 더 클 수도 있단다."

5 쓴 글을 친구들과 바꾸어 읽고, 다음 점검표를 이용하여 서로 평가해 봅시다.

평가 기준	평가
❶ 일상의 경험을 자신의 개성이 드러나게 잘 나타내었는가?	☆☆☆☆☆
❷ 관용 표현의 뜻을 제대로 알고 이해하였는가?	☆☆☆☆☆
❸ 관용 표현과 자신의 경험을 긴밀하게 관련지었는가?	☆☆☆☆☆

목표 다지기 문제

6 다음 설명을 참고할 때, 밑줄 친 말이 관용 표현이 아닌 것은?

> 관용 표현은 본래의 낱말 뜻과는 다른 새로운 뜻으로 굳어진 비유적인 표현들이 많기 때문에 어떤 뜻인지 곱씹어 보아야 그 뜻을 알 수 있다.

① 나는 피자를 먹자는 친구의 말에 <u>귀가 솔깃했다</u>.
② 주변이 시끄러워서 손으로 <u>귀를 막고</u> 책을 읽었다.
③ 선배의 충고는 <u>귀에 거슬리더라도</u> 새겨들어야 한다.
④ 그녀는 미국에서 생활한 지 1년 만에야 <u>귀가 뚫렸다</u>.
⑤ 그는 남의 말을 잘 믿어서 <u>귀가 얇다</u>는 소리를 듣는다.

7 다음은 어떤 관용 표현을 뜻하는 것인지 〈보기〉에서 찾아 그 기호를 쓰시오.

보기
㉠ 발이 넓다
㉡ 눈이 높다
㉢ 배꼽 빠진다
㉣ 제 눈에 안경
㉤ 언 발에 오줌 누기
㉥ 눈 가리고 아웅 한다

(1) 몹시 우습다.
(2) 정도 이상의 좋은 것만 찾는 버릇이 있다.
(3) 여러 사람과 쉽게 잘 사귀어서 아는 사람이 많다.
(4) 아무리 보잘것없는 것도 제 마음에 들면 좋게 보인다.
(5) 상대방이 결코 넘어가지 않을 어설픈 행동으로 남을 속이려 한다.
(6) 임시변통은 될지 모르나 그 효력이 오래가지 못할 뿐만 아니라 결국에는 사태가 더 나빠지게 된다.

창의·융합 활동

혼자 하기

1. 다음 신문 기사를 읽고, 이어지는 활동을 해 봅시다.

지난 6월 17일부터 22일까지 50곳의 블로그에서는 동시다발적인 '공동 나눔' 행사가 열렸다. 공동 나눔은 '블로그 운영 1주년 기념' 등 각자 기념일을 정해 자신에게 필요 없지만 누군가에게는 절실한 물건을 블로그 방문자에게 나눠 주는 행사다. 그간 개인이 아무 때나 독서 후기를 통해 책을 나누는 '책 여행시키기' 등의 나눔은 진행됐으나 여러 명이 동시에 다양한 물건을 나누는 경우는 처음이다. 이를 통해 블로그 이용자들은 나눔의 효과를 높여 긍정적인 블로그 환경을 도모하며 블로그 이용자들의 축제로 자리매김할 것으로 기대하고 있다. 이번 행사는 세계 명작을 소개하는 블로그를 운영하는 한 이용자가 '공동 나눔'을 제안하면서 시작됐다. 행사의 제안자인 고 씨는 "나눔을 단순히 물질적인 것이라 생각하고 나눌 게 없다고 하시는데, **넷심전심**으로 생각을 조금만 바꾸면 나에겐 필요 없지만 타인에게는 인생을 바꿀 만한 물건이 주변에 많이 있을 것"이라며 나눔 문화 동참을 호소했다. – 『여성신문』(2009. 6. 26.)

1 이 기사에 쓰인 고사성어의 원래 뜻을 알아보고, 바뀐 표현이 어떤 뜻으로 사용되었는지 비교해 봅시다.

이심전심(以心傳心)	마음과 마음으로 서로 뜻이 통함.
넷심전심(net心傳心)	누리꾼 사이에 서로 뜻이 통함.

2 다음과 같이 관용 표현 중 하나를 골라 표현과 뜻을 바꾸어 봅시다.

고진감래(苦盡甘來)는 쓴 것이 다하면 단 것이 온다는 뜻으로 고생 끝에 즐거움이 옴을 이르는 말이잖아. 그런데 나는 '단 것'을 너무 좋아해서 건강을 생각하자는 의미로 '감진비래(甘盡肥來)', 즉 '단 것을 좋아하면 비만이 온다.'는 뜻으로 바꾸어 보았어.

함께하기 

2. 자기 생각을 담아 속담을 새롭게 바꿔 봅시다.

1 알고 있는 속담 중 하나를 골라 자기 생각을 담아 바꾸어 봅시다.

"일찍 일어나는 새가 벌레를 잡는다."는 어떻게 바꾸면 좋을까?

일찍 일어나는 벌레가 일찍 잡아먹힌다.

도서관에 일찍 가는 학생이 좋은 자리를 잡는다.

속담 예시 답 열 번 찍어 안 넘어가는 나무 없다. → 백 번 찍어도 안 넘어가는 나무 있다.

2 바꾼 속담을 통해 나타내고자 한 생각이 무엇인지 친구들에게 설명해 봅시다.

예 시험 기간이 다가올수록 도서관에서 자리 맡기가 힘든데, 아침 일찍 가니 도서관이 조용하고 빈자리가 많아서 참 좋았어.

수행 평가 대비 활동

| 수행 평가 TIP | 이 수행 평가 활동을 하기 위해서는 기존의 관용적인 뜻을 지닌 고사성어, 속담 등에 자신만의 뜻을 담아 새로운 뜻을 지닌 표현으로 바꾸어야 합니다.

1 평가 내용 확인하기

- 관용 표현 중 하나를 골라 표현과 뜻 바꾸어 보기
- 자기 생각을 담아 속담을 새롭게 바꾸어 표현하기

2 평가 기준 확인하기

- 자기 생각을 표현하기에 적절한 관용 표현을 활용하였는가?
자신의 가치 있는 생각을 잘 담아낼 수 있는 관용 표현을 골라 그 표현과 뜻을 바꾸어야 해요.
- 생각이 효과적으로 드러났는가?
자신의 생각을 자유롭게 드러내되, 바꾸는 의도와 새로 부여한 뜻이 타당하고 설득력을 가질 수 있어야 해요.
- 참신하게 표현하였는가?
기존 관용 표현의 문장 구조와 틀을 유지하면서 자신만의 뜻을 담아 개성 있게 표현할 수 있어야 해요.

수행 평가 +

- 신문이나 광고 등에서 관용 표현이 사용된 사례를 찾아 적어 봅시다.

도와줄게 신문이나 광고 등에서 관용어, 고사성어, 속담 등 일상적으로 많이 쓰는 관용 표현을 찾아봅니다. 예 칠전팔기, ○○○ 선수 결승 진출

소단원 제재 정리

갈래: 수필
성격: 대조적, 교훈적
제재: '아홉'과 '열'이라는 수
주제: 청소년 시기는 '아홉'이라는 수처럼 아직 완전하지는 않지만 미래를 향한 가능성이 있다.
특징: ① 역설적인 제목을 통해 호기심을 유발함.
② 구체적인 예를 제시하여 독자의 이해를 도움.
③ 다양한 표현 방법을 사용하여 말하고자 하는 바를 효과적으로 드러냄.

제재 한눈에 보기

처음	'아홉'과 '열'이라는 수의 뜻에 대해 생각해 보기로 함.
중간	완벽함을 기대하지 않았던 우리 조상들은 완전한 수인 '열'보다 미래의 꿈과 그 가능성의 수인 '아홉'을 더 사랑했음.
끝	청소년은 숫자 '아홉'이 지닌 특성을 닮음.

핵심 원리

역설
- 역설의 뜻: 표면상으로는 (❶)되지만, 잘 음미해 보면 그 속에 나름의 진실, 진리를 담고 있는 표현
- 역설의 효과: 읽는 이의 관심을 불러일으키고, 글쓴이의 의도를 더욱 효과적으로 전달함.

관용 표현
- 관용 표현의 뜻: 어떠한 표현이 (❷)적으로 사용되면서 특별한 뜻을 나타내는 것
- 관용 표현의 효과: 주어진 상황을 함축적으로 간결하게 표현할 수 있고, 내용을 강조하고 인상 깊게 함.
- 관용 표현의 유형: 속담, 격언, 관용어 등

핵심 내용

(1) '열'과 '아홉'이라는 수가 지닌 의미

'열'의 의미	'아홉'의 의미
• 십진급수에서 제일 먼저 꽉 찬 수 • 이미 이룰 것을 이룩한 (❸)한 수 • 성공을 한 수 • 넘치지도 않고 모자라지도 않고, 조금도 여유가 없는 꽉 찬 수 • 다음도 없고 다음다음도 없이 아주 끝나 버린 수	• 열보다 하나가 모자라는 수 • 완전에 거의 다다른 수 • 하나만 보태면 완전에 이르게 되는 수 • 아쉬움을 느끼게 하는 수 • 다음, 그다음, 그 다음다음을 바라볼 수 있는 수 • 미래의 꿈과 그 (❹)의 수

(2) 이 글의 제목에 쓰인 역설적 표현과 그 효과

'열보다 큰 아홉'

표면적: 모순된 진술		내면적: 진리 함축
숫자 '아홉'이 '열'보다 크다는 것은 표면적으로는 이치에 맞지 않는 모순된 진술임.	+	'(❺)'은 미래의 꿈과 그 가능성의 수이기 때문에 '열'보다 그 가치가 더 클 수 있다는 진리가 담김.

↓

단조로운 문장의 형태에 변화를 주어 글쓴이의 생각을 더욱 강조하는 효과가 있음.

(3) 이 글에 쓰인 관용 표현과 그 효과

관용 표현		
	속담	'앞길이 (❻) 같다.' → 아직 나이가 젊어서 앞으로 어떤 큰 일이라도 해낼 수 있는 세월이 충분히 있다는 뜻
	격언	'모든 기록은 깨어지기 위해서 있다.' → 아무리 대단한 기록이라도 깨어질 수 있으므로 더 큰 목표를 달성할 수 있다는 뜻

↓

말하고자 하는 바를 보다 명확하고 간결하게 표현하고 전달하는 효과가 있음.

정답 ❶ 모순 ❷ 습관 ❸ 완전 ❹ 가능성 ❺ 아홉 ❻ 구만리

소단원 핵심 문제

• 정답과 해설 p.5

[01~06] 다음 글을 읽고 물음에 답하시오.

(가) 잘 아시다시피 열은 십 · 백 · 천 · 만 · 억 등의 십진급수에서 제일 먼저 꽉 찬 수입니다. 그러므로 이 열에 얼마를 더 보태거나 빼거나 한다면 그것은 이미 열이 아닌 다른 수가 됩니다.

무엇을 하기에 그 이상 좋을 수가 없이 알맞은 경우에 '십상 좋다'고 말하는 십상도, 열 십(十) 자와 이룰 성(成) 자에서 나온 말입니다. 그만큼 열이란 수는 이미 이룰 것을 이룩한 완전한 수이며, 성공을 한 수인 것입니다.

(나) 그러면 아홉이란 수는 어떤 수입니까? 두말할 필요도 없이 열보다 하나가 모자라는 수입니다. 다시 말하면, 완전에 거의 다다른 수, 거기에 하나만 보태면 완전에 이르게 되는 수, 그래서 매우 아쉬움을 느끼게 하는 수인 것입니다.

(다) 그러면 아홉은 정녕 열보다 적거나 작은 수일까요? 그렇지 않습니다. 예를 들어 보겠습니다.

끝없이 높고 너른 하늘을 십만 리 장천이라고 하지 않고 구만리장천이라고 합니다. 젊은이더러 앞길이 구만리 같은 사람이라고 하는 말과 같은 뜻이지요.

굽이굽이 한없이 서린 마음을 구곡간장이라고 하고, 굽이굽이 에워 도는 산굽이가 얼마인지 모르는 길을 구절양장이라고 하고, 통과해야 할 문이 몇이나 되는지 모르는 왕실을 구중궁궐이라고 하고, 죽을 고비를 수도 없이 넘기고 살아난 것을 구사일생이라고 표현하고 있습니다.

또 있습니다. 끝 간 데가 어디인지 모르는 땅속이나 저승을 구천이라고 하고 임금보다 한 계급 모자라는 대신인 삼공육경을 구경이라고 합니다. 문화재로 남아 있는 탑들을 보면, 구 층 탑은 부지기수로 많아도, 십 층 탑은 아직 보지 못하였습니다.

(라) 동양에서는, 그중에서도 특히 우리나라에서는, 오랜 옛날부터 열보다 아홉을 더 사랑했습니다. ㉠ <u>얼마나 사랑했으면 아홉 구 자가 두 번 든 음력 구월 구일을 중양절이니, 중굿날이니 하는 이름으로 부르면서, 천 년이 넘도록 큰 명절로 정하고 쇠어 왔겠습니까.</u>

(마) 열이란 수가 넘치지도 않고 모자라지도 않고, 또 조금도 여유가 없는 꽉 찬 수, 그래서 다음도 없고 다음다음도 없이 아주 끝나 버린 수라는 점에서, 아홉은 열보다 많고, 열보다 크고, 열보다 높고, 열보다 깊고, 열보다 넓고, 열보다 멀고, 열보다 긴 수였으며, 그리하여 다음, 또 그다음, 그도 아니면 그 다음다음을 바라볼 수 있는, 미래의 꿈과 그 가능성의 수였기에, 슬기롭고 끈기 있는 우리의 선조들에게 일찍부터 열보다 열 배도 넘는 사랑을 담뿍 받아 왔던 것입니다.

출제 예감 95%

01 다음은 이 글을 쓰기 위해 글쓴이가 세운 계획이다. 이 글에 반영된 내용으로 적절하지 <u>않은</u> 것은?

- '열'과 '아홉'이라는 수가 지닌 뜻을 대조하여 '아홉'의 가치를 부각해야겠어. ······ ①
- 구체적인 예를 들어 '아홉'이 '열'보다 적거나 작은 수가 아님을 밝혀야겠어. ······ ②
- 비슷한 말을 되풀이하여 '아홉'이 '열'보다 의미 있는 수임을 강조해야겠어. ······ ③
- '아홉'이라는 수에 대한 우리 선조들의 생각을 서양의 경우와 비교해서 알려 줘야겠어. ······ ④
- 스스로 묻고 대답하는 방식을 사용하여 '아홉'이라는 수가 지닌 의미를 보다 효과적으로 전달해야겠어. ······ ⑤

출제 예감 90% 학습 활동 응용

02 (가)~(마) 중 〈보기〉에서 설명하고 있는 표현이 사용된 것은?

보기

선생님: '가는 말이 고와야 오는 말이 곱다'라는 말을 들어 본 적이 있지요? 이는 자기가 남에게 말이나 행동을 좋게 하여야 남도 자기에게 좋게 한다는 말인데, 이처럼 생활 속에서 터득한 지혜를 고유의 관습화된 양식에 담은 표현을 속담이라고 합니다.

① (가) ② (나) ③ (다) ④ (라) ⑤ (마)

소단원 핵심 문제

출제 예감 95% 학습 활동 응용

03 숫자 '열'과 '아홉'의 의미로 적절하지 않은 것은?

	'열'	'아홉'
①	완전한 수	완전에 거의 다다른 수
②	성공을 한 수	아쉬움을 느끼게 하는 수
③	조금도 여유가 없는 꽉 찬 수	넘치지도 않고 모자라지도 않는 수
④	다음도 없고 다음다음도 없는 수	다음, 그다음을 바라볼 수 있는 수
⑤	아주 끝나 버린 수	미래의 꿈과 그 가능성의 수

출제 예감 85%

04 '아홉'이 '열'보다 적거나 작지 않음을 보이기 위해 든 예로만 묶인 것은?

① 구사일생, 구천, 십진급수, 구 층 탑
② 삼공육경, 구곡간장, 구절양장, 십상
③ 구만리장천, 삼공육경, 구중궁궐, 구천
④ 구곡간장, 구절양장, 구중궁궐, 구 층 탑
⑤ 구절양장, 구중궁궐, 구사일생, 십 층 탑

출제 예감 90%

05 우리 선조들이 '열'보다 '아홉'이라는 수를 더 사랑했던 이유로 가장 적절한 것은?

① 성공을 확신할 수 있는 수였기 때문에
② 미래를 바라볼 수 있는 수였기 때문에
③ 완벽함을 기대할 수 있는 수였기 때문에
④ 이 세상에서 가장 완전한 수였기 때문에
⑤ 오래 옛날부터 알고 있는 수였기 때문에

출제 예감 75% 서술형

06 ㉠에 사용된 표현 방법을 쓰고, 그 효과를 〈조건〉에 맞게 서술하시오.

조건
'~하여 ~고 있다.'의 문장 구조로 서술할 것

[07~11] 다음 글을 읽고 물음에 답하시오.

㉮ 그러면 아홉이란 수는 어떤 수입니까? 두말할 필요도 없이 열보다 하나가 모자라는 수입니다. 다시 말하면, 완전에 거의 다다른 수, 거기에 하나만 보태면 완전에 이르게 되는 수, 그래서 매우 아쉬움을 느끼게 하는 수인 것입니다.

㉯ 동양에서는, 그중에서도 특히 우리나라에서는, 오랜 옛날부터 열보다 아홉을 더 사랑했습니다. 얼마나 사랑했으면 아홉 구 자가 두 번 든 음력 구월 구일을 중양절이니, 중굿날이니 하는 이름으로 부르면서, 천 년이 넘도록 큰 명절로 정하고 쇠어 왔겠습니까.

㉰ 우리의 조상들이 열보다 아홉을 더 사랑한 것은 무슨 까닭이었을까요? 간단히 말해서 모든 일에 완벽함을 기대하지 않았다는 뜻이 아니었을까요? 다시 말하면, 이 세상에 완전한 것은 없다는 사실을, 우리의 선조들은 아주 오랜 옛날부터 익히 알고 있었다는 것입니다.

㉱ 우리가 흔히 듣는 말에 "[㉠]"라는 말이 있습니다. 이 말이 맞지 않는 말이라면, 여러분이 아시다시피 세계 제일의 기록만을 수록하는 『기네스북』도 해마다 다시 찍어 내야 할 까닭이 없겠지요.

모든 기록이 반드시 깨어지기 마련인 것은, 그 기록을 이룩한 것이 인간이기 때문이라고 생각합니다. 인간은 저마다 무한한 가능성을 타고난 사실과 아울러서, 이 세상에 완전한 인간은 결코 어디에도 있을 수가 없다는 사실 또한 그 스스로가 증명해 주는 존재이기도 합니다.

㉲ 열이란 수가 넘치지도 않고 모자라지도 않고, 또 조금도 여유가 없는 꽉 찬 수, 그래서 다음도 없고 다음다음도 없이 아주 끝나 버린 수라는 점에서, ㉡<u>아홉은 열보다 많고, 열보다 크고, 열보다 높고, 열보다 깊고, 열보다 넓고, 열보다 멀고, 열보다 긴 수였으며</u>, 그리하여 다음, 또 그 다음, 그도 아니면 그 다음다음을 바라볼 수 있는, 미래의 꿈과 그 가능성의 수였기에, 슬기롭고 끈기 있는 우리의 선조들에게 일찍부터 열보다 열 배도 넘는 사랑을 담뿍

받아 왔던 것입니다.

(바) 하물며 여러분은 지금 한창 자라고, 한창 배우고, 한창 놀아야 할 중학생입니다. 여러분은 지금 무엇 한 가지도 완벽할 수가 없으며, 항상 어딘가가 부족하고 어설픈 것이 오히려 정상적인 학생입니다. 행여 무엇이 남들보다 모자란 것이 아닌가 싶어서 스스로 괴로워하고 외로워하고 서글퍼해 온 학생이 있다면, 어떨까요, 이제부터라도 열이란 수보다 아홉이란 수를 더 사랑해 보는 것은.

출제 예감 95%

07 **이 글의 내용과 일치하지 않는 것은?**

① '아홉'은 완전에 거의 다다른 수이다.
② '열'은 매우 아쉬움을 느끼게 하는 수이다.
③ 이 세상에 완전한 인간은 결코 있을 수 없다.
④ 우리 조상들은 모든 일에 완벽함을 기대하지 않았다.
⑤ 동양에서는 오랜 옛날부터 '열'보다 '아홉'을 더 사랑했다.

출제 예감 85%

08 **이 글을 통해 답할 수 있는 질문이 아닌 것은?**

① '열'과 '아홉'이 지닌 상징적 의미는 무엇일까?
② 『기네스북』은 왜 해마다 다시 찍어야 하는 걸까?
③ '열'과 같은 존재가 되려면 어떤 노력을 해야 할까?
④ '아홉'이 '열'보다 더 크다고 하는 이유는 무엇일까?
⑤ 우리나라에서는 왜 '열'보다 '아홉'을 더 사랑했을까?

출제 예감 85%

09 **(바)의 내용으로 보아, 글쓴이가 예상한 이 글의 독자로 가장 적절한 것은?**

① 자신은 남들과 다르다고 생각하는 학생들
② 자신이 남들보다 뛰어나다고 생각하는 학생들
③ 자신에 대한 자신감으로 노력하지 않는 학생들
④ 자신이 남들보다 완벽하지 않다고 고민하는 학생들
⑤ 자신이 언제나 우선시되어야 한다고 생각하는 학생들

출제 예감 90%

10 **문맥상 ㉠에 들어가기에 가장 적절한 말은?**

① 어떤 기록도 깨어질 수 없다.
② 어떤 기록이라도 깨뜨려야만 한다.
③ 모든 기록은 깨어지기 위해서 있다.
④ 어떤 기록도 쉽게 깨뜨릴 수는 없다.
⑤ 모든 기록을 깨뜨릴 수 있는 것은 아니다.

출제 예감 80%

11 **㉡과 유사한 표현 방법이 사용된 것은?**

① 돌담에 속삭이는 햇발같이 / 풀 아래 웃음 짓는 샘물같이
② 산에는 꽃 피네 / 꽃이 피네. / 갈 봄 여름 없이 / 꽃이 피네.
③ 나는 누워서 편히 지냈다. / 사랑하는 사람을 잃어버린 / 이 겨울
④ 나뭇잎 사이로 반짝이는 햇살을 바라보면 / 세상은 그 얼마나 아름다운가.
⑤ 아아 누구던가 / 이렇게 슬프고도 애달픈 마음을 / 맨 처음 공중에 달 줄을 안 그는.

사고력 확장 문제

[12~13] 이 글과 〈보기〉를 읽고 물음에 답하시오.

> 보기
>
> 『오래된 미래』의 제목은 얼핏 이해하기 힘들다. '오래된'과 '미래'의 뜻이 서로 모순되기 때문이다. (중략)
>
> 글쓴이가 우리에게 얘기하는 것은 『오래된 미래』라는 [ ]적인 제목에서 보듯, 과거의 문화 속에서 우리가 나아가야 할 미래의 모습을 찾자는 것이다.

출제 예감 90% 학습 활동 응용

12 **〈보기〉의 빈칸에 들어갈 적절한 말을 쓰시오.**

출제 예감 95% 학습 활동 응용 서술형 논술 대비

13 **〈보기〉를 참고하여, 이 글에서 글쓴이가 '열보다 큰 아홉'이라는 제목을 통해 우리에게 말하려는 것은 무엇인지 서술하시오.**

양반전

• 생각 열기 다음은 미세 먼지 문제를 그린 그림입니다. 그림을 보고, 작가의 의도를 생각해 봅시다.

▲ 계대욱, 「그레이 크리스마스」, 「꽃보다 미세 먼지」

크리스마스와 꽃놀이를 왜 이렇게 그렸을까요?

예시 답 크리스마스와 봄날에도 마음껏 밖을 다닐 수 없을 정도로 심각한 미세 먼지 문제를 이야기하기 위해서이다.

대상이나 현상을 비꼬아서 부정적으로 표현하고 있는 다른 그림이나 글들을 더 찾아 말해 봅시다.

예시 답 환경 오염을 풍자한 그림이 들어간 공익광고

• 학습 목표로 내용 엿보기

"우리 일상생활의 환경 문제를 비꼬아 부정적으로 그려 냄으로써 대상을 넌지시 비판하는 효과를 거두고 있어. 문학 작품 속 풍자도 이런 효과를 위한 것이 아닐까? 풍자의 표현 방식을 활용하면 내 생각이나 느낌, 경험을 보다 효과적으로 표현할 수 있을 거야.

핵심 1 소설 「양반전」을 감상하고, 풍자의 표현 원리와 효과 이해하기

핵심 2 소설 「양반전」에서 배운 풍자의 표현을 활용하여 자신의 생각이나 느낌, 경험을 효과적으로 표현하기

핵심 원리 이해하기 풍자

1. 풍자의 뜻

현실의 부정적인 대상이나 모순을 빗대어 넌지시 비판함으로써 웃음을 유발하는 표현 방식을 말함.

2. 풍자의 특징

대상을 직접 공격하는 것이 아니라 비웃음, 말장난, 시치미 떼기, 과장 등 간접적인 방법으로 돌려서 부당한 현실이나 힘 있는 대상을 우스꽝스럽게 그려 비판함.

개념 확인 콕콕 • 정답과 해설 p.6

01 다음 빈칸에 들어갈 알맞은 말을 쓰시오.

> 현실의 부정적인 대상이나 모순을 빗대어 넌지시 비판함으로써 웃음을 유발하는 표현 방식을 (   )라고 한다.

02 풍자에 대한 설명으로 적절하지 않은 것은?

① 대상이나 현상을 비꼬아서 부정적으로 표현하는 것이다.
② 부정적인 대상이나 모순을 직접적으로 비판하는 것이다.
③ 비웃음, 말장난, 시치미 떼기, 과장 등의 방법을 사용한다.
④ 부당한 현실이나 힘 있는 대상을 우스꽝스럽게 그려 비판한다.
⑤ 대상을 직접 공격하기보다는 간접적인 방법으로 돌려서 비판한다.

03 다음 글에서 비판의 대상이 되고 있는 것은?

> "당신은 평생 글 읽기만 좋아하더니 관곡을 갚는 데는 아무런 도움이 안 되는군요. 쯧쯧. 양반, 양반이란 것이 한 푼어치도 안 되는 것이구려."

① 양반의 부당한 특권
② 양반의 무능력한 모습
③ 양반의 위선적인 태도
④ 양반의 비도덕적인 모습
⑤ 양반의 가부장적인 태도

본문 미리보기

본문 안내

이 소단원은 풍자의 표현 원리와 효과를 이해하고, 이를 활용하여 자신의 가치 있는 경험을 개성적이면서 참신하게 표현하기 위한 단원이다. 「양반전」은 양반들의 무능함과 허례허식을 풍자하고 있는 고전 소설이다. 이 작품을 통해 풍자의 표현 원리와 효과를 익히고, 이를 활용하여 자신의 경험을 효과적으로 표현해 보도록 한다.

처음		중간		끝
정선의 한 양반이 몹시 가난하여 환곡을 갚지 못하고 군수가 이를 딱하게 여김.	→	마을의 부자가 양반의 환곡을 대신 갚아 주는 대가로 양반 신분을 사고, 그 사실을 안 군수가 양반 매매 증서를 대신 써 줌.	→	증서를 본 부자는 양반의 삶이 도둑의 삶과 다르지 않다고 하며 양반 되기를 포기함.

본문 개관

★ **글쓴이 소개** 박지원

조선 후기의 실학자. 호는 연암. 양반 계층의 공리공론을 비판하는 한편, 자유롭고 기발한 문체의 한문 소설을 여럿 남겼다. 저서에 『열하일기』, 『연암집』 등이 있다.

★ **갈래** 한문 소설, 단편 소설, 풍자 소설

이 소설은 조선 후기에 한문으로 쓰인 한문 소설로, 길이가 짧아 단편 소설에 속하며, 무능력하게 무위도식하면서 평민들에게 횡포를 부리는 양반들을 통렬하게 비판 · 풍자하고 있다는 점에서 풍자 소설로 볼 수 있다.

★ **성격** 풍자적, 고발적, 비판적

이 소설은 양반들의 경제적인 무능과 위선적인 태도, 평민들에 대한 횡포를 비판 · 풍자하고 있다. 또한 양반 계층이 몰락하고 신분 질서가 흔들리던 당시의 사회상을 적나라하게 보여 준다는 점에서 당시 사회에 대한 고발적 성격도 지녔다고 할 수 있다.

★ **제재** 양반 신분의 매매

이 소설에서 풍자하고자 한 주된 대상은 양반으로, 이러한 풍자 의식이 잘 드러나 있는 것은 바로 양반 매매 증서이다. 1차 매매 증서에는 양반이 지켜야 할 덕목과 의무를, 2차 매매 증서에는 양반이 누릴 수 있는 특권을 나열하고 있는데, 이를 통해 당시의 양반 사회를 신랄하게 풍자 · 비판하고 있다.

★ **주제** 양반들의 공허한 관념과 비생산성, 특권 의식에 대한 비판과 풍자

이 소설에서는 1차 매매 증서의 내용을 통해 무위도식하는 양반의 비생산성과 허례허식을, 2차 매매 증서의 내용을 통해 평민에 대한 양반의 수탈과 횡포를 간접적으로 비판함으로써 작품의 주제를 드러내고 있다.

양반전

박지원 지음 / 성낙수 풀이

이것이 핵심! ✔ 작품의 시대적 상황 ✔ 양반 아내의 성격과 역할

처음 **가** 양반이란, 사족들을 높여서 부르는 말이다.

(사족: 선비나 무인의 집안. 또는 그 자손)

나 강원도 정선군에 한 양반이 살고 있었다. 이 양반은 어질고 글 읽기를 좋아하여 군수가 새로 부임하면 으레 몸소 그 집을 찾아와서 인사를 드렸다. 그런데 이 양반은 집이 가난하여 해마다 관아의 곡식을 타다 먹은 것이 쌓여서 천 석에 이르렀다. 강원도 감사가 그 고을을 순시하다가 정선에 들러 관곡 장부를 조사하고 크게 노하였다.

(석: 섬. 부피의 단위. 곡식, 가루, 액체 따위를 잴 때 씀.)
(관곡: 국가나 관청에서 가지고 있는 곡식)

"어떤 놈의 양반이 이처럼 군량에 쓸 곡식을 축냈단 말이냐?"

하고, 곧 명해서 그 양반을 잡아 가두게 하였다. 군수는 그 양반이 가난해서 갚을 힘이 없는 것을 딱하게 여기고 차마 가두지 못하였지만 무슨 도리가 없었다.

다 양반 역시 밤낮 울기만 한 채 해결할 방법을 찾지 못하였다. ㉠그 부인이 역정을 냈다.

(역정: 몹시 언짢거나 못마땅하여서 내는 성)

"당신은 평생 글 읽기만 좋아하더니 관곡을 갚는 데는 아무런 도움이 안 되는군요. 쯧쯧. 양반, 양반이란 것이 한 푼어치도 안 되는 것이구려."

처음	정선의 한 양반이 몹시 가난하여 환곡을 갚지 못하고 군수가 이를 딱하게 여김.

핵심 확인

작품의 시대적 상황

양반이 해마다 관아의 곡식을 타다 먹음. → 양반이 경제적으로 몰락하던 조선 후기의 시대 상황이 드러남.

양반 아내의 성격과 역할

현실적 생활 능력을 중시함. → 무능한 양반을 비판하는 작가 의식을 대변하는 인물임.

확인 문제

• 정답과 해설 p.6

01 이 글에 대한 설명으로 적절한 것은?

① 신분 제도의 모순을 풍자하고 있다.
② 양반의 무능한 모습이 나타나 있다.
③ 양반이 지켜야 할 윤리를 강조하고 있다.
④ 가부장적인 양반의 모습을 비판하고 있다.
⑤ 시대적 상황이 구체적으로 드러나 있지 않다.

핵심

02 이 글에서 풍자의 대상이 되고 있는 것은?

① 정선의 한 양반이 어질고 글 읽기를 좋아함.
② 새로 부임한 군수가 양반을 찾아가 인사를 함.
③ 강원도 감사가 관곡 장부를 조사하고 크게 노함.
④ 양반이 해마다 관아의 곡식을 타다 먹고 갚지를 못함.
⑤ 양반의 아내가 관곡을 갚지 못하는 양반에게 역정을 냄.

핵심 날개 확인 문제

03 ㉠의 입장에서 양반에게 해 줄 말로 가장 적절한 것은?

① 내 코가 석자다
② 산 입에 거미줄 치랴
③ 되로 주고 말로 받는다
④ 고래 싸움에 새우등 터진다
⑤ 수염이 석 자라도 먹어야 양반이다

핵심

04 이 글에서 양반에 대한 풍자 의식이 직접 드러나 있는 문장을 찾아 그 첫 어절과 끝 어절을 쓰시오.

이것이 핵심! ✔ 작품에 반영된 사회상 ✔ 증서의 내용과 풍자 대상

중간 라 그 마을에 사는 한 부자가 가족들과 의논하기를,

"양반은 아무리 가난해도 늘 귀하게 대접받고 나는 아무리 부자라도 항상 천하지 않느냐. 말도 못 하고, 양반만 보면 굽신굽신 두려워해야 하고, 엉금엉금 기어가서 코를 땅에 대고 무릎으로 기는 등 우리는 늘 이런 수모를 받는단 말이다. 이제 동네의 한 양반이 가난해서 타 먹은 관곡을 갚지 못하고 아주 난처한 판이니 그 형편이 도저히 양반을 지키지 못할 것이다. 내가 장차 그의 양반을 사서 가져 보겠다."

부자는 곧 양반을 찾아가 자기가 대신 관곡을 갚아 주겠다고 청하였다. 양반은 크게 기뻐하며 승낙하였다. 그래서 부자는 즉시 곡식을 관가에 실어 가서 양반의 환자를 갚았다.

환자: 조선 시대에 곡식을 저장하였다가 백성들에게 봄에 꾸어 주고 가을에 이자를 붙여 거두던 일. 또는 그 곡식

마 군수는 양반이 관곡을 모두 갚은 것을 놀랍게 생각하였다. 군수가 몸소 찾아가서 양반을 위로하고, 또 관곡을 갚게 된 사정을 물어보려고 하였다. 그런데 뜻밖에 양반이 벙거지를 쓰고 짧은 잠방이를 입고 길에 엎드려 '소인'이라고 자칭하며 감히 쳐다보지도 못하고 있지 않는가. 군수가 깜짝 놀라 내려가서 부축하고 말하였다.

벙거지: 주로 병졸이나 하인이 쓰던 모자

잠방이: 가랑이가 무릎까지 내려오도록 짧게 만든 홑바지

"귀하는 어찌 이다지 스스로 낮추어 욕되게 하시는가요?"

하고 말하였다. 양반은 더욱 황공해서 머리를 땅에 조아리고 엎드려 아뢰었다.

황공해서: 위엄이나 지위 따위에 눌려 두려워서

"황송하오이다. 소인이 감히 욕됨을 자청하는 것이 아니오라, 이미 제 양반을 팔아서 관곡을 갚았지요. 동네의 부자 사람이 양반이옵니다. 소인이 이제 다시 어떻게 전의 양반을 사칭해서 양반 행세를 하겠습니까?"

바 ㉠군수는 감탄해서 말하였다.

"군자로구나 부자여! 양반이로구나 부자여! 부자이면서도 재물에 인색함이 없으니 의로운 일이요, 남의 어려움을 도와주니 어진 일이요, 비천한 것을 싫어하고 귀한 것을 아끼니 지혜로운 일이다. 이야말로 진짜 양반이로구나. 그러나 사사로이 팔고 사더라도 증서를 해 두지 않으면 소송의 꼬투리가 될 수 있다. 내가 너와 약속을 해서 고을 사람들을 증인을 삼고 증서를 만들 것이니 마땅히 거기에 서명할 것이다."

핵심

05 이 글을 통해 알 수 있는 당시의 사회상이 아닌 것은?

① 양반도 가난해지면 천대를 받았다.
② 신분이 귀하지 않으면 수모를 받았다.
③ 양반을 돈으로 사는 부자들이 있었다.
④ 신분이 미천한 사람 중에 부자가 있었다.
⑤ 양반들 중에 관곡을 타 먹는 사람이 있었다.

낱개 확인 문제

06 (라)의 내용으로 보아, 부자가 양반을 사려는 이유로 적절한 것은?

① 가족들이 원하였기 때문에
② 더 많은 재물을 모으기 위해
③ 수모와 천대를 받지 않기 위해
④ 처지가 딱한 양반을 돕기 위해
⑤ 재물을 의로운 일에 쓰기 위해

07 ㉠에 대한 설명으로 적절한 것은?

① 작가의 생각을 대신 전달해 주고 있다.
② 양반 신분을 사고판 일을 비판하고 있다.
③ 지조 있는 선비의 모습을 보여 주고 있다.
④ 어려움에 처한 양반에게 도움을 주고 있다.
⑤ 부자가 양반의 빚을 대신 갚아 준 일을 칭찬하고 있다.

서술형

08 부자에게 양반 신분을 팔고 난 후 달라진 양반의 모습과 태도를 (마)에서 찾아 한 문장으로 정리하여 서술하시오.

사 그리고 군수는 돌아가서 고을 안의 양반 및 농사꾼, 공장, 장사치까지 모두 불러 관아에 모았다. 부자는 오른편 높직한 자리에 서고, 양반은 공형의 아래에 섰다.

공장: 수공업에 종사하던 장인. 관공장과 사공장으로 나뉨.

공형: 조선 시대의, 각 고을의 세 구실아치. 호장, 이방, 수형리를 이름.

그리고 증서를 만들었다.

건륭 10년 9월 모일에 이 문서를 만드노라.

건륭: 중국 청나라 고종 때의 연호

위 증서는 양반을 팔아서 관곡을 갚은 것으로 그 값은 천 석이다.

오직 양반은 여러 가지로 일컬어지나니, 글을 읽으면 가리켜 선비라 하고, 정치에 나아가면 대부가 되고, 덕이 있으면 군자이다. 무관은 서쪽에 늘어서고 문관은 동쪽에 늘어서는데, 이것이 양반이니 너 좋을 대로 따를 것이다.

야비한 일을 끊고 옛일을 본받고 뜻을 고상하게 할 것이며, 늘 새벽 다섯 시만 되면 일어나 촛불에 불을 댕겨 등잔을 켜고 눈은 가만히 코끝을 보고 발꿈치를 궁둥이에 모으고 앉아 『동래박의』를 얼음 위에 박 밀듯 왼다. 배고픔을 참고 추위를 견뎌 살림의 구차한 형편을 남에게 말하지 아니하되, 이를 마주치고 뒤통수를 두드리며 잔기침으로 입맛을 다진다. 소맷자락으로 모자를 쓸어서 먼지를 털어 물결무늬가 생겨나게 하고, 세수할 때 주먹을 비비지 말고, 양치질해서 입내를 내지 말고, 소리를 길게 뽑아서 종을 부르며, 걸음을 느릿느릿 옮겨 신발을 땅에 끈다. 그리고 『고문진보』, 『당시품휘』를 깨알같이 베껴 쓰되 한 줄에 백 자를 쓰며, 돈을 만지지 말고, 쌀값을 묻지 말고, 더워도 버선을 벗지 말고, 밥을 먹을 때 맨상투로 밥상에 앉지 말고, 국을 먼저 훌쩍훌쩍 떠먹지 말고, 물을 후루루 마시지 말고, 젓가락으로 방아를 찧지 말고, 생파를 먹지 말고, 막걸리를 들이켠 다음 수염을 쭈욱 빨지 말고, 담배를 피울 때 볼에 우물이 파이게 하지 말고, 화난다고 아내를 두들기지 말고, 성내서 그릇을 내던지지 말고, 아이들에게 주먹질을 하지 말고, 종놈을 야단쳐 죽이지 말고, 소와 말을 꾸짖되 그 판 주인까지 욕하지 말고, ㉠ 추위도 화로에 불을 쬐지 말고, 말할 때 이 사이로 침을 흘리지 말고, 소 잡는 일을 하지 말고, 돈을 가지고 놀음을 하지 말 것이다. 이와 같은 모든 품행이 양반에 어긋남이 있으면, 이 증서를 가지고 관청에 나와 옳고 그름을 가릴 것이다.

동래박의: 문장 수련의 모범이 되는 책

성주 정선 군수 화압. 좌수 별감 증서.

화압: 자신의 성명이나 직함 아래에 도장 대신에 자필로 글자를 직접 씀.

핵심

09 이 글의 내용 중, 매관매직의 사회상을 보여 주는 것은?

① 글을 읽는 양반을 가리켜 선비라고 함.
② 무관은 서쪽에, 문관은 동쪽에 늘어섬.
③ 양반은 돈을 만지지 말고, 쌀값을 묻지 말아야 함.
④ 양반을 팔아서 천 석의 관곡을 갚은 것을 문서로 증명함.
⑤ 군수가 양반 및 농사꾼, 공장, 장사치까지 모두 불러 모음.

날개 확인 문제

10 (사)의 증서에 나타난 양반의 모습을 잘못 말한 것은?

① 세수할 때 주먹을 비비지 않는다.
② 옛일을 본받고 뜻을 고상하게 한다.
③ 새벽 다섯 시에 일어나 책을 읽는다.
④ 생파를 먹지 않고 막걸리를 멀리한다.
⑤ 말할 때 이 사이로 침을 흘리지 않는다.

11 ㉠과 뜻이 통하는 속담은?

① 냉수 먹고 이 쑤시기
② 뛰는 놈 위에 나는 놈 있다
③ 윗물이 맑아야 아랫물이 맑다
④ 급하다고 바늘 허리에 실 매어 쓰랴
⑤ 양반은 얼어 죽어도 곁불은 안 쬔다

서술형

12 이 글에서 양반과 부자의 지위가 서로 달라졌음을 보여 주는 부분을 찾아 한 문장으로 서술하시오.

[참고 자료] 증서에 소개된 책

- 동래박의(東萊博議) 중국 남송의 여조겸이 『춘추좌씨전(春秋左氏傳)』 중의 중요한 기사 168항목을 뽑아 각각 제목을 달고 평론한 책. 문장 수련에 모범이 되어 왔다.
- 고문진보(古文眞寶) 중국 송나라 말기의 학자 황견이 주나라 때부터 송나라 때까지의 시문을 모아 엮은 책.
- 당시품휘(唐詩品彙) 중국 명나라의 고병이 당나라 시를 가려 뽑아 엮은 책.

관아의 심부름꾼

아 이에 통인이 도장을 찍으니 그 소리가 마치 엄고 소리와 같고, 찍

임금이 행차할 때, 벼슬아치들에게 준비를 서두르도록 큰북을 세 번 치던 일, 또는 그 북.

어 놓은 모양이 별들이 벌여 있는 것 같았다. / 부자는 호장이 증서를

늘어놓여 　　관아의 벼슬아치 밑에서 일을 보던 사람 중 우두머리

읽는 것을 쭉 듣고 한참 멍하니 있다가 말하였다.

"양반이라는 게 이것뿐입니까? 저는 양반이 신선 같다고 들었는데 정말 이렇다면 너무 재미가 없는 걸요. 원하옵건대 제게 이익이 있도록 문서를 바꾸어 주옵소서." / 그래서 문서를 다시 작성하였다.

하늘이 백성을 낳을 때 백성을 넷으로 구분하였다. 네 가지 백성 가운데 가장 높은 것이 선비이니 이것이 곧 양반이다. 양반의 이익은 막대하니 농사도 짓지 않고 장사도 하지 않고 글을 하면 크게는 ㉠문과 급제요, 작게는 진사가 되는 것이다. 문과의 ㉡홍패는 길이 두 자 남짓한 것이지만 백 가지 물건이 구비되어 있어 그야말로 ㉢돈 자루이다. 진사가 나이 서른에 처음 관직에 나가더라도 오히려 이름 있는 ㉣음관이 되고, 잘되면 남행으로 큰 고을을 맡게 되어, 귀밑이 양산 바람에 희어지고, 종들이 '예' 하는 소리에 배가 커지며, 방에는 기생이 귀고리로 치장하고, 뜰의 곡식에는 ㉤학이 깃든다. 궁한 양반이 시골에 묻혀 있어도 강제로 이웃의 소를 끌어다 먼저 자기 땅을 갈고 마을의 일꾼을 잡아다 자기 논의 김을 맨들 누가 감히 나를 괄시하랴. 너희들 코에 잿물을 들어붓고 머리끄덩이를 회회 돌리고 수염을 낚아채더라도 누구 감히 원망하지 못할 것이다.

(문과의 회시에 급제한 사람에게 주던 증서 / 과거를 거치지 아니하고 조상의 공덕에 의하여 맡은 벼슬. 또는 그런 벼슬아치 / 음관과 같은 말)

중간 ┊ 군수가 양반 매매 증서를 작성해 줌.

핵심 확인 작품에 반영된 사회상

집이 가난한 양반이 고을의 환자를 타다 먹음.	→	양반 계층 중 경제적 능력을 상실하여 힘겹게 사는 이들이 있었음.
평민 부자가 재물로 양반 신분을 사려 함.	→	신흥 부유층이 등장하였으며, 신분제가 점차 붕괴되어 감.

증서의 내용과 풍자 대상

증서	내용	풍자 대상
첫 번째 증서	양반으로서 지켜야 할 의무와 규범	허례허식, 체면 등을 중시하는 양반의 모습
두 번째 증서	양반으로서 누릴 수 있는 특권	신분을 이용하여 백성을 괴롭히고 이익을 얻는 양반의 부패한 모습

핵심 | 날개 확인 문제

13 (아)에서 부자가 문서를 바꾸어 달라고 한 이유로 적절한 것은?

① 즐거운 삶을 살고 싶어서
② 자신의 명예를 지키기 위해서
③ 다른 사람의 모범이 되고 싶어서
④ 미천한 신분에서 벗어나기 위해서
⑤ 자신에게 이익이 되는 내용이 없어서

핵심

14 양반의 횡포가 잘 드러난 행동을 〈보기〉에서 모두 골라 바르게 묶은 것은?

보기
ⓐ 네 가지 백성 가운데 가장 높은 것이 선비이다.
ⓑ 크게는 문과 급제요, 작게는 진사가 되는 것이다.
ⓒ 강제로 이웃의 소를 끌어다 먼저 자기 땅을 갈게 한다.
ⓓ 마을의 일꾼을 잡아다 자기 논의 김을 매게 한다.

① ⓐ, ⓑ　② ⓐ, ⓒ　③ ⓑ, ⓒ
④ ⓑ, ⓓ　⑤ ⓒ, ⓓ

15 ㉠~㉤ 중, 양반의 지위를 이용하여 이익을 취할 수 있음을 풍자적으로 표현한 말은?

① ㉠　② ㉡　③ ㉢
④ ㉣　⑤ ㉤

16 이 글에서 조선 시대 '사농공상'의 신분적 질서를 보여 주는 부분을 찾아 한 문장으로 쓰시오.

이것이 핵심! ✔ 부자의 역할

끝 ⓐ 부자는 증서를 중지시키고 혀를 내두르며,

"그만두시오, 그만두오. 맹랑하구먼. 나를 장차 ㉠도둑놈으로 만들 작정인가." 하고 머리를 흔들고 가 버렸다.

끝 | 증서의 내용을 듣고 난 부자가 양반 되기를 포기함.

핵심 확인 부자의 역할

부자의 말	"~ 나를 장차 도둑놈으로 만들 작정인가."	양반에 대한 직설적이고 신랄한 비판
부자의 행동	머리를 흔들고 가 버렸다.	양반 되기를 포기함.

↓

부자는 양반의 빚을 대신 갚아 주고 양반 신분을 사지만 양반들의 형식적인 규범과 평민에 대한 횡포를 알고 달아나 버리는 인물로, 양반에 대한 비판과 풍자라는 작품의 주제를 명확히 드러내는 역할을 함.

핵심

17 이 글에 대한 설명으로 적절한 것을 <보기>에서 모두 골라 바르게 묶은 것은?

보기
ⓐ 반어의 기법을 써서 당대 현실을 비판하고 있다.
ⓑ 역사적으로 실존했던 인물의 생애를 다루고 있다.
ⓒ 양반의 무능함을 부정적인 관점에서 바라보고 있다.
ⓓ 신분 제도가 흔들리던 당시의 시대적 상황이 나타나 있다.

① ⓐ, ⓑ ② ⓐ, ⓒ ③ ⓑ, ⓒ
④ ⓑ, ⓓ ⑤ ⓒ, ⓓ

18 이 글에 등장하는 '부자'에 대한 설명으로 적절하지 않은 것은?

① 양반을 사서 신분 상승을 이루고자 하였다.
② 증서를 통해 양반의 실체를 깨닫게 되었다.
③ 신분 제도의 모순을 깨닫고 저항하게 되었다.
④ 양반의 횡포에 실망하여 비판하게 되었다.
⑤ 증서의 내용을 듣고 양반 되기를 포기하게 되었다.

19 ㉠에 대한 설명으로 가장 적절한 것은?

① 신분 제도의 모순을 풍자하고 있는 표현이다.
② 부자의 내적 갈등이 겉으로 드러난 표현이다.
③ 당시의 시대 상황을 압축하여 나타낸 표현이다.
④ 부자에 대한 작가의 시각이 반영되어 있는 표현이다.
⑤ 양반에 대한 직설적인 비판이 들어 있는 표현이다.

20 이 글에서 양반에 대한 직설적이고 신랄한 비판과 풍자가 담긴 문장을 찾아 5어절로 쓰시오.

• 정답과 해설 p.8

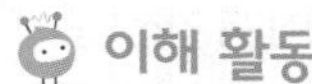

이해 활동

1. 이 소설 속 등장인물의 성격과 특징을 정리해 봅시다.

재산이 많지만 신분이 낮아 무시당한다. 양반이 되기 위해 양반의 빚을 대신 갚아 주고 신분을 사려 했다가 양반의 실상을 알고 포기한다.

예시 답 학식과 인품을 지녔지만 현실 감각이 떨어지는 인물. 경제적 능력이 없어 가족을 부양하지 못하고, 결국 신분을 팔아 빚을 갚는 무능한 인물이다.

예시 답 양반과 부자의 신분 거래를 조정하면서 부자가 신분 사는 것을 포기하게 한다.

예시 답 생활 능력이 없는 가장인 남편을 비판하는 직설적인 인물이다.

이해 다지기 문제

1 등장인물에 대한 설명으로 적절한 것을 모두 고르시오.

㉠ 부자: 양반의 실상을 알고 나서 신분 제도의 개혁에 앞장서는 인물이다.
㉡ 양반: 경제적 무능력으로 인해 신분을 팔아 빚을 갚는 인물이다.
㉢ 군수: 신분 거래를 조정하여 부자의 신분 상승을 지원하는 인물이다.
㉣ 양반의 아내: 양반의 무능함에 대해 직설적으로 비판하는 인물이다.

2. 등장인물에게 묻고 싶은 내용을 정리하여, 다음과 같이 짝꿍과 함께 질문하고 답해 봅시다.

예시 답
• 질문: 양반에게 – 왜 제대로 갚지도 못하면서 계속 곡식을 꾸어다 먹었나요?
답변: 아무리 열심히 글을 읽어도 돈은 벌 수 없어, 먹고살 길이 막막했기 때문입니다.
• 질문: 군수에게 – '양반'을 사고파는 것을 어떻게 생각합니까?
답변: 타고난 신분은 사고팔 수 있는 것이 아니라고 생각합니다.
• 질문: 양반의 아내에게 – 당신에게 '양반'이라는 신분은 어떤 의미가 있나요?
답변: 신분이 아무리 높아도 당장 먹을 양식이 없어 굶으면 아무 소용이 없습니다. 글 읽기만 한다고 쌀이 나오는 것이 아니니까요.

이해 다지기 문제

2 등장인물에게 질문할 내용으로 적절하지 않은 것은?

① 양반에게 – 곡식을 빌려 먹게 된 이유는 무엇인가요?
② 양반에게 – 부자에게 양반 신분을 왜 팔게 되었나요?
③ 군수에게 – 증서를 다시 고쳐 쓴 까닭은 무엇인가요?
④ 부자에게 – 양반의 신분을 사서 무엇하려고 하나요?
⑤ 양반의 아내에게 – 군수를 꾸짖은 이유는 무엇인가요?

목표 활동

1. 이 소설에 나타나는 표현과 그 효과를 살펴봅시다.

1 군수가 만든 증서를 통해 간접적으로 비판하고 있는 양반의 모습을 말해 봅시다.

첫 번째 증서를 보면 양반의 허례허식, 체면과 형식을 중시하는 태도, 공허한 관념, 현실에 전혀 도움이 되지 않는 생활 태도 등 을/를 비판하고 있는 것 같아.

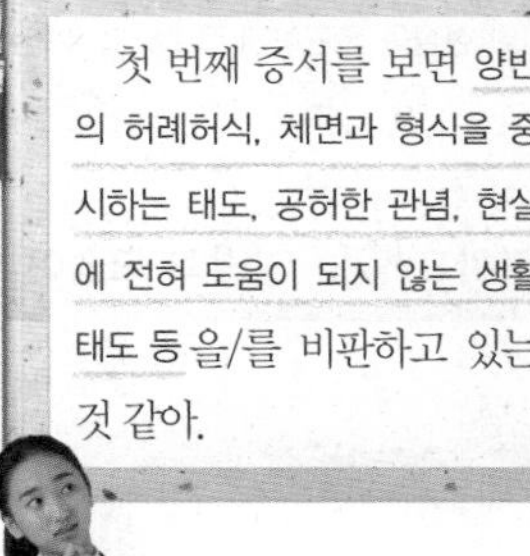

두 번째 증서를 보면 양반의 부당한 특권, 서민층에 행하는 비도덕적인 수탈, 위선적 태도 등 을/를 비판하고 있어.

2 등장인물의 행동에서 긍정적인 면과 부정적인 면을 찾아보고, 친구들과 의견을 나누어 봅시다.

예시 답

부자	긍정적인 평가 부자는 불합리한 차별을 받았기 때문에 자신의 노력으로 모은 돈으로 양반이 되려고 했으나, 양반의 실상을 알고는 양반이 되기를 포기한다. 부정적인 평가 돈으로 신분을 사는 것으로 신분 제도의 부조리함을 모면하려 한다. 신분 차별이 불합리하다면 잘못된 사회를 바꾸기 위해 노력해야 할 것이다.
양반	• 긍정적인 평가: 학식과 인품을 지녔으며, 곤궁한 형편으로 집안이 어려워지자 자신의 신분까지 팔고, 이후 자신을 낮추는 태도를 보인다. • 부정적인 평가: 현실 감각이 떨어지고 경제적으로 무능하여 가족의 생계를 책임지지 못하고 나라에 큰 빚을 지게 된다.
군수	• 긍정적인 평가: 학식이 높은 양반을 훌륭하다고 여기고 존경하는 태도를 보인다. • 부정적인 평가: 겉으로는 양반을 돕고 신분을 사는 부자를 칭찬하지만, 양반 매매 증서를 통해 부자가 양반 신분을 사는 것을 포기하게 한다.

3 양반 계층을 직접 비판하는 것과 풍자를 통해 비판하는 것의 차이는 무엇일지 생각해 봅시다.

예시 답 양반 계층을 직접 비판할 때에는 논리적으로 옳고 그름을 따져 공격할 수 있을 것이다. 반면 풍자를 통해 비판할 때에는 힘 있는 양반을 비판하고 희화화함으로써 부정적인 대상과 사회 현실을 은근하게 폭로하고 읽는 이에게 쾌감을 줄 수 있을 것이다.

목표 다지기 문제

1 군수가 만든 증서에서 비판하고 있는 양반의 모습이 아닌 것은?

① 부당한 특권과 공허한 관념
② 체면과 형식을 중시하는 태도
③ 서민층에 행하는 비도덕적인 수탈
④ 신분제의 모순을 깨닫지 못하는 태도
⑤ 현실에 전혀 도움이 되지 않는 생활 태도

2 풍자를 통해 양반을 비판함으로써 얻을 수 있는 효과를 바르게 묶은 것은?

ⓐ 힘 있는 양반이 희화화되어 재미를 느끼게 한다.
ⓑ 부정적인 대상을 은근하게 폭로하는 효과가 있다.
ⓒ 논리적으로 옳고 그름을 분명하게 보여 줄 수 있다.
ⓓ 부정적인 사회 현실을 직접적으로 공격할 수 있다.

① ⓐ, ⓑ ② ⓐ, ⓒ ③ ⓑ, ⓒ
④ ⓑ, ⓓ ⑤ ⓒ, ⓓ

웃음을 통해 대상을 비판하는, 풍자

'풍자'는 현실의 부정적인 대상이나 모순을 빗대어 넌지시 비판함으로써 웃음을 유발하는 표현 방식입니다. 풍자는 대상을 직접 공격하는 것이 아니라 비웃음, 말장난, 시치미 떼기, 과장 등 간접적인 방법으로 돌려서 부당한 현실이나 힘 있는 대상을 우스꽝스럽게 그려 비판합니다.

2. 이 소설과 같이 풍자의 표현이 나타난 사례를 우리 주변에서 찾아보고, 그 표현의 효과를 이해해 봅시다.

사례	풍자 내용과 효과
폴란드의 풍자 화가 파웰 쿠친스키의 「저녁 식사」	식탁 위에서 모든 가족이 스마트 기기를 앞에 두고 기도하는 모습을 그림으로써, 과도한 스마트 기기의 사용과 이에 따른 가족 간의 대화 부재를 풍자하고 있다.
 예시 답 영화 「모던 타임즈」	공장의 부품과 같이 쉼 없이 일하고 통제당하는 주인공이 우여곡절 끝에 한 고아 소녀를 만나 희망을 찾는다는 내용을 통해 산업화 당시 미국의 사회 문제와 기계화된 인간의 현실을 풍자하고 있다.
 예시 답 코미디	사회 문제나 화제가 되는 일들을 과장을 통해 우스꽝스럽게 묘사하여 웃음을 주고 있다.

목표 다지기 문제

3 다음 그림에서 풍자의 대상이 되고 있는 것은?

① 가족 이기주의의 문제점
② 현대 사회의 물질 만능주의
③ 정보화 시대의 비도덕적인 모습
④ 과도한 스마트 기기 사용의 부작용
⑤ 스마트 기기로 인한 부모와 자녀의 갈등

창의·융합 활동

1. 다음 시를 감상하고, 이 시에 나타난 풍자의 표현을 이해해 봅시다.

미니 시리즈

오은

느닷없이 접촉 사고
느닷없이 삼각관계
느닷없이 시기 질투
느닷없이 풍전등화
느닷없이 수호천사
느닷없이 재벌 2세
느닷없이 신데렐라
느닷없이 승승장구
느닷없이 이복형제
느닷없이 행방불명
느닷없이 폐암 진단
느닷없이 양심 고백
느닷없이 눈물바다
느닷없이 무사 귀환
느닷없이 갈등 해소
느닷없이 해피 엔딩

16부작이 끝났습니다
꿈 깰 시간입니다

1 이 시에서 풍자하고 있는 것은 무엇인지 친구들과 이야기를 나누어 봅시다.

예시 답 일부 텔레비전 드라마에서 보통의 삶에서는 일어나기 힘든 자극적인 상황이나 일들이 개연성 없이 동시다발적으로 이어지는 것을 풍자하고 있다.

2 이 시의 형식과 내용에 맞추어 내용을 추가해 봅시다.

예시 답 느닷없이 출생 비밀 / 느닷없이 사랑 고백

3 이 시와 같이 풍자의 방법을 활용하여 주변의 일들을 개성 있게 표현해 봅시다.

예시 답 동생 방
월요병 때문에 못 치워 월요일
학원 다녀오면 피곤해 화요일
드라마는 본방 사수 수요일
왠지 다 귀찮군 목요일
내일은 주말이잖아 금요일
친구들과 축구 해야지 토요일
무조건 푹 쉴래 일요일

오늘도 더럽네
내 동생 방

수행 평가 대비 활동

| 수행 평가 TIP | 시에 나타난 풍자의 표현을 살펴보고, 이를 바탕으로 주변의 일들을 풍자의 방법을 사용하여 표현하는 활동입니다. 주어진 시에서 풍자하고 있는 대상이 무엇인지 파악해 보고, 주변의 일들 중에서 풍자의 방법으로 표현하고 싶은 내용을 찾아 개성 있게 표현해 보도록 합니다.

1 평가 내용 확인하기

- 시에서 풍자하고 있는 내용과 풍자의 표현 방식 파악하기
- 풍자의 방법으로 주변의 일들을 시로 표현하기

2 평가 기준 확인하기

- 작품 속 풍자의 표현을 잘 이해했는가?

제시된 시에서 '미니 시리즈'가 어떻게 그려지고 있는지를 살피면서, 어떤 점을 비꼬아서 비판하고 있는지를 파악해야 해요.

- 시의 맥락과 형식에 맞게 표현하였는가?

제시된 시의 맥락과 형식을 빌려서 표현할 수도 있고, 자신만의 독창적이고 개성적인 형식으로 표현할 수도 있어요.

- 풍자를 활용하여 개성 있게 표현했는가?

주변에서 비판할 만한 현상이나 사건을 찾고, 이를 직접 공격하지 않고 넌지시 비판하는 방법으로 표현할 수 있어야 해요.

수행 평가 +

1. 신문에서 풍자의 표현이 활용된 만화나 만평을 찾아봅시다.

도와줄게 신문의 만화나 만평은 대부분 풍자적인 요소가 많이 들어 있습니다. 특히 시사적인 문제에 대해서는 풍자의 표현 방식이 널리 쓰이므로 신문의 만화나 만평을 보면 그 당시의 사회적 문제가 무엇인지 잘 알 수 있습니다.

2. 1에서 찾은 만화나 만평에서 풍자하고 있는 사회적 현실이 무엇인지 말해 보고, 이를 보고 느낀 점은 무엇인지 이야기해 봅시다.

도와줄게 풍자의 원리와 표현 방식을 바탕으로 자신이 찾은 만화나 만평에서 풍자하고 있는 대상이 무엇인지 파악하고, 그에 대한 자신의 감상을 정리해 보도록 합니다.

소단원 제재 정리

갈래: 한문 소설, 단편 소설, 풍자 소설
성격: 풍자적, 고발적, 비판적
제재: 양반 신분의 매매
주제: 양반들의 공허한 관념과 비생산성, 특권 의식에 대한 비판과 풍자
특징: ① 조선 후기의 사회상을 잘 반영하고 있음.
② 몰락하는 양반들의 위선적인 생활 모습을 비판 · 풍자함.

제재 한눈에 보기

처음	정선의 한 양반이 가난하여 환곡을 갚지 못함.
중간	부자가 양반 대신 환곡을 갚아 신분을 사고, 군수가 이에 대한 증서를 써 줌.
끝	증서의 내용을 듣고 부자가 양반 되기를 포기함.

핵심 원리

- **풍자의 뜻**: 부정적인 대상이나 모순을 빗대어 넌지시 비판함으로써 (❶)을 유발하는 표현 방식
- **풍자의 방법**: 대상을 직접 공격하는 것이 아니라 비웃음, 말장난, 시치미 떼기, 과장 등 (❷)인 방법으로 돌려서 부당한 현실이나 힘 있는 대상을 우스꽝스럽게 그려 비판함.

핵심 내용

(1) 작품의 중심 내용

처음	정선의 한 양반이 몹시 가난하여 환곡을 갚지 못하자 군수가 이를 딱하게 여김.
중간	마을의 부자가 양반의 환곡을 대신 갚아 주는 대가로 양반 신분을 사고, 그 사실을 안 군수가 양반 매매 (❸)를 대신 써 줌.
끝	증서를 본 부자는 양반의 삶이 (❹)의 삶과 다르지 않다고 하며 양반 되기를 포기함.

↓

양반들의 무능함과 (❺), 위선적 생활 모습을 풍자함.

(2) 작품에 반영된 당시의 사회상

사회상		의미
가난한 양반이 관아의 곡식을 타다 먹음.	→	경제적 능력이 없어 힘겹게 사는 양반들이 있음.
양반이 자신의 (❻)을 팔음.	→	신분제가 점차 붕괴되고 있음.
평민 부자가 재물로 양반 신분을 사서 양반이 되고자 함.	→	상공업을 통해 경제적 부를 쌓은 새로운 평민 계층이 등장함.

(3) 등장인물의 성격과 특징

인물	성격과 특징
(❼)	• 조선 후기 상공업의 발달로 형성된 신흥 세력의 전형적인 인물 • 양반이 되기 위해 양반의 빚을 갚아 주고 신분을 사지만 양반의 허례허식과 횡포를 알고 양반 되기를 포기함.
양반	• 어질고 독서를 좋아하는 선비로, 생활 능력이 없는 무능한 인물 • 현실에 대한 적응 능력이 없는 양반의 전형임.
군수	• 양반의 이중성을 대표하는 인물 • 부자를 칭찬하면서도 양반 매매 증서 작성을 통해 부자가 양반 신분을 사는 것을 포기하게 함.
양반의 아내	• 양반의 경제적 무능력과 비생산성을 조롱하고 비판하는 인물 • 무능한 양반에 대한 작가의 비판 의식을 대변하는 역할을 함.

(4) 증서를 통해 비판하고 있는 양반의 모습

첫 번째 증서	(❽)의 허례허식, 체면과 형식을 중시하는 태도, 공허한 관념, 현실에 전혀 도움이 되지 않는 생활 태도
두 번째 증서	양반의 부당한 특권, 서민층에 행하는 비도덕적인 수탈, 위선적 태도

정답 ❶ 웃음 ❷ 간접적 ❸ 증서 ❹ 도둑 ❺ 허례허식 ❻ 신분 ❼ 부자 ❽ 양반

소단원 핵심 문제

• 정답과 해설 p.9

[01~04] 다음 글을 읽고 물음에 답하시오.

(가) 양반이란, 사족들을 높여서 부르는 말이다.

강원도 정선군에 한 양반이 살고 있었다. 이 양반은 어질고 글 읽기를 좋아하여 군수가 새로 부임하면 으레 몸소 그 집을 찾아와서 인사를 드렸다. 그런데 이 양반은 집이 가난하여 ㉠해마다 관아의 곡식을 타다 먹은 것이 쌓여서 천 석에 이르렀다. 강원도 감사가 그 고을을 순시하다가 정선에 들러 관곡 장부를 조사하고 크게 노하였다.

"어떤 놈의 양반이 이처럼 군량에 쓸 곡식을 축냈단 말이냐?"

하고, 곧 명해서 그 양반을 잡아 가두게 하였다. 군수는 그 양반이 가난해서 갚을 힘이 없는 것을 딱하게 여기고 차마 가두지 못하였지만 무슨 도리가 없었다.

양반 역시 밤낮 울기만 한 채 해결할 방법을 찾지 못하였다. 그 부인이 역정을 냈다.

"당신은 평생 글 읽기만 좋아하더니 관곡을 갚는 데는 아무런 도움이 안 되는군요. 쯧쯧. ㉡양반, 양반이란 것이 한 푼어치도 안 되는 것이구려."

(나) 그 마을에 사는 한 부자가 가족들과 의논하기를,

"양반은 아무리 가난해도 늘 귀하게 대접받고 나는 아무리 부자라도 항상 천하지 않느냐. 말도 못 하고, 양반만 보면 굽신굽신 두려워해야 하고, 엉금엉금 기어가서 코를 땅에 대고 무릎으로 기는 등 우리는 늘 이런 수모를 받는단 말이다. 이제 동네의 한 양반이 가난해서 타 먹은 관곡을 갚지 못하고 아주 난처한 판이니 그 형편이 도저히 양반을 지키지 못할 것이다. ㉢내가 장차 그의 양반을 사서 가져 보겠다."

(다) 부자는 곧 양반을 찾아가 자기가 대신 관곡을 갚아 주겠다고 청하였다. 양반은 크게 기뻐하며 승낙하였다. 그래서 부자는 즉시 곡식을 관가에 실어 가서 양반의 환자를 갚았다.

군수는 양반이 관곡을 모두 갚은 것을 놀랍게 생각하였다. 군수가 몸소 찾아가서 양반을 위로하고, 또 관곡을 갚게 된 사정을 물어보려고 하였다. 그런데 뜻밖에 ㉣양반이 벙거지를 쓰고 짧은 잠방이를 입고 길에 엎드려 '소인'이라고 자칭하며 감히 쳐다보지도 못하고 있지 않는가. 군수가 깜짝 놀라 내려가서 부축하고 말하였다.

"귀하는 어찌 이다지 스스로 낮추어 욕되게 하시는가요?"

하고 말하였다. ㉤양반은 더욱 황공해서 머리를 땅에 조아리고 엎드려 아뢰었다.

"황송하오이다. 소인이 감히 욕됨을 자청하는 것이 아니오라, 이미 제 양반을 팔아서 관곡을 갚았지요. 동네의 부자 사람이 양반이옵니다. 소인이 이제 다시 어떻게 전의 양반을 사칭해서 양반 행세를 하겠습니까?"

출제 예감 90% 학습 활동 응용

01 이 글에 대한 설명으로 적절한 것은?

① 부자를 통해 지배 계층의 특권을 보여 주고 있다.
② 양반 계층이 몰락하게 된 과정을 그려 내고 있다.
③ 신분 제도의 문제점을 직접적으로 비판하고 있다.
④ 양반과 부자의 갈등을 사실적으로 그려 내고 있다.
⑤ 신분제가 동요되던 당시의 사회상을 보여 주고 있다.

출제 예감 95%

02 (가)~(다)에 대한 설명으로 적절하지 않은 것은?

① (가)에는 경제적으로 무능한 양반의 모습이 나타나 있다.
② (가)에서 양반의 아내는 남편을 불쌍하게 여기고 있다.
③ (나)에는 신분을 차별하던 사회상이 드러나 있다.
④ (다)에는 신분 매매의 사회상이 나타나 있다.
⑤ (다)에는 몰락한 양반의 모습이 나타나 있다.

출제 예감 85% 학습 활동 응용

03 (가)에서 양반에 대한 긍정적인 평가가 드러나 있는 부분을 찾아 4어절로 쓰시오.

출제 예감 90%

04 ㉠~㉤ 중, 양반의 경제적 무능함에 대한 풍자가 가장 잘 드러나 있는 것은?

① ㉠ ② ㉡ ③ ㉢ ④ ㉣ ⑤ ㉤

소단원 핵심 문제

[05~10] 다음 글을 읽고 물음에 답하시오.

(가) 군수는 감탄해서 말하였다.

"군자로구나 부자여! 양반이로구나 부자여! 부자이면서도 재물에 인색함이 없으니 의로운 일이요, 남의 어려움을 도와주니 어진 일이요, 비천한 것을 싫어하고 귀한 것을 아끼니 지혜로운 일이다. 이야말로 ㉠ 진짜 양반이로구나. 그러나 사사로이 팔고 사더라도 증서를 해 두지 않으면 소송의 꼬투리가 될 수 있다. 내가 너와 약속을 해서 고을 사람들을 증인을 삼고 증서를 만들 것이니 마땅히 거기에 서명할 것이다."

그리고 군수는 돌아가서 고을 안의 양반 및 농사꾼, 공장, 장사치까지 모두 불러 관아에 모았다. 부자는 오른편 높직한 자리에 서고, 양반은 공형의 아래에 섰다.

그리고 증서를 만들었다.

(나) 건륭 10년 9월 모일에 이 문서를 만드노라.

위 증서는 양반을 팔아서 관곡을 갚은 것으로 그 값은 천 석이다.

오직 양반은 여러 가지로 일컬어지나니, 글을 읽으면 가리켜 선비라 하고, 정치에 나아가면 대부가 되고, 덕이 있으면 군자이다. 무관은 서쪽에 늘어서고 문관은 동쪽에 늘어서는데, 이것이 양반이니 너 좋을 대로 따를 것이다.

야비한 일을 끊고 ㉡ 옛일을 본받고 뜻을 고상하게 할 것이며, 늘 새벽 다섯 시만 되면 일어나 촛불에 불을 댕겨 등잔을 켜고 눈은 가만히 코끝을 보고 발꿈치를 궁둥이에 모으고 앉아 『동래박의』를 얼음 위에 박 밀듯 윈다. 배고픔을 참고 추위를 견뎌 살림의 구차한 형편을 남에게 말하지 아니하되, 이를 마주치고 뒤통수를 두드리며 잔기침으로 입맛을 다진다. 소맷자락으로 모자를 쓸어서 먼지를 털어 물결무늬가 생겨나게 하고, 세수할 때 주먹을 비비지 말고, 양치질해서 입내를 내지 말고, 소리를 길게 뽑아서 종을 부르며, 걸음을 느릿느릿 옮겨 신발을 땅에 끈다. 그리고 『고문진보』, 『당시품휘』를 깨알같이 베껴 쓰되 한 줄에 백 자를 쓰며, ㉢ 돈을 만지지 말고, 쌀값을 묻지 말고, 더워도 버선을 벗지 말고, 밥을 먹을 때 맨상투로 밥상에 앉지 말고, 국을 먼저 훌쩍훌쩍 떠먹지 말고, 물을 후루루 마시지 말고, 젓가락으로 방아를 찧지 말고, 생파를 먹지 말고, 막걸리를 들이켠 다음 수염을 쭈욱 빨지 말고, 담배를 피울 때 볼에 우물이 파이게 하지 말고, 화난다고 아내를 두들기지 말고, 성내서 그릇을 내던지지 말고, 아이들에게 주먹질을 하지 말고, 종놈을 야단쳐 죽이지 말고, 소와 말을 꾸짖되 그 판 주인까지 욕하지 말고, 추워도 화로에 불을 쬐지 말고, 말할 때 이 사이로 침을 흘리지 말고, 소 잡는 일을 하지 말고, 돈을 가지고 놀음을 하지 말 것이다. 이와 같은 모든 품행이 양반에 어긋남이 있으면, 이 증서를 가지고 관청에 나와 옳고 그름을 가릴 것이다.

성주 정선 군수 화압. 좌수 별감 증서.

출제 예감 90% 학습 활동 응용

05 이 글에 등장하는 인물에 대한 설명으로 적절한 것을 〈보기〉에서 모두 골라 바르게 묶은 것은?

보기
- ⓐ 부자는 미천한 신분에서 벗어나기 위해 돈으로 양반을 사고자 하였다.
- ⓑ 양반은 더 많은 재물을 얻기 위하여 자신의 신분을 부자에게 팔았다.
- ⓒ 군수는 양반 신분 매매를 중개함으로써 신분제 폐지에 앞장서고자 하였다.
- ⓓ 군수는 부자의 행동을 남의 어려움을 도와주는 어진 일이라고 평가하고 있다.

① ⓐ, ⓑ ② ⓐ, ⓓ ③ ⓑ, ⓒ
④ ⓑ, ⓓ ⑤ ⓒ, ⓓ

출제 예감 75% 서술형

06 군수가 양반 매매 증서를 작성하려는 이유는 무엇인지 (가)의 내용을 토대로 한 문장으로 서술하시오.

출제 예감 90%

07 (나)에 나타난 양반의 모습에 대한 학생들의 생각으로 적절하지 않은 것은?

① 누리: 새벽에 일어나서 책을 읽는 것은 선비로서 지녀야 할 기본적인 태도였던 것 같아.

② 은우: 체면과 형식에 얽매여 실생활과 관련된 문제 해결에는 관심을 두지 않았군.

③ 재훈: 백성들을 위해 배고픔을 참고 추위를 견뎌 냄으로써 양반의 신분을 지켜 내었군.

④ 명진: '양반은 얼어 죽어도 겻불은 안 쬔다'는 속담이 왜 생겨났는지 알겠어.

⑤ 정수: 일상생활에서 지켜야 하는 예법들이 지나치게 형식적이고 불편한 것들이었던 것 같아.

출제 예감 90% 학습 활동 응용

08 군수가 부자에게 ㉠과 같이 말한 이유로 볼 수 없는 것은?

① 부자가 증서에 서명을 해서

② 부자가 비천한 것을 싫어해서

③ 부자가 재물에 인색함이 없어서

④ 부자가 귀한 것을 아낄 줄 알아서

⑤ 부자가 남의 어려움을 도와주어서

출제 예감 70%

09 ㉡의 의미를 드러내기에 적절한 말은?

① 온고지신(溫故知新)

② 고진감래(苦盡甘來)

③ 다다익선(多多益善)

④ 타산지석(他山之石)

⑤ 이심전심(以心傳心)

출제 예감 70%

10 ㉢을 통해 작가가 비판하고자 하는 양반의 모습은?

① 학구적 태도 ② 위선적 인격

③ 경제적 무능 ④ 백성에 대한 수탈

⑤ 지나치게 청빈한 삶의 태도

[11~16] 다음 글을 읽고 물음에 답하시오.

(가) 이에 통인이 도장을 찍으니 그 소리가 마치 엄고 소리와 같고, 찍어 놓은 모양이 별들이 벌여 있는 것 같았다.

부자는 호장이 증서를 읽는 것을 쭉 듣고 한참 멍하니 있다가 말하였다.

"양반이라는 게 이것뿐입니까? 저는 양반이 신선 같다고 들었는데 정말 이렇다면 너무 재미가 없는 걸요. 원하옵건대 제게 이익이 있도록 문서를 바꾸어 주옵소서."

그래서 문서를 다시 작성하였다.

(나) 하늘이 백성을 낳을 때 백성을 넷으로 구분하였다. 네 가지 백성 가운데 가장 높은 것이 선비이니 이것이 곧 양반이다. 양반의 이익은 막대하니 ㉠<u>농사도 짓지 않고 장사도 하지 않고</u> 글을 하면 크게는 문과 급제요, 작게는 진사가 되는 것이다. 문과의 홍패는 길이 두 자 남짓한 것이지만 백 가지 물건이 구비되어 있어 그야말로 돈 자루이다. 진사가 나이 서른에 처음 관직에 나가더라도 오히려 이름 있는 음관이 되고, 잘되면 남행으로 큰 고을을 맡게 되어, 귀밑이 양산 바람에 희어지고, 종들이 '예' 하는 소리에 배가 커지며, 방에는 기생이 귀고리로 치장하고, 뜰의 곡식에는 학이 깃든다. 궁한 양반이 시골에 묻혀 있어도 강제로 이웃의 소를 끌어다 먼저 자기 땅을 갈고 마을의 일꾼을 잡아다 자기 논의 김을 맨들 누가 감히 나를 괄시하랴. 너희들 코에 잿물을 들어붓고 머리끄덩이를 회회 돌리고 수염을 낚아채더라도 누구 감히 원망하지 못할 것이다.

(다) 부자는 증서를 중지시키고 혀를 내두르며,

"그만두시오, 그만두오. 맹랑하구먼. 나를 장차 도둑놈으로 만들 작정인가." 하고 머리를 흔들고 가 버렸다.

소단원 핵심 문제

출제 예감 95% 학습 활동 응용

11 이 글에 대한 감상으로 적절하지 않은 것은?

① 은수: 부자는 양반이 되면 실질적인 이익이 많을 거라고 생각했어.

② 서진: 증서로 인해 부자는 양반에 대한 환상에서 벗어나게 되었군.

③ 동규: 당시 양반들은 그 신분으로 인해 누릴 수 있는 특권들이 많았던 것 같아.

④ 민아: 증서 속 양반의 모습으로 인해 부자는 양반 되기를 포기한 거야.

⑤ 호성: 부자의 허황된 욕심을 통해 당시 신분제의 모순을 풍자하고 있어.

출제 예감 95% 학습 활동 응용

12 이 글에서 비판하고 있는 내용을 〈보기〉에서 모두 골라 바르게 묶은 것은?

보기

ⓐ 양반의 부당한 특권과 횡포
ⓑ 공정하지 못한 관리들의 부패한 모습
ⓒ 돈이면 다 된다고 생각하는 물질 만능주의
ⓓ 백성을 괴롭히고 이익을 얻는 양반의 부패한 모습

① ⓐ, ⓑ ② ⓐ, ⓓ ③ ⓑ, ⓒ
④ ⓑ, ⓓ ⑤ ⓒ, ⓓ

출제 예감 85%

13 (나)의 증서를 통해 당시의 사회 모습을 추측한 내용으로 적절하지 않은 것은?

① 양반은 신선과 같이 고귀하여 다른 사람들의 칭송을 받았다.

② 양반은 자신의 신분을 이용하여 막대한 이익을 거둘 수 있었다.

③ 양반이 문과에 합격을 하게 되면 엄청난 특권을 누릴 수 있었다.

④ 양반은 하는 일 없이도 배불리 먹고 사치스러운 생활을 할 수 있었다.

⑤ 양반은 벼슬을 하지 않고 시골에 살아도 백성들 위에 군림하며 지냈다.

출제 예감 80% 학습 활동 응용

14 ㉠에 나타난 양반의 모습에 가장 잘 어울리는 말은?

① 유비무환(有備無患)
② 아전인수(我田引水)
③ 무위도식(無爲徒食)
④ 대기만성(大器晩成)
⑤ 전화위복(轉禍爲福)

출제 예감 95% 서술형 논술 대비

15 이 글에 나타난 부자의 심리 변화를 〈조건〉에 맞게 서술하시오.

조건

- (가)에서 증서를 바꾸어 달라고 할 때와 증서의 내용을 듣고 난 후의 심리 변화를 포함하여 쓸 것
- 양반에 대한 직접적인 비판이 담긴 어휘를 사용하여 한 문장으로 서술할 것

출제 예감 80% 사고력 확장 문제

16 이 글과 〈보기〉에서 공통적으로 사용된 표현 방식에 대한 설명으로 적절하지 않은 것은?

개잘량이라는 '양' 자에 개다리소반이라는 '반' 자 쓰는 양반이 나오신단 말이오.

① 대상을 간접적으로 비판한다.
② 과장, 희화화, 반전 등의 방법을 활용한다.
③ 연민과 동정을 불러일으키는 웃음을 유발한다.
④ 현실의 문제점을 개혁하고자 하는 의지를 담는다.
⑤ 현실의 부정적 대상이나 모순을 넌지시 폭로한다.

활동 순서 광고의 표현 방법 파악하기 → 다양한 표현 방법을 사용하여 같은 주제의 광고 문구 써 보기 → 텔레비전 공익 광고의 표현에 유의하며 새롭게 내용 추가해 보기

활동 길잡이
공익 광고에 사용된 표현 방법을 파악하고, 광고의 문구를 새롭게 표현해 보는 활동이다. 운율, 반어, 역설, 풍자, 관용 표현 등의 다양한 표현 방법을 활용하여 광고의 문구를 직접 만드는 활동을 하며 이 단원에서 배운 내용을 적용해 보도록 한다.

1 다음은 에너지 절약을 주제로 한 공익 광고입니다. 광고에 사용된 표현에 유의하며 이어지는 활동을 해 봅시다.

1 이 광고의 문구에 사용된 표현 방법을 말해 봅시다.

예시 답 '뽑는 것이 심는 것입니다.'라는 문구에는 역설의 표현 방법이 사용되었다. 전기 플러그를 뽑아 전력을 절약하는 것이 나무를 심는 것, 즉 자연과 환경을 보호하는 것임을 의미하는 표현이다.

2 다양한 표현 방법을 사용하여 같은 주제의 광고 문구를 다시 써 봅시다.

예시 답 • 어둠이 새로운 빛을 만듭니다.
• 우리가 어두워야 세상이 밝습니다.
• 땅이 어두워야 하늘이 밝습니다.

활동 길잡이
텔레비전 공익 광고에 사용된 표현의 특징을 이해하고, 새롭게 내용을 추가해 보는 활동이다. 창의적인 발상으로 개성 있고 참신하게 표현해 보도록 한다.

2 다음 텔레비전 공익 광고의 표현에 유의하며 이어지는 활동을 해 봅시다.

1 이 광고에 사용된 표현의 특징을 이해하고, 가와 나에서 짝을 이루는 장면마다 각각 어떤 생각을 담고 있는지 이야기해 봅시다.

예시 답 '~ 말고, ~세요'로 된 구조의 문장이 반복되며 리듬감을 형성하고 있으며, '올리다', '담다', '잡다' 등의 말을 맥락에 따라 서로 대비되는 의미로 사용하고 있다.
겨울에 난방 온도를 내리고 옷을 든든히 입는 첫 번째 장면, 일회용 비닐봉지가 아닌 장바구니를 이용하는 두 번째 장면, 엘리베이터가 아닌 계단을 이용하는 세 번째 장면에서 나 하나의 편리함을 양보하는 실천을 통해 인류나 자연의 미래를 위하자고 하는 네 번째 장면의 주제가 전달된다.

2 이 광고에 한 쌍의 장면을 추가한다고 할 때, 적절한 장면과 문구를 만들어 봅시다.

• 정답과 해설 p.10

대단원 확인 문제

[01~04] 다음 시를 읽고 물음에 답하시오.

나 보기가 역겨워
㉠가실 때에는
말 없이 ㉡고이 보내 드리우리다

영변에 약산
㉢진달래꽃
아름 따다 ㉣가실 길에 뿌리우리다

가시는 걸음걸음
놓인 그 꽃을
사뿐히 ㉤즈려밟고 가시옵소서

나 보기가 역겨워
가실 때에는
죽어도 아니 눈물 흘리우리다

01 이 시에 나타난 화자의 정서와 태도에 대한 설명으로 적절한 것을 〈보기〉에서 모두 골라 바르게 묶은 것은?

보기
ⓐ 임을 빨리 잊기 위해 노력하고 있다.
ⓑ 떠나는 임의 앞길을 축복해 주고 있다.
ⓒ 이별하지 않겠다는 의지를 다지고 있다.
ⓓ 이별의 상황을 가정하고 체념하고 있다.

① ⓐ, ⓑ ② ⓑ, ⓒ ③ ⓑ, ⓓ
④ ⓐ, ⓒ ⑤ ⓒ, ⓓ

02 이 시의 운율에 대한 설명으로 적절하지 <u>않은</u> 것은?

① 처음과 끝이 유사한 구조로 이루어져 있다.
② 1연과 4연에서 동일한 시구를 반복하고 있다.
③ 2연에 이르러 시의 리듬에 변화를 주고 있다.
④ 4음보의 민요적 율격이 반복되어 나타나 있다.
⑤ 동일한 어미의 반복으로 운율을 형성하고 있다.

03 ㉠~㉤에 대한 설명으로 적절한 것은?

① ㉠: 이별에 대한 당혹감이 느껴진다.
② ㉡: 임에 대한 원망을 표현하고 있다.
③ ㉢: 임에 대한 사랑이 담긴 소재이다.
④ ㉣: 화자의 앞날을 축복하는 행위이다.
⑤ ㉤: 이별의 슬픔을 이겨 내는 모습이다.

서술형
04 이 시에서 〈보기〉의 설명에 해당하는 시구를 찾아 쓰고, 그 속에 담긴 의미를 쓰시오.

보기
실제로 말하고자 하는 바와 반대되는 말을 함으로써, 말하고자 하는 바가 더욱 절실하고 강하게 전달된다.

[05~07] 다음 글을 읽고 물음에 답하시오.

가 잘 아시다시피 열은 십 · 백 · 천 · 만 · 억 등의 십진급수에서 제일 먼저 꽉 찬 수입니다. 그러므로 이 열에 얼마를 더 보태거나 빼거나 한다면 그것은 이미 열이 아닌 다른 수가 됩니다.

나 무엇을 하기에 그 이상 좋을 수가 없이 알맞은 경우에 '십상 좋다'고 말하는 십상도, 열 십(十) 자와 이룰 성(成) 자에서 나온 말입니다. 그만큼 열이란 수는 이미 이룰 것을 이룩한 완전한 수이며, 성공을 한 수인 것입니다.

다 그러면 ㉠<u>아홉이란 수는 어떤 수입니까? 두말할 필요도 없이 열보다 하나가 모자라는 수입니다.</u> 다시 말하면, 완전에 거의 다다른 수, 거기에 하나만 보태면 완전에 이르게 되는 수, 그래서 매우 아쉬움을 느끼게 하는 수인 것입니다.

라 그러면 ㉡<u>아홉은 정녕 열보다 적거나 작은 수일까요? 그렇지 않습니다.</u> 예를 들어 보겠습니다.

끝없이 높고 너른 하늘을 십만 리 장천이라고 하지 않

고 구만리장천이라고 합니다. 젊은이더러 앞길이 구만리 같은 사람이라고 하는 말과 같은 뜻이지요.

마 굽이굽이 한없이 서린 마음을 구곡간장이라고 하고, 굽이굽이 에워 도는 산굽이가 얼마인지 모르는 길을 구절양장이라고 하고, 통과해야 할 문이 몇이나 되는지 모르는 왕실을 구중궁궐이라고 하고, 죽을 고비를 수도 없이 넘기고 살아난 것을 구사일생이라고 표현하고 있습니다.

바 또 있습니다. 끝 간 데가 어디인지 모르는 땅속이나 저승을 구천이라고 하고 임금보다 한 계급 모자라는 대신인 삼공육경을 구경이라고 합니다. 문화재로 남아 있는 탑들을 보면, 구 층 탑은 부지기수로 많아도, 십 층 탑은 아직 보지 못하였습니다.

05 이 글의 서술상 특징으로 적절한 것을 〈보기〉에서 모두 골라 바르게 묶은 것은?

보기
ⓐ 이해를 돕기 위해 다양한 예를 제시하고 있다.
ⓑ 어떤 대상을 개별적인 요소로 나누어 설명하고 있다.
ⓒ 중의적 표현을 사용하여 독자에게 흥미를 주고 있다.
ⓓ 다양한 표현 방식을 써서 두 대상을 비교, 대조하였다.

① ⓐ, ⓑ ② ⓑ, ⓒ ③ ⓑ, ⓓ
④ ⓐ, ⓓ ⑤ ⓒ, ⓓ

06 (가)~(바) 중, 글쓴이의 생각을 뒷받침하는 예가 들어 있는 곳을 모두 찾아 바르게 나열한 것은?

① (가), (나) ② (나), (다), (라)
③ (가), (라), (바) ④ (나), (라), (마), (바)
⑤ (다), (라), (마), (바)

07 ㉠과 ㉡에 대한 설명으로 적절한 것은?

① ㉠, ㉡ 모두 논리적으로 모순된 표현이 쓰였다.
② ㉡과 달리 ㉠에는 역설적 표현이 사용되었다.
③ ㉠, ㉡ 모두 자신의 생각을 반대로 말하는 표현이 쓰였다.
④ ㉠, ㉡ 모두 스스로 묻고 답하는 표현이 쓰였다.
⑤ ㉠, ㉡ 모두 관용적 표현이 사용되었다.

[08~11] 다음 글을 읽고 물음에 답하시오.

가 동양에서는, 그중에서도 특히 우리나라에서는, 오랜 옛날부터 열보다 아홉을 더 사랑했습니다. 얼마나 사랑했으면 아홉 구 자가 두 번 든 음력 구월 구일을 중양절이니, 중굿날이니 하는 이름으로 부르면서, 천 년이 넘도록 큰 명절로 정하고 쇠어 왔겠습니까.

나 우리의 조상들이 열보다 아홉을 더 사랑한 것은 무슨 까닭이었을까요? 간단히 말해서 모든 일에 완벽함을 기대하지 않았다는 뜻이 아니었을까요? 다시 말하면, 이 세상에 완전한 것은 없다는 사실을, 우리의 선조들은 아주 오랜 옛날부터 익히 알고 있었다는 것입니다.

다 우리가 흔히 듣는 말에 ㉠"모든 기록은 깨어지기 위해서 있다."라는 말이 있습니다. 이 말이 맞지 않는 말이라면, 여러분이 아시다시피 세계 제일의 기록만을 수록하는 『기네스북』도 해마다 다시 찍어 내야 할 까닭이 없겠지요.

모든 기록이 반드시 깨어지기 마련인 것은, 그 기록을 이룩한 것이 인간이기 때문이라고 생각합니다. 인간은 저마다 무한한 가능성을 타고난 사실과 아울러서, 이 세상에 완전한 인간은 결코 어디에도 있을 수가 없다는 사실 또한 그 스스로가 증명해 주는 존재이기도 합니다.

라 열이란 수가 넘치지도 않고 모자라지도 않고, 또 조금도 여유가 없는 꽉 찬 수, 그래서 다음도 없고 다음다음도 없이 아주 끝나 버린 수라는 점에서, 아홉은 열보다 많고, 열보다 크고, 열보다 높고, 열보다 깊고, 열보다 넓고, 열보다 멀고, 열보다 긴 수였으며, 그리하여 다음, 또 그다음, 그도 아니면 그 다음다음을 바라볼 수 있는, 미래의 꿈과 그 가능성의 수였기에, 슬기롭고 끈기 있는 우리의 선조들에게 일찍부터 열보다 열 배도 넘는 사랑을 담뿍 받아 왔던 것입니다.

마 하물며 여러분은 지금 한창 자라고, 한창 배우고, 한창 놀아야 할 중학생입니다. 여러분은 지금 무엇 한 가지도 완벽할 수가 없으며, 항상 어딘가가 부족하고 어설픈 것이 오히려 정상적인 학생입니다. 행여 무엇이 남들보다

대단원 확인 문제

모자란 것이 아닌가 싶어서 스스로 괴로워하고 외로워하고 서글퍼해 온 학생이 있다면, 어떨까요, 이제부터라도 열이란 수보다 아홉이란 수를 더 사랑해 보는 것은.

08 이 글의 중심 내용으로 가장 적절한 것은?

① 청소년 시기가 부족하고 어설픈 것은 당연하다.
② 청소년 시기는 완전하지는 않지만 가능성이 있다.
③ 동양에서는 완전한 것은 불가능하다고 생각해 왔다.
④ 우리 선조들은 모든 일에 완벽함을 기대하지 않았다.
⑤ 인간은 무한한 가능성이 있으므로 완전해질 수 있다.

09 글쓴이의 말하기 방식으로 적절한 것을 〈보기〉에서 모두 골라 바르게 묶은 것은?

보기
ⓐ 자신의 구체적인 경험을 예로 들어 말하였다.
ⓑ 관용 표현을 활용하여 자신의 생각을 말하였다.
ⓒ 논리적 모순을 활용하여 자기 생각을 강조하였다.
ⓓ 흥미를 유발하기 위해 과장된 표현을 사용하였다.

① ⓐ, ⓑ ② ⓐ, ⓒ ③ ⓐ, ⓓ
④ ⓑ, ⓒ ⑤ ⓒ, ⓓ

서술형 논술 대비
10 이 글에서 글쓴이가 청소년들에게 전하려는 말을 〈조건〉에 맞게 서술하시오.

조건
• (라)의 구절을 활용하여 서술할 것
• 20자 이내의 청유형 문장으로 서술할 것

11 ㉠과 같은 표현에 대한 설명으로 적절하지 않은 것은?

① 관용 표현의 하나이다.
② 상황을 간결하게 표현해 준다.
③ 오래전부터 습관적으로 사용해 온 표현이다.
④ 말하고자 하는 바를 더욱 명확하게 전달해 준다.
⑤ 표현이 사용된 맥락이나 상황이 중요하지 않다.

[12~14] 다음 글을 읽고 물음에 답하시오.

가 강원도 정선군에 한 양반이 살고 있었다. 이 양반은 어질고 글 읽기를 좋아하여 군수가 새로 부임하면 으레 몸소 그 집을 찾아와서 인사를 드렸다. 그런데 이 양반은 집이 가난하여 해마다 ㉠관아의 곡식을 타다 먹은 것이 쌓여서 천 석에 이르렀다. 강원도 감사가 그 고을을 순시하다가 정선에 들러 관곡 장부를 조사하고 크게 노하였다.

"어떤 놈의 양반이 이처럼 군량에 쓸 곡식을 축냈단 말이냐?"

하고, 곧 명해서 그 양반을 잡아 가두게 하였다. 군수는 그 양반이 가난해서 갚을 힘이 없는 것을 딱하게 여기고 차마 가두지 못하였지만 무슨 도리가 없었다.

나 양반 역시 밤낮 울기만 한 채 해결할 방법을 찾지 못하였다. 그 부인이 역정을 냈다.

"당신은 평생 글 읽기만 좋아하더니 관곡을 갚는 데는 아무런 도움이 안 되는군요. 쯧쯧. ㉡양반, 양반이란 것이 한 푼어치도 안 되는 것이구려."

다 그 마을에 사는 한 부자가 가족들과 의논하기를,

"양반은 아무리 가난해도 늘 귀하게 대접받고 나는 아무리 부자라도 항상 천하지 않느냐. 말도 못 하고, 양반만 보면 굽신굽신 두려워해야 하고, 엉금엉금 기어가서 코를 땅에 대고 무릎으로 기는 등 우리는 늘 이런 수모를 받는단 말이다. 이제 동네의 한 양반이 가난해서 타 먹은 관곡을 갚지 못하고 아주 난처한 판이니 ㉢그 형편이 도저히 양반을 지키지 못할 것이다. 내가 장차 그의 양반을 사서 가져 보겠다."

부자는 곧 양반을 찾아가 자기가 대신 관곡을 갚아 주겠다고 청하였다. 양반은 크게 기뻐하며 승낙하였다. 그래서 ㉣부자는 즉시 곡식을 관가에 실어 가서 양반의 환자를 갚았다.

라 군수는 양반이 관곡을 모두 갚은 것을 놀랍게 생각하였다. 군수가 몸소 찾아가서 양반을 위로하고, 또 관곡을 갚게 된 사정을 물어보려고 하였다. 그런데 뜻밖에 양반이 벙거지를 쓰고 짧은 잠방이를 입고 길에 엎드려 '소인'이라고 자칭하며 감히 쳐다보지도 못하고 있지 않는가. 군수가 깜짝 놀라 내려가서 부축하고 말하였다.

"귀하는 어찌 이다지 스스로 낮추어 욕되게 하시는가요?" 하고 말하였다. 양반은 더욱 황공해서 ㉤머리를 땅에 조아리고 엎드려 아뢰었다.

"황송하오이다. 소인이 감히 욕됨을 자청하는 것이 아니오라, 이미 제 양반을 팔아서 관곡을 갚았지요. 동네의 부자 사람이 양반이옵니다. 소인이 이제 다시 어떻게 전의 양반을 사칭해서 양반 행세를 하겠습니까?"

12 이 글의 내용과 일치하지 않는 것은?

① 새로 부임한 군수는 몸소 양반을 찾아가 인사를 드렸다.
② 부자는 양반 대신 관곡을 갚고 양반 신분을 사기로 하였다.
③ 군수는 가난해서 관곡을 갚을 힘이 없는 양반을 딱하게 여겼다.
④ 양반은 해마다 관아의 곡식을 타다 먹은 것이 천 석에 이르렀다.
⑤ 양반은 어질고 글 읽기를 좋아하여 마을 사람들의 존경을 받았다.

서술형

13 이 글에 나타난 양반의 모습을 〈조건〉에 맞게 서술하시오.

조건
- 현실 문제 해결에 무능한 모습과 문제 해결을 위해 취한 행동을 서술할 것
- (나)와 (라)의 내용에서 찾아 한 문장으로 서술할 것

14 이 글의 소재 중, 〈보기〉의 장죽과 대조적인 의미를 지닌 것은?(정답 두 개)

보기
샌님과 서방님은 언청이며 부채와 장죽을 가지고 있고, 도련님은 입이 삐뚤어졌고, 부채만 가졌다.

① 군량 ② 관곡 ③ 벙거지 ④ 잠방이 ⑤ 머리

[15~17] 다음 글을 읽고 물음에 답하시오.

(가) ㉠군수는 감탄해서 말하였다.

"군자로구나 부자여! 양반이로구나 부자여! 부자이면서도 재물에 인색함이 없으니 의로운 일이요, 남의 어려움을 도와주니 어진 일이요, 비천한 것을 싫어하고 귀한 것을 아끼니 지혜로운 일이다. 이야말로 진짜 양반이로구나. 그러나 사사로이 팔고 사더라도 증서를 해 두지 않으면 소송의 꼬투리가 될 수 있다. 내가 너와 약속을 해서 고을 사람들을 증인을 삼고 증서를 만들 것이니 마땅히 거기에 서명할 것이다."

(나) 그리고 군수는 돌아가서 고을 안의 양반 및 농사꾼, 공장, 장사치까지 모두 불러 관아에 모았다. 부자는 오른편 높직한 자리에 서고, 양반은 공형의 아래에 섰다.

그리고 증서를 만들었다.

(다) 오직 양반은 여러 가지로 일컬어지나니, 글을 읽으면 가리켜 선비라 하고, 정치에 나아가면 대부가 되고, 덕이 있으면 군자이다. 무관은 서쪽에 늘어서고 문관은 동쪽에 늘어서는데, 이것이 양반이니 너 좋을 대로 따를 것이다.

(라) 야비한 일을 끊고 옛일을 본받고 뜻을 고상하게 할 것이며, 늘 새벽 다섯 시만 되면 일어나 촛불에 불을 댕겨 등잔을 켜고 눈은 가만히 코끝을 보고 발꿈치를 궁둥이에 모으고 앉아 『동래박의』를 얼음 위에 박 밀듯 왼다. 배고픔을 참고 추위를 견뎌 살림의 구차한 형편을 남에게 말하지 아니하되, 이를 마주치고 뒤통수를 두드리며 잔기침으로 입맛을 다진다. 소맷자락으로 모자를 쓸어서 먼지를 털어 물결무늬가 생겨나게 하고, 세수할 때 주먹을 비비지 말고, 양치질해서 입내를 내지 말고, 소리를 길게 뽑아서 종을 부르며, 걸음을 느릿느릿 옮겨 신발을 땅에 끈다.

(마) 그리고 『고문진보』, 『당시품휘』를 깨알같이 베껴 쓰되 한 줄에 백 자를 쓰며, 돈을 만지지 말고, 쌀값을 묻지 말고, 더워도 버선을 벗지 말고, 밥을 먹을 때 맨상투로 밥상에 앉지 말고, 국을 먼저 훌쩍훌쩍 떠먹지 말고, 물을 후루루 마시지 말고, 젓가락으로 방아를 찧지 말고, 생파를 먹지 말고, 막걸리를 들이켠 다음 수염을 쭈욱 빨지 말

고, 담배를 피울 때 볼에 우물이 파이게 하지 말고 화난다고 아내를 두들기지 말고, 성내서 그릇을 내던지지 말고, 아이들에게 주먹질을 하지 말고, 종놈을 야단쳐 죽이지 말고, 소와 말을 꾸짖되 그 판 주인까지 욕하지 말고, 추워도 화로에 불을 쬐지 말고, 말할 때 이 사이로 침을 흘리지 말고, 소 잡는 일을 하지 말고, 돈을 가지고 놀음을 하지 말 것이다.

15 다음은 이 글을 통해 당시의 사회상을 추측해 본 것이다. 적절한 내용으로만 묶인 것은?

ⓐ 신분 매매에 따른 소송이 일어나는 경우가 있었다.
ⓑ 양반이 관곡을 타다 먹게 되면 신분을 박탈당했다.
ⓒ 미천한 신분의 사람들은 관아 출입에 제한이 있었다.
ⓓ 구차한 형편 때문에 자기 신분을 파는 양반이 있었다.

① ⓐ, ⓑ ② ⓐ, ⓒ ③ ⓐ, ⓓ
④ ⓑ, ⓒ ⑤ ⓒ, ⓓ

16 이 글의 내용 중, 양반에 대한 긍정적인 평가로 볼 수 있는 것은?

① 비천한 것을 싫어하고 귀한 것을 아낀다.
② 무관은 서쪽에 늘어서고 문관은 동쪽에 늘어선다.
③ 야비한 일을 끊고 옛일을 본받고 뜻을 고상하게 한다.
④ 이를 마주치고 뒤통수를 두드리며 잔기침으로 입맛을 다진다.
⑤ 돈을 만지지 않고, 쌀값을 묻지 않고, 더워도 버선을 벗지 않는다.

17 ㉠에 대한 설명으로 가장 적절한 것은?

① 부자의 행동을 높이 평가하고 있다.
② 신분 매매의 문제점을 지적하고 있다.
③ 양반과 부자의 갈등을 중재하고 있다.
④ 이 글의 주된 비판의 대상이 되고 있다.
⑤ 작가의 생각을 대신하여 전달하고 있다.

[18~21] 다음 글을 읽고 물음에 답하시오.

(가) "양반이라는 게 이것뿐입니까? 저는 양반이 신선 같다고 들었는데 정말 이렇다면 너무 재미가 없는 걸요. 원하옵건대 제게 이익이 있도록 문서를 바꾸어 주옵소서."
그래서 문서를 다시 작성하였다.

(나) ㉠<u>하늘이 백성을 낳을 때 백성을 넷으로 구분하였다.</u> 네 가지 백성 가운데 가장 높은 것이 선비이니 이것이 곧 양반이다. 양반의 이익은 막대하니 농사도 짓지 않고 장사도 하지 않고 글을 하면 크게는 문과 급제요, 작게는 진사가 되는 것이다. 문과의 홍패는 길이 두 자 남짓한 것이지만 백 가지 물건이 구비되어 있어 그야말로 돈 자루이다. 진사가 나이 서른에 처음 관직에 나가더라도 오히려 이름 있는 음관이 되고, 잘되면 남행으로 큰 고을을 맡게 되어, 귀밑이 양산 바람에 희어지고, 종들이 '예' 하는 소리에 배가 커지며, 방에는 기생이 귀고리로 치장하고, 뜰의 곡식에는 학이 깃든다. 궁한 양반이 시골에 묻혀 있어도 강제로 이웃의 소를 끌어다 먼저 자기 땅을 갈고 마을의 일꾼을 잡아다 자기 논의 김을 맨들 누가 감히 나를 괄시하랴. 너희들 코에 잿물을 들어붓고 머리끄덩이를 회회 돌리고 수염을 낚아채더라도 누구 감히 원망하지 못할 것이다.

(다) 부자는 증서를 중지시키고 혀를 내두르며,
"그만두시오, 그만두오. 맹랑하구먼. 나를 장차 도둑놈으로 만들 작정인가." 하고 머리를 흔들고 가 버렸다.

18 이 글에 대한 학생들의 생각으로 가장 적절한 것은?

① 부자는 신분 제도의 모순을 알고 양반 되기를 포기한 거야.
② 군수는 양반과 부자 간의 갈등을 해결하기 위해 증서를 만든 거야.
③ 부자는 양반이 되기 위한 절차가 너무 복잡해서 양반 되기를 포기한 거야.
④ 부자는 증서에 나타난 양반의 비도덕적인 면을 보고 양반 되기를 포기한 거야.
⑤ 양반은 부자가 양반 신분을 사지 못하도록 증서의 내용을 과장하여 작성한 거야.

19 이 글의 내용을 〈보기〉와 같이 정리할 때, ⓐ~ⓓ에 대한 설명으로 적절하지 않은 것은?

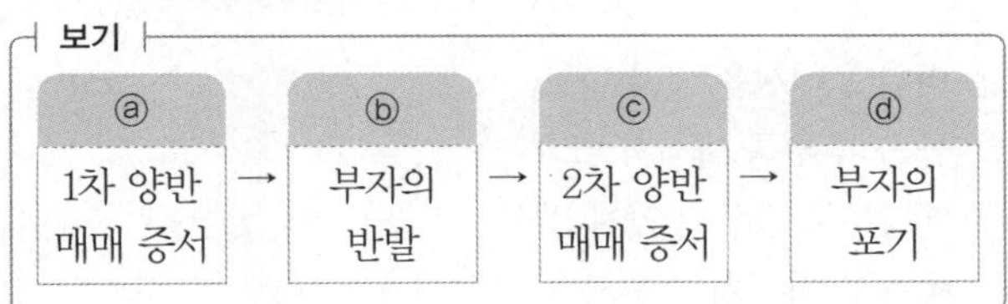

① ⓐ는 부자에게 양반 신분에 대한 실망감을 주고 있다.
② ⓑ에서 부자가 반발한 이유는 ⓐ의 내용 때문이다.
③ ⓒ를 통해 작가는 양반들의 횡포를 비판하고 있다.
④ ⓓ에서 부자가 말한 '도둑놈'은 ⓒ에 나타난 양반의 모습을 두고 한 말이다.
⑤ ⓐ와 ⓒ로 인해 부자는 신분 제도의 모순을 깨닫고 절망하게 된다.

20 다음 중, ㉠과 상반된 관점이 나타나 있는 것은?

① 이 아이 비록 영웅이오나 천생이라 무엇에 쓰리오. 원통하다 부인의 고집이여.
② 남녀가 유별하니 비록 천인의 딸이라도 제 스스로 남자를 만남이 옳지 못하거늘 하물며 양반의 딸이야 말하여 무엇하리.
③ 옛사람이 이르기를 왕후장상이 씨 없다 하였는데, 세상 사람들이 모두 부형을 부형이라 부르되 나는 홀로 그러지 못하거니 어인 인생인가.
④ 대장부가 죽으면 죽는 것이지, 어떻게 차마 임을 그리워하다 원한이 맺혀 좀스러운 여자들처럼 상심하고, 또 천금 같은 귀중한 몸을 스스로 던져 버리려 하십니까.
⑤ 사람이 세상에 나매 오륜이 중하고 오륜 중에 부자지간이 더욱 중하니, 부친과 모친은 한몸이라, 소자 선친의 혈육으로 모 부인을 가까이 모시고 있는데 어찌 이런 말을 하시나이까?

서술형 논술 대비

21 이 글에서 (나)의 증서가 하는 역할을 〈조건〉에 맞게 서술하시오.

조건
- 부자의 마지막 말과 관련지을 것
- 20자 이내의 한 문장으로 서술할 것

[22~26] 다음 글을 읽고 물음에 답하시오.

(가) 나 보기가 역겨워
가실 때에는
말 없이 고이 보내 드리우리다

영변에 약산
진달래꽃
아름 따다 가실 길에 뿌리우리다

가시는 걸음걸음
놓인 그 꽃을
사뿐히 즈려밟고 가시옵소서

나 보기가 역겨워
가실 때에는
죽어도 아니 눈물 흘리우리다

(나) 동양에서는, 그중에서도 특히 우리나라에서는, 오랜 옛날부터 열보다 아홉을 더 사랑했습니다. 얼마나 사랑했으면 아홉 구 자가 두 번 든 음력 구월 구일을 중양절이니, 중굿날이니 하는 이름으로 부르면서, 천 년이 넘도록 큰 명절로 정하고 쇠어 왔겠습니까.

우리의 조상들이 열보다 아홉을 더 사랑한 것은 무슨 까닭이었을까요? 간단히 말해서 모든 일에 완벽함을 기대하지 않았다는 뜻이 아니었을까요? 다시 말하면, 이 세상에 완전한 것은 없다는 사실을, 우리의 선조들은 아주 오랜 옛날부터 익히 알고 있었다는 것입니다.

우리가 흔히 듣는 말에 "모든 기록은 깨어지기 위해서 있다."라는 말이 있습니다. 이 말이 맞지 않는 말이라면, 여러분이 아시다시피 세계 제일의 기록만을 수록하는 『기네스북』도 해마다 다시 찍어 내야 할 까닭이 없겠지요.

(다) 그리고 『고문진보』, 『당시품휘』를 깨알같이 베껴 쓰되 한 줄에 백 자를 쓰며, 돈을 만지지 말고, 쌀값을 묻지 말고, 더워도 버선을 벗지 말고, 밥을 먹을 때 맨상투로 밥상에 앉지 말고, 국을 먼저 훌쩍훌쩍 떠먹지 말고, 물을 후루루 마시지 말고, 젓가락으로 방아를 찧지 말고, 생파

를 먹지 말고, 막걸리를 들이켠 다음 수염을 쭈욱 빨지 말고, 담배를 피울 때 볼에 우물이 파이게 하지 말고 화난다고 아내를 두들기지 말고, 성내서 그릇을 내던지지 말고, 아이들에게 주먹질을 하지 말고, 종놈을 야단쳐 죽이지 말고, 소와 말을 꾸짖되 그 판 주인까지 욕하지 말고, 추워도 화로에 불을 쬐지 말고, 말할 때 이 사이로 침을 흘리지 말고, 소 잡는 일을 하지 말고, 돈을 가지고 놀음을 하지 말 것이다. ㉠이와 같은 모든 품행이 양반에 어긋남이 있으면, 이 증서를 가지고 관청에 나와 옳고 그름을 가릴 것이다.

22 (가)~(다)에 사용된 표현 방식에 대한 설명으로 적절한 것은?

① (가)~(다) 모두 운율이 느껴지는 언어를 사용하고 있다.
② (가)와 (나)는 겉으로는 모순되어 앞뒤가 맞지 않으나 그 속에 진실이 함축된 표현 방식을 효과적으로 사용하고 있다.
③ (가)와 달리 (나)는 말하는 이가 실제와 반대되는 뜻으로 말함으로써 표현의 효과를 높이고 있다.
④ (가), (나)는 (다)와 달리 문장의 순서를 뒤바꾸어 그 내용을 강조하고 있다.
⑤ (다)는 부정적인 현실이나 대상을 직접적으로 비판함으로써 웃음을 유발하고 있다.

23 (가)에 대한 설명으로 적절하지 않은 것은?

① 처음과 끝이 유사한 형태로 되어 있다.
② 여성적 어조로 애절한 감정을 드러내었다.
③ 각 연의 시행 배열이 규칙성을 띠고 있다.
④ 3음보의 율격을 바탕으로 한 정형시이다.
⑤ 전통적인 정서를 민요조 율격에 담아 내었다.

서술형

24 (나)에서 우리 조상들이 '열'보다 '아홉'을 더 사랑한 이유를 찾아 한 문장으로 서술하시오.

25 (다)에 제시된 양반에 대한 풍자의 내용이 나머지와 다른 것은?

① 더워도 버선을 벗지 말고
② 물을 후루룩 마시지 말고
③ 맨상투로 밥상에 앉지 말고
④ 종놈을 야단쳐 죽이지 말고
⑤ 국을 먼저 훌쩍훌쩍 떠먹지 말고

26 ㉠을 드러내기에 적절한 관용 표현이 아닌 것은?

① 양반은 죽어도 문자 쓴다
② 양반은 죽을 먹어도 이를 쑤신다
③ 양반은 얼어 죽어도 겻불은 안 쬔다
④ 양반의 자식이 열둘이면 호패를 찬다
⑤ 양반은 물에 빠져도 개헤엄은 치지 않는다

[27~32] 다음 글을 읽고 물음에 답하시오.

가 나 보기가 역겨워
가실 때에는
말 없이 고이 보내 드리우리다

영변에 약산
진달래꽃
아름 따다 가실 길에 뿌리우리다

가시는 걸음걸음
놓인 그 꽃을
사뿐히 즈려밟고 가시옵소서

나 보기가 역겨워
가실 때에는
죽어도 아니 눈물 흘리우리다

나 그러면 아홉은 정녕 열보다 적거나 작은 수일까요? 그렇지 않습니다. 예를 들어 보겠습니다.

끝없이 높고 너른 하늘을 십만 리 장천이라고 하지 않고 구만리장천이라고 합니다. 젊은이더러 앞길이 구만리 같은 사람이라고 하는 말과 같은 뜻이지요.

굽이굽이 한없이 서린 마음을 구곡간장이라고 하고, 굽이굽이 에워 도는 산굽이가 얼마인지 모르는 길을 구절양장이라고 하고, 통과해야 할 문이 몇이나 되는지 모르는 왕실을 구중궁궐이라고 하고, 죽을 고비를 수도 없이 넘기고 살아난 것을 [㉠]이라고 표현하고 있습니다.

㉰ 진사가 나이 서른에 처음 관직에 나가더라도 오히려 이름 있는 음관이 되고, 잘되면 남행으로 큰 고을을 맡게 되어, 귀밑이 양산 바람에 희어지고, 종들이 '예' 하는 소리에 배가 커지며, 방에는 기생이 귀고리로 치장하고, 뜰의 곡식에는 학이 깃든다. 궁한 양반이 시골에 묻혀 있어도 강제로 이웃의 소를 끌어다 먼저 자기 땅을 갈고 마을의 일꾼을 잡아다 자기 논의 김을 맨들 누가 감히 나를 괄시하랴. 너희들 코에 잿물을 들어붓고 머리끄덩이를 회회 돌리고 수염을 낚아채더라도 누구 감히 원망하지 못할 것이다.

부자는 증서를 중지시키고 혀를 내두르며,

"그만두시오, 그만두오. 맹랑하구먼. 나를 장차 ㉡도둑놈으로 만들 작정인가." 하고 머리를 흔들고 가 버렸다.

서술형

27 (가)~(다)처럼 문학 작품에서 다양한 표현 방식을 활용하여 얻을 수 있는 효과를 쓰시오.

28 말하는 이의 마음을 드러내는 방식이 (가)와 같은 것은?

① 언제부턴가 갈대는 속으로 / 조용히 울고 있었다.
—신경림, 「갈대」

② 구름은 / 보랏빛 색지 우에 / 마구 칠한 한 다발 장미
—김광균, 「데생」

③ 괴로웠던 사나이, / 행복한 예수 그리스도에게 / 처럼 십자가가 허락된다면 —윤동주, 「십자가」

④ 내 그대를 생각함은 / 항상 그대가 앉아 있는 / 배경에서 / 해가 지고 바람 부는 일처럼 / 사소한 일일 것이나
—황동규, 「즐거운 편지」

⑤ 나는 무너지는 둑에 혼자 섰다. / 기슭에는 채송화가 무더기로 피어서 생의 감각을 흔들어 주었다.
—김광섭, 「생의 감각」

29 (다)와 같이 양반의 부정적인 모습을 풍자하고 있는 것은?

① 새로 짜낸 무명이 눈결같이 고왔는데
이방 줄 돈이라고 황두가 뺏어 가네
누전 세금 독촉이 성화같이 급하구나
삼월 중순 세곡선이 서울로 떠난다고
—정약용, 「탐진촌요」

② 이 몸이 죽어 죽어 일백 번 고쳐 죽어
백골(白骨)이 진토 되어 넋이야 있고 없고
임 향한 일편단심이야 변할 리가 있으랴
—정몽주, 「단심가」

③ 짚 방석 내지 마라 낙엽엔들 못 앉으랴
솔불 켜지 마라 어제 진 달 솟아 온다
아이야, 박주산채일망정 없다 말고 내여라 —한호

④ 눈 마자 휘어진 대를 뉘라셔 굽다탄고.
구블 절(節)이면 눈 속에 프를소냐.
아마도 세한고절(歲寒高節)은 너뿐인가 하노라. —원천석

⑤ 국화야 너는 어이 삼월동풍 다 지내고
낙목한천에 너 홀로 피어 있느냐?
아마도 오상고절은 너 뿐인가 하노라. —이정보

서술형

30 (나)의 글쓴이가 구체적인 예시를 통해 말하고자 하는 바가 무엇인지 본문의 말들을 활용하여 한 문장으로 서술하시오.

31 ㉠에 들어갈 관용 표현으로 가장 적절한 것은?

① 구사일생 ② 구밀복검 ③ 구구절절
④ 구상유취 ⑤ 구우일모

32 ㉡에 대한 설명으로 적절하지 않은 것은?

① 작가의 의식이 반영된 말이다.
② 양반에 대해 부자가 깨달은 내용이다.
③ 양반이 지닌 특권을 비판하는 말이다.
④ 부자의 현실 개혁 의지가 드러난 말이다.
⑤ 양반의 횡포에 대한 비판이 담겨 있는 말이다.

발음은 정확히, 글은 바르게

(1) 정확한 발음과 표기

(2) 쓴 글을 돌아보며

대단원 학습 목표

문법 단어를 정확하게 발음하고 표기할 수 있다.

문법 고쳐쓰기의 일반 원리를 활용하여 글을 고쳐 쓸 수 있다.

(1) 정확한 발음과 표기

단어를 정확하게 발음하고 표기할 수 있다.

- 정확한 발음의 필요성 알기
- 자음과 모음 정확하게 발음하기
- 받침 정확하게 발음하기
- 생활 속에서 바르게 표기하기

표준 발음법
- 표준 발음법은 표준어의 실제 발음을 따르되, 국어의 전통성과 합리성을 고려하여 정함을 원칙으로 한다.
- 표준어는 "교양 있는 사람들이 두루 쓰는 현대 서울말로 정함을 원칙으로 한다."라고 규정하고 있다. 이에 따라 표준 발음법은 교양 있는 사람들이 두루 쓰는 현대 서울말의 발음을 표준어의 실제 발음으로 여기고서 일단 이를 따르도록 원칙을 정한 것이다.

단어의 발음 및 표기의 원리를 익혀 학습자 스스로 언어생활을 반성하고 개선할 수 있는 능력과 태도를 기르도록 한다.

(2) 쓴 글을 돌아보며

고쳐쓰기의 일반 원리를 활용하여 글을 고쳐 쓸 수 있다.

- 고쳐쓰기의 원리 이해하기
- 고쳐쓰기 연습하기
- 고쳐쓰기의 효과 깨닫기

고쳐쓰기 단계
- 글 전체 수준에서 고쳐 쓰기
- 문단 수준에서 고쳐 쓰기
- 문장 수준에서 고쳐 쓰기

고쳐쓰기는 글의 완성도를 높이고 독자를 고려한 글이 되도록 함으로써 글의 목적을 달성하는 데 도움을 줄 수 있다. 다양한 수준과 방법에 따라 자신이 쓴 글을 고칠 수 있는 능력을 기르도록 한다.

• 정답과 해설 p.13

표준 발음법을 통해 정확한 국어 생활을 할 수 있으며, 타인과의 의사소통을 원활하게 할 수 있다.

확인 문제

01 표준 발음법에 맞게 단어를 정확하게 발음해야 하는 이유는 무엇인지 쓰시오.

02 올바른 언어생활을 하기 위한 태도로 적절하지 않은 것은?

① 자신의 언어생활을 스스로 반성하고 개선하려고 노력한다.
② 상황 맥락과 사회 · 문화적 맥락에 맞게 말과 글을 사용한다.
③ 적절한 호칭을 쓰고, 바른 언어를 쓰는 등 언어 예절을 지킨다.
④ 단어의 발음 및 표기 원리를 이해하고 말과 글을 정확하게 사용한다.
⑤ 상대의 말을 듣기보다는 자신의 의도를 정확하게 전달하는 것에 힘쓴다.

고쳐쓰기는 글의 완성도를 높여 글의 목적을 달성하는 데 도움을 줄 수 있다.

확인 문제

03 고쳐쓰기에 대한 설명으로 적절하지 않은 것은?

① 글을 완성하는 데에 있어 필수적인 과정이다.
② 반드시 글을 완성한 뒤에만 고쳐쓰기를 할 수 있다.
③ 글 전체 수준이나, 문장 수준 등 여러 차원에서 고쳐쓰기를 할 수 있다.
④ 고쳐쓰기를 통해 글쓴이의 의도를 읽는 이에게 더욱 분명히 드러낼 수 있다.
⑤ 대체로 글 전체 수준에서 먼저 고쳐쓰기를 한 다음, 문단 수준이나 문장 수준에서 고쳐쓰기를 한다.

이 단원에서는 바르게 발음하고 표기하며 고쳐 쓰는 원리를 익힐 거야. 일상생활에서 올바른 국어 생활을 하려면 필요한 것들이지.

정확한 발음과 표기

• 생각 열기 다음에 제시된 상황을 보고 단어의 발음과 표기에 관해 생각해 봅시다.

위의 상황에서 발음과 표기를 각각 어떻게 바로잡아야 할까요?

예시 답 발음은 [소트로]로, 표기는 '솥'으로 바로잡아야 한다.

발음이나 표기가 정확하지 않아 문제가 생겼던 경험이 있는지 이야기해 봅시다.

예시 답 친구가 "선생님이 가리키시는 거 잘 알아야 해."라고 해서 선생님이 무엇을 가리키시는지 보려고 했는데 알고 보니 친구가 '가르치시는'을 '가리키시는'으로 잘못 말한 거였다.

• 학습 목표로 내용 엿보기

"우리말이라서 잘 안다고 생각했는데, 발음이 어렵거나 표기가 헷갈리는 단어가 의외로 많네. 우리말의 발음과 표기 원리를 이해하여 정확하게 발음하고 표기할 수 있도록 해야겠어."

- **핵심 1** 정확하게 발음하고 표기하기
- **핵심 2** 국어 생활에서 정확하게 발음하고 표기하는 태도 기르기

핵심 원리 이해하기 표준 발음법

1. **원칙** 표준 발음법은 표준어의 실제 발음을 따르되, 국어의 전통성과 합리성을 고려하여 정함을 원칙으로 한다.
2. **정확한 발음의 중요성** 표준 발음법을 통해 정확한 국어 생활을 할 수 있으며, 다른 사람과의 의사소통을 원활하게 할 수 있다.

개념 확인 콕콕 • 정답과 해설 p.13

01 다음 빈칸에 알맞은 말을 쓰시오.

> 사람들은 지역적 요인이나 사회적 요인에 의해 같은 말을 서로 다르게 발음하기도 합니다. 이 때문에 □□□□에 혼란이 일어납니다. 이러한 문제를 해결하기 위해 우리말을 발음할 때의 표준을 정한 것이 「□□ □□□」입니다.

02 '표준 발음법'의 기능으로 가장 적절한 것은?

① 지역 문화를 통합시킨다.
② 원활한 의사소통을 할 수 있게 한다.
③ 말하는 이의 개성을 표현할 수 있게 한다.
④ 동일한 집단의 결속력을 다질 수 있게 한다.
⑤ 말하는 이의 정서를 잘 표현할 수 있게 한다.

03 〈보기〉의 밑줄 친 말을 올바른 표기로 고쳐 쓰시오.

보기

> ㉠ 솟에 생선과 채소를 넣고 매운탕을 끓였다.
> ㉡ 선생님께서 가르켜 주신 것을 잘 이해하려고 노력했다.

㉠:

㉡:

활동 안내

이 소단원은 단어를 중심으로 정확한 발음과 표기의 관계 및 주요 원리를 이해하고 이에 대한 중요성을 깨달음으로써 국어를 바르고 정확하게 사용하는 능력과 태도를 기르기 위해 설정되었다.

이를 위하여 표준 발음법을 중심으로 정확한 발음의 중요성을 이해하고 자음과 모음 및 받침의 발음을 익힌 후, 이를 생활 속의 표기와 연계해 학습하도록 하였다.

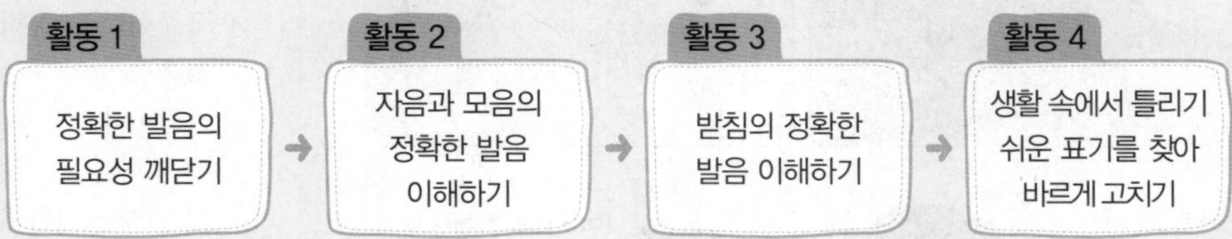

활동 개관

★ **활동 1** 정확한 발음의 필요성

정확한 발음과 의사소통의 관계를 깨닫고, 학습자의 평소 언어생활이나 발음 습관을 되돌아보도록 하는 활동이다. 일상생활 속에서 사람들이 자주 틀리는 발음의 예를 더 생각해 보고 특히 잘못 발음하면 뜻이 달라지는 단어들이 있음을 안다.

★ **활동 2** 자주 틀리는 자음과 모음의 발음

정확하게 발음하기 어려운 예를 살펴보고 그 정확한 발음이 무엇인지 알아보는 활동이다. '공짜[꽁짜], 기억[기역]' 등과 같이 잘못 발음하여 익숙해진 것 중 표준 발음법의 규정에 맞지 않는 것들이 있음을 알고 모음과 자음을 정확하게 발음하도록 한다.

★ **활동 3** 자주 틀리는 받침의 발음

받침의 유형에 따른 정확한 발음에 관해 알아보는 활동이다. 이 활동을 통해 받침의 유형을 알아보고, 정확한 받침의 발음을 위해 알아야 하는 원리를 이해하는 데 중점을 둔다.

★ **활동 4** 생활 속의 정확한 표기

일상 언어생활에서 잘못 발음되거나 표기되는 경우를 알아보는 활동이다. 교과서에 제시된 사례 외의 다양한 사례도 찾아보면서 정확한 발음과 표기의 중요성을 인식하도록 한다.

이익섭, 『우리말 산책』 이 글은 국어학자인 글쓴이가 국어 생활 및 우리말에 대한 자신의 경험과 생각을 자유롭게 적은 것이다. 사람들의 현실 발음은 지역이나 계층에 따라 달리 나타나는 경우가 많지만 이를 표기에 그대로 반영하게 되면 그 말의 의미를 정확하게 이해하기 어려우므로, 표준어 규정대로 표기해야 한다는 생각을 제시하고 있다.

정확한 발음과 표기

활동 1 정확한 발음의 필요성

1. 다음 상황을 보고 이어지는 활동을 해 봅시다.

1 민호가 영지의 말을 듣고 놀란 까닭을 이야기해 봅시다.

예시 답 영지가 '댁으로[대그로]'의 발음을 정확하게 하지 않아서, [대구로]로 오해하여 들었기 때문이다.

2 다른 사람이 말할 때의 발음을 주의 깊게 들어 보고, 평소 자신의 발음과 차이가 있는지 생각해 봅시다.

예시 답 나는 '하거든'을 [하거등]이라고 발음하는데 친구는 [하그든]이라고 발음한다. / 나는 '다른 거'를 그대로 발음하는데 친구는 [따른 거]라고 발음한다.

사람들은 지역적 요인이나 사회적 요인에 의해 같은 말을 서로 다르게 발음하기도 하여, 이 때문에 의사소통에 혼란이 일어나기도 합니다. 이러한 문제를 해결하기 위해 우리말을 발음할 때의 표준을 정한 것이 「표준 발음법」입니다. 표준 발음법을 통해 정확한 국어 생활을 할 수 있으며, 다른 사람과의 의사소통을 원활하게 할 수 있습니다.

핵심 정리 표준어와 표준 발음법

표준어	• 한 나라 안의 표준이 되는 말, 정치상, 교육상의 통용어 • 표준어는 교양 있는 사람이 두루 쓰는 현대 서울말로 정함을 원칙으로 한다. * 방언: 어느 한 지방에서만 쓰는, 표준어가 아닌 말
표준 발음법	• 표준 발음법은 표준어의 실제 발음을 따르되, 국어의 전통성과 합리성을 고려하여 정함을 원칙으로 한다.

확인 문제

• 정답과 해설 p.13

01 표준어 및 표준 발음법에 대한 설명으로 적절하지 않은 것은?

① 공식적인 자리에서는 표준 발음을 사용하여야 한다.
② 동일한 언어를 씀으로써 일체감이나 소속감 등을 형성할 수 있다.
③ 표준어는 방언에 비해 우월하므로 방언을 쓰지 않도록 노력하여야 한다.
④ 표준어를 사용하는 것은 교양을 갖추고 있음을 알려 주는 표시가 된다.
⑤ 사람마다 발음하는 법이 다르면 의사소통에 지장이 생길 수 있으므로 이를 방지하기 위해 제정된 것이다.

핵심

02 〈보기〉의 대화를 읽은 반응으로 적절하지 않은 것은?

보기
지민: 쌀[살]이 너무 많아.
소연: 너 살 안 쪘어.
지민: 뭐? 할머니께서 농사지으신 쌀을 많이 보내 주셨다는 말이야.

① 잘못 발음하면 뜻이 달라지니 조심해야 해.
② 실제로 말을 할 때, 같은 말을 서로 다르게 발음하기도 하는군.
③ 발음 때문에 의사소통에 혼란이 일어날 수도 있겠어.
④ 표준 발음을 해야 정확한 국어 생활을 할 수 있겠군.
⑤ 지역마다 같은 말을 서로 다르게 발음해야 각 지역의 특색을 잘 드러낼 수 있겠네.

서술형

03 다음 대화에서 민호가 당황한 이유를 서술하시오.

민호: 영지야, 선생님 어디 가셨어?
영지: 선생님 댁으로[대구로] 가셨어.
민호: 뭐? 갑자기 대구엔 왜?

활동 2 자주 틀리는 자음과 모음의 발음

1. 다음 대화에 나온 단어들을 정확하게 발음해 봅시다.

04 밑줄 친 부분의 발음이 옳은 것은?

① 생선을 먹다 목에 가시[까시]가 걸렸어.
② 아버지께서 소주[쏘주]를 한 잔 드셨어.
③ 요즘 역사[역싸] 공부에 재미를 붙였어.
④ 아버지께서 주꾸미[쭈꾸미]를 사 오셨어.
⑤ 이벤트에 응모해서 공짜[꽁짜]로 선물을 받았어.

05 밑줄 친 부분이 표준 발음으로 인정되는 것은? (정답 두 개)

① 골짜기[꼴짜기]에도 봄이 왔다.
② 낫 놓고 기역[기억] 자도 모른다.
③ 중학생이 되어[되여] 키가 더 자랐다.
④ 옷장에서 구겨진[꾸겨진] 옷을 꺼내 다렸다.
⑤ 들꽃이 피어[피여] 산을 아름답게 장식했다.

06 다음 단어 중 복수 발음이 허용된 경음화의 예가 아닌 것은?

① 불법 ② 교과서 ③ 효과
④ 거꾸로 ⑤ 인기척

핵심 정리 자음과 모음을 잘못 발음하기 쉬운 단어의 사례

구분	예
표준 발음으로 인정되지 않는 어두 경음화*의 예 * 어두 경음화 현상: 단어의 첫소리에 오는 자음을 된소리로 발음하는 현상	• 가시(까시 ×) • 소주(쏘주 ×) • 거꾸로(꺼꾸로 ×) • 고깔(꼬깔 ×) • 공짜(꽁짜 ×) • 닦다(딲다 ×) • 볶다(뽂다 ×) • 줄다(쭐다 ×) • 주꾸미(쭈꾸미 ×) • 번데기(뻔데기 ×) • 숙맥(菽麥)(쑥맥 ×)
복수* 발음이 허용된 경음화의 예 * 복수: 둘 이상의	• 관건[관건/관껀] • 불법[불법/불뻡] • 교과서[교:과서/교:꽈서] • 반값[반:갑/반:깝] • 분수(分數)[분수/분쑤] • 안간힘[안간힘/안깐힘] • 인기척[인기척/인끼척] • 점수(點數)[점수/점쑤] • 효과[효:과/효:꽈]
복수 발음이 허용된 용언 어미의 예	• 되어[되어/되여] • 피어[피어/피여] → [어]로 발음함을 원칙으로 하되, [여]로 발음함도 허용함. [붙임] '이오, 아니오'도 이에 준하여 [이요, 아니요] 발음도 허용함.

2. 'ㅖ'와 'ㅢ'의 바른 발음을 알아봅시다.

1 'ㅖ'의 발음에 유의하여 다음 단어들을 발음해 봅시다.

시계[시계 / 시게] 혜성[혜:성 / 헤:성] 예절[예절]

2 'ㅢ'의 발음에 유의하여 다음 단어들을 발음해 봅시다.

의사[의사] 토의[토의 / 토이] 무늬[무니]

3 'ㅖ'와 'ㅢ'가 어떠한 소리로 발음되는지 정리해 봅시다.

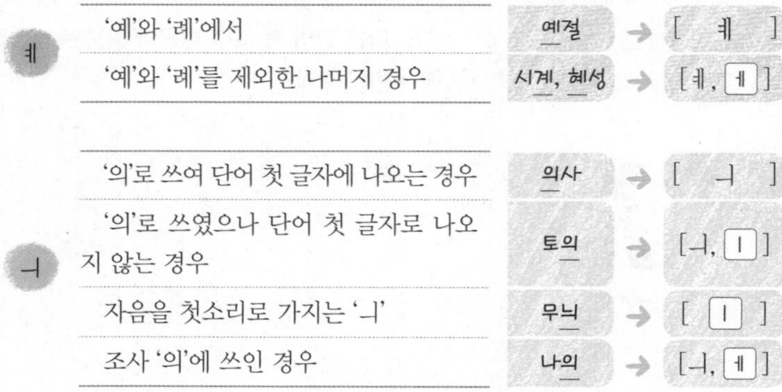

ㅖ	'예'와 '례'에서	예절	[ㅖ]
	'예'와 '례'를 제외한 나머지 경우	시계, 혜성	[ㅖ, ㅔ]
ㅢ	'의'로 쓰여 단어 첫 글자에 나오는 경우	의사	[ㅢ]
	'의'로 쓰였으나 단어 첫 글자로 나오지 않는 경우	토의	[ㅢ, ㅣ]
	자음을 첫소리로 가지는 'ㅢ'	무늬	[ㅣ]
	조사 '의'에 쓰인 경우	나의	[ㅢ, ㅔ]

보충 자료

국어의 자음과 모음(표준 발음법 제2항~제5항)

자음		ㄱ, ㄲ, ㄴ, ㄷ, ㄸ, ㄹ, ㅁ, ㅂ, ㅃ, ㅅ, ㅆ, ㅇ, ㅈ, ㅉ, ㅊ, ㅋ, ㅌ, ㅍ, ㅎ (19개)
모음	단모음	ㅏ, ㅐ, ㅓ, ㅔ, ㅗ, ㅚ, ㅜ, ㅟ, ㅡ, ㅣ (10개) 'ㅚ, ㅟ'는 이중 모음으로 발음할 수 있다.
	이중 모음	ㅑ, ㅒ, ㅕ, ㅖ, ㅘ, ㅙ, ㅛ, ㅝ, ㅞ, ㅠ, ㅢ (11개)

핵심

07 단어의 발음이 표준 발음법에 어긋나는 것은?

① 지혜[지헤] ② 예의[예의] ③ 시계[시게]
④ 혜택[혜택] ⑤ 사례[사레]

08 ㉠~㉣을 옳게 발음한 것끼리 묶은 것은?

> ㉠ 계산[게:산] ㉡ 예절[에절]
> ㉢ 개폐[개페] ㉣ 은혜[은:해]

① ㉢ ② ㉠, ㉢ ③ ㉡, ㉢
④ ㉡, ㉣ ⑤ ㉠, ㉢, ㉣

핵심

09 밑줄 친 음절의 모음 'ㅢ'를 반드시 표기와 동일하게 발음해야 하는 것은?

① 꽃무늬 치마를 샀어.
② 우리의 소원은 통일이야.
③ 잘못된 행동에 주의를 줬어.
④ 언제나 희망을 가지고 살아야 해.
⑤ 병원에 가서 의사 선생님께 진찰을 받았어.

10 밑줄 친 부분의 발음이 옳지 않은 것은?

① 그는 끝까지 의리를[으리를] 지켰다.
② 나의[나에] 살던 고향은 꽃 피는 산골
③ 띄어쓰기[띠어쓰기]는 지금도 나에게 쉽지 않다.
④ 할머니의 흰머리[힌머리]가 햇살에 반짝인다.
⑤ 어려운 문제를 여러 부서들 간의 협의를[혀비를] 통해 해결했다.

11 발음이 정확하지 않을 경우 생길 수 있는 문제점으로 가장 적절한 것은?

① 의사소통에 혼란이 일어날 수 있다.
② 자신의 개성을 표현하지 못할 수 있다.
③ 또래 문화를 쉽게 형성하지 못할 수 있다.
④ 자신의 정서를 섬세하게 표현하지 못할 수 있다.
⑤ 같은 지역에 사는 사람들끼리 결속력을 갖지 못할 수 있다.

4 다음을 소리 내어 읽고, 'ㅖ'나 'ㅢ'가 포함된 각각의 글자가 어떻게 발음될 수 있는지 모두 써 봅시다.

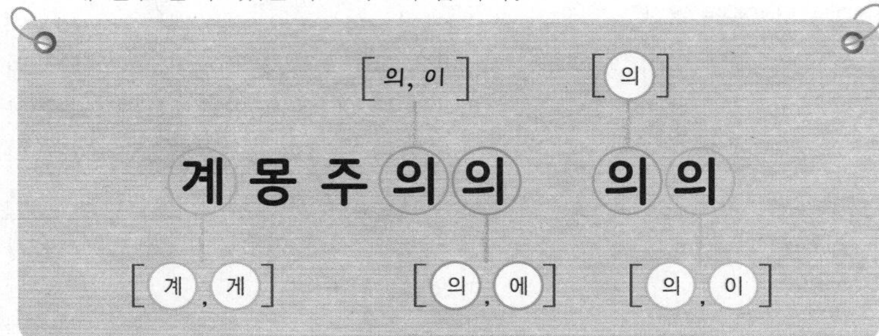

'ㅖ'와 'ㅢ'의 발음

'ㅖ'의 발음	• 'ㅖ'는 원래 소리대로 [ㅖ]로 발음하여야 한다. • '예, 례' 이외의 경우에는 [ㅔ]로 발음함도 허용한다. 예 계산[계:산/게:산], 개폐[개폐/개페]
'ㅢ'의 발음	• 원칙적으로 'ㅢ'는 [ㅢ]로 발음한다. • 자음을 첫소리로 가지고 있는 'ㅢ'는 [ㅣ]로 발음하고 [ㅢ]나 [ㅡ]로는 발음하지 않는다. 예 하늬바람[하니바람], 희미하다[히미하다] • 단어의 첫 글자 이외의 '의'는 [ㅣ]로 발음함도 허용한다. 예 주의[주의/주이] • 조사 '의'는 [ㅔ]로 발음함도 허용한다. 예 나의[나의/나에] 꿈

핵심 정리 'ㅖ'와 'ㅢ'의 발음

• 'ㅖ'의 발음

'예, 례'의 'ㅖ'	[ㅖ]로 발음	예 예절[예절], 실례[실례]
'예, 례' 이외의 'ㅖ'	(원칙) [ㅖ]로 발음 (허용) [ㅔ]로 발음	예 계시다[계:시다/게:시다], 지혜[지혜/지헤]

• 'ㅢ'의 발음

자음을 첫소리로 가지고 있는 음절의 'ㅢ'	[ㅣ]로 발음	예 희망, 늴리리, 무늬, 띄어쓰기, 유희 등의 'ㅢ'는 모두 [ㅣ]로 발음 → 글자대로의 발음인 [ㅢ]가 오히려 비표준 발음임.
단어의 첫음절 이외의 '의'	(원칙) [ㅢ]로 발음 (허용) [ㅣ]로 발음	예 '주의, 협의'의 발음은 [주:의, 혀븨]가 원칙이나 [주:이, 혀비]도 허용
조사 '의'	(원칙) [ㅢ]로 발음 (허용) [ㅔ]로 발음	예 '우리의'의 발음은 [우리의]가 원칙이나, [우리에]도 허용

핵심

12 다음 말의 표준 발음으로 옳지 않은 것은?

> 민주주의의 의의

① [민주주의의 의의] ② [민주주의의 의이]
③ [민주주이의 의의] ④ [민주주의에 의의]
⑤ [민주주이의 이이]

핵심

13 〈보기 1〉을 참고할 때 〈보기 2〉의 발음에 대한 설명으로 옳지 않은 것은?

보기 1
> • 'ㅖ'는 원래 소리대로 [ㅖ]로 발음하여야 한다.
> • '예, 례' 이외의 경우에는 [ㅔ]로 발음함도 허용한다.
> • 원칙적으로 'ㅢ'는 [ㅢ]로 발음한다.
> • 자음을 첫소리로 가지고 있는 'ㅢ'는 [ㅣ]로 발음하고 [ㅢ]나 [ㅡ]로는 발음하지 않는다.
> • 단어의 첫 글자 이외의 '의'는 [ㅣ]로 발음함도 허용한다.

보기 2
> 예술 발전의 의의

① '예술'은 [에:술]로도 발음된다.
② '발전의'는 [발전에]로 발음해도 된다.
③ '발전의'는 원칙적으로 [발전의]로 발음한다.
④ '의의'는 [의이]로 발음해도 된다.
⑤ '의의'는 [의의]로 발음하는 것이 원칙이다.

14 밑줄 친 부분의 발음이 옳지 않은 것은?

① 그 <u>계산이[게사니]</u> 틀렸어.
② 그 법안은 <u>폐지[페지]</u>되었다.
③ 내년 <u>예산을[예사늘]</u> 편성했다.
④ 언젠가 <u>세계[세게]</u> 여행을 할 것이다.
⑤ <u>허례[허레]</u>와 사치를 멀리해야 한다.

서술형

15 〈보기〉에서 밑줄 친 부분의 정확한 발음을 모두 쓰시오.

보기
> <u>장례식장</u>이나 <u>예식장</u>에서는 <u>예의</u>를 지켜야 합니다.

3. 다음의 뉴스 대본을 소리 내어 읽어 보고, 이어지는 활동을 해 봅시다.

우리나라 육상 대표 팀이 오늘 육상 대회 남자 계주 1,600미터(m) 예선에서 한국 신기록을 세우며 결승선을 통과했습니다. 13년 만의 기록 경신이었습니다. 스무 살 안팎의 어린 선수들이 구슬땀을 흘리며 얻은 결실입니다.

오늘의 날씨입니다. 오늘은 비가 개고 화창한 날이 예상됩니다. 오늘 아침 최저 기온은 예년보다 2 내지 5도 올라 무더운 여름날이 되겠습니다. 동해 먼바다에는 안개가 끼고 센바람이 불겠습니다. 날씨였습니다.

1 아나운서의 정확한 뉴스 낭독을 들으며 자신의 발음과 비교해 봅시다. 예시 답 생략

2 자신이 정확하게 발음하지 못한 단어는 무엇이었는지 이야기해 봅시다.

예시 답 '만의[마늬/마네]'를 [마느]로, '센바람[센:바람]'을 [쎈:바람]으로 발음하였다.

3 다른 뉴스에서 아나운서와 자신이 다르게 발음하는 예를 더 찾아보고, 올바른 발음을 알아봅시다. 예시 답 생략

핵심 정리 방송 뉴스에 사용되는 언어의 특성

방송 뉴스는 대중의 일상적 언어생활에 큰 영향을 미친다. 표준어나 맞춤법에 맞지 않는 표현은 대중의 언어 사용 관행을 잘못된 방향으로 이끌거나 정서적으로 피해를 안긴다. 공중파 방송은 전파라는 공공의 자산을 사용하기 때문에 어법에 맞는 올바른 표현과 표준어를 사용해야 한다.

핵심

16 〈보기〉의 밑줄 친 부분을 소리 내어 읽을 때 주의할 점으로 옳지 않은 것은?

보기
우리나라 육상 대표 팀이 오늘 육상 대회 남자 계주 1,600미터(m) 예선에서 한국 신기록을 세우며 결승선을 통과했습니다. 13년 만의 기록 경신이었습니다. 스무 살 안팎의 어린 선수들이 구슬땀을 흘리며 얻은 결실입니다.

① '계주'는 [게:주]로 읽지 않도록 주의해야 된다.
② '예선'은 [예:선]으로만 발음된다.
③ '만의'는 [마네]로 발음해도 된다.
④ '스무 살'은 [수무살]로 읽지 않도록 주의해야 된다.
⑤ '안팎의'는 [안파께]로 읽어도 된다.

17 〈보기〉의 밑줄 친 부분에 대한 설명으로 적절하지 않은 것은?

보기
오늘의 날씨입니다. 오늘은 비가 개고 화창한 날이 예상됩니다. 오늘 아침 최저 기온은 예년보다 2 내지 5도 올라 무더운 여름날이 되겠습니다. 동해 먼바다에는 안개가 끼고 센바람이 불겠습니다. 날씨였습니다.

① '오늘의'는 [오느레]로 발음해도 된다.
② '예상'은 [예:상]으로만 발음된다.
③ '예년'에서 '예'는 [에]로 발음될 수 없다.
④ '센바람'은 [쎈:바람]으로 발음할 수 있다.
⑤ '날씨였습니다'는 [날씨얻씀니다]로 발음하지 않게 주의해야 한다.

핵심

18 다음 밑줄 친 단어의 발음을 각각 쓰시오.

강원 영동 북부 지역에 대설주의보가 내려진 가운데 동해안 지역에 눈이 오고 있습니다.

지역에	
대설주의보	

활동 3 자주 틀리는 받침의 발음

일곱 개의 받침소리

다음 장면을 보고 받침의 발음을 알아봅시다.

1. 이 장면을 참고하여 아래의 빈칸에 알맞은 발음을 써 봅시다.

돋보기[돋뽀기] 윷[윧] 낫[낟]

낮[낟] 밭[받] 히읗[히읃]

받침 ㄷ, ㅌ, ㅅ, ㅈ, ㅊ, ㅎ → [ㄷ]

보충 자료

음절의 끝소리 규칙

음절의 끝소리 규칙이란 음절의 끝소리가 ㄱ, ㄴ, ㄷ, ㄹ, ㅁ, ㅂ, ㅇ의 일곱 개로만 발음되는 현상이다. 음절의 끝에서 발음되는 자음은 ㄱ, ㄴ, ㄷ, ㄹ, ㅁ, ㅂ, ㅇ 일곱 개뿐이므로 그 외의 자음이 오면, 일곱 개의 소리 중 하나로 바뀌어 발음된다.

핵심

19 단어의 받침소리에 대한 설명으로 적절하지 않은 것은?

① 받침 'ㄲ'과 'ㅋ'은 같은 소리로 발음된다.
② 받침 'ㅅ'과 'ㅎ'은 같은 소리로 발음된다.
③ 국어의 모든 자음은 받침소리로 발음된다.
④ 받침 'ㄴ, ㄹ, ㅁ, ㅇ'은 변화 없이 본음대로 발음된다.
⑤ '목'과 '몫'은 표기는 다르지만 같은 소리로 발음된다.

핵심

20 음절의 끝소리로 발음되지 않는 자음은?

① ㄱ ② ㄴ ③ ㅅ
④ ㅁ ⑤ ㅇ

21 발음할 때 받침소리가 다른 하나는?

① 솥 ② 꽃 ③ 빚
④ 옷 ⑤ 몫

22 한글 자모의 이름과 발음이 옳지 않은 것은?

① ㄱ: 기역[기역] ② ㄷ: 디귿[디귿]
③ ㅅ: 시옷[시옫] ④ ㅋ: 키읔[키윽]
⑤ ㅎ: 히읗[히읃]

23 〈보기〉에서 표기와 발음이 같은 단어의 개수는?

보기

숲 강 입 낮 밤

① 1개 ② 2개 ③ 3개
④ 4개 ⑤ 5개

2. 다음 만화에서 밑줄 친 단어의 알맞은 발음을 적어 봅시다.

• 엄마 [엄마]	• 부엌 [부억]
• 밥 [밥]	• 먹고 [먹꼬]

• 창밖 [창박]	• 잎 [입]
• 눈 [눈]	• 날리고 [날리고]

• 위의 단어 중, 받침이 표기 그대로 발음된 것과 그렇지 않은 것을 나누어 봅시다.

예시 답 • 받침이 표기대로 발음된 것: '엄마'의 ㅁ 받침, '밥'의 ㅂ 받침, '먹고'의 ㄱ 받침, '창밖'의 ㅇ 받침, '눈'의 ㄴ 받침, '날리고'의 ㄹ 받침
• 받침이 표기대로 발음되지 않은 것: '부엌'의 ㅋ 받침(→ ㄱ), '창밖'의 ㄲ 받침(→ ㄱ), '잎'의 ㅍ 받침(→ ㅂ)

받침의 대표음

국어에는 14개의 홑받침과 2개의 쌍받침이 있습니다. 이 중 표기 그대로 발음되는 받침은 'ㄱ, ㄴ, ㄷ, ㄹ, ㅁ, ㅂ, ㅇ' 7개뿐이며, 다른 받침들은 단어의 끝이나 자음 앞에서 [ㄱ, ㄷ, ㅂ] 중의 하나로 발음됩니다. 이처럼 받침이 다른 음으로 소리 날 때, 그 소리로 나는 [ㄱ, ㄷ, ㅂ]을 '대표음'이라고 합니다.

다른 자음의 소리로 나는 받침		대표음
ㄲ, ㅋ	→	[ㄱ]
ㅅ, ㅆ, ㅈ, ㅊ, ㅌ, ㅎ	→	[ㄷ]
ㅍ	→	[ㅂ]

핵심 정리 홑받침의 발음

① 음절의 끝에서는 'ㄱ, ㄴ, ㄷ, ㄹ, ㅁ, ㅂ, ㅇ'의 7개 자음만 발음
② 받침 'ㄲ, ㅋ', 'ㅅ, ㅆ, ㅈ, ㅊ, ㅌ', 'ㅍ'은 어말 또는 자음 앞에서 각각 대표음 [ㄱ, ㄷ, ㅂ]으로 발음

'ㄱ, ㄲ, ㅋ' → [ㄱ]	예 작다[작따], 닦다[닥따], 키읔[키윽]
'ㄴ' → [ㄴ]	예 눈[눈]
'ㄷ, ㅅ, ㅆ, ㅈ, ㅊ, ㅌ' → [ㄷ]	예 옷[옫], 있다[읻따], 낮[낟], 꽃[꼳], 솥[솓]
'ㄹ' → [ㄹ]	예 물[물]
'ㅁ' → [ㅁ]	예 감[감:]
'ㅂ, ㅍ' → [ㅂ]	예 입[입], 앞[압]
'ㅇ' → [ㅇ]	예 방[방]

핵심

24 받침소리에 대한 설명으로 옳지 않은 것은?

① 받침소리로 발음되는 자음은 7개뿐이다.
② 받침 표기가 그대로 발음되지 않을 수도 있다.
③ 'ㄲ, ㅋ'은 받침으로 올 때 [ㄱ]으로 발음된다.
④ 'ㅆ, ㅈ'은 받침으로 올 때 [ㅅ]으로 발음된다.
⑤ 받침이 다른 음으로 소리 날 때, 그 소리로 나는 [ㄱ, ㄷ, ㅂ]을 '대표음'이라고 한다.

25 다음 중 발음이 옳지 않은 것은?

① 창밖[창박] ② 앞[압]
③ 부엌[부억] ④ 빛이[비치]
⑤ 쫓다[쫏따]

26 다음 중 표기와 발음이 서로 같은 것은?

① 아빠 ② 꽃잎 ③ 먹고
④ 무릎 ⑤ 시옷

핵심

27 ㉠~㉤에 대한 설명으로 옳지 않은 것은?

보기
㉠ 동녘 ㉡ 낚시 ㉢ 잣
㉣ 꽃 ㉤ 잎

① ㉠: 표기와 발음이 일치하지 않는다.
② ㉡: [낙씨]로 발음한다.
③ ㉢: 표기대로 발음한다.
④ ㉣: ㉢과 받침소리가 같다.
⑤ ㉤: '입'과 표기와 의미는 다르지만 발음은 같다.

28 ㉠~㉣의 표준 발음을 쓰시오.

보기
㉠ 키읔 ㉡ 닦다 ㉢ 짚
㉣ 뱉다

겹받침

1. 다음 활동을 바탕으로 겹받침의 발음을 알아봅시다.

1 다음 단어를 발음해 보고, 소리 나는 대로 적어 봅시다.

2 겹받침을 다음과 같이 분류해 봅시다.

앞 자음이 소리 나는 겹받침	ㄳ, ㄵ, ㄶ, ㄼ, ㄽ, ㄾ, ㅀ, ㅄ
뒤 자음이 소리 나는 겹받침	ㄺ, ㄻ, ㄿ

2. 다음은 우리말 게시판의 질문과 답변 내용입니다. 빈칸에 알맞은 발음을 써 봅시다.

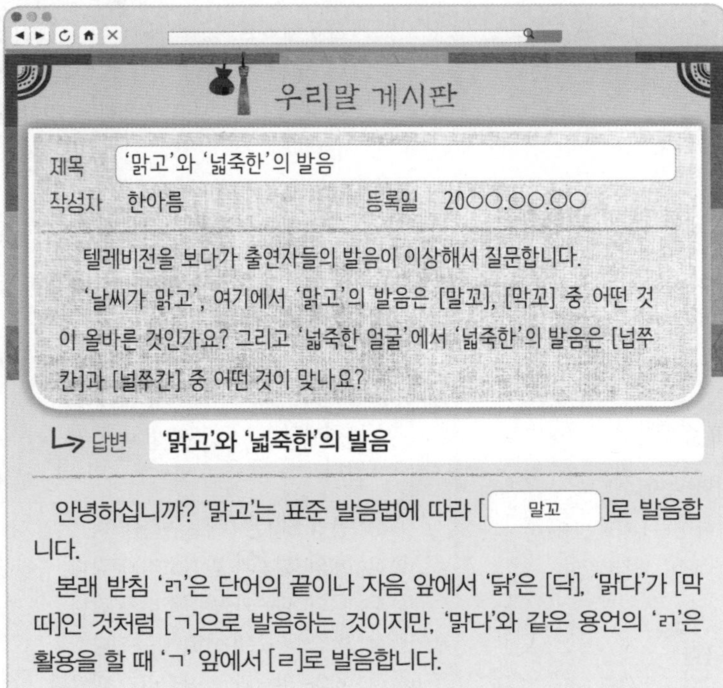

29 밑줄 친 부분의 발음이 옳지 않은 것은?

① 책을 읽다[일따].
② 의자에 앉다[안따].
③ 오늘은 숙제가 없다[업:따].
④ 책상 모서리가 닳다[달타].
⑤ 세상은 넓고[널꼬] 할 일은 많다.

30 밑줄 친 부분에서 뒤 자음이 받침소리로 나는 것은?

① 길이가 짧다.
② 막힌 곳을 뚫다.
③ 오늘은 하늘이 맑다.
④ 나쁜 습관을 단번에 끊다.
⑤ 도전과 모험심은 무척 값지다.

핵심

31 밑줄 친 부분의 발음이 옳은 것은?

① 감이 덜 익어 떫다[떱:따].
② 늙지[늘찌] 않는 사람은 없다.
③ 달콤한 아이스크림을 핥다[한타].
④ 실수로 옆 사람 발을 밟고[발:꼬] 말았다.
⑤ 그들은 서로 어울려 시를 읊고[읍꼬] 노래를 불렀다.

핵심

32 밑줄 친 부분의 발음이 옳지 않은 것은?

① 의자에 앉고[안꼬] 책을 펴렴.
② 그땐 나도 젊고[점꼬] 아름다웠어.
③ 이 옷은 얇고[얄:꼬] 고운 비단으로 만들어졌어.
④ 가을 하늘은 봄 하늘보다 맑고[막꼬] 푸르다.
⑤ 자전거 페달을 밟고[밥:꼬] 노래를 부르며 학교에 갔다.

또한 '넓죽한 얼굴'에서 '넓죽한'은 [넙쭈칸]으로 발음합니다.

받침 'ㄼ'은 본래 [ㄹ]로 발음하는 것이지만 '밟다'의 '밟-' 뒤에 자음이 오는 경우와 '넓죽하다'와 '넓둥글다', '넓적하다'는 예외적으로 'ㄼ'을 [ㅂ]으로 발음하기 때문이랍니다.

겹받침 발음

국어에는 ㄳ, ㄵ, ㄶ, ㄺ, ㄻ, ㄼ, ㄽ, ㄾ, ㄿ, ㅀ, ㅄ 등 11개의 겹받침이 있습니다. 겹받침은 앞 자음이나 뒤 자음 중 하나의 소리로만 발음하는 것이 원칙이지만 몇 가지는 예외적으로 때에 따라 앞의 자음이 발음되기도 하고 뒤의 자음이 발음되기도 합니다.

ㄺ	• 대부분은 [ㄱ]으로 소리 나지만 용언이 활용할 때는 'ㄱ' 앞에서 [ㄹ]로 발음됨. 예 밝다[박따], 밝게[발께]
ㄼ	• 대부분 [ㄹ]로 소리 나지만, 동사 '밟다'의 '밟-' 뒤에 자음이 오면 [ㅂ]으로 발음됨. 예 여덟[여덜], 짧다[짤따] / 밟다[밥:따], 밟게[밥:께] • '넓죽하다'와 '넓둥글다'의 '넓-'은 [ㅂ]으로 발음됨. 예 넓죽하다[넙쭈카다], 넓둥글다[넙뚱글다], 넓적하다[넙쩌카다]

핵심 정리 겹받침의 발음

① 앞의 자음으로 발음하는 경우: 'ㄳ', 'ㄵ', 'ㄼ, ㄽ, ㄾ', 'ㅄ'의 발음(표준 발음법 제10항)

어말 또는 자음 앞에서	'ㄳ' → [ㄱ]	예 넋[넉]
	'ㄵ' → [ㄴ]	예 앉다[안따]
	'ㄼ, ㄽ, ㄾ' → [ㄹ]	예 여덟[여덜], 외곬[외골/웨골], 핥다[할따] * 예외 • '밟-' + 뒤에 자음이 오는 경우 → [ㅂ]으로 발음 예 밟다[밥:따], 밟지[밥:찌] • '넓죽하다', '넓둥글다'의 '넓-'은 [ㅂ]으로 발음 예 넓죽하다[넙쭈카다], 넓둥글다[넙뚱글다]
	'ㅄ' → [ㅂ]	예 없다[업:따]

② 뒤의 자음으로 발음하는 경우: 'ㄺ, ㄻ, ㄿ'의 발음(표준 발음법 제11항)

어말 또는 자음 앞에서	'ㄺ' → [ㄱ]	예 흙과[흑꽈], 맑다[막따] * 예외('ㄱ' 앞 용언 어간 → [ㄹ]로 발음) 예 늙고[늘꼬], 맑게[말께], 밝기[발끼]
	'ㄻ' → [ㅁ]	예 젊다[점:따]
	'ㄿ' → [ㅍ → ㅂ]	예 읊다[읖따 → 읍따]

33 다음 단어의 발음이 옳지 않은 것은?

① 넋을[넉쓸] ② 맑고[말꼬] ③ 읽어[일거] ④ 밟다[발따] ⑤ 핥아[할타]

34 〈보기〉를 참고할 때, 다음 단어의 발음이 옳지 않은 것은?

보기
본래 받침 'ㄺ'은 단어의 끝이나 자음 앞에서 [ㄱ]으로 발음하는 것이지만, 용언의 'ㄺ'은 활용을 할 때 'ㄱ' 앞에서 [ㄹ]로 발음합니다.

① 맑게[말께] ② 맑아[말가]
③ 밝다[발따] ④ 붉고[불꼬]
⑤ 밝으니[발그니]

35 ㉠~㉢에 들어갈 알맞은 말을 쓰시오.

질문: 받침 'ㄼ'은 본래 [ㄹ]로 발음하는 것이 맞지만 예외인 경우가 있습니다. 예외인 경우 두 가지를 예를 들어 설명해 보세요.
답변: '밟다'의 '밟-' 뒤에 자음이 오는 경우와 '넓죽하다', '넓적하다', '(㉠)'는 예외적으로 'ㄼ'을 [ㅂ]으로 발음합니다. 따라서, '밟다'는 [(㉡)]로, '넓죽하다'는 [(㉢)]로 발음하는 것이 옳습니다.

핵심
36 〈보기〉의 밑줄 친 부분의 발음에 대한 설명으로 옳지 않은 것은?

보기
㉠ 넓다 ㉡ 넓둥글다
㉢ 넓적하다 ㉣ 맑고
㉤ 맑다

① ㉠: 받침소리는 [ㄹ]로 발음된다.
② ㉡: ㉠의 '넓-'과 받침소리가 같다.
③ ㉢: ㉡의 '넓-'과 받침소리가 같다.
④ ㉣: 받침소리는 [ㄹ]로 발음된다.
⑤ ㉤: ㉣의 '맑-'과 받침소리가 다르다.

받침 뒤에 다른 말이 이어질 때

1. 다음 대화를 보며 받침이 다음 소리로 어떻게 이어지는지 생각해 봅시다.

• 이 대화의 마지막에 학생이 답변할 알맞은 발음을 써 봅시다.

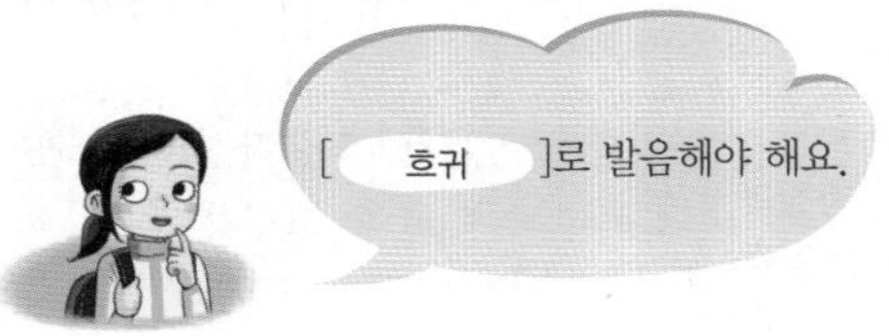

핵심 정리 **받침 소리와 연음 규칙** – 앞 음절의 끝소리가 뒤 음절의 첫소리로 발음되는 현상

① 겹받침이 모음으로 시작되는 조사나 어미, 접미사와 결합되는 경우에는, 뒤엣것만을 뒤 음절 첫소리로 옮겨 발음함.(이 경우, 'ㅅ'은 된소리로 발음함.)(표준 발음법 제14항)

넋이[넉씨]	앉아[안자]	닭을[달글]

② 받침 뒤에 모음 'ㅏ, ㅓ, ㅗ, ㅜ, ㅟ'들로 시작되는 실질 형태소가 연결되는 경우에는, 대표음으로 바꾸어서 뒤 음절 첫소리로 옮겨 발음함.(표준 발음법 제15항)

└ 체언이나 용언의 어근

• 밭 아래 → [받아래] → [바다래]
• 헛웃음 → [헏웃음] → [허두슴]

37 ㉠~㉢의 발음이 옳은 것끼리 짝지어진 것은?

	㉠ 끝을	㉡ 피읖에	㉢ 닭 앞에
①	[끄틀]	[피으베]	[달가페]
②	[끄츨]	[피으페]	[다가페]
③	[끄틀]	[피으페]	[달가페]
④	[끄츨]	[피으페]	[달가페]
⑤	[끄틀]	[피으페]	[다가페]

38 다음 단어를 발음했을 때, 밑줄 친 부분의 끝소리 발음이 나머지와 다른 하나는?

① 긋다 ② 갔다 ③ 맞다
④ 밭도 ⑤ 꽃이

핵심

39 〈보기〉를 참고할 때, 밑줄 친 부분의 발음이 옳지 않은 것은?

보기

받침 있는 말 뒤에 모음으로 시작하는 말이 올 때, 뒤의 말이 '안, 위'처럼 실질적인 의미를 갖는 경우에는 받침을 대표음으로 바꾸어서 뒤 음절 첫소리로 옮겨 발음하고, '에, 의'처럼 그렇지 않은 경우에는 음절 말 끝 자음을 다음 음절의 첫소리로 옮겨 발음합니다. (이 경우, 'ㅅ'은 된소리로 발음합니다.)

① 딸 여덟을[여더를] 낳았다.
② 값있는[가빈는] 물건을 샀다.
③ 자신의 삶에[살:메] 충실하렴.
④ 책을 소리 내어 읽어[일거] 보렴.
⑤ 그 광경을 보고 넋이[넉씨] 나갔다.

40 다음 문장의 밑줄 친 부분을 소리 나는 대로 쓰시오.

닭에게는 보석이 보리알만 못하다.

2. 다음 활동을 통해 받침 뒤에 다른 말이 이어질 때 받침이 어떻게 소리 나는지 알아봅시다.

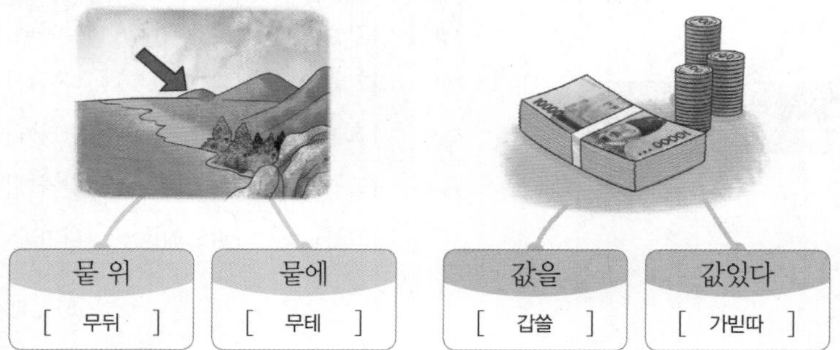

3. 받침의 소리에 유의하여 다음 단어를 발음해 봅시다.

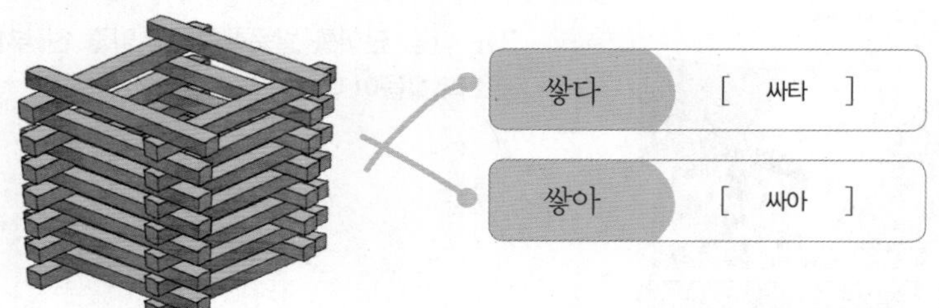

받침의 발음

<table>
<tr><td colspan="3">뒤에 다른 말이 이어지지 않을 때</td><td>대표음으로 발음됨. 예 늪[늡], 닭[닥]</td></tr>
<tr><td rowspan="3">뒤에 다른 말이 이어질 때</td><td rowspan="2">모음으로 시작하는 말이 이어질 때</td><td>뒤의 말이 실질적인 의미를 지닐 때</td><td>대표음으로 바뀐 뒤 이어지는 말의 첫소리가 됨.
예 늪 안[늡안 → 느반], 닭 울음[닥울음 → 다구름]</td></tr>
<tr><td>뒤의 말이 실질적인 의미를 지니지 않을 때</td><td>• 원래의 소리 그대로 이어지는 말의 첫소리가 됨. 예 늪을[느플]
• 겹받침인 경우에는 앞말의 받침과 뒷말의 첫소리로 나뉨. 예 닭을[달글]</td></tr>
<tr><td colspan="2">자음으로 시작하는 말이 이어질 때</td><td>이어지는 자음과 만나 소리가 다양하게 바뀜. 예 늪도[늡또], 닭만[당만]</td></tr>
</table>

핵심 정리 받침 'ㅎ'의 발음

'ㅎ(ㄶ, ㅀ)' + 'ㄱ, ㄷ, ㅈ' → [ㅋ, ㅌ, ㅊ]으로 발음	예 놓고[노코], 좋던[조:턴], 쌓지[싸치]
'ㅎ(ㄶ, ㅀ)' + 'ㅅ' → 'ㅅ'을 [ㅆ]으로 발음	예 닿소[다:쏘], 많소[만:쏘], 싫소[실쏘]
'ㅎ' + 'ㄴ' → 'ㄴ'으로 발음	예 놓는[논는], 쌓네[싼네]
'ㅎ(ㄶ, ㅀ)' + 모음으로 시작된 어미나 접미사 → 'ㅎ' 소리 소거	예 낳은[나은], 쌓이다[싸이다]

41 다음 단어의 발음이 옳지 않은 것은?

① 값을[갑쓸] ② 낯이[나치]
③ 밭을 [바틀] ④ 빛을[비츨]
⑤ 햇볕을[해뼈츨]

42 다음 중 겹받침의 발음이 옳지 않은 것은?

① 밟고[발:꼬] ② 읊어[을퍼]
③ 읽지[익찌] ④ 늙으면[늘그면]
⑤ 통닭을[통달글]

핵심

43 〈보기〉에서 밑줄 친 부분의 발음이 옳은 것만을 골라 묶은 것은?

보기
㉠ 이 책을 읽어[일거] 보렴.
㉡ 넓고 넓은[넙꼬널븐] 바닷가에 집을 지었다.
㉢ 그 실수로 혹독한 값을[가블] 치렀다.
㉣ 민아는 아이스크림을 핥아[할타] 먹었다.
㉤ 그는 자신의 몫 외에[목쇠에] 추가분을 더 요구했다.

① ㉠, ㉢ ② ㉠, ㉣
③ ㉠, ㉡, ㉢ ④ ㉡, ㉢, ㉤
⑤ ㉢, ㉣, ㉤

핵심

44 밑줄 친 부분의 발음이 옳은 것은?

① 팥을[파츨] 삶아 팥죽을 끓였다.
② 꽃 위에[꼬 쉬에] 나비가 앉았다.
③ 닭 울음[다구름] 소리에 잠을 깼다.
④ 맛없는[마섬는] 빵을 억지로 먹었다.
⑤ 높게 쌓은[싸흔] 탑을 아이가 허물었다.

활동 4 생활 속의 정확한 표기

제시된 상황들을 보고, 일상생활에서 종종 틀리게 발음하거나 표기하는 말을 생각해 봅시다.

1. 다음 대화를 읽고 이어지는 활동을 해 봅시다.

혜민 정현아 뭐 해?

정현 응, 민호한테 메모를 남기려고 하는데 헷갈리는 것이 있어서. '안 되'와 '안 돼' 중 어떤 게 맞는 거지?

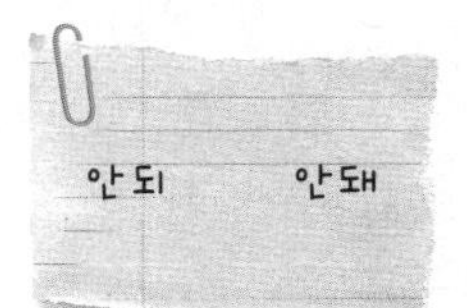

혜민 '안 돼'라고 쓰는 게 맞아.

정현 '되'와 '돼'의 표기는 왜 이렇게 헷갈릴까?

혜민 [돼]와 [되]의 발음이 구분하기 힘드니 그 말을 옮겨 적을 때도 틀리기 쉽지. '되-'가 문장을 끝맺는 역할을 할 때는 '되어'로 써야 하고, 그것의 줄임말이 '돼'야. 발음과 뜻에 유의하여 쓰면 덜 헷갈릴 거야.

정현 아아, 그래서 '되어서'도 '돼서'로 쓰는구나!

1 대화의 내용을 바탕으로 다음 단어를 정확하게 발음해 봅시다.

되고	되지	돼서
[되고/뒈고]	[되지/뒈지]	[돼:서]

2 다음 문장에서 잘못 쓰인 말을 찾고 혜민의 말을 참고하여 그 까닭을 말해 봅시다.

이번 일요일은 시간이 없으니 다음 일요일에 뵈요.

예시 답 '뵈요'는 잘못된 표기로, '봬요'로 써야 한다. '봬요'는 '뵈어요'의 준말이다. '뵈어'와 '봬'의 표기가 틀리기 쉬운 것은 [뵈] 발음과 [봬] 발음의 구분이 어렵기 때문이다.

핵심 정리 '안 되'와 '안 돼'의 구별

한글 맞춤법 제 35항 붙임2에 따르면 'ㅚ' 뒤에 '-어, -었-'이 어울려 'ㅙ, ㅙㅆ'으로 될 적에도 준 대로 적도록 하고 있다.

본말	되어	되었다
준말	돼	됐다

즉 '되다'의 어간 '되-'에 '-어, -었-' 등이 붙어 줄어질 때에는 '돼, 됐-'의 형태가 된다. 따라서, '안 되-(어간)'에 '-어(종결 어미)'를 붙여 줄여 쓸 때에는 '안 돼'로 표기하는 것이 바른 표기이다.

45 밑줄 친 부분의 표기가 옳은 것은?

① 이제 일곱 살밖에 안 됬어?
② 이런 거 하면 안 됀대?
③ 8시가 돼면 연락할게.
④ 요즘 공부가 잘 되.
⑤ 벌써 가야 돼?

46 밑줄 친 부분의 표기가 옳지 않은 것은?

① 가면 안 돼.
② 그러면 내일 봬요.
③ 선생님이 되고 싶어.
④ 어느 새 아침이 됐어.
⑤ 꽃이 돼는 과정이 흥미롭네.

핵심

47 〈보기〉를 참고할 때, 밑줄 친 부분의 표기가 옳지 않은 것은?

보기
'ㅚ' 뒤에 '-어, -었-'이 어울려 'ㅙ, ㅙㅆ'으로 될 적에도 준 대로 적는다.

① 따뜻한 볕을 쬈다.
② 나사를 죄 보았다.
③ 만나게 돼서 기뻐요.
④ 내일 이곳에서 다시 뵈어요.
⑤ 오른쪽 책상 다리가 짧아 책으로 괬다.

48 〈보기〉의 ㉠~㉢에서 맞춤법에 어긋난 부분을 찾고 이를 바르게 고쳐 쓰시오.

보기
㉠ 수지는 바람을 쐐러 나갔어.
㉡ 그는 멋진 어른이 되서 돌아왔다.
㉢ 그들은 모닥불의 온기를 쬐면서 이야기를 나눴다.

2. 다음 식당의 차림표를 바탕으로 이어지는 활동을 해 봅시다.

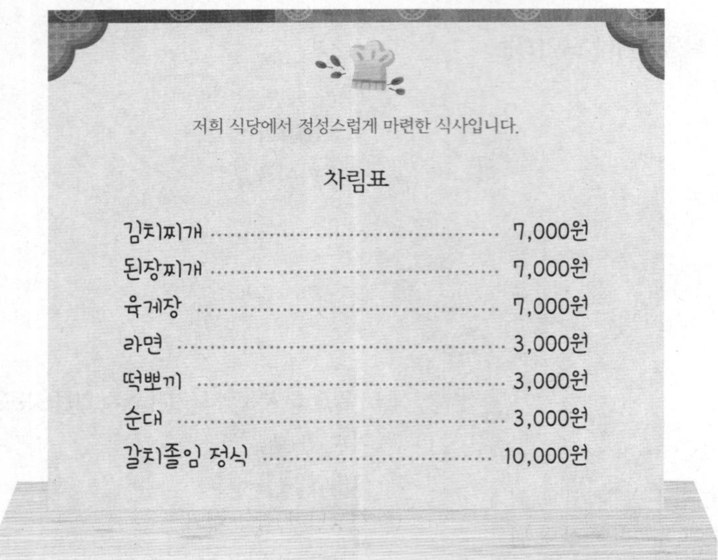

1 잘못 표기된 단어를 찾아 바르게 고쳐 봅시다.

예시 답 육게장 → 육개장, 떡뽀끼 → 떡볶이, 갈치졸임 → 갈치조림

2 차림표의 표기가 잘못된 까닭이 무엇일지 생각해 봅시다.

예시 답 • 육게장: 단어의 정확한 표기를 모르는 데다 'ㅔ'와 'ㅐ'의 발음이 유사해 표기를 혼동하였다.
• 떡뽀끼: 단어의 의미를 생각하지 않고 소리 나는 대로 표기를 했기 때문이다.
• 갈치졸임: '조림'과 '졸임'의 발음이 같아 표기를 혼동하였다.

3 다른 가게에서도 잘못 표기된 말을 조사해 봅시다.

예시 답 • 옷 수선집: 기장 제단(→ 재단)해 드립니다.
• 생선 가게: 쭈꾸미 → 주꾸미

핵심 정리 틀리기 쉬운 표기 ①

김치찌개(○)/김치찌게(×)	'찌다'에 명사형 접미사 '-개'가 붙은 형태
육개장(○)/육게장(×)	'개장'은 탕의 의미이며 '육개장'은 쇠고기를 넣어 끓인 탕을 의미
떡볶이(○)/떡뽀끼(×)	'-이'가 붙어 명사가 되었으므로 원형을 밝혀 적어야 함. [한글 맞춤법 제19항]
갈치조림(○)/갈치졸임(×)	'졸임'은 조마조마한 심리 상태를 나타내는 '졸이다'의 명사형이고 '조림'은 국물 없이 바특하게 끓이는 것을 의미하는 '조리다'의 명사형임.
오이소박이(○)/오이소바기(×)	표준어에서 [바기]로 소리 나는 것은 '박이'로 적음.
곱빼기(○)/곱배기(×)	표준어에서 [빼기]로 소리 나는 것은 '빼기'로 적음.

49 **다음 식당의 차림표에서 표기가 바르게 된 것은?**

차림표
① 차돌배기 ………… 13,000원/200g
② 된장찌게 ………… 5,000원
③ 쭈꾸미 ………… 5,000원
④ 볶음밥 ………… 3,000원
⑤ 오이소바기 ………… 한국산

50 **다음은 잘못 표기된 단어들이다. 표기가 잘못된 까닭으로 적절하지 <u>않은</u> 것은?**

㉠ 육게장 ㉡ 떡뽀끼 ㉢ 갈치졸임
㉣ 김치찌게 ㉤ 오이소바기

① ㉠: 'ㅔ'와 'ㅐ'의 발음이 유사해 표기를 혼동한 것이다.
② ㉡: 단어의 의미를 생각하지 않고 소리 나는 대로 표기를 했기 때문이다.
③ ㉢: '조림'과 '졸임'의 발음 차이를 이해하지 못하였기 때문이다.
④ ㉣: 단어의 정확한 표기를 모르는 데다 'ㅔ'와 'ㅐ'의 발음이 유사해 표기를 혼동한 것이다.
⑤ ㉤: 단어의 의미를 생각하지 않고 소리 나는 대로 표기를 했기 때문이다.

51 **다음 문장에서 잘못된 부분을 찾아 바르게 고쳐 쓰시오.**

(1) 요리에 서툰 나는 생선을 졸일 때면 혹여 생선이 타지 않을까 늘 마음을 조린다.
(2) 점심을 먹지 않아 배가 고픈 나는 짜장면 곱배기를 주문하여 먹었다.
(3) 옷을 예쁘게 만들기 위해서는 옷감을 바르게 제단해야 한다.

3. 다음 휴대 전화 문자 대화에서 표기가 틀린 단어를 찾아 고쳐 쓰고, 그렇게 고친 까닭을 말해 봅시다.

예시 답
걸렸데 → 걸렸대, 낳아야 → 나아야
'-다고 해'가 줄어든 말은 '대'로 쓰고 [대]로 읽어야 하며, '낳다'는 '알을 낳다, 아기를 낳다'에서 쓰이는 말이다. '낳아야'는 문맥을 살펴볼 때 '낫다'의 활용형을 잘못 쓴 것이다. '낫다'는 '-아야'가 붙어 형태를 바꿀 때 'ㅅ'이 없어지고 '나아야'가 된다.

4. 다음 그림의 자막에서 잘못된 표기를 찾고, 표기가 틀린 까닭을 생각해 봅시다.

예시 답 바래 → 바라, 바램 → 바람
'바라다'와 '바래다'는 서로 다른 단어인데, '바라다'가 활용한 형태인 '바라, 바람'을 평소에 '바래, 바램'으로 잘못 쓰기 때문에 올바른 표기가 오히려 어색하게 느껴져 잘못 표기하게 된 것이다.

핵심 정리 틀리기 쉬운 표기 ②

'-데'	• 과거에 직접 경험한 내용을 표현 • '영희가 예쁘데.'는 자신이 직접 경험한 내용을 말하는 것
'-대'	• '-대'는 남의 말이나 경험을 전달하는 표현 • '영희가 예쁘대.'는 '(다른 사람이) 영희가 예쁘다고 해.'가 줄어서 된 말
바라다	• 어떤 일이나 상태가 이루어지거나 그렇게 되었으면 하고 생각하다. • 원하는 사물을 얻거나 가졌으면 하고 생각하다.
바래다	• 볕이나 습기를 받아 색이 변하다. • 가는 사람을 일정한 곳까지 배웅하거나 바라보다.
낳다	• (사람이나 동물이 새끼를) 몸 밖으로 내놓다. • (무엇이 어떤 결과를) 이루거나 가져오다.
낫다	• 병이나 상처 따위가 치유되어 없어지다. • 보다 더 좋거나 앞서 있다.

핵심

52 〈보기〉를 참고할 때, 밑줄 친 부분의 표기가 옳은 것은?

보기
'-데'는 과거에 직접 경험한 내용을 표현하는 것이고, '-대'는 남의 말을 전달하는 표현이다.

① 내일은 비가 내린데.
② 주희는 아직 출발도 못 했대.
③ 수지는 내일 제주도로 떠난데.
④ 영화관에 갔더니 그 영화는 매진이대.
⑤ 어제 보니 주현이가 많이 아파 보이대.

53 밑줄 친 부분의 표기가 올바르지 않은 것은?

① 이번 학교 축제 때 유명한 가수들이 많이 온대.
② 요즘 인기가 많은 가수 ○○○ 온데?
③ 그 가수는 출연료가 비싸서 못 올 것 같대.
④ 기대만큼 노래를 썩 잘하진 못한대.
⑤ 그래? 지난 번 콘서트에서는 노래를 정말 잘 하던데.

54 밑줄 친 부분의 표기가 옳지 않은 것은?

① 네가 행복해지는 게 나의 바램이다.
② 어머니는 자식이 성공하기를 바랐다.
③ 여름부터 철수는 삼촌이 오기만 바라고 있었다.
④ 아름답던 가을 단풍잎들이 빛이 바래 낙엽으로 뒹굴고 있다.
⑤ 생일잔치 후 친구들을 버스 정류장까지 바래다 주었다.

서술형

55 미선이와 현지가 주고받은 문자 대화에서 표기가 틀린 단어를 찾아 고치고, 그렇게 고친 까닭을 쓰시오.

현지: 미선아 우리 집에 와서 놀래?
미선: 지금은 안 돼. 우리 집 개가 다 낳지 않았거든.
현지: 그래? 예쁜 강아지를 낳기 바랄게.
미선: 아프다니까 웬 강아지?

5. 다음 간판에서 표기가 틀린 부분을 고쳐 보고 우리말의 정확한 발음과 표기를 생각해 봅시다.

1 간판에서 표기가 틀린 단어를 찾아 바르게 고쳐 봅시다.

• 오늘은 웬지 도넛이 먹고 싶구나.

예시 답 웬지 → 왠지

2 '왠'과 '웬'을 발음해 보고, 두 소리가 어떻게 다른지 이야기해 봅시다.

예시 답 'ㅙ'와 'ㅞ'는 이중 모음으로 'ㅙ'는 'ㅗ'로 시작해서 'ㅐ'로 끝나고, 'ㅞ'는 'ㅜ'로 시작하여 'ㅔ'로 끝난다.

3 '왠'과 '웬'에 각각 어떤 뜻이 있는지 찾아봅시다.

예시 답 '왠'은 하나의 단어가 아니라 그 자체로는 의미가 없고 '왜인지'가 줄어든 '왠지'에만 나타난다. '웬'은 하나의 단어로 '어찌 된, 어떠한'이라는 뜻의 관형사이다.

4 **3**의 활동을 바탕으로 '왠일인지'와 '웬일인지' 중 어떤 것이 맞을지 생각해 보고, 그 까닭을 말해 봅시다.

예시 답 '왠일'을 분석한다면 '왜인일'과 같이 할 수 있으나 이는 의미상 성립하지 않는 말이므로 맞지 않는 표기이다. '웬'은 '어찌 된, 어떠한'의 뜻이므로 '웬일'은 '어찌 된 일'이라는 뜻을 갖는다. '웬일'은 의외임을 나타내는 하나의 단어이기도 하다. 따라서 '웬일인지'가 맞는 표기이다.

핵심 정리 틀리기 쉬운 표기 ③

웬	1. 어찌 된. 예 웬 영문인지 모르다 2. 어떠한. 예 골목에서 웬 사내와 마주치다	'웬 사람이 널 찾아왔어.'나 '웬일(의외의 일)로 그러지?'의 '웬'을 '왠'으로 적는 것은 잘못이다. '왜'와 관련이 없는 말이므로 '웬'으로 적는다.
왠지	왜 그런지 모르게. 또는 뚜렷한 이유도 없이. 예 그 이야기를 듣자 왠지 불길한 예감이 들었다.	'왠지'는 '왜인지'에서 줄어든 말이므로 '왠지'로 써야 한다. '웬지'를 쓰는 것은 잘못이다.

핵심

56 **〈보기〉를 참고할 때, 밑줄 친 부분의 표기가 바른 것은?**

보기

국어사전에는 '왠'과 '웬'이 사용된 말이 있다. 두 말은 발음이 비슷하므로 주의해서 써야 한다. 먼저 '웬일'이라는 말이 사전에 올라가 있다. 이는 '왠 일'과 같은 표기로 혼동하기 쉽다. '웬일'은 주로 '의외의 일'을 의미하는 말이다. 한편, 부사인 '왠지'라는 말이 있다. 흔히 '웬지'로 적는 일도 있으나 이는 잘못된 표기이다. '왠지'는 '왜 그런지 모르게'나 '뚜렷한 이유가 없이'라는 뜻으로 사용된다.

① 오늘은 웬지 공부하기가 싫어.
② 그의 태도가 웬지 미심쩍었다.
③ 여기 웬 사람들이 이렇게 많아?
④ 왠일로 네가 나를 다 찾아왔니?
⑤ 어제 왠 낯선 사람이 나를 찾아왔다.

57 **〈보기〉의 ㉠, ㉡에서 잘못 표기된 단어를 찾아 바르게 고쳐 쓰시오.**

보기

㉠ 왠일로 여기까지 다 왔니?
㉡ 건물 안이 웬지 빈집처럼 한적하다.

보충 자료

헷갈리기 쉬운 표기

-던	과거의 사실
-든	상관없다는 뜻
안	'아니'의 준말
않-	'아니하-'의 뜻을 지닌 용언의 어간
-(으)로서	지위, 신분, 자격
-(으)로써	수단, 도구
-(으)러	목적을 나타냄.
-(으)려	의도를 나타냄.

창의·융합 활동

우리말의 발음에 관한 내용의 다음 글을 읽고, 이어지는 활동을 해 봅시다.

오늘날 '꽃이/꽃으로'를 [꼬치]와 [꼬츠로]라고 말하는 사람은 의외로 많지 않은 듯합니다. 받침 'ㅊ'이나 'ㅈ'을 가진 말들이 대개 마찬가지인데 '빚을 졌다'의 '빚을'도 대개는 [비슬]이라 하지 [비즐]이라고 하는 사람은 드뭅니다. 여러분은 '한 송이 꽃을 피우기 위해'의 '꽃을'을 어떻게 읽는지요?

시를 쓰는 내 친구 하나가 물었습니다. 아니 시비를 걸어왔습니다. "꽃아!"를 [꼬차]라고 하면 시 맛이 나냐고, [꼬사]라고 해야 시의 분위기가 살고, 그게 애초 시인이 생각한 발음 아니겠냐고.

참 오래전 얘기입니다만, 경상북도 안동에 학술 답사를 갔다가 그 지방에서 활동하는 시인을 만난 적이 있는데 그분 주장은 시는 그 시인의 사투리로 읽어 주어야 한다는 것이었습니다. 그 억양으로 읽어야 시인이 의도한 세계가 살 수 있다고 말입니다.

미처 생각지 못한 얘기여서 신선하게는 들렸는데 어려운 주문이기도 하다는 생각이 들었습니다. 김소월의 시는 평안도 억양을 모르고도 기분 좋게 읽히고, 서정주의 시 역시 전라도 사투리의 억양과 다르게 읽어도 감동을 일으키지 않습니까? 아니 서정주 시인이 자작시를 전라도 사투리로, 가령 '나의'를 '나으'로 읽는 걸 들으면 저는 오히려 그 시의 맛이 줄기까지 합니다. 그 향토 시인의 주장은 일면 일리는 있는데 일반화하기는 어렵지 않을까 합니다.

"꽃아, 이슬 영롱한 꽃아!"라고 써 놓고 " [꼬사], 이슬 영롱한 [꼬사]!"라고 읽지 않았다고 불평하는 말을 저는 받아들일 수 없습니다. 우리가 일상적으로 [꼬시], [꼬슬], [꼬세서], [꼬스로]라고 말하고 있더라도 일단 "꽃아!"라고 표기하였으면 [꼬차]라고 읽는 것이 옳다는 것이 제 생각입니다. 정녕 [꼬차]를 들어 줄 수 없다면, 맞춤법을 벗어나 "꼿아!"라고 쓰는 길을 택할 수밖에 없을 것입니다.

그러고 보니, '꽃아'를 '꽅아'라고 써야 할 일도 있을 법합니다. 제 고향에서는 "꽃에서/ 꽃으로"를 [꼬테서/꼬트로]라고 하니 그 맛을 살리려면 "꽅아, 이슬 영롱한 꽅아!"라고 써야 할 테니까요. 그런데 이 경우 "꽃아!"라고 써 놓고 [꼬타]라고 읽어 주기를 기대할 수는 없을 것입니다. 마찬가지로 "꽃아!"라고 써 놓고 [꼬사]라고 읽어 주지 않는다고 불평하는 것은 옳지 않을 것입니다.

– 이익섭, 『우리말 산책』

• 정답과 해설 p.15

01 이 글에 대한 설명으로 적절하지 않은 것은?

① 경험을 바탕으로 내용을 전개하여 독자들의 이해를 높이고 있다.
② 풍부한 예를 통해 딱딱하고 어려운 내용을 쉽게 제시하고 있다.
③ 표기와 발음에 대한 글쓴이의 주장을 상징적 언어로 제시하고 있다.
④ 독자에게 말을 거는 듯한 의문형 표현을 사용하여 흥미를 유발하고 있다.
⑤ '하십시오체'나 '해요체'의 경어체 표현을 사용함으로써 공손한 느낌을 주고 있다.

02 글쓴이의 생각을 미루어 본 것으로 적절하지 않은 것은?

① 안동 시인의 생각은 신선한데 실천하기 어려운 주문이군.
② 요즘에는 표준 발음법에 맞추어 제대로 발음을 하는 사람이 적군.
③ 시를 창작할 때는 맞춤법에서 벗어나 자신이 원하는 발음대로 시어를 표기하는 것이 좋겠군.
④ 서정주 시인의 시를 전라도 사투리로 읽지 않았다고 감동을 느낌에 있어 차이가 생기지는 않아.
⑤ 시인 자신이 '꽃으로'로 써 놓고 독자들이 [꼬스로]로 읽지 않는다고 불평하는 것은 옳지 않아.

03 다음 밑줄 친 부분의 올바른 발음을 쓰시오.

꽃으로도 때리지 말라.

혼자 하기 

1. 이 글에서 글쓴이와 글쓴이의 시인 친구가 단어의 발음을 어떻게 생각하고 있는지 정리해 보고, 자기 생각을 이야기해 봅시다.

글쓴이	표준 발음법에서 정한 발음 그대로 발음해야 한다.
시를 쓰는 친구	표준 발음법에서 정한 발음에서 벗어나더라도 시의 분위기와 시인의 의도를 살릴 수 있게 발음해야 한다.

• 내 생각: 예시 답 사람마다 다르게 발음하면 혼란스러우므로 표준 발음법대로 발음해야 한다.

함께하기 

2. 언어는 사용하는 사람들이 널리 쓰는 것으로 표준 발음과 표기가 바뀌기도 합니다. 다음 사례를 바탕으로 '꽃'의 표준어 표기가 바뀐다면 국어사전에 어떻게 실릴지 예측하여 모둠별로 이야기해 봅시다.

> 자장면 / 짜장면
>
> '자장면'은 그동안 중국에서 온 외래어로 다루어져 현행 중국어 외래어를 표기하는 규칙에 따라 '자장면'으로 표기하고 [자장면]을 옳은 발음으로 정해 왔다. 그러나 '자장면'의 '자장'이 중국어에서 유래한 외래어라는 의식이 희박해졌고 대다수의 한국어 화자가 이를 '짜장'으로 소리 내는 언어 현실에 따라 2011년부터 '자장면'과 '짜장면'을 둘 다 표준어로 인정하게 되었다.

예시 답 • '꽃을', '꽃이'를 '[꼬슬]', '[꼬시]' 등으로 발음하는 사람이 많다면 대다수의 한국어 화자가 소리 내는 현실을 따라 '꽂[꼳]: (꽂이[꼬시], 꽂을[꼬슬])'로 실릴 것이다.
• '꽃을', '꽃이'를 '[꼬들]', '[꼬디]' 등으로 발음하는 사람이 많다면 대다수의 한국어 화자가 소리 내는 현실을 따라 '꼳[꼳]: (꼳이[꼬디], 꼳을[꼬들])'로 실릴 것이다.

수행 평가 대비 활동

| 수행 평가 TIP | 이 활동의 의도는 올바른 표기 방법에 관하여 여러 가지 관점을 제시함으로써 다양하고 창의적인 사고를 유발하도록 하는 것입니다. 개인 활동에서는 글에 나타난 '시인'과 '글쓴이'가 지닌 발음에 관한 의견을 정리할 수 있어야 합니다. 또한, 이어지는 활동에서는 비표준 발음이 널리 퍼지면 국어사전의 내용이 어떻게 바뀔지에 관해 창의적으로 예상해 보아야 합니다.

1 평가 내용 확인하기

• 단어의 발음에 대한 글쓴이와 글쓴이의 시인 친구의 생각 비교하기
• '꽃'의 표준어 표기가 바뀐다면 국어사전에 어떻게 실릴지 예측하기

2 평가 기준 확인하기

• 발음과 표기의 밀접한 관계를 잘 이해하였는가?
발음과 표기가 서로 어떤 관계인지 잘 이해해야 해요. 표기가 달라지면 발음도 달라질 수 있고, 발음이 달라지면 표기도 달라질 수 있어요.

• 발음과 표기가 언어를 사용하는 사람에 의해 바뀔 수 있음을 알게 되었는가?
전 학년에서 이미 공부한 언어의 역사성을 바탕으로, 언어를 사용하는 사람에 의해 언어의 표준어 표기와 발음 또한 변화할 수 있다는 것을 이해해야 해요.

• 새로운 국어사전의 내용을 적절하게 예측했는가?
대다수의 한국어 화자가 소리 내는 현실을 따라 국어사전에 실릴 내용도 달라질 수 있다는 것을 이해해야 해요.

수행 평가 +

1. 다음은 사전의 개정 내용을 정리한 자료의 일부입니다. 이를 보고 어휘의 변화 양상에 대해 말해 봅시다.

개정 전	개정 후
긁다 통 「1」 손톱이나 뾰족한 기구 따위로 바닥이나 거죽을 문지르다. ⋮	긁다 통 「1」 손톱이나 뾰족한 기구 따위로 바닥이나 거죽을 문지르다. ⋮ 「9」 …… 「10」 물건 따위를 구매할 때 카드로 결제하다.
김-밥[김:밥] 명 ……	김-밥[김:밥/김:빱] 명 ……
내음 명 '냄새'의 방언(경상).	내음 명 코로 맡을 수 있는 나쁘지 않거나 향기로운 기운. 주로 문학적 표현에 쓰인다.

도와줄게 단어는 세월이 지남에 따라 그 표기가 달라지기도 하고, 의미가 달라지거나 발음이 달라지기도 합니다.
예 '김밥'의 표준 발음은 [김:밥]이었으나 많은 사람들이 [김:빱]으로 소리 내는 현실을 따라 [김:빱]도 표준 발음으로 인정되었습니다.

핵심 콕 마무리

핵심 원리

표준 발음법
표준 발음법은 표준어의 실제 발음을 따르되, 국어의 전통성과 합리성을 고려하여 정함을 원칙으로 한다.
정확한 발음과 표기의 중요성
표준 발음법을 통해 정확한 국어 생활을 할 수 있으며, 다른 사람과의 의사소통을 원활하게 할 수 있다.

핵심 내용

(1) 'ㅖ'와 'ㅢ'의 발음

'ㅖ'의 발음	•'ㅖ'는 원래 소리대로 [ㅖ]로 발음함. •'예, 례' 이외의 경우에는 (❶)로 발음함도 허용함. 예 계산[계:산/게:산], 개폐[개폐/개페]
'ㅢ'의 발음	•'의'로 쓰여 단어 첫 글자에 나오는 경우에는 [ㅢ]로 발음함. 예 의사[의사] •자음을 첫소리로 가지고 있는 'ㅢ'는 (❷)로 발음함. 예 무늬[무니], 희망[히망], 하늬바람[하니바람] •단어의 첫 글자 이외의 '의'는 [ㅣ]로 발음함도 허용함. 예 주의[주의/주이] •조사 '의'는 (❸)로 발음함도 허용함. 예 나의[나의/나에] 꿈

(2) 자주 틀리는 받침의 발음

❶ 홑받침의 발음
① 음절의 끝에서는 'ㄱ, ㄴ, ㄷ, ㄹ, ㅁ, ㅂ, ㅇ'의 7개 자음만 발음
② 받침 'ㄲ, ㅋ', 'ㅅ, ㅆ, ㅈ, ㅊ, ㅌ', 'ㅍ'은 어말 또는 자음 앞에서 각각 대표음 [ㄱ, ㄷ, ㅂ]으로 발음

'ㄱ, ㄲ, ㅋ' → [ㄱ]	예 작다[작따], 닦다[닥따], 키읔[키윽]
'ㄴ' → [ㄴ]	예 눈[눈]
'ㄷ, ㅅ, ㅆ, ㅈ, ㅊ, ㅌ' → (❹)	예 옷[옫], 있다[읻따], 낫[낟], 꽂[꼳], 솥[솓]
'ㄹ' → [ㄹ]	예 물[물]
'ㅁ' → [ㅁ]	예 감[감:]
'ㅂ, ㅍ' → [ㅂ]	예 입[입], 앞[압]
'ㅇ' → [ㅇ]	예 방[방]

❷ 겹받침의 발음

앞 자음이 소리 나는 겹받침	'ㄳ' → [ㄱ], 'ㄵ' → [ㄴ], ㄼ/ㄽ/ㄾ → [ㄹ], ㅄ → [ㅂ] 예 넋[넉], 앉다[안따], 여덟(❺), 외곬[외골/웨골], 핥다[할따], 값[갑]
뒤 자음이 소리 나는 겹받침	'ㄺ' → [ㄱ], 'ㄻ' → [ㅁ], ㄿ → (❻) 예 닭[닥], 늙다[늑따], 삶[삼:], 읊다[읍따]

* 겹받침 발음의 예외

ㄺ	•용언이 활용할 때는 (❼) 앞에서 [ㄹ]로 발음됨. 예 밝다[박따] / 밝게[발께]
ㄼ	•동사 '밟다'의 '밟-' 뒤에 자음이 오면 [ㅂ]으로 발음됨. 예 여덟[여덜], 짧다[짤따] / 밟다[밥:따] •'넓죽하다'와 '넓둥글다', '넓적하다'의 'ㄼ'은 (❽)으로 발음됨. 예 넓죽하다[넙쭈카다], 넓둥글다[넙뚱글다], 넓적하다[넙쩌카다]

(3) 받침 뒤에 다른 말이 이어질 때의 발음

모음으로 시작하는 말이 이어질 때	뒤의 말이 (❾)인 의미를 지닐 때	(❿)으로 바뀐 뒤 이어지는 말의 첫소리가 됨. 예 늪 안[늪안 → 느반], 닭 울음[닥울음 → 다구름]
	뒤의 말이 실질적인 의미를 지니지 않을 때	•원래의 소리 그대로 이어지는 말의 첫소리가 됨. 예 늪을[느플] •겹받침인 경우에는 앞말의 (⓫)과 뒷말의 (⓬)로 나뉨. 예 닭을[달글]
자음으로 시작하는 말이 이어질 때		이어지는 자음과 만나 소리가 다양하게 바뀜. 예 늪도[늡또], 닭만[당만]

(4) 생활 속의 정확한 표기

• 모음을 줄여 쓸 때 'ㅚ' 뒤에 '-ㅓ'가 오면 'ㅙ'로 적음.
예 되+어 → 돼/ 뵈+어 → 봬 / 쐬+어 → 쐐 / 괴+어 → 괘
• 육게장(×)/육계장(×) → 육개장(○), 떡뽀끼(×) → 떡볶이(○), 갈치졸임(×) → 갈치조림(○)

정답 ❶ [ㅔ] ❷ [ㅣ] ❸ [ㅔ] ❹ [ㄷ] ❺ [여덜] ❻ [ㅂ] ❼ ㄱ ❽ [ㅂ] ❾ 실질적 ❿ 대표음 ⓫ 받침 ⓬ 첫소리

소단원 핵심 문제

• 정답과 해설 p.16

출제 예감 90%

01 다음 중 표준 발음법에 어긋나는 것은?

① 회의[회의] ② 토의[토이]
③ 무늬의[무니에] ④ 내일의[내이레]
⑤ 의사의[이사의]

출제 예감 95%

02 〈보기〉를 통해 추론한 내용으로 적절하지 않은 것은?

보기

'ㅢ'는 '의'로 시작하는 단어일 때 [ㅢ]로 발음한다. '늬, 띄, 희'와 같이 자음이 있으면 [ㅣ]로 발음하며, 단어의 제일 앞이 아닌 '의'는 [ㅣ]로 발음할 수도 있다. 조사 '의'에 쓰인 경우에는 [ㅔ]로 발음할 수도 있다.

① '의무'를 [이무]라고 읽으면 표준 발음법에 어긋난다.
② '나의'를 [나에]로 읽어도 표준 발음법에 어긋나지 않는다.
③ '흰머리'는 [힌머리]로 읽어야 표준 발음법에 어긋나지 않는다.
④ '의'를 소리 나는 대로 '에'라고 써도 맞춤법에 어긋나지 않는다.
⑤ 표준 발음법에서는 '의'를 다른 소리로 발음하는 것을 허용하기도 한다.

출제 예감 70%

03 다음 중 표준 발음으로 인정되지 않는 것은?

① 기억[기역] ② 피어[피여] ③ 되어[되여]
④ 책이오[채기요] ⑤ 아니오[아니요]

출제 예감 80%

04 다음 단어의 발음이 옳지 않은 것은?

① 밭[받] ② 볕을[벼틀] ③ 산에[사네]
④ 숲이[수피] ⑤ 키읔[키윽]

출제 예감 70%

05 ㉠~㉤에서 표기나 발음이 옳은 것을 모두 고른 것은?

㉠ 엽서[엽써] ㉡ 늦봄[는봄] ㉢ 학비[학삐]
㉣ 공짜[꽁짜] ㉤ 돌솥밥[돌솓밥]

① ㉠, ㉢ ② ㉡, ㉤ ③ ㉠, ㉢, ㉣
④ ㉡, ㉣, ㉤ ⑤ ㉠, ㉡, ㉣, ㉤

출제 예감 95%

06 〈보기〉를 참고할 때, 다음 문장의 발음에 대한 설명으로 옳지 않은 것은?

보기

• 원칙적으로 'ㅢ'는 [ㅢ]로 발음한다.
• 자음을 첫소리로 가지고 있는 'ㅢ'는 [ㅣ]로 발음하고 [ㅢ]나 [ㅡ]로는 발음하지 않는다.
• 단어의 첫 글자 이외의 '의'는 [ㅣ]로 발음함도 허용한다.
• 조사 '의'는 [ㅔ]로 발음함도 허용한다.

나의 장래 희망은 의사가 되는 것이다.

① '나의'는 [나에]로도 발음한다.
② '나의'는 [나의]로 발음하는 것이 원칙이다.
③ '희망'는 원칙적으로 [희망]으로 발음한다.
④ '의사'는 [의사]로 발음한다.
⑤ '의사'는 [으사]로 발음하면 안 된다.

출제 예감 70%

07 다음 뉴스 대본의 밑줄 친 부분을 읽거나 쓸 때 주의할 점으로 적절하지 않은 것은?

우리나라 육상 대표 팀이 오늘 육상 대회 남자 계주 1,600미터(m) 예선에서 한국 신기록을 세우며 결승선을 통과했습니다. 13년 만의 기록 경신이었습니다. 스무 살 안팎의 어린 선수들이 구슬땀을 흘리며 얻은 결실입니다.

① '계주'를 [게:주]로 읽지 않도록 주의해야 한다.
② '예선'을 [에선]으로 읽지 않도록 주의해야 한다.
③ '경신'을 '갱신'으로 쓰지 않도록 주의해야 한다.
④ '안팎'을 '안밖'으로 쓰지 않도록 주의해야 한다.
⑤ '구슬땀'을 [구술땀]으로 발음하지 않도록 주의해야 한다.

출제 예감 70%

08 다음 뉴스 대본의 밑줄 친 부분의 표준 발음을 쓰시오.

월요일인 16일에도 전국 곳곳에 폭염 특보가 이어지면서 찜통 더위가 계속된다. 아침 최저 기온은 21 내지 28도, 낮 최고 기온은 30 내지 37도로 전날과 비슷하겠다. 대부분 지역의 낮 최고 기온이 33도 이상으로 오른다.

출제 예감 90%

09 받침소리에 대한 설명으로 옳지 않은 것은?

① 'ㅅ'은 받침소리로 발음되지 않는다.
② 받침 표기가 그대로 발음되지 않을 수도 있다.
③ 'ㅊ'은 받침으로 올 때 대표음 [ㅈ]으로 발음된다.
④ 'ㅆ, ㅈ'은 받침으로 올 때 대표음 [ㄷ]으로 발음된다.
⑤ 받침이 다른 음으로 소리 날 때, 그 소리로 나는 [ㄱ, ㄷ, ㅂ]을 '대표음'이라고 한다.

출제 예감 80%

10 밑줄 친 부분의 발음이 옳은 것은?

① 빛을 밝혔다. [비틀]
② 저 사람은 낯이 익다. [나시]
③ 꿈을 꾸는 삶을 살자. [살:믈]
④ 밭을 갈아 콩을 심었다. [바츨]
⑤ 햇볕에 얼굴이 그을었다. [해뼈체]

출제 예감 90%

11 다음을 통해 알 수 있는 발음법으로 옳은 것은?

옷[옫], 옷도[옫또], 옷이[오시], 옷 안[오단]

① '옷'은 뒤에 오는 말소리에 상관없이 음절의 끝소리 규칙의 적용을 받는다.
② '옷'은 뒤에 오는 말소리에 상관없이 음절의 끝소리 규칙의 적용을 받지 않는다.
③ '옷' 뒤에 오는 말이 자음일 때에는 음절의 끝소리 규칙의 적용을 받지 않는다.
④ '옷' 뒤에 오는 말이 모음일 때에는 음절의 끝소리 규칙의 적용을 받지 않는다.
⑤ '옷'은 뒤에 오는 모음이 실질적인 의미를 가질 때에는 음절의 끝소리 규칙의 적용을 받는다.

출제 예감 70%

12 표준 발음법에 의거하여 ㉠~㉢을 소리 나는 대로 모두 쓰시오.

㉠ 맛있다 ㉡ 맛없다 ㉢ 멋있다

출제 예감 70%

13 밑줄 친 부분의 발음이 옳지 않은 것은?

① 교실이 넓지[널찌] 않다.
② 넓이[널비]를 측정했다.
③ 도로가 무척 넓다[넙따].
④ 운동장은 넓고[널꼬] 크다.
⑤ 넓죽한[넙쭈칸] 얼굴을 보았다.

출제 예감 80%

14 〈보기〉를 참고할 때, 겹받침의 발음이 옳지 않은 것은?

보기

'ㄺ' 겹받침이 있는 낱말이 홀로 쓰이거나 자음이 이어 올 때는 'ㄱ' 소리만 내지만, 뒤에 모음이 이어 올 때는 'ㄺ' 두 소리를 모두 내야 한다.

① 닭[닥] ② 닭이[다기] ③ 닭을[달글]
④ 닭도[닥또] ⑤ 닭과[닥꽈]

출제 예감 90%

15 ㉠과 ㉡의 발음에 대한 설명으로 옳은 것은?

㉠ 꽃이 참 예쁘구나.
㉡ 꽃 안에 나비가 앉았구나.

① ㉠은 [꼬시]로, ㉡은 [꼬사네]로 발음한다.
② ㉠은 [꼬치]로, ㉡은 [꼬사네]로 발음한다.
③ ㉠은 [꼬치]로, ㉡은 [꼬다네]로 발음한다.
④ ㉠과 ㉡의 '꽃'은 발음할 때 모두 음절의 끝소리 규칙의 적용을 받는다.
⑤ ㉠과 ㉡의 '꽃'은 발음할 때 모두 음절의 끝소리 규칙의 적용을 받지 않는다.

출제 예감 80%

16 〈보기〉를 참고할 때 발음이 옳지 않은 것은?

보기

겹받침이 모음으로 시작된 조사나 어미, 접미사와 결합되는 경우에는, 뒤엣것만을 뒤 음절 첫소리로 옮겨 발음한다. (이 경우, 'ㅅ'은 된소리로 발음함.)

① 값을[가블] ② 몫이[목씨]
③ 밟아[발바] ④ 앉아[안자]
⑤ 핥아[할타]

소단원 핵심 문제

출제 예감 60%

17 밑줄 친 부분이 한글 맞춤법에 맞게 쓰인 것은?

① 넙적한 접시에 호박전을 담았다.
② 중요한 문제를 회의에 부치기로 했다.
③ 엇저녁에 친구를 만나 재미있게 놀았다.
④ 나는 배추김치보다 깍뚜기를 더 좋아한다.
⑤ 해마다 적잖은 사람들이 한국을 방문한다.

출제 예감 90%

18 〈보기〉를 참고할 때, 겹받침의 발음에 대한 설명으로 옳지 않은 것은?

> 보기
> 본래 받침 'ㄺ'은 단어의 끝이나 자음 앞에서 [ㄱ]으로 발음하는 것이지만, 용언의 'ㄺ'은 활용을 할 때 'ㄱ' 앞에서 [ㄹ]로 발음합니다.

① '맑고'는 [말꼬]로 발음한다.
② '닭도'에서 받침 'ㄺ'은 [ㄱ]으로 발음한다.
③ '맑-'의 어간 말음 'ㄺ'은 'ㄷ' 앞에서 [ㄹ]로 발음한다.
④ '밝게'는 용언의 활용형이며 받침 'ㄺ' 뒤에 'ㄱ'이 오므로 [발께]로 발음한다.
⑤ '묽어'는 받침 'ㄺ' 뒤에 모음이 오므로 'ㄹ'은 받침소리로, 'ㄱ'은 뒤 음절의 첫소리로 발음한다.

출제 예감 80%

19 〈보기〉에 제시된 ㉠의 예로 적절한 것은?

> 보기
> 겹받침은 앞 자음이나 뒤 자음 중 하나의 소리로만 발음하는 것이 원칙이지만 몇 가지는 예외적으로 ㉠때에 따라 앞의 자음이 발음되기도 하고 뒤의 자음이 발음되기도 합니다.

① 시냇물이 맑고 푸르다. – 하늘이 맑다.
② 책이 얇고 가벼웠다. – 여름 이불이 얇다.
③ 코는 아버지와 닮고, – 눈은 어머니와 닮다.
④ 의자에 앉고 공부를 했다. – 자기 자리에 앉다.
⑤ 돌다리를 밟고 지나갔다. – 자전거 페달을 밟다.

출제 예감 90%

20 〈보기〉를 참고할 때, 발음이 옳은 것만으로 짝지어진 것은?

> 보기
> 받침 있는 말 뒤에 모음으로 시작하는 말이 올 때, 뒤의 말이 '안, 위'처럼 실질적인 의미를 갖는 경우에는 받침을 대표음으로 바꾸어서 뒤 음절 첫소리로 옮겨 발음하고, '에, 의'처럼 그렇지 않은 경우에는 음절 말 끝 자음을 다음 음절의 첫소리로 옮겨 발음합니다. (이 경우, 'ㅅ'은 된소리로 발음합니다.)

① 뭍 위[무튀], 뭍 아래[무타래], 뭍에[무테]
② 뭍 위[무튀], 뭍 아래[무타래], 뭍에[무데]
③ 뭍 위[무뒤], 뭍 아래[무타래], 뭍에[무테]
④ 뭍 위[무뒤], 뭍 아래[무다래], 뭍에[무데]
⑤ 뭍 위[무뒤], 뭍 아래[무다래], 뭍에[무테]

출제 예감 80%

21 〈보기〉를 참고할 때, 밑줄 친 부분의 예로만 바르게 짝지어진 것은?

> 보기
> 받침 'ㅎ'의 발음은 다음과 같다.
> 1. 'ㅎ(ㄶ, ㅀ)' 뒤에 'ㄱ, ㄷ, ㅈ'이 결합하는 경우에는, 뒤 음절 첫소리와 합쳐서 [ㅋ, ㅌ, ㅊ]으로 발음한다.
> 2. 'ㅎ(ㄶ, ㅀ)' 뒤에 'ㅅ'이 결합하는 경우에는, 'ㅅ'을 [ㅆ]으로 발음한다.
> 3. 'ㅎ' 뒤에 'ㄴ'이 결합하는 경우에는, 'ㄴ'으로 발음한다.
> 4. 'ㅎ(ㄶ, ㅀ)' 뒤에 모음으로 시작된 어미나 접미사가 결합하는 경우에는, 'ㅎ'을 발음하지 않는다.

① 놓고, 좋던, 쌓지
② 닿소, 좋고, 놓는
③ 낳고, 쌓아, 좋지
④ 닿고, 낳지, 싫어
⑤ 쌓아, 놓다, 많지

출제 예감 90%

22 다음 문장의 밑줄 친 부분을 소리 나는 대로 모두 쓰시오.

> 나는 맑고 넓고 밝은 마음으로 세상을 단단히 밟고 살기로 결심했다.

출제 예감 90%

23 〈보기〉를 참고할 때, 밑줄 친 부분의 표기가 옳지 않은 것은?

> 보기
>
> 'ㅚ' 뒤에 '-어, -었-'이 어울려 'ㅙ, ㅙㅆ'으로 될 적에도 준 대로 적는다.

① 조금 이따 봬요.

② 곰곰이 생각하며 턱을 괬다.

③ 그 집 아들이 축구선수가 됐대.

④ 깜짝 놀라서 가슴이 너무 쬈었다.

⑤ 모두가 둘러 앉아 모닥불을 쬤다.

출제 예감 90%

24 식당의 차림표에서 잘못 표기된 단어를 찾아 바르게 고친 것으로 옳지 않은 것은?

차림표	
김치찌게	7,000원
육게장	7,000원
라면	3,000원
떡뽀끼	2,000원
설농탕	7,000원
주꾸미 볶음	7,000원

① '김치찌게'를 '김치찌개'로 고친다.

② '육게장'을 '육개장'으로 고친다.

③ '떡뽀끼'를 '떡볶이'로 고친다.

④ '설농탕'을 '설렁탕'으로 고친다.

⑤ '주꾸미 볶음'을 '쭈꾸미 볶음'으로 고친다.

출제 예감 60%

25 다음 내용을 참고할 때, 밑줄 친 부분의 표기가 옳은 것은?

> 지난 일을 나타내는 어미는 '-더라, -던'으로 적고, 물건이나 일의 내용을 가리지 아니하는 뜻을 나타내는 조사와 어미는 '(-)든지'로 적는다.

① 그 사람 말 잘하든데!

② 얼마나 놀랐던지 몰라.

③ 지난 겨울은 몹시 춥드라.

④ 가던지 오던지 마음대로 해라.

⑤ 배던지 사과던지 마음대로 먹어라.

출제 예감 90%

26 다음 휴대 전화 문자 대화에서 표기가 틀린 단어를 찾아 바르게 고친 것은?

① '왔대'를 '왔데'로 고친다.

② '볼래'를 '볼레'로 고친다.

③ '낳아야'를 '나아야'로 고친다.

④ '텐데'를 '텐대'로 고친다.

⑤ '볼게'를 '볼께'로 고친다.

출제 예감 70%

27 밑줄 친 부분의 표기가 옳은 것은?

① 책을 소포로 붙였어.

② 감기가 이제 거의 다 낳았어.

③ 한눈을 팔다가 친구랑 부딪혔어.

④ 과거는 가슴에 뭍고 새롭게 출발하자.

⑤ 나의 바램은 우리 모두가 행복해지는 거야.

출제 예감 90%

28 다음 내용을 참고할 때, 밑줄 친 부분의 표기가 옳지 않은 것은?

> 국어사전에는 '왠'과 '웬'이 사용된 말이 있다. 두 말은 발음이 비슷하므로 주의해서 써야 한다. 먼저 '웬일'이라는 말이 사전에 올라가 있다. 이는 '왠 일'과 같은 표기로 혼동하기 쉽다. '웬일' 은 주로 '의외의 일'을 의미하는 말이다. 한편, 부사인 '왠지'라는 말이 있다. 흔히 '웬지'로 적는 일도 있으나 이는 잘못된 표기이다. '왠지'는 '왜 그런지 모르게'나 '뚜렷한 이유가 없이'라는 뜻으로 사용된다.

① 이게 웬 날벼락이람.

② 왠 걸음이 그리 빠르냐?

③ 웬일로 여기까지 찾아왔어?

④ 오늘은 왠지 전학 간 친구가 보고 싶다.

⑤ 그 이야기를 듣자 왠지 불길한 예감이 들었다.

쓴 글을 돌아보며

• 생각 열기 다음 그림을 보면서 고쳐쓰기에 관해 생각해 봅시다.

차를 고쳐서 완성하는 것과 글을 고쳐서 완성하는 것의 공통점은 무엇일까요?

예시 답 차를 만들며 고칠 부분을 찾아 탑승자 관점에서 안전하고 편리한 차를 완성하는 것처럼, 글도 고쳐쓰기를 통해 읽는 이가 오해 없이 이해하기 쉬운 글을 쓸 수 있다.

고쳐쓰기의 목적이 무엇일지 생각해 봅시다.

예시 답 읽는 이가 이해하기 쉬운 글을 쓰기 위해서이다.

• 학습 목표로 내용 엿보기

"여러 부분을 고친 후에 자동차가 완성되는 것처럼 글도 고쳐쓰기를 통해 완성될 수 있어. 다양한 수준에서 고쳐쓰기를 하다 보면 읽는 이가 한결 이해하기 쉬운 글을 쓸 수 있을 거야."

- **핵심 1** 고쳐쓰기의 다양한 방법 이해하기
- **핵심 2** 한 편의 글을 고쳐 쓰는 능력 기르기

핵심 원리 이해하기 고쳐쓰기

• 고쳐쓰기의 목적과 방법

목적	고쳐쓰기는 읽는 이가 이해하기 쉽게 글을 개선하기 위한 과정
방법	• 글의 내용이나 표현에서 빼거나 바꿀 부분을 찾아 그 대신에 쓸 알맞은 내용이나 표현을 생각해 봄. • 글의 전체적인 흐름, 문단의 내용, 잘못된 문장이나 잘못 쓴 낱말을 고려하여 고쳐야 함.

개념 확인 콕콕

• 정답과 해설 p.17

[01~02] 다음 빈칸에 알맞은 말을 쓰시오.

01 고쳐쓰기의 목적은 읽는 이가 (　　　　)하기 쉬운 글을 쓰는 것이다.

02 고쳐 쓸 때에는 글의 전체적인 (　　　　), 문단의 내용, 잘못된 (　　　　)이나 잘못 쓴 낱말을 고려하여 고쳐야 한다.

03 고쳐쓰기에 대한 설명으로 적절하지 않은 것은?

① 고쳐쓰기를 통해 완성된 글을 쓸 수 있다.
② 글을 완성한 뒤에 고쳐쓰기를 하는 것이 좋다.
③ 글 전체 수준이나, 문단 수준, 문장 수준 등 다양한 차원에서 고쳐쓰기를 할 수 있다.
④ 글쓴이의 의도를 읽는 이에게 더욱 분명히 드러낼 수 있도록 고쳐쓰기를 해야 한다.
⑤ 대체로 글 전체 수준에서 먼저 고쳐쓰기를 한 다음, 문단 수준이나 문장 수준에서 고쳐쓰기를 한다.

04 고쳐쓰기의 목적으로 적절하지 않은 것은?

① 주제가 잘 드러나는 글을 쓰기 위해서
② 통일성, 응집성 있는 글을 쓰기 위해서
③ 읽는 이가 이해하기 쉬운 글을 쓰기 위해서
④ 오류가 없는 문장으로 이루어진 글을 쓰기 위해서
⑤ 글쓴이의 지식을 모두 드러낼 수 있는 글을 쓰기 위해서

활동 안내

이 소단원은 글쓰기의 고쳐쓰기 단계에서 활용할 수 있는 고쳐쓰기의 일반 원리와 다양한 전략 및 방법을 익히는 것을 목표로 설정하였다. 고쳐쓰기는 궁극적으로 필자 중심의 글을 독자 중심의 글로 바꾸고자 하는 것이므로, '첨가, 삭제, 대치, 재구성'과 같은 고쳐쓰기의 일반 원리를 익혀, 자신의 글을 점검하는 기본 전략이나 방법으로 활용하도록 한다. 또한, 단어 수준, 문장 수준, 글 전체 수준 등 다양한 수준에서 글을 고치는 방법을 익혀 한 편의 글을 적절히 고쳐 쓰는 능력을 기르도록 한다.

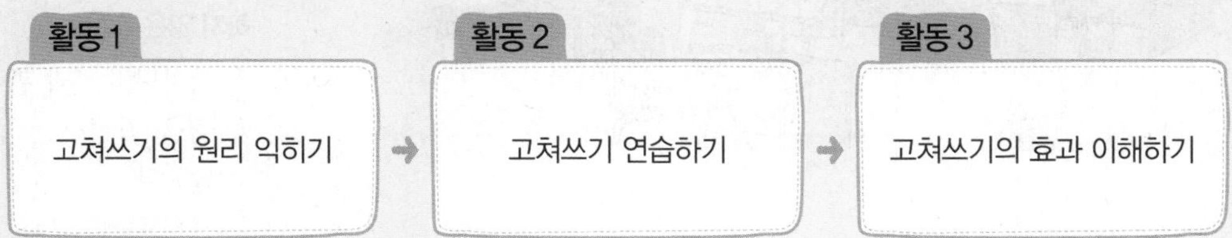

활동 개관

★ **활동 1** 고쳐쓰기의 원리 익히기

고쳐쓰기의 개념과 중요성을 이해하고, 이를 바탕으로 고쳐쓰기에서 적용할 수 있는 다양한 방법 및 전략을 익힌 뒤, 예시로 주어진 글을 고쳐 쓰는 과정에서 이를 적용해 본다.

고쳐쓰기의 다양한 방법 이해하기 ▶	'첨가, 삭제, 대치, 재구성' 등과 같은 고쳐쓰기의 일반 원리와 다양한 전략 및 방법을 익힌다.
한 편의 글을 고쳐 쓰는 능력 기르기 ▶	단어 수준, 문장 수준, 문단 수준, 글 전체의 수준 등 다양한 수준에서 글을 고치는 방법을 익혀 한 편의 글을 적절히 고쳐 쓰는 능력을 기른다.

★ **활동 2** 고쳐쓰기 연습하기

한 편의 글을 바탕으로 앞서 학습한 고쳐쓰기의 다양한 원리나 방법을 적용해 보는 활동이다. 고쳐쓰기의 방법을 적용해 글 전체 수준, 문단 수준, 문장 수준에서 점검할 사항을 고려하여 글을 고쳐 써 본다.

★ **활동 3** 고쳐쓰기의 효과 이해하기

글의 고쳐쓰기를 통해 얻을 수 있는 효과가 무엇인지 구체적으로 알아보는 활동이다. 고쳐쓰기에 몰두한 작가와 관련된 글을 읽고, 자신의 글쓰기 습관과 비교해 보면서 고쳐쓰기의 효과를 이해한다.

「인쇄 중에도 문장 고쳐 쓴 발자크」 등장인물이 2,400여 명에 이르는 『인간희극』 시리즈의 프랑스 작가 오노레 드 발자크(1799~1850)가 수없이 원고를 고치고 다듬은 '고쳐쓰기의 달인'이었음을 소개한 글로 고쳐쓰기를 통해 더 좋은 글을 쓸 수 있음을 깨달을 수 있다.

쓴 글을 돌아보며

활동 1 고쳐쓰기의 원리 익히기

다음 만화를 보고, 진희가 쓴 글을 고쳐 봅시다.

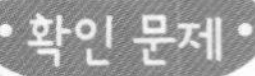

• 정답과 해설 p.17

01 고쳐쓰기의 일반 원리로 적절하지 않은 것은?

① 빠뜨린 부분을 보충한다.
② 불필요한 부분을 삭제한다.
③ 글의 순서를 적절하게 바꾼다.
④ 적절하지 않은 것은 다른 내용으로 바꾼다.
⑤ 글에 쓰인 단어를 되도록 수준 높은 단어로 바꾼다.

02 글을 작성하는 과정에 대한 설명으로 적절하지 않은 것은?

① 독자의 수준과 관심을 고려하여 글을 쓴다.
② 글을 작성하는 중에는 고쳐쓰기를 하지 않는다.
③ 글의 주제가 명확하게 드러나도록 글을 작성한다.
④ 내용을 풍부하게 생성하기 위해 다양한 매체에서 자료를 찾아본다.
⑤ 글을 쓰기 위해 찾은 자료를 분석하고 필요하지 않은 자료는 버린다.

보충 자료

글쓰기 단계

단계	내용
계획하기	글쓰기의 목적, 주제, 독자, 필자의 태도(입장), 매체 등을 분석하고 글 전체의 개략적인 구도를 작성하는 단계
내용 생성하기	글의 내용을 풍부하게 마련하기 위해 자료를 다양하게 수집하는 단계
내용 조직하기	생성한 내용을 글의 목적 및 조직 원리에 맞추어 배치하는 단계. 일명 개요 짜기
표현하기	내용을 효과적으로 표현하는 단계
고쳐쓰기	쓴 글이 본래의 계획 및 글의 목적에 적합한지 확인한 뒤 내용을 첨가, 삭제, 대치, 재구성하는 단계

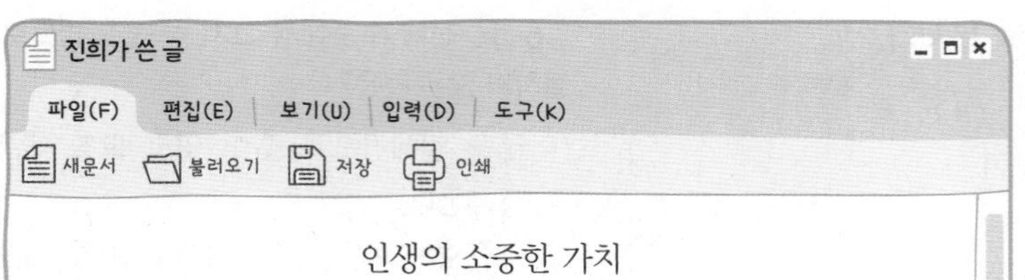

인생의 소중한 가치

㉮ 며칠 전에 교내 경시대회를 준비하던 나는 문득 '공부를 하는 까닭'을 깊이 생각해 보게 되었다. '공부는 왜 하는 것일까?' 공부는 학생의 의무이니 학생은 당연히 공부해야 한다는 말은 이 질문에 좋은 답이 될 수는 없을 것이다.

㉯ 많은 사람이 '좋은 고등학교에, 대학교에, 안정적인 직장에 가기 위해' 공부를 한다. 또는 공자나 맹자처럼 자기 수양을 위해 공부를 하기도 한다. 공부해서 현실적인 이익을 얻기 위해서 공부를 하는 것이다. 내가 지난 기말고사에서 성적이 오르면 어머니께서 휴대 전화를 바꿔 주기로 하셨기 때문에 공부를 열심히 했던 것도 이와 틀리지 않다.

㉰ 이처럼 현실적인 이익을 위해서 공부를 하면, 공부에 따른 댓가를 얻을 수 없게 되었을 때는 공부를 하기가 어려워진다. 나는 요사이 공부에 대한 의욕이 떨어진 까닭이 무엇인지 생각해 보았다. 그것은 지난번에 성적이 많이 오르고 뿌듯함을 느끼게 되었기 때문이었다.

㉱ 지금 시점에서 내 삶의 방향을 스스로 모두 결정지을 수는 없다. 지금은 내가 장차 무엇이 될지, 무엇을 해야 할지 좀처럼 모른다. 이럴 때 공부를 해 놓는 것은 미래를 위한 가장 좋은 대비가 될 것이다.

글 전체 수준에서 고쳐 쓰기

1. 목적에 맞는 글을 썼는지 확인해 봅시다.

1 이 글의 주제와 글을 읽을 대상은 누구인지 정리해 봅시다.

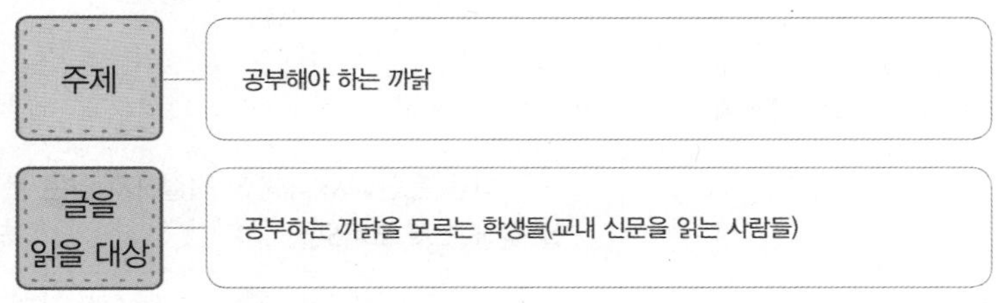

주제	공부해야 하는 까닭
글을 읽을 대상	공부하는 까닭을 모르는 학생들(교내 신문을 읽는 사람들)

2 글의 목적 및 글을 읽을 대상을 고려하여 이 글의 제목을 바꾸어 봅시다.

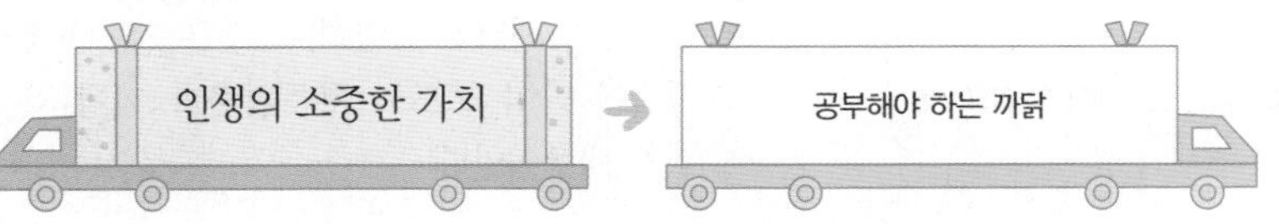

핵심

03 이 글의 주제로 가장 알맞은 것은?

① 인생의 의미
② 학생의 의무
③ 공부를 해야 하는 까닭
④ 미래를 위해 준비할 것들
⑤ 공부를 통해 얻을 수 있는 이익

04 이 글의 예상 독자로 가장 적절한 것은?

① 취업을 준비하는 사회인들
② 자기 수양을 하려는 사람들
③ 좋은 대학교에 가려는 학생들
④ 공부하는 까닭을 모르는 학생들
⑤ 공부를 가르쳐야 하는 선생님들

05 글의 제목을 정할 때 유의할 사항으로 적절하지 않은 것은?

① 되도록 전문 용어를 사용하여 정한다.
② 글의 내용을 포괄할 수 있는 것으로 정한다.
③ 글의 목적을 잘 드러낼 수 있는 것으로 정한다.
④ 글의 주제를 잘 보여 줄 수 있는 것으로 정한다.
⑤ 읽을 대상을 고려하여 읽는 이의 관심을 끌 수 있는 것으로 정한다.

보충 자료

고쳐쓰기의 일반 원리

첨가	빠뜨린 부분을 보충함.
삭제	불필요한 부분을 삭제함.
대치	다른 내용으로 바꿈.
재구성	문단의 순서나 배열을 고침.

2. 이 글의 구성 단계에 따른 내용의 적절성을 확인해 봅시다.

1 이 글의 짜임을 살펴봅시다.

가	처음	공부하는 까닭을 생각하게 된 계기
나	중간	사람들이 공부하는 까닭
다		현실적 이익을 위해서만 공부하면 안 되는 까닭
라	끝	미래를 위한 가장 좋은 대비인 공부

2 글의 흐름을 고려할 때 다음 문단이 들어가기에 적절한 위치는 어디일지 생각해 봅시다. 다와 라 사이

> 그리스의 철학자 플라톤은 교육이 한 인간을 양성할 때의 방향이 훗날 그의 삶을 결정할 것이라고 하였다. 이처럼 공부는 내가 삶에서 중요하게 생각하는 것을 이룰 수 있도록 해 주는 데 그 가치가 있다. 또한, 내가 삶에서 무엇을 중요하게 여기는지를 깨닫게 해 주는 것 역시 공부이다. 이것이 공부해야 하는 진정한 까닭이다.

글 전체 수준에서 고쳐 쓰기

- 글을 전체적으로 훑어 읽고, 글을 쓴 목적을 확인하면서 고칠 내용을 생각한다.
- 글의 주제와 내용이 잘 드러나는 제목인지 검토한다.
- 글의 구성 단계에 맞는 내용이 적절히 들어가 있는지 살펴본다.

문단 수준에서 고쳐 쓰기

1. 문단 수준에서 이 글의 고쳐야 할 점을 찾아봅시다.

1 나에서 문단의 중심 내용을 나타내는 데 적절하지 않아 삭제해야 할 문장을 찾아 그 까닭을 말해 봅시다. 예시 답

삭제할 문장 또는 공자나 맹자처럼 자기 수양을 위해 공부를 하기도 한다.

까닭 사람들이 현실적인 이익을 얻기 위해 공부한다는 점을 지적하고 있는 문단이므로, '자기 수양', 즉 도덕적인 성장을 위해 공부를 한다는 내용은 어울리지 않는다.

2 다에서 문장과 문장이 자연스럽게 연결되는지 살펴보고 내용상 적절하지 않은 것을 찾아 고쳐 써 봅시다. 예시 답

적절하지 않은 문장 그것은 지난번에 성적이 많이 오르고 뿌듯함을 느끼게 되었기 때문이었다.

→ 그것은 지난번에 성적이 많이 올라 휴대 전화를 바꿀 수 있었고 더는 공부해야 할 필요성을 느끼지 않게 되었기 때문이었다.

핵심

06 글 전체 수준에서 고쳐 쓰는 방법으로 적절하지 않은 것은?

① 글을 전체적으로 훑어 읽고 고칠 내용을 생각한다.
② 글을 쓴 목적을 확인하면서 고칠 내용을 생각한다.
③ 표기나 띄어쓰기가 잘못된 단어가 없는지 살펴본다.
④ 글의 주제와 내용이 잘 드러나는 제목인지 검토한다.
⑤ 글의 구성 단계에 맞는 내용이 적절히 들어가 있는지 살펴본다.

07 이 글의 흐름을 고려할 때, 〈보기〉의 내용이 들어가기에 적절한 위치는?

보기

> 삶의 방향을 결정하는 데 중요한 역할을 하는 교육의 가치

① (가)의 앞　② (가)의 뒤
③ (나)의 앞　④ (다)의 뒤
⑤ (라)의 뒤

서술형

08 나 문단에서 다음 문장을 삭제해야 하는 이유를 쓰시오.

> 또는 공자나 맹자처럼 자기 수양을 위해 공부를 하기도 한다.

서술형

09 다음 문단에서 내용상 적절하지 않은 문장을 찾아 고쳐 쓰시오.

> 현실적인 이익을 위해서 공부를 하면, 공부에 따른 댓가를 얻을 수 없게 되었을 때는 공부를 하기가 어려워진다. 나는 요사이 공부에 대한 의욕이 떨어진 까닭이 무엇인지 생각해 보았다. 그것은 지난번에 성적이 많이 오르고 뿌듯함을 느끼게 되었기 때문이었다.

문단 수준에서 고쳐 쓰기

- 한 문단에 적절한 하나의 중심 생각이 들어가 있는지 확인하여 불필요한 내용을 삭제하고, 부족한 내용을 보충한다.
- 근거를 보충할 만한 다른 자료가 필요하지 않은지 살피고 적절한 자료를 추가한다.
- 문장과 문장이 자연스럽게 연결되는지 살펴보고 내용상 적절하지 않은 것을 고친다.

문장 수준에서 고쳐 쓰기

1. 이 글에서 잘못된 문장을 바르게 고쳐 보고, 그 까닭을 써 봅시다.

- 공부해서 현실적인 이익을 얻기 위해서 공부를 하는 것이다.

> 예 '공부해서'와 '공부를 하는'이 중복되므로 '공부를 해서 현실적인 이익을 얻으려고 하는 것이다.' 또는 '현실적인 이익을 얻기 위해서 공부를 하는 것이다.'로 고쳐 쓴다.

- 내가 지난 기말고사에서 성적이 오르면 어머니께서 휴대 전화를 바꿔 주기로 하셨기 때문에 공부를 열심히 했던 것도 이와 틀리지 않다.

> '틀리지'는 문맥상 부적절한 어휘이다. '다르지'로 고쳐 쓴다.

- 이처럼 현실적인 이익을 위해서 공부를 하면, 공부에 따른 댓가를 얻을 수 없을 때는 공부를 하기가 어려워진다.

> '댓가'는 잘못된 표기이다. '대가'로 고쳐 쓴다.

- 지금은 내가 장차 무엇이 될지, 무엇을 해야 할지 좀처럼 모른다.

> '좀처럼'은 '여간해서는'의 뜻을 갖는 부사로 부정문 형태의 서술어와 호응한다. '모른다'를 '알지 못한다, 알 수 없다'로 바꾸어 쓰거나 '좀처럼'을 삭제한다.

문장 수준에서 고쳐 쓰기

- 문장의 호응이 잘 이루어지도록 한다.
- 지나치게 생략된 문장 성분이나 필요 없이 사용된 단어가 없도록 한다.
- 뜻하는 바가 분명하지 않거나 문맥상 적절하지 않은 단어가 없도록 한다.
- 표기나 띄어쓰기가 잘못된 단어가 없도록 한다.

핵심 정리 단계별 고쳐쓰기 과정

수준	내용
글 수준	글 제목의 적절성, 주제(목적)의 일관성, 문단의 필요성 및 구성(흐름) 등을 점검
문단 수준	문단의 통일성, 중심 문장과 뒷받침 문장의 긴밀성과 적절성, 문단 길이의 적절성 등 판단
문장 수준	높임 표현, 시제 표현, 문장의 호응 관계, 문장의 길이, 접속어, 지시어, 단어의 적절성, 띄어쓰기나 맞춤법 점검

핵심

10 문단 수준에서 고쳐 쓰기를 할 때 유의할 사항으로 적절하지 않은 것은?

① 주제에서 어긋난 내용을 삭제한다.
② 한 문단에 되도록 많은 내용을 담도록 주의한다.
③ 문장과 문장이 자연스럽게 연결되는지 살펴본다.
④ 내용상 적절하지 않은 것을 고치고, 부족한 내용을 보충한다.
⑤ 근거를 보충할 만한 다른 자료가 필요하지 않은지 살피고 적절한 자료를 추가한다.

11 다음 문장을 고쳐 써야 하는 이유로 적절한 것은?

> 공부해서 현실적인 이익을 얻기 위해서 공부를 하는 것이다.

① 중복되는 말이 쓰였기 때문에
② 주어와 서술어의 호응이 맞지 않기 때문에
③ 문맥상 부적절한 단어가 사용되었기 때문에
④ 수식어와 피수식어의 관계가 잘못되었기 때문에
⑤ 생략된 문장 성분이 있어 의미 파악이 어렵기 때문에

서술형

12 다음 문장을 바르게 고쳐 쓰시오.

> 지금은 내가 장차 무엇이 될지, 무엇을 해야 할지 좀처럼 모른다.

핵심

13 문장 수준에서 고쳐 쓰기를 할 때 주의할 점으로 옳지 않은 것은?

① 문장은 문법적으로 완결이 되어야 한다.
② 문장 부호는 적절하게 사용되어야 한다.
③ 문맥상 적절하지 않은 단어가 없도록 한다.
④ 수식어와 피수식어가 바르게 연결되어야 한다.
⑤ 간결한 문장을 만들기 위해 문장 성분은 되도록 많이 생략하여야 한다.

2. 글을 수정하여 다시 써 봅시다.

예시 답 공부해야 하는 까닭

며칠 전에 교내 경시대회를 준비하던 나는 문득 '공부를 하는 까닭'을 깊이 생각해 보게 되었다. '공부는 왜 하는 것일까?' 공부는 학생의 의무이니 학생은 당연히 공부해야 한다는 말은 이 질문에 좋은 답이 될 수는 없을 것이다.

많은 사람이 '좋은 고등학교에, 대학교에, 안정적인 직장에 가기 위해' 공부를 한다. 현실적인 이익을 얻기 위해서 공부를 하는 것이다. 내가 지난 기말고사에서 성적이 오르면 어머니께서 휴대 전화를 바꿔 주기로 하셨기 때문에 공부를 열심히 했던 것도 이와 다르지 않다.

이처럼 현실적인 이익을 위해서 공부를 하면, 공부에 따른 대가를 얻을 수 없게 되었을 때는 공부를 하기가 어려워진다. 나는 요사이 공부에 대한 의욕이 떨어진 까닭이 무엇인지 생각해 보았다. 그것은 지난번에 성적이 많이 올라 휴대 전화를 바꿀 수 있었고 더는 공부를 해야 할 필요성을 느끼지 않게 되었기 때문이었다.

그리스의 철학자 플라톤은 교육이 한 인간을 양성할 때의 방향이 훗날 그의 삶을 결정할 것이라고 하였다. 이처럼 공부는 내가 삶에서 중요하게 생각하는 것을 이룰 수 있도록 해 주는 데 그 가치가 있다. 또한, 내가 삶에서 무엇을 중요하게 여기는지를 깨닫게 해 주는 것 역시 공부이다. 이것이 공부해야 하는 진정한 까닭이다.

지금 시점에서 내 삶의 방향을 스스로 모두 결정지을 수는 없다. 지금은 내가 장차 무엇이 될지, 무엇을 해야 할지 모른다. 이럴 때 공부를 해 놓는 것은 미래를 위한 가장 좋은 대비가 될 것이다.

핵심

14 고쳐쓰기의 목적과 방법에 대한 설명으로 적절하지 않은 것은?

① 고쳐쓰기를 통하여 글의 완성도를 높일 수 있다.
② 반드시 고쳐쓰기는 글을 완성한 후에 해야 한다.
③ 고쳐쓰기는 읽는 이가 이해하기 쉽게 글을 개선하기 위한 과정이다.
④ 글의 전체적인 흐름, 문단의 내용, 잘못된 문장이나 잘못 쓴 낱말을 고려하여 고쳐야 한다.
⑤ 글의 내용이나 표현에서 빼거나 바꿀 부분을 찾아 그 대신에 쓸 알맞은 내용이나 표현을 생각해 본다.

15 고쳐쓰기의 일반적인 원리로 적절하지 않은 것은?

① 빠뜨린 부분을 보충한다.
② 글의 순서를 적절하게 바꾼다.
③ 앞뒤 내용이 자연스럽게 연결되도록 고친다.
④ 글의 흐름을 고려하여 불필요한 부분을 삭제한다.
⑤ 주제가 강조되도록 앞서 말한 내용을 계속 반복한다.

핵심

16 수정한 글을 문단 수준에서 다시 고쳐 쓴다고 할 때, 제기할 수 있는 질문으로 적절한 것은?

① 두 번째와 세 번째 문단은 서로 내용이 중복되지 않는가?
② 세 번째 문단에서 통일성이 부족하지 않았나?
③ 플라톤의 예는 글 전체의 주제를 드러내는 데 적절한가?
④ '이것이 공부해야 하는 진정한 까닭이다.'에서 지시어를 명확히 해야 뜻이 분명히 전달되지 않을까?
⑤ 주제를 잘 드러내는 제목을 사용하였는가?

1 고쳐 쓴 글을 다시 읽어 보고, 더 고칠 부분이 없는지 점검해 봅시다.

글 수준에서

예시 답
- 글의 주제가 분명히 드러났는가? 세부 내용이 부족하지는 않은가?
- 플라톤의 말은 이 글을 드러내는 데 적절한가? 더 좋은 예는 없을까?
- 두 번째와 세 번째 문단은 내용이 서로 중복되지 않을까?

문단 수준에서

예시 답
- 세 번째 문단에서 통일성이 부족하지 않았나?
- 세 번째 문단의 내용은 휴대 전화를 바꿨던 내용을 먼저 제시하는 것이 낫지 않을까?
- 마지막 문단의 첫 문장은 마지막 문장을 변형해서 만드는 것이 더 분명하지 않을까?

문장 수준에서

예시 답
- '공부는 학생의 의무이니 … 없을 것이다.'에서 이 문장은 너무 상투적인 문장이 아닐까?
- '이처럼 공부는 … 그 가치가 있다.'에서 이 문장은 너무 섣부른 결론이 아닐까?
- '이것이 공부해야 하는 진정한 까닭이다.'에서 이 문장은 지시어로 인해 뜻이 불분명해지지 않았을까?

2 짝꿍이 고쳐 쓴 글과 바꾸어 보고 자신이 고친 것과 비교해 봅시다.

예시 답 생략

고쳐쓰기의 목적과 방법

- 고쳐쓰기는 읽는 이가 이해하기 쉽게 글을 개선하기 위한 과정이다.
- 글의 내용이나 표현에서 빼거나 바꿀 부분을 찾아 그 대신에 쓸 알맞은 내용이나 표현을 생각해 본다.
- 글의 전체적인 흐름, 문단의 내용, 잘못된 문장이나 잘못 쓴 낱말을 고려하여 고쳐야 한다.

[참고 자료] 글의 문단을 구성하는 세 가지 원리

글의 문단은 주제와 관련하여 구체적인 내용을 담고 있어야 하며 통일성, 연결성, 강조성을 고려해야 한다.

먼저 통일성은 문단의 중심 문장과 뒷받침 문장 사이에 같은 관점이나 내용을 다루어야 한다는 것이다.

둘째, 연결성은 중심 문장과 이를 뒷받침하는 문장들이 적절한 순서에 따라 자연스럽고 논리적으로 이어져야 한다는 것이다.

셋째, 강조성은 문단에서 중심 문장이 그 가치에 맞게 강조되어야 한다는 것이다. 글의 독자가 해당 문단을 읽고 내용을 충분히 인식하고 기억할 수 있도록 중심 문장이 충분히 강조되어야 한다.

17 **수정한 글을 다시 읽어 보고 더 고칠 부분을 찾아보기 위한 질문으로 적절하지 않은 것은?**

① 글의 주제가 분명히 드러났는가?
② 세부 내용이 부족하지는 않은가?
③ 세 번째 문단에서 통일성이 부족하지 않았나?
④ 플라톤의 말은 이 글을 드러내는 데 적절한가? 더 좋은 예는 없을까?
⑤ 학교 신문에 실을 글이니 좀 더 어려운 전문적인 표현을 쓰는 게 좋지 않을까?

핵심

18 **수정한 글을 고쳐 쓰기 위한 방안으로 적절하지 않은 것은?**

① 두 번째와 세 번째 문단은 내용이 서로 중복되지 않게 고쳐 쓴다.
② 공부를 하면 얻을 수 있는 현실적 이익들을 세부 내용으로 더 보충하여 고쳐 쓴다.
③ 세 번째 문단의 내용은 휴대 전화를 바꿨던 내용을 먼저 제시하도록 고쳐 쓴다.
④ 주제가 더 분명히 드러나도록 마지막 문단의 첫 문장은 마지막 문장을 변형해서 만든다.
⑤ '이것이 공부해야 하는 진정한 까닭이다.'라는 문장에서 '이것'이 지시하는 의미가 무엇인지 구체적으로 드러나도록 고쳐 쓴다.

서술형

19 **마지막 문단의 밑줄 친 부분을 〈보기〉의 검토 사항을 바탕으로 고쳐 쓰시오.**

지금 시점에서 <u>내 삶의 방향을 스스로 모두 결정지을 수는 없다.</u> 지금은 내가 장차 무엇이 될지, 무엇을 해야 할지 모른다. 이럴 때 공부를 해 놓는 것은 미래를 위한 가장 좋은 대비가 될 것이다.

보기

마지막 문단의 첫 문장은 마지막 문장을 변형해서 만드는 것이 더 분명하지 않을까?

활동 2 고쳐쓰기의 실제

1. 다음은 청소년 운동 공간 확보의 필요성을 주장하는 글의 일부입니다. 이를 바탕으로 고쳐쓰기 활동을 해 봅시다.

현대인의 생활 습관이 바뀌면서 비만이 급격히 늘고 있다. 비만은 당뇨병, 고지혈증, 관절염 등의 발생률을 높이고, 과도한 비만은 그 자체를 하나의 질병으로 보아야 한다는 사람도 있을 정도다. 그중에도 청소년 비만이 특히 심각한 문제다. 그 밖에도 청소년들은 척추옆굽음증이나 각종 전염병에도 취약한 상태이다.

대한비만학회와 국민건강보험공단의 2015년 조사에 따르면 한국의 소아 · 청소년 6명 중 1명은 과체중 혹은 비만이라고 한다. 청소년 비만은 상당수가 성인 비만으로 이어지고, 10대 때부터 성인병을 얻을 수도 있다. 이러한 청소년 비만이 왜 생기는 것일까? 나는 청소년들의 운동 부족이 가장 큰 원인이라고 생각한다. 그러나 그 밑바탕에는 운동 공간 부족의 문제가 있다.

1 이 글의 주제를 정리해 봅시다.

글의 주제

청소년들의 비만 예방을 위하여 운동 공간을 충분히 확보해야 한다.

2 글을 읽고 고쳐 써야 할 부분을 찾아 고쳐 봅시다.

- 글의 주제와 목적에 맞는 내용이 들어가 있나?
- 문단과 문단, 문장과 문장 사이의 연결이 자연스럽나?
- 친구들이 이해하기 어렵지는 않을까?
- 이 글에 추가하면 좋을 내용으로 무엇이 있을까?

예시 답 • 1문단 첫째 줄의 '비만이' → '비만 인구가'
• 1문단 마지막 문장('그 밖에도~상태이다.') 삭제(주제와 상관없는 문장)
• 청소년 운동 공간 부족과 관련된 내용을 추가함.

2. 내용을 추가하여 이 글을 완성하고자 할 때 필요한 자료를 더 찾아봅시다.

필요한 내용	찾은 자료
예 운동장 없는 학교가 늘어났다는 내용의 기사	「청소년 체력은 떨어지는데…… 운동장 없는 학교 점점 늘어」 - 『○○일보』, 20○○. ○. ○.
예시 답 학생들이 운동 공간이 부족하다고 불편함을 호소하는 사실	학생들이 학교 누리집 게시판에 쓴 글

20 이 글에 대한 설명으로 가장 적절한 것은?

① 객관적인 근거를 바탕으로 주장을 펼치고 있다.
② 핵심적인 용어의 개념을 풀어서 설명하고 있다.
③ 특정 개념에 대해 전문적인 지식을 전달하고 있다.
④ 특정 현상의 원인을 다양한 관점에서 살펴보고 있다.
⑤ 경험을 바탕으로 한 구체적인 사례를 들어 독자의 이해를 돕고 있다.

21 이 글의 주제로 가장 알맞은 것은?

① 청소년 비만 인구가 급속히 증가하고 있다.
② 이제 과도한 비만은 하나의 질병으로 보아야 한다.
③ 청소년들의 비만 예방을 위하여 운동 공간을 충분히 확보해야 한다.
④ 청소년 비만은 성인 비만 및 성인병으로 이어지는 매우 심각한 질병이다.
⑤ 현대인의 생활 습관이 가져온 질병 중에서 가장 심각한 것이 청소년 비만이다.

핵심

22 이 글을 읽고 고쳐 써야 할 부분을 찾은 것으로 적절하지 않은 것은?

① 청소년 운동 공간 부족과 관련된 내용을 추가한다.
② 청소년 비만과 성인 비만의 차이점을 비교한 내용을 추가한다.
③ 청소년 운동 공간을 제공하여 청소년 비만 문제를 해결해야 한다는 주장을 추가한다.
④ '현대인의 생활 습관이 바뀌면서 비만이 급격히 늘고 있다.'라는 문장에서 '비만이'를 '비만 인구가'로 고친다.
⑤ '그 밖에도 청소년들은 척추옆굽음증이나 각종 전염병에도 취약한 상태이다.'라는 문장은 주제와 어긋나므로 삭제한다.

3. 수집한 자료를 바탕으로 이 글의 내용을 완성해 봅시다.

예시 답 현대인의 생활 습관이 바뀌면서 비만 인구가 급격히 늘고 있다. 비만은 당뇨병, 고지혈증, 관절염 등의 발생률을 높이고, 과도한 비만은 그 자체를 하나의 질병으로 보아야 한다는 사람도 있을 정도다. 그중에서도 청소년 비만이 특히 심각한 문제다.

대한비만학회와 국민건강보험공단의 2015년 조사에 따르면 한국의 소아 · 청소년 6명 중 1명은 과체중 혹은 비만이라고 한다. 청소년 비만은 상당수가 성인 비만으로 이어지고, 10대 때부터 성인병을 얻을 수도 있다. 이러한 청소년 비만이 왜 생기는 것일까? 나는 청소년들의 운동 부족이 가장 큰 원인이라고 생각한다. 그리고 그 밑바탕에는 운동 공간 부족의 문제가 있다.

우리 청소년들에게는 운동할 공간이 절대적으로 부족하다. 학교 체육 시간에 하는 몇 시간의 운동이 일주일에 하는 운동 전부인 경우가 많은데, 학교 운동장은 점점 좁아지고 있다. 심지어 운동장이 없는 학교도 있다. 그런 학교에서 할 수 있는 운동은 몇 가지 되지 않는다. 학생들은 고작해야 체육관을 나누거나 건물 사이의 공간을 활용해 배드민턴, 줄넘기, 하프코트 농구 등의 운동을 할 수 있을 뿐이다. '운동장에서 축구공 한번 뻥 차 보는 게 소원'이라는 학생도 있다.

2012년 교육과학기술부의 자료에 따르면 청소년 1명당 운동장 면적은 2007년부터 꾸준히 줄어들고 있다. 전체 학생 수가 줄어드는데도 1인당 운동장 면적이 줄어든다는 것은, 그만큼 운동장이 작아지거나 없어지고 있다는 증거다. 그렇다고 해서 학교 운동장 말고 운동할 수 있는 마땅한 공터나 녹지가 따로 있는 것도 아니다.

흔히 청소년은 나라의 미래라고 한다. 그런데 우리는 정작 청소년들의 성장에 필요한 시설조차 제대로 갖추어 주지 못하고 있다. 청소년 비만은 무절제한 식습관이나 게으름 등 생활 관리를 잘못한 개인의 책임으로 돌릴 일이 아니다. 청소년에 대한 사회적인 돌봄이 부족해서 생기는 국가적 문제이다. 청소년들이 마음껏 운동할 수 있도록 충분한 공간을 제공해야 청소년 비만 문제를 해결할 수 있다. 그러한 노력은 단순한 비만 문제의 해결을 넘어, 우리 청소년들이 지금보다 더 밝고 건강하게 자라는 데에도 도움이 될 것이다.

핵심

23 〈보기〉는 이 글의 초고를 작성하는 과정에서 떠올린 생각이다. 이 글에 반영되지 않은 것은?

보기

㉠ 서론에서 청소년 비만 문제의 심각성을 언급해야겠어.
㉡ 청소년 비만 인구 비율을 구체적 근거를 통해 제시해야겠어.
㉢ 청소년 비만이 가져올 폐해를 언급해야겠어.
㉣ 청소년 운동 공간이 부족하다는 사실을 강조해야겠어.
㉤ 청소년 비만의 원인을 분류하고 각각의 원인에 대한 해결책을 제시해야겠어.

① ㉠ ② ㉡ ③ ㉢ ④ ㉣ ⑤ ㉤

24 〈보기〉는 이 글을 완성하고자 추가로 찾은 자료이다. 필요한 자료로 적절하지 않은 것은?

보기

㉠: 운동장 없는 학교가 늘어났다는 내용의 신문 기사
㉡: 운동 공간이 부족하다고 불편함을 호소하는 학생의 학교 누리집 게시글
㉢: 운동과 청소년 비만의 상관관계가 크다는 의학 잡지 내용
㉣: 운동 시설을 확보한 후 청소년 비만이 줄어든 외국의 사례를 다룬 신문 기사
㉤: 운동 시설 등의 청소년 여가 시설이 부족하여 청소년 비행이 증가하였다는 내용의 신문 기사

① ㉠ ② ㉡ ③ ㉢ ④ ㉣ ⑤ ㉤

핵심

25 이 글에서 추가로 다룰 만한 내용으로 가장 적절한 것은?

① 성인 비만의 다양한 원인들
② 청소년 비만과 학습 능률의 상관관계
③ 건강을 해치는 청소년들의 생활 습관들
④ 학술지에 실린 운동과 청소년 비만의 상관관계
⑤ 청소년기에 앓을 수 있는 각종 질병에 대한 정보

4. 다음 〈점검 사항〉을 바탕으로 완성된 글을 되돌아보고, 추가로 고칠 내용이 있으면 고쳐 써 봅시다.

점검 수준	점검 사항	점검 결과
글 전체	글의 주제가 분명히 드러나는가?	
	글의 목적에 맞지 않는 내용은 없는가?	
	글의 내용에 어울리는 제목을 붙였는가?	
	적절한 구성으로 글을 썼는가?	
문단	불필요한 문장은 없는가?	
	중심 생각이 드러나도록 썼는가?	
	문장과 문장의 연결이 자연스러운가?	
문장	문장의 호응이 잘 이루어졌는가?	
	뜻하는 바가 분명하지 않은 단어는 없는가?	
	맥락을 고려할 때 적절한 단어를 사용하였는가?	
	표기가 잘못된 단어는 없는가?	

[참고 자료] 설득하는 글의 고쳐쓰기 전략

어휘나 문장의 점검	글을 쓰고 난 뒤에는 표현이 올바르게 되었는지, 어문 규범에 어긋난 곳은 없는지 확인하여 잘못된 부분은 바로잡아야 함.
표현의 논리성과 명확성 점검	설득하는 글에 비논리적이거나 불명확한 표현이 있으면 설득력이 떨어지게 되므로 표현의 논리성과 명확성을 꼼꼼하게 점검해야 함.
전체 글 조직의 효과성 점검	설득하는 글에서는 주장이 명확하게 드러나 있는지, 주장을 뒷받침하는 문장과 문단이 적절하게 배치되었는지를 중점적으로 살펴봐야 함. 그리고 글이 통일성과 일관성을 갖추고 있는지도 점검해야 함.

핵심

26 쓴 글을 고쳐 쓰기 위해 점검할 내용으로 적절하지 않은 것은?

① 독자를 잘 고려하였나?
② 내용이 부족하지 않은가?
③ 내용이 적절히 조직되어 있나?
④ 여러 주제를 골고루 언급하였나?
⑤ 처음에 생각한 글쓰기 목적을 성취하였나?

27 이와 같은 글을 고쳐 쓸 때 고려할 점으로 가장 적절한 것은?

① 격식이 잘 갖추어져 있으며, 낭독에 적합하게 표현되어 있는가?
② 객관적인 근거를 바탕으로 글쓴이의 주장이 잘 드러나도록 썼는가?
③ 글쓴이의 정서가 읽는 이에게 충분히 전달되도록 섬세하게 표현되었나?
④ 읽는 이의 수준에 맞게 쉬운 언어로 전달하고자 하는 정보를 제공했는가?
⑤ 실제로 발생한 일이나 사건 등을 대중에게 정확하게 전달될 수 있게 객관적으로 썼는가?

서술형

28 〈보기〉의 문장에서 문맥상 적절하지 않게 사용된 단어를 찾아 바르게 고쳐 쓰시오.

보기
> 현대인의 생활 습관이 바뀌면서 비만이 급격히 늘고 있다.

활동 ③ 고쳐쓰기의 효과

다음 글을 읽고, 이어지는 활동을 통해 고쳐쓰기의 효과를 생각해 봅시다.

등장인물이 2,400여 명에 이르는 『인간희극』 시리즈의 프랑스 작가 오노레 드 발자크(1799~1850). 그는 수없이 원고를 고치고 다듬은 '고쳐쓰기의 달인'이었다. 한 쪽을 쓰기 위해 60장 이상을 새로 쓰고 또 고쳤다.

이미 끝낸 소설을 열여섯 번까지 수정하기도 했다. 단조로운 묘사는 풍부하게, 늘어지는 이야기는 속도감 있게, 대화체는 더 생생하게 손질했다. 그 덕분에 그의 소설은 어느 작품보다 사실적이고 재미있으며 생동감이 넘쳤다.

원고를 인쇄소에서 조판한 뒤에도 그는 끊임없이 고쳤다. 출판사들은 그를 위해 특별 교정지를 준비해야 했다. 한가운데에 활자를 찍고 위아래와 양옆에 넓은 여백을 마련해 고쳐 쓸 수 있도록 했다. 그는 여기에 고칠 문구와 더할 문장들을 빽빽하게 써넣었다. 여백이 모자라면 뒷면에 이어 쓰고, 그것도 부족하면 다른 종이에 따로 써서 풀로 붙였다.

인쇄소 직원들은 비명을 질렀다. 특별히 훈련받은 식자공마저 손을 내저었다. 우여곡절 끝에 나온 새 교정쇄를 받고도 그는 고쳐쓰기를 멈추지 않았다.

"안 되겠어. 어제 쓴 것, 그제 쓴 것, 모두 마음에 들지 않아. 뜻은 뚜렷하지 않고 문장은 혼란스럽고 문체는 잘못됐고 배치도 너무 어려워! 모든 걸 바꿔야 해. 더 뚜렷하게, 더 분명하게!"

교정지만 일곱 번 고친 일도 있었다. 추가 비용이 너무 많이 들어 출판사가 어려워하면 자기 호주머니를 털었다. 이런 식으로 원고료의 절반 이상, 전부까지 다 날린 게 10여 차례나 된다. 한번은 어떤 신문사가 끝없이 계속되는 그의 교정에 지쳐 마지막 수정본을 기다리지 않고 신문에 싣자 발자크는 그 신문사와 '영원한 절교'를 선언하기도 했다. 인쇄기가 돌아가는 중에도 그의 문장 다듬기는 계속됐다. 이 때문에 출판사들은 초판본을 낸 지 얼마 지나지 않아 수정본을 잇달아 내야 했다.

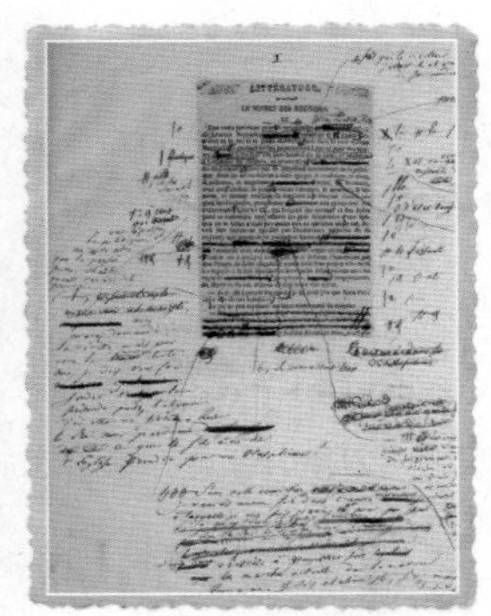
▲ 발자크가 고쳐 쓴 원고

– 「인쇄 중에도 문장 고쳐 쓴 발자크」(『한국경제』, 2017. 09. 01.)

29 이 글의 내용과 일치하지 않는 것은?

① 발자크는 수차례의 고쳐쓰기를 통해 작품을 완성하였다.
② 발자크는 교정에 따른 추가 비용을 자비로 충당하기도 했다.
③ 발자크는 등장인물이 매우 많이 등장하는 작품을 쓴 작가이다.
④ 발자크는 인쇄소에서 조판을 한 뒤에는 고쳐쓰기를 더 이상 하지 않았다.
⑤ 출판사들은 발자크 작품의 초판본을 낸 지 얼마 지나지 않아 수정본을 잇달아 내기도 했다.

핵심

30 이 글을 통해 말하고자 한 것으로 가장 적절한 것은?

① 수차례의 고쳐쓰기를 통해 좋은 글이 탄생할 수 있다.
② 지나친 고쳐쓰기는 도리어 글의 완성도를 해칠 수 있다.
③ 고쳐쓰기는 인쇄 작업이 시작되기 전까지 마무리되어야 한다.
④ 고쳐쓰기를 잘하면 누구나 발자크처럼 위대한 소설가가 될 수 있다.
⑤ 상대방의 사정을 고려하지 않고 자신의 주장만 펼치는 것은 잘못이다.

31 이 글로 미루어 소설을 고쳐 쓸 때 고려할 점으로 적절하지 않은 것은?

① 대화체는 더 생생하게 고친다.
② 단조로운 묘사는 더 풍부하게 고친다.
③ 늘어지는 이야기는 속도감 있게 고친다.
④ 내용은 더 사실적이고 재미있게 고친다.
⑤ 새로운 표현은 독자에게 익숙한 표현으로 고친다.

1. 이 글을 읽은 후 평소 자신의 글쓰기 태도를 생각해 봅시다.

유명한 작가도 자신의 작품을 몇 번이고 고쳐 쓰는데, 나는 평소에 짧은 글은 물론, 긴 글을 쓸 때도 한번 쓴 것은 다시 읽으면서 고치지 않았어.

예시 답 글을 다 쓴 후 단계별로 수정하기보다는 쓰는 중간 중간 계속 앞의 내용을 고치며 썼는데, 그러다 보니 글을 쓰는 시간도 길어지고, 글의 구조가 엉성한 경우가 많았다.

2. 다음 고쳐쓰기 전 원고와 고쳐쓰기를 거쳐 출판된 글을 비교해 보고, 고쳐쓰기의 효과를 친구들과 이야기해 봅시다.

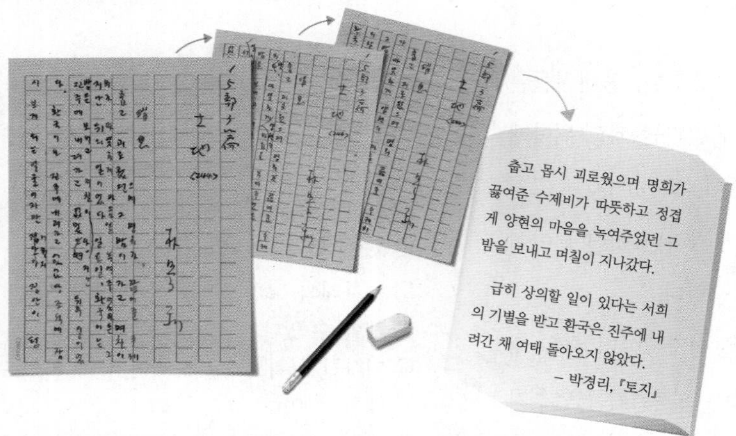

예시 답 고쳐쓰기를 계속함으로써 맞춤법, 띄어쓰기, 비문 등 틀린 것을 바르게 고칠 수 있고, 글의 내용이 더욱 정확해지면서 표현 역시 풍부해진다.

고쳐쓰기의 효과

고쳐쓰기를 하게 되면 글을 처음 쓸 때는 생각하지 못한 내용이 떠오르기도 하고, 글을 짜임새 있게 정돈하고 문단을 통일성 있게 구성할 수 있습니다. 또한, 문법적으로 완전한 문장을 쓸 수 있고, 적절한 표현으로 교체할 수도 있습니다. 그러므로 글을 쓴 후에는 반드시 글을 다시 읽고 고쳐 써야 합니다.

핵심 정리

고쳐쓰기의 효과
- 글을 처음 쓸 때는 생각하지 못한 내용이 떠오르기도 함.
- 글을 짜임새 있게 정돈하고 문단을 통일성 있게 구성할 수 있음.
- 문법적으로 완전한 문장을 쓸 수 있고, 적절한 표현으로 교체할 수 있음.

핵심

32 고쳐쓰기의 효과로 적절하지 않은 것은?

① 적절하지 않은 표현을 고칠 수 있다.
② 문법적으로 완전한 문장을 쓸 수 있다.
③ 처음 쓸 때는 생각하지 못한 내용이 떠오르기도 한다.
④ 글 쓰는 시간을 단축하고 글 내용을 단순화시킬 수 있다.
⑤ 글을 짜임새 있게 정돈하고 문단을 통일성 있게 구성할 수 있다.

33 〈보기〉는 고쳐쓰기 전과 후의 문장이다. 고쳐쓰기의 효과에 대한 설명으로 적절한 것은?

보기

[고쳐쓰기 전]
그 집을 한 번 바라다본 순간 나는 견딜 수 없는 침울한 감정이었다.
[고쳐쓰기 후]
그 집을 한 번 바라다본 순간 나는 견딜 수 없는 침울한 감정에 사로잡혔다.

① 시제의 호응이 이루어지게 되었다.
② 높임법의 호응이 이루어지게 되었다.
③ 주어와 서술어 간의 호응이 이루어지게 되었다.
④ 목적어와 서술어 간의 호응이 이루어지게 되었다.
⑤ 문장 도중에 주어가 바뀐 것이 잘 나타나게 되었다.

서술형

34 〈보기〉의 문장을 문장 성분 간에 호응이 잘 이루어지도록 고쳐 쓰시오.

보기

제롬의 노력의 목표는 오로지 알리사의 덕에 견줄 만한 청년이 되는 것뿐이었고, 그러기 위해서 속세의 온갖 즐거움을 내버리고 성서에서 가르치는 '좁은 문'으로 들어가는 괴로움을 따르지 않으면 안 되었다.

창의·융합 활동

고쳐쓰기는 우리 일상의 곳곳에서 이루어질 수 있는 활동입니다. 다음 활동을 바탕으로 우리 학교 누리집을 개편해 봅시다.

혼자 하기

1. 우리 학교 누리집을 방문해 보고, 고쳐야 할 점은 없는지 찾아 정리해 봅시다.

고쳐야 할 부분	고칠 내용
예 학교 소개 글	• 우리 학교 ○○부가 대회에서 상을 받은 것 등 최근의 일들이 추가되지 않았다. • 맞춤법이 틀린 부분이 있다.
예시 답 메뉴의 종류	• 사용되지 않는 불필요한 메뉴가 있다. • 메뉴의 구성이 한눈에 알아보기 어렵게 되어 있다.

함께하기

2. 모둠별로 의견을 모아 누리집에서 고쳐야 할 것을 정해 봅시다.

1 우리 모둠에서 모은 개편 요청 사항을 정리해 봅시다.

개편 요청 사항	까닭
예시 답 메뉴의 종류 단순화	어떤 메뉴는 하위 메뉴가 거의 없는데 만들어져 있고, 어떤 메뉴는 거의 사용되지 않고 있기 때문에

2 **1**에서 정리한 사항을 한 편의 건의하는 글로 쓴 후, 내용을 점검하고 고쳐 써 봅시다.

- 건의문을 받는 사람을 고려하여 썼는지 확인합니다.
- 건의 내용과 그 까닭이 분명하게 드러났는지 확인합니다.
- 언어 예절을 지키고 맞춤법에 맞게 썼는지 확인합니다.

예시 답 생략

수행 평가 대비 활동

| 수행 평가 TIP | 학교의 누리집을 새로운 시선에서 살펴보고 그 개선점을 찾아 건의문 쓰기로 연계하는 활동입니다.
학습한 내용을 직접 확인, 적용할 수 있는 글뿐만이 아니라, 이용자들이 편리하게 사용할 수 있게 하는 게시판 구성이나 주요 내용 배치, 적절한 사진이나 삽화, 추가되었으면 하는 기능 등 다양한 측면에서 개선 방안을 생각해 보아야 합니다.

1 평가 내용 확인하기

- 학교 누리집을 방문해 보고, 고쳐야 할 점 찾아 정리하기
- 모둠별로 의견을 모아 개편 요청 사항 정리하기
- 정리한 개편 요청 사항을 건의하는 글로 쓴 후, 내용을 점검하고 고쳐 쓰기

2 평가 기준 확인하기

- 누리집 고치기에 단위별로 이루어지는 고쳐쓰기의 원리를 적용하였는가?

글 전체 수준, 문단 수준, 문장 수준에서 이루어지는 고쳐쓰기의 원리를 적용할 수 있어야 해요.

- 글에서 고쳐야 할 점을 정확히 파악하고 적절한 개선 방법을 찾아냈는가?

글에서 고쳐야 할 점을 파악한 다음에는 그것을 어떻게 고치면 좋을지 곰곰히 생각해야 해요.

- 글의 종류와 주제에 맞춰 적절하게 고쳐쓰기를 했는가?

건의문을 읽는 사람을 고려해서 썼는지, 건의 내용과 그 까닭이 분명하게 드러났는지, 언어 예절을 잘 지켰는지 살펴보고 고쳐쓰기를 해야 해요.

수행 평가 +

- 모둠을 만들어 모둠별로 친구들과 함께 고쳐쓰기 활동을 해 봅시다.

도와줄게 친구들의 글을 잘 읽고 제시된 글을 몇 개의 부분으로 나누어 모둠별로 고쳐 봅시다. 그리고 모둠별로 고친 부분을 모아 한 편의 글을 재구성해 봅시다.

핵심 원리

고쳐쓰기의 개념

고쳐쓰기란 자신이 쓴 글을 다시 읽고 내용과 표현에서 어색한 부분을 찾아 고치는 것을 말한다. 글, 문단, 문장, 낱말에서 어색하거나 잘못된 것을 점검하여 주제에 부합한 글이 되도록 수정하는 것이다.

고쳐쓰기 단계

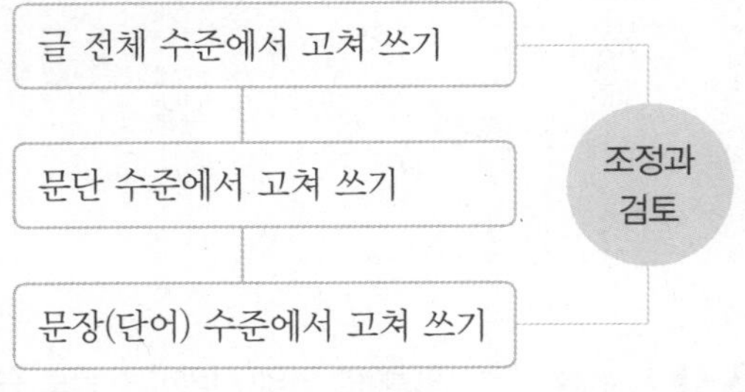

핵심 내용

(1) 고쳐쓰기의 과정

❶ 글 전체 수준에서 고쳐 쓰기

글 전체	• 글을 전체적으로 훑어 읽고, 글을 쓴 목적을 확인하면서 고칠 내용을 생각함. • 글의 (❶)와 내용이 잘 드러나는 제목인지 검토함. • 글의 (❷) 단계에 맞는 내용이 적절히 들어가 있는지 살펴봄.

❷ 문단 수준에서 고쳐 쓰기

문단	• 한 문단에 적절한 하나의 (❸)이 들어가 있는지 확인하여 불필요한 내용을 삭제하고, 부족한 내용을 보충함. • 근거를 보충할 만한 다른 자료가 필요하지 않은지 살피고 적절한 자료를 추가함. • 문장과 문장이 자연스럽게 연결되는지 살펴보고 내용상 적절하지 않은 것을 고침.

❸ 문장 수준에서 고쳐 쓰기

문장	• 문장의 (❹)이 잘 이루어지도록 함. • 지나치게 생략된 문장 성분이나 필요 없이 사용된 단어가 없도록 함. • 뜻하는 바가 분명하지 않거나 문맥상 적절하지 않은 단어가 없도록 함. • 표기나 띄어쓰기가 잘못된 단어가 없도록 함.

(2) 고쳐쓰기의 목적과 방법

목적	고쳐쓰기는 읽는 이가 이해하기 쉽게 글을 (❺)하기 위한 과정이다.
방법	• 글의 내용이나 표현에서 빼거나 바꿀 부분을 찾아 그 대신에 쓸 알맞은 내용이나 표현을 생각해 봄. • 글의 전체적인 (❻), 문단의 내용, 잘못된 문장이나 잘못 쓴 낱말을 고려하여 고쳐야 함.

(3) 고쳐쓰기의 효과

고쳐쓰기의 효과	• 글을 처음 쓸 때는 생각하지 못한 내용이 떠오르기도 함. • 글을 짜임새 있게 정돈하고 문단을 통일성 있게 구성할 수 있음. • 문법적으로 완전한 문장을 쓸 수 있고, 적절한 표현으로 교체할 수 있음.

[참고 자료]

글의 수준에 따른 고쳐 쓰기

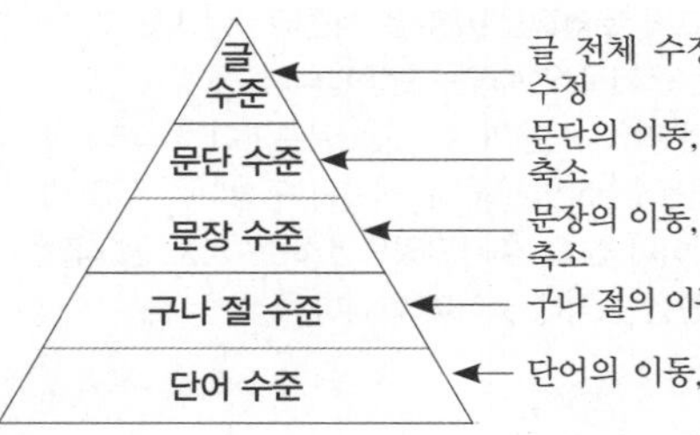

수정의 수준 문제를 생각해 보면, 통상 단어 수준에서의 수정, 구나 절 수준, 문장, 문단, 글 전체 수준의 수정으로 나누어 볼 수 있다. 수정은 단순히 초고를 예쁘게 꾸미는 것을 의미하지는 않는다. 글의 주제나 목적, 독자 등을 고려하면서 내용을 수정하는 데 초점을 두어야 한다. 즉 글 전체 수준의 수정에 중점을 두고 그다음에 문단이나 문장 수준의 단계로 수정해 나가는 것이 좋다.

– 이재승, 『글쓰기 교육의 원리와 방법』 (교육과학사, 2002, 316, 317쪽)

정답 ❶ 주제 ❷ 구성 ❸ 중심 생각 ❹ 호응 ❺ 개선 ❻ 흐름

소단원 핵심 문제

• 정답과 해설 p.18

[01~05] 다음 글을 읽고 물음에 답하시오.

(가) 영수 진희야, 뭐 하고 있니?
진희 교내 신문에 실을 글을 쓰고 있어.
영수 인생에 관한 글이구나.
진희 아니. 공부에 관한 글인데…….
영수 공부를 주제로 무슨 글을 쓰게?
진희 공부를 왜 하는지 모르겠다는 친구들이 많잖아.
영수 다 쓴 거야?
진희 응. 이제 ㉠고쳐쓰기를 하려고.

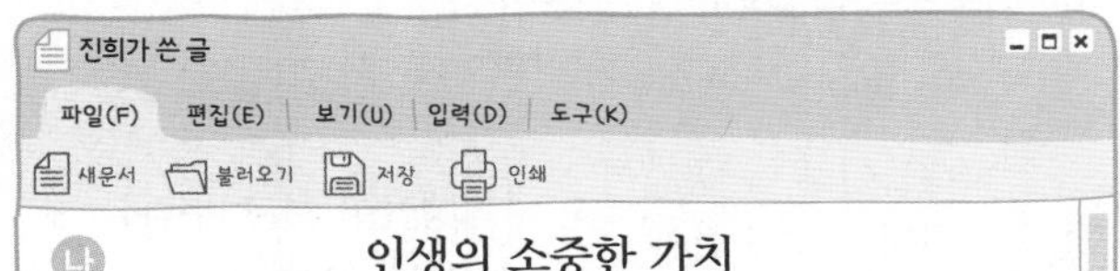

(나) **인생의 소중한 가치**

며칠 전에 교내 경시대회를 준비하던 나는 문득 '공부를 하는 까닭'을 깊이 생각해 보게 되었다. '공부는 왜 하는 것일까?' 공부는 학생의 의무이니 학생은 당연히 공부해야 한다는 말은 이 질문에 좋은 답이 될 수는 없을 것이다.

많은 사람이 '좋은 고등학교에, 대학교에, 안정적인 직장에 가기 위해' 공부를 한다. 또는 공자나 맹자처럼 자기 수양을 위해 공부를 하기도 한다. 공부해서 현실적인 이익을 얻기 위해서 공부를 하는 것이다. 내가 지난 기말고사에서 성적이 오르면 어머니께서 휴대 전화를 바꿔 주기로 하셨기 때문에 공부를 열심히 했던 것도 이와 ⓐ틀리지 않다.

이처럼 현실적인 이익을 위해서 공부를 하면, 공부에 따른 ⓑ댓가를 ⓒ얻을수 없게 되었을 때는 공부를 하기가 어려워진다. 나는 ⓓ요사이 공부에 대한 의욕이 떨어진 까닭이 무엇인지 생각해 보았다. 그것은 지난번에 성적이 많이 오르고 뿌듯함을 느끼게 되었기 때문이었다.

지금 시점에서 내 삶의 방향을 스스로 모두 결정지을 수는 없다. 지금은 내가 장차 무엇이 될지, 무엇을 해야 할지 ⓔ좀처럼 모른다. 이럴 때 공부를 해 놓는 것은 미래를 위한 가장 좋은 대비가 될 것이다.

출제 예감 90%

01 ㉠에 대한 설명으로 적절하지 않은 것은?

① 글을 완성하는 데 필수적인 과정이다.
② '첨가', '삭제', '재구성'의 원리가 적용된다.
③ 글쓰기의 완성 단계에서만 일어나는 활동이다.
④ '글 전체 → 문단 → 문장' 수준으로 이루어진다.
⑤ 글을 쓴 목적을 분명하게 드러내기 위한 활동이다.

출제 예감 90% 서술형

02 (가)를 참고하여 (나)를 고쳐 쓴다고 할 때, (나) 글의 목적에 맞게 글의 제목을 고쳐 쓰시오.

출제 예감 90%

03 (나)의 두 번째 문단에서 글의 통일성을 해쳐서 삭제해야 할 문장을 찾아 쓰시오.

출제 예감 80%

04 〈보기〉의 문장을 고쳐 쓰는 방법으로 가장 적절한 것은?

보기
공부해서 현실적인 이익을 얻기 위해서 공부를 하는 것이다.

① 표기가 잘못된 부분을 고쳐 쓴다.
② 띄어쓰기가 틀린 부분을 고쳐 쓴다.
③ 중복되는 표현이 없도록 고쳐 쓴다.
④ 길이가 너무 짧으므로 길게 고쳐 쓴다.
⑤ 문장의 호응이 잘 이루어지도록 고쳐 쓴다.

출제 예감 95%

05 ⓐ~ⓔ를 고쳐 쓴 것으로 적절하지 않은 것은?

① ⓐ: '틀리지'는 문맥상 부적절한 어휘이므로 '다르지'로 고쳐 쓴다.
② ⓑ: '댓가'는 잘못된 표기이므로 '대가'로 고쳐 쓴다.
③ ⓒ: '수'는 의존 명사이므로 '얻을 수'로 띄어 쓴다.
④ ⓓ: '요사이'는 잘못된 표기이므로 '요새'로 고쳐 쓴다.
⑤ ⓔ: '좀처럼'은 부정문 형태의 서술어와 호응하므로 삭제한다.

소단원 핵심 문제

[06~10] 다음은 청소년 운동 공간 확보의 필요성을 주장하는 글의 일부이다. 이를 바탕으로 물음에 답하시오.

㉠현대인의 생활 습관이 바뀌면서 비만이 급격히 늘고 있다. 비만은 당뇨병, 고지혈증, 관절염 등의 발생률을 높이고, 과도한 비만은 그 자체를 하나의 질병으로 보아야 한다는 사람도 있을 정도다. 그중에도 청소년 비만이 특히 심각한 문제다. ㉡그 밖에도 청소년들은 척추옆굽음증이나 각종 전염병에도 취약한 상태이다.

대한비만학회와 국민건강보험공단의 2015년 조사에 따르면 한국의 소아 · 청소년 6명 중 1명은 과체중 혹은 비만이라고 한다. ㉢청소년 비만은 상당수가 성인 비만으로 이어지고, 10대 때부터 성인병을 얻을 수도 있다. ㉣이러한 청소년 비만이 왜 생기는 것일까? 나는 청소년들의 운동 부족이 가장 큰 원인이라고 생각한다. ㉤그러나 그 밑바탕에는 운동 공간 부족의 문제가 있다.

출제 예감 90%

06 이 글을 쓰는 과정에서 활용한 글쓰기 전략으로 적절한 것을 〈보기〉에서 모두 고른 것은?

보기
ㄱ. 질문을 함으로써 독자의 관심을 유도한다.
ㄴ. 비유의 방법으로 비만의 위험성을 강조한다.
ㄷ. 전문가의 의견을 근거로 들어 주장을 뒷받침한다.
ㄹ. 구체적 수치가 나타난 조사 결과를 들어 사태의 심각성을 드러낸다.
ㅁ. 현대인의 생활 습관을 구체적으로 나열하여 비만과의 관련성을 드러낸다.

① ㄱ, ㄴ ② ㄱ, ㄹ
③ ㄷ, ㅁ ④ ㄴ, ㄷ, ㄹ
⑤ ㄱ, ㄹ, ㅁ

출제 예감 90%

07 ㉠~㉤ 중 문맥상 글의 전체 내용과 어울리지 않아 삭제해야 할 문장은?

① ㉠ ② ㉡ ③ ㉢ ④ ㉣ ⑤ ㉤

출제 예감 70%

08 이 글을 고쳐 쓰기 위해 떠올린 질문으로 적절하지 않은 것은?

① 친구들이 이해하기 어렵지는 않을까?
② 전문적인 의학 용어들을 충분히 쓰고 있나?
③ 글의 주제와 목적에 맞는 내용이 들어가 있나?
④ 이 글에 추가하면 좋은 내용으로는 무엇이 있을까?
⑤ 문단과 문단, 문장과 문장 사이의 연결이 자연스러운가?

출제 예감 90%

09 내용을 추가하여 이 글을 완성하고자 할 때, ⓐ, ⓑ에 들어갈 내용으로 적절하지 않은 것은?

	필요한 내용(ⓐ)	찾은 자료(ⓑ)
①	학생들이 운동 공간이 부족하다고 불편함을 호소하는 사실	학생들이 학교 누리집 게시판에 쓴 글
②	운동장 없는 학교가 늘어났다는 사실	운동장 없는 학교에 대한 신문 기사
③	운동장 면적이 줄어들었다는 사실	교육과학기술부의 '청소년 1인당 운동장 면적' 누적 자료
④	청소년 비만이 운동 부족과 관련이 있다는 사실	가정의학과 의사가 신문에 기고한 칼럼
⑤	학교 운동장을 다양한 용도로 활용할 수 있다는 사실	명절에 학교 운동장을 주차장으로 개방했다는 내용의 방송 보도 자료

출제 예감 80%

10 이 글의 뒷부분을 이어 글을 완성할 때, 〈보기〉에서 '결론' 부분에 들어갈 내용으로 적절한 것만을 모두 고른 것은?

보기
ⓐ 청소년 비만이 국가적 문제임을 다시 한번 강조한다.
ⓑ 청소년에게 운동 공간을 충분히 제공해야 함을 강조한다.
ⓒ 비만을 일으킬 수 있는 요인을 운동과 식습관으로 나누어 설명한다.
ⓓ 청소년이 무절제한 식습관을 버려 비만 문제를 해결해야 함을 강조한다.

① ⓑ ② ⓐ, ⓑ ③ ⓐ, ⓓ
④ ⓑ, ⓒ ⑤ ⓐ, ⓑ, ⓓ

활동 순서 체육 시간에 '야구'를 주제로 발표하기 위해 준비한 글을 바탕으로 고칠 부분 찾기 ➔ 컴퓨터 등을 활용하여, 고친 글로 발표 자료 만들기 ➔ 발표 자료를 고쳐 쓰고, 친구들 앞에서 발표하기

체육 시간에 '야구'를 주제로 발표하기 위해 준비한 다음 글을 보고 이어지는 활동을 해 봅시다.

야구의 영어 명칭인 '베이스볼(baseball)'은 다이아몬드 모양으로 된 내야에 네 귀퉁이에 각각 1루, 2루, 3루, 홈이라 불리는 방석 모양의 베이스(누)를 사용한다고 해서 붙여진 이름이다. 한자로는 '들 야(野)' 자에 '공 구(球)' 자를 쓰므로, 야구라는 말에는 넓은 들판에서 공을 가지고 하는 게임이라는 뜻도 담겨 있다. 야구는 우리나라에서 가장 인기가 좋은 운동 경기 중 하나이다. 작년에도 700만 명이 넘는 관중이 야구장을 찾았다. 야구의 선수 구성과 경기 규칙은 다음과 같다.

야구는 2개 팀이 교대로 공격과 수비를 하면서 경기를 진행한다. 공격 팀이 상대 투수가 던지는 공을 쳐서 안타를 만들고 1, 2, 3루를 차례로 거쳐 홈을 밟으면 1점을 얻는다. 타자가 누 위로 올라갈 방법은 안타뿐만 아니라 투수가 스트라이크를 세 개 던지기 전 볼을 네 개 던지거나, 타자가 다른 곳에 맏지 않은 공에 몸을 먼져 맞았을 때 등 여러 가지가 있다. 또 홈런을 치면 타자와 함께 베이스에 나가 있는 모든 주자가 한꺼번에 홈을 밟아 득점하게 된다.

활동 길잡이
올바른 표기법 등과 관련하여 배운 내용을 적극적으로 동원하여 한 편의 글에 관한 고쳐쓰기를 효과적으로 수행한 뒤, 이를 발표한다.

1 이 글을 바탕으로 발표한다고 할 때, 어떤 부분을 고쳐야 할지 생각해 봅시다.

예시 답

글 수준	야구의 선수 구성과 경기 규칙을 설명한다고 했으므로 1문단과 2문단 사이에 야구의 선수 구성을 설명해야 문단이 매끄럽게 연결된다.
문단 수준	글의 전체적인 주제와 상관없는 내용이 포함되어 있으므로 뺀다.(야구는 우리나라에서 가장 인기가 좋은 운동 경기 중 하나이다. 작년에도 700만 명이 넘는 관중이 야구장을 찾았다.)
문장 수준	– 적절하지 못한 조사를 사용하였다.(내야에 → 내야의) – 단어의 표기가 잘못되었다.(맏지 → 맞지, 먼져 → 먼저) – 순화된 형태로 통일하여 단어를 사용한다.(베이스 → 누)

활동 길잡이
조사한 내용을 쓴 글을 고치는 것도 고쳐쓰기 활동에 해당하지만, 그것을 다시 발표 자료로 만드는 과정에서도 고쳐쓰기의 과정을 고스란히 거쳐야 함은 물론 여러 매체를 이용한 자료 생성에서도 자료를 다듬는 과정이 필요하다.

2 컴퓨터 등을 활용하여, 고친 글로 발표 자료를 만들어 봅시다.

- 발표 자료는 글의 내용을 압축하고 명료하게 내용이 나타나도록 고쳐야 해요.
- 글의 주제, 문단의 내용에 맞는 사진, 도표 등의 자료를 적극적으로 활용하면 좋아요.
- 사용한 자료가 적절한지 판단하고 한눈에 들어오도록 배치해야 해요.
- 자료의 모양을 시각적으로 통일성 있게 만들면 좋아요.

예시 답

이름의 유래

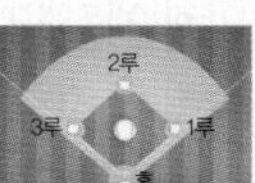

- 영어 – 베이스볼
  1루, 2루, 3루, 홈으로 된 4개의 베이스를 사용한다고 해서 붙여진 이름
- 우리말 – 야구(野球)
  넓은 들판에서 공을 가지고 하는 게임이라는 뜻

예시 답

선수 구성

야구는 수비 때에는 1명의 투수와, 8명의 야수가 수비한다. 공격 때에는 이 9명이 차례를 정해 타자로 나서거나 투수를 대신해 수비하지 않는 지명 타자가 타순에 포함되기도 한다.
- 내야수: 1루수, 2루수, 3루수, 유격수
- 외야수: 좌익수, 우익수, 중견수
- 포수: 홈 뒤에서 투수의 공을 받는다.
- 투수: 처음에 나오는 투수를 선발 투수라고 하며, 보통 5회 이상 던진다.

예시 답

경기 규칙
- 9명씩 구성된 2개 팀이 9회 동안 교대로 공격과 수비를 한다.
- 득점 방법
  – 1, 2, 3루를 차례로 거쳐 홈을 밟으면 1점을 얻는다.
  – 타자가 누 위에 올라갈 방법은 안타 외에도 볼넷, 몸에 맞는 공 등 여러 가지가 있다.
  – 홈런을 치면 타자와 함께 누에 나가 있는 모든 주자가 홈을 밟아 득점이 된다.

- 만든 발표 자료에 고칠 부분이 없는지 살펴보고, 친구들 앞에서 발표해 봅시다.

예시 답 생략

• 정답과 해설 p.19

대단원 확인 문제

01 밑줄 친 부분의 표기나 발음이 옳지 않은 것은?

① 김밥[김:밥]을 싸서 소풍을 갔다.
② 새 학기 교과서[교:과서]를 받았다.
③ 어제 저녁에는 국밥[국빱]을 먹었다.
④ 곰장어[곰:장어] 요리를 먹으러 식당에 갔다.
⑤ 고깔모자[꼬깔모자]를 쓰고 생일잔치를 했다.

02 다음 문장의 밑줄 친 발음이 옳은 것은?

① 아기[애기]가 귀엽다.
② 즐거운 기억[기역]을 간직했다.
③ 강아지에게 먹이를 먹였다[메겯따].
④ 아이에게[아이예게] 짐을 지우면 안 된다.
⑤ 진달래꽃이 피어[피여] 산이 붉게 물들었다.

03 〈보기〉를 통해 추론할 수 있는 것으로 적절한 것은?

보기

시계[시계/시게], 혜성[혜:성/헤:성], 예절[예절]

① 'ㅖ'는 항상 [ㅔ]로도 발음될 수 있군.
② 'ㅖ'는 항상 [ㅖ]로만 발음해야 되는군.
③ '계산'은 한 가지로만 발음될 수 있겠군.
④ '예술'은 한 가지로만 발음될 수 있겠군.
⑤ 'ㅖ' 앞에 자음이 올 때에는 [ㅖ]로 발음될 수 없군.

04 다음 발음으로 옳지 않은 것은?

계몽주의의 의의

① [계몽주의의 의의]　② [게몽주의의 의의]
③ [계몽주이의 의의]　④ [게몽주이에 의이]
⑤ [계몽주이에 이이]

05 〈보기〉를 참고할 때, 밑줄 친 발음이 옳지 않은 것은?

보기

• 원칙적으로 'ㅢ'는 [ㅢ]로 발음한다.
• 자음을 첫소리로 가지고 있는 'ㅢ'는 [ㅣ]로 발음하고 [ㅢ]나 [ㅡ]로는 발음하지 않는다.
• 단어의 첫 글자 이외의 '의'는 [ㅣ]로 발음함도 허용한다.
• 조사 '의'는 [ㅔ]로 발음함도 허용한다.

① 희미한[희미한] 불빛을 따라 길을 걸었다.
② 나의[나에] 꿈은 세계 여행을 가는 것이다.
③ 민주주의[민주주이]를 수호하기 위해 노력했다.
④ 어려운 문제를 해결하기 위해 토의[토이]를 했다.
⑤ 이 병원 의료진[의료진]들은 환자를 정성껏 치료한다.

06 다음 뉴스 대본의 밑줄 친 부분을 표기하거나 소리 내어 읽을 때 주의할 점으로 적절하지 않은 것은?

오늘의 날씨입니다. 오늘은 비가 개고 화창한 날이 예상됩니다. 오늘 아침 최저 기온은 예년보다 2 내지 5도 올라 무더운 여름날이 되겠습니다. 그러나 하늬바람이 불어 나들이 하시기에 좋은 날씨입니다. 서해 먼바다에는 안개가 끼고 센바람이 불겠습니다. 날씨였습니다.

① '날씨'를 읽을 때 [날시]로 읽지 않도록 주의해야 한다.
② '예상'을 [에상]으로 읽지 않도록 주의해야 한다.
③ '하늬바람'을 [하니바람]으로 읽지 않도록 주의해야 한다.
④ '개고'와 '끼고'를 적을 때 '개이고'와 '끼이고'로 적지 않도록 주의해야 한다.
⑤ '센바람'을 [쎈바람]으로 읽지 않도록 주의해야 한다.

07 음절의 끝소리 규칙에 대한 설명으로 적절하지 않은 것은?

① '밭'은 [받]으로 발음해야 한다.
② 음절의 끝소리로 발음되는 자음은 일곱 개뿐이다.
③ 국어의 모든 자음이 음절의 끝소리로 발음되는 것은 아니다.
④ 겹받침 다음에 자음이 올 경우 겹받침 두 개의 음운이 모두 발음된다.
⑤ 표기는 '부엌'으로 하지만, 소리 내어 읽을 때에는 [부억]으로 발음한다.

08 밑줄 친 겹받침 부분에서 뒤 자음이 받침소리로 나는 것은?

① 의자에 조용히 앉다.
② 교실에 아무도 없다.
③ 고생을 많이 하여 늙다.
④ 동해 바다가 매우 넓다.
⑤ 달콤한 아이스크림을 핥다.

09 일상생활에서 잘못 발음하고 있는 단어를 찾아 바르게 고친 것은?

		잘못된 발음		바른 발음
①	팥을	[파틀]	→	[파츨]
②	무릎이	[무르피]	→	[무르비]
③	들녘에	[들려케]	→	[들려게]
④	여덟은	[여덜븐]	→	[여더른]
⑤	머리숱을	[머리수츨]	→	[머리수틀]

10 다음 발음 현상에 대한 설명으로 적절하지 않은 것은?

• 꽃 → [꼳]　• 꽃+이 → [꼬치]　• 꽃+도 → [꼳또]

① '꽃'을 단독으로 발음할 때에는 받침소리 'ㅊ'이 'ㄷ'으로 바뀐다.
② '꽃' 뒤에 모음으로 시작하는 조사가 오면 받침 'ㅊ' 소리가 발음된다.
③ '꽃' 뒤에 자음으로 시작되는 말이 오면 받침소리 'ㅊ'은 다른 소리로 바뀌어 발음된다.
④ '꽃'의 받침소리 'ㅊ'은 뒤에 오는 음운에 따라 다른 소리로 발음되기도 한다.
⑤ '꽃' 뒤에 조사가 오면 받침소리 'ㅊ'은 음절의 끝소리 규칙의 적용을 받지 않고 그대로 발음된다.

11 다음 설명의 예로 적절한 것은?

겹받침이 모음으로 시작되는 조사나 어미, 접미사와 결합하면 뒤엣것만을 뒤 음절 첫소리로 옮겨 발음한다. (이 경우, 'ㅅ'은 된소리로 발음함.)

① 값어　② 닭과　③ 몫이　④ 밝다　⑤ 넋도

12 〈보기〉를 참고할 때, 다음 발음이 옳지 않은 것은?

보기
겹받침 'ㄳ', 'ㄵ', 'ㄼ, ㄽ, ㄾ', 'ㅄ'은 어말 또는 자음 앞에서 각각 [ㄱ, ㄴ, ㄹ, ㅂ]으로 발음한다. 다만, '밟-'은 자음 앞에서 [밥:]으로 발음한다.

① 밟고[밥:꼬]　② 없다[업따]
③ 여덟[여덜]　④ 외곬[외골]
⑤ 핥고[할꼬]

13 〈보기〉를 참고할 때, 겹받침의 발음에 대한 설명으로 옳지 않은 것은?

보기
본래 받침 'ㄺ'은 단어의 끝이나 자음 앞에서 [ㄱ]으로 발음하는 것이지만, 용언의 'ㄺ'은 활용을 할 때 'ㄱ' 앞에서 [ㄹ]로 발음합니다.

① '닭'은 단독으로 발음할 때 받침소리는 [ㄱ]으로 나겠군.
② '닭' 뒤에 모음으로 시작하는 조사 '으로'가 오면 'ㄹ'은 받침소리로, 'ㄱ'은 뒷말의 첫소리로 발음되겠군.
③ '묽고'는 받침 'ㄺ' 뒤에 'ㄱ'이 오므로 [묵꼬]로 발음되겠군.
④ '읽다'는 받침 'ㄺ' 뒤에 자음이 오므로 [익따]로 발음되겠군.
⑤ '맑게'는 용언의 활용형이며 뒤에 'ㄱ'이 오므로 [말께]로 발음되겠군.

14 〈보기〉를 참고할 때, 다음 발음이 옳지 않은 것은?

보기
받침 'ㅎ'의 발음은 다음과 같다.
• 'ㅎ(ㄶ, ㅀ)' 뒤에 'ㄱ, ㄷ, ㅈ'이 결합하는 경우에는, 뒤 음절 첫소리와 합쳐서 [ㅋ, ㅌ, ㅊ]으로 발음한다.
• 받침 'ㄱ(ㄺ), ㄷ, ㅂ(ㄼ), ㅈ(ㄵ)'이 뒤 음절 첫소리 'ㅎ'과 결합되는 경우에도, 역시 두 음을 합쳐서 [ㅋ, ㅌ, ㅍ, ㅊ]으로 발음한다.
• 'ㅎ(ㄶ, ㅀ)' 뒤에 'ㅅ'이 결합하는 경우에는, 'ㅅ'을 [ㅆ]으로 발음한다.
• 'ㅎ' 뒤에 'ㄴ'이 결합하는 경우에는, [ㄴ]으로 발음한다.
• 'ㅎ(ㄶ, ㅀ)' 뒤에 모음으로 시작된 어미나 접미사가 결합하는 경우에는, 'ㅎ'을 발음하지 않는다.

① 놓고[노코]　② 놓는[논는]　③ 닿소[다:쏘]
④ 좁히다[좁피다]　⑤ 좋던[조:턴]

대단원 확인 문제

15 〈보기〉를 참고할 때, 발음이 옳은 것만으로 짝지어진 것은?

보기
받침 있는 말 뒤에 모음으로 시작하는 말이 올 때, 뒤의 말이 '안, 위'처럼 실질적인 의미를 갖는 경우에는 받침을 대표음으로 바꾸어서 뒤 음절 첫소리로 옮겨 발음하고, '에, 의'처럼 그렇지 않은 경우에는 음절 말 끝 자음을 다음 음절의 첫소리로 옮겨 발음합니다. (이 경우, 'ㅅ'은 된소리로 발음합니다.)

① 밭 위[바튀], 밭 아래[바타래], 밭에[바테]
② 밭 위[바뒤], 밭 아래[바타래], 밭에[바데]
③ 밭 위[바뒤], 밭 아래[바타래], 밭에[바테]
④ 밭 위[바뒤], 밭 아래[바다래], 밭에[바데]
⑤ 밭 위[바뒤], 밭 아래[바다래], 밭에[바테]

16 ㉠~㉤의 발음이 옳은 것은?

온 가족이 마당에 ㉠꽃밭을 만들었다. 아빠가 씨를 뿌리고 ㉡흙을 ㉢덮자, 맏이는 ㉣부엌에서 주전자를 가져다가 그 위에 물을 ㉤주었다.

① ㉠ [꼳빠슬] ② ㉡ [흐글] ③ ㉢ [덥짜]
④ ㉣ [부어게서] ⑤ ㉤ [주얻따]

17 다음 식당의 차림표를 보고 잘못 표기된 단어를 찾아 바르게 고친 것은?

차림표

김치찌개	7,000원
육게장	7,000원
라면	3,000원
떡볶이	2,000원
설렁탕	7,000원
순대	3,000원
갈치조림	8,000원

① '김치찌개'를 '김치찌게'로 고쳐 적어야 한다.
② '육게장'을 '육개장'으로 고쳐 적어야 한다.
③ '떡볶이'를 '떡뽀기'로 고쳐 적어야 한다.
④ '설렁탕'을 '설농탕'으로 고쳐 적어야 한다.
⑤ '갈치조림'을 '갈치졸임'으로 고쳐 적어야 한다.

18 다음 대화에 나타난 단어의 표기 및 발음에 대한 설명으로 옳은 것은?

세라: 어제 어머니께서 깍뚜기를 맛있게 담그셨어. 우리 집에 가서 밥 먹을래?
미란: 좋아, 내일은 우리 집에 가서 주꾸미 볶음을 먹자.

① '깍뚜기'를 '깍두기'로 고쳐 적어야 한다.
② '깍뚜기'를 '깍두기'로 고쳐 적어야 한다.
③ '담그셨어'를 '담으셨어'로 고쳐 적어야 한다.
④ '주꾸미'를 '쭈꾸미'로 고쳐 적어야 한다.
⑤ '주꾸미'라고 적지만 [쭈꾸미]로 발음해야 한다.

19 다음 내용을 참고할 때, 밑줄 친 부분의 표기가 옳지 않은 것은?

국어사전에는 '왠'과 '웬'이 사용된 말이 있다. 두 말은 발음이 비슷하므로 주의해서 써야 한다. 먼저 '웬일'이라는 말이 사전에 올라가 있다. 이는 '왠 일'과 같은 표기로 혼동하기 쉽다. '웬일'은 주로 '의외의 일'을 의미하는 말이다. 한편, 부사인 '왠지'라는 말이 있다. 흔히 '웬지'로 적는 일도 있으나 이는 잘못된 표기이다. '왠지'는 '왜 그런지 모르게'나 '뚜렷한 이유가 없이'라는 뜻으로 사용된다.

① 이게 웬 날벼락이람.
② 웬 걱정이 그리 많아?
③ 김 선생님이 왠일인지 보이지 않았다.
④ 그 이야기를 듣자 왠지 기분이 좋았다.
⑤ 매일 만나는 친구인데 오늘따라 왠지 멋있어 보인다.

20 〈보기〉를 참고할 때, 밑줄 친 부분의 표기가 옳지 않은 것은?

보기
'–데'와 '–대'의 차이
• '–데'는 과거에 직접 경험한 내용을 표현
• '–대'는 남의 말을 전달하는 표현

① 상혁이는 요즘 도서관에서 공부를 한데.
② 수지가 그러던데 내일 진희가 놀러 온대.
③ 오늘 유진이는 아파서 우리랑 영화 보러 못 간대.
④ 길에서 준민이를 오랜만에 만났는데 키가 많이 자랐데.
⑤ 어제 친구랑 음식점에 갔는데, 그 집 탕수육이 참 맛있데.

21 고쳐쓰기를 할 때의 원칙으로 적절하지 않은 것은?

① 독자의 입장에 서서 고쳐 쓴다.
② 되도록 한 번에 모두 고쳐 쓴다.
③ 글의 목적, 주제에 초점을 맞추어 고쳐 쓴다.
④ 글을 쓴 다음에는 글 전체를 훑어본 다음에 고쳐 쓴다.
⑤ 글 전체 수준에서 먼저 고치고 문단, 문장 수준으로 고쳐 나간다.

22 글을 고쳐 쓰기 위해 다음과 같은 '점검표'를 만들었다. ㉠~㉢에 들어갈 내용으로 적절하지 않은 것은?

점검 수준	글 전체	문단	문장
점검 내용	㉠	㉡	㉢

① ㉠: 글의 주제가 분명히 드러나는가?
② ㉠: 글의 내용에 어울리는 제목을 붙였는가?
③ ㉡: 문장과 문장의 연결이 자연스러운가?
④ ㉡: 맥락을 고려한 적절한 단어를 사용하였는가?
⑤ ㉢: 문장의 호응이 잘 이루어졌는가?

23 학교 누리집을 방문해 보고 고쳐야 할 점을 생각해 본 것으로 적절하지 않은 것은?

	고쳐야 할 부분	고칠 내용
①	학교 소개 글	학생들이 친근하게 느낄 수 있도록 그림말(이모티콘)과 준말 등을 사용해서 학교를 소개해야겠어.
②	메뉴의 종류	어떤 메뉴는 하위 메뉴가 없고, 어떤 메뉴는 거의 사용되지 않고 있으므로 메뉴의 종류를 정리해야겠어.
③	게시판의 분류	비슷한 내용을 다루는 게시판은 통합해야겠어.
④	학교 사진	학교 홍보가 될 수 있는 학교 축제 사진, 체육대회 등의 행사 사진을 추가해야겠어.
⑤	추가할 내용	최근의 일들이 추가되지 않았으므로 최근에 학교 운동부가 전국대회에서 상을 받은 것을 추가해야겠어.

[24~29] 다음 글을 읽고 물음에 답하시오.

인생의 소중한 가치

㉮ 며칠 전에 교내 경시대회를 준비하던 나는 문득 '공부를 하는 까닭'을 깊이 생각해 보게 되었다. '공부는 왜 하는 것일까?' 공부는 학생의 의무이니 학생은 당연히 공부해야 한다는 말은 이 질문에 좋은 답이 될 수는 없을 것이다.

㉯ 많은 사람이 '좋은 고등학교에, 대학교에, 안정적인 직장에 가기 위해' 공부를 한다. 공부해서 현실적인 이익을 얻기 위해서 공부를 하는 것이다. 내가 지난 기말고사에서 성적이 오르면 어머니께서 휴대 전화를 바꿔 주기로 하셨기 때문에 공부를 열심히 했던 것도 이와 틀리지 않다.

㉰ 이처럼 현실적인 이익을 위해서 공부를 하면, 공부에 따른 댓가를 얻을 수 없게 되었을 때는 공부를 하기가 어려워진다. 나는 요사이 공부에 대한 의욕이 떨어진 까닭이 무엇인지 생각해 보았다. ㉠그것은 지난번에 성적이 많이 오르고 뿌듯함을 느끼게 되었기 때문이었다.

㉱ 지금 시점에서 내 삶의 방향을 스스로 모두 결정지을 수는 없다. 지금은 내가 장차 무엇이 될지, 무엇을 해야 할지 좀처럼 모른다. 이럴 때 공부를 해 놓는 것은 미래를 위한 가장 좋은 대비가 될 것이다.

24 이 글을 글 전체 수준에서 고쳐 쓰기 위해 계획한 것으로 적절하지 않은 것은?

① 글의 주제가 명확하게 드러나는지 검토해야겠어.
② 글의 목적에 맞지 않는 내용은 없는지 찾아봐야지.
③ 글의 내용에 어울리는 제목을 붙였는지 살펴봐야지.
④ 글의 각 문단마다 중심 내용이 하나인지 확인해야지.
⑤ 글의 단계에 적절한 내용이 들어 있는지 확인해야지.

대단원 확인 문제

25 이 글의 목적 및 글을 읽을 대상을 고려하여 글의 제목을 바꾸고자 한다. ⓐ, ⓑ에 들어갈 내용으로 가장 적절한 것은?

글을 읽을 대상	ⓐ
글의 제목	ⓑ

	ⓐ	ⓑ
①	공부하는 까닭을 모르는 학생들	공부해야 하는 까닭
②	공부하는 까닭을 모르는 학생들	공부를 잘하는 방법
③	공부하는 까닭을 모르는 학생들	학생의 의무인 공부
④	공부를 가르쳐야 하는 선생님	공부해야 하는 까닭
⑤	공부를 가르쳐야 하는 선생님	공부가 주는 이익

26 이 글의 짜임을 다음과 같이 정리할 때, Ⓐ에 들어갈 내용으로 가장 적절한 것은?

㉮	처음	
㉯	중간	
㉰		
㉱	끝	Ⓐ

① 사람들이 공부하는 까닭
② 공부하는 습관을 들이는 방법
③ 공부하는 까닭을 생각하게 된 계기
④ 미래를 위한 가장 좋은 대비인 공부
⑤ 현실적 이익을 위해서만 공부하면 안 되는 까닭

27 글의 흐름을 고려할 때, ㉮~㉱ 중, 다음 문단이 들어가기에 가장 적절한 위치는?

> 그리스의 철학자 플라톤은 교육이 한 인간을 양성할 때의 방향이 훗날 그의 삶을 결정할 것이라고 하였다. 이처럼 공부는 내가 삶에서 중요하게 생각하는 것을 이룰 수 있도록 해 주는 데 그 가치가 있다. 또한, 내가 삶에서 무엇을 중요하게 여기는지를 깨닫게 해 주는 것 역시 공부이다. 이것이 공부해야 하는 진정한 까닭이다.

① ㉮ 앞 ② ㉮와 ㉯ 사이 ③ ㉯와 ㉰ 사이
④ ㉰와 ㉱ 사이 ⑤ ㉱ 뒤

28 ㉠을 고쳐 써야 하는 까닭으로 가장 적절한 것은?

① 필요 없이 사용된 단어가 있으므로
② 띄어쓰기가 잘못된 단어가 있으므로
③ 문장의 호응이 잘 이루어지지 않으므로
④ 문맥상 적절하지 않은 단어가 있으므로
⑤ 문장과 문장이 자연스럽게 연결되지 않으므로

29 다음을 참고하여 이 글을 고쳐 쓴 것으로 적절하지 않은 것은?

> 문장 수준에서 고쳐 쓰기
> • 중복된 표현이 없도록 고쳐 쓴다.
> • 문맥상 부적절한 어휘를 적절한 어휘로 바꾸어 쓴다.
> • 잘못된 표기를 어법에 맞게 고쳐 적는다.
> • 문장의 호응이 자연스럽지 않은 것을 고쳐 적는다.

	수정 전	수정 후
①	며칠 전에 교내 경시대회를 준비하던 나는 문득 '공부를 하는 까닭'을 깊이 생각해 보게 되었다.	며칠 전에 교내 경시대회를 준비하던 나는 문뜩 '공부를 하는 까닭'을 깊이 생각해 보게 되었다.
②	공부해서 현실적인 이익을 얻기 위해서 공부를 하는 것이다.	공부를 해서 현실적인 이익을 얻으려고 하는 것이다.
③	내가 지난 기말고사에서 성적이 오르면 어머니께서 휴대 전화를 바꿔 주기로 하셨기 때문에 공부를 열심히 했던 것도 이와 틀리지 않다.	내가 지난 기말고사에서 성적이 오르면 어머니께서 휴대 전화를 바꿔 주기로 하셨기 때문에 공부를 열심히 했던 것도 이와 다르지 않다.
④	이처럼 현실적인 이익을 위해서 공부를 하면, 공부에 따른 댓가를 얻을 수 없게 되었을 때는 공부를 하기가 어려워진다.	이처럼 현실적인 이익을 위해서 공부를 하면, 공부에 따른 대가를 얻을 수 없게 되었을 때는 공부를 하기가 어려워진다.
⑤	지금은 내가 장차 무엇이 될지, 무엇을 해야 할지 좀처럼 모른다.	지금은 내가 장차 무엇이 될지, 무엇을 해야 할지 좀처럼 알 수 없다.

[30~36] 다음은 청소년 운동 공간 확보의 필요성을 주장하는 글의 일부이다. 이를 읽고 물음에 답하시오.

(가) 현대인의 생활 습관이 바뀌면서 ⓐ비만이 ⓑ급격이 늘고 있다. 비만은 당뇨병, 고지혈증, 관절염 등의 ⓒ발생율을 높이고, 과도한 비만은 그 자체를 하나의 질병으로 보아야 한다는 사람도 있을 정도다. 그중에도 청소년 비만이 특히 심각한 문제다. 그 밖에도 청소년들은 척추옆굽음증이나 각종 전염병에도 취약한 상태이다.

(나) 대한비만학회와 국민건강보험공단의 2015년 조사에 따르면 한국의 소아, 청소년 6명 중 1명은 ⓓ과체중 혹은 비만이라고 한다. 청소년 비만은 상당수가 성인 비만으로 이어지고, 10대 때부터 성인병을 ⓔ얻을수도 있다. 이러한 청소년 비만이 왜 생기는 것일까? 나는 청소년들의 운동 부족이 가장 큰 원인이라고 생각한다. (㉠) 그 밑바탕에는 운동 공간 부족의 문제가 있다.

30 이 글과 같은 유형의 글을 고쳐 쓰기 위한 방법으로 적절하지 않은 것은?

① 주장이 명확하게 드러나 있는지를 점검한다.
② 표현의 논리성과 명확성을 꼼꼼하게 점검한다.
③ 글이 통일성과 일관성을 갖추고 있는지 점검한다.
④ 다양한 주장을 객관적으로 펼치고 있는지 점검한다.
⑤ 주장을 뒷받침하는 문장과 문단이 적절하게 배치되었는지를 점검한다.

31 이 글에 대한 설명으로 적절한 것은?

① 비유적 표현으로 독자의 주의를 환기하고 있다.
② 문제에 대한 해결책을 다양한 각도에서 살펴보고 있다.
③ 전문가의 말을 인용하여 주장의 타당성을 뒷받침하고 있다.
④ 자신의 의견을 드러내지 않고 문제점만을 객관적인 관점에서 전달하고 있다.
⑤ 청소년 비만의 문제점을 수치가 드러난 조사 결과를 바탕으로 제시하고 있다.

32 이 글을 바탕으로 완성될 글의 주제문으로 가장 적절한 것은?

① 한국의 청소년 비만이 매우 심각하다.
② 비만은 여러 합병증을 일으키는 질병이다.
③ 청소년 비만의 가장 큰 원인은 운동 부족이다.
④ 한국의 청소년은 비만 외에도 여러 가지 건강 문제를 안고 있다.
⑤ 청소년의 비만 예방을 위하여 운동 공간을 충분히 확보해야 한다.

33 (가)에서 글의 통일성을 고려하여 삭제해야 할 문장을 찾아 쓰시오.

34 문맥상 ㉠에 들어가기에 적절한 접속어를 쓰시오.

35 ⓐ~ⓔ 중 고쳐쓰기 과정에서 고칠 필요가 없는 것은?

① ⓐ ② ⓑ ③ ⓒ ④ ⓓ ⑤ ⓔ

36 〈보기〉는 (가)~(나)를 완성하기 위해 찾은 자료이다. 글의 주제를 고려할 때 추가할 내용으로 적절한 것끼리 바르게 묶인 것은?

보기
ㄱ. 운동장 없는 학교가 늘어났다는 신문 기사
ㄴ. 운동할 공간이 없어 운동을 못 하는 학생들의 호소
ㄷ. 운동과 청소년 건강과의 관련성을 보여 주는 실험 자료
ㄹ. 운동을 할 시간적 여유가 없는 학생들의 빡빡한 하루 일과표
ㅁ. 청소년 비만 원인이 서구화된 식습관에 의한 것임을 보여 주는 시사 프로그램

① ㄱ, ㄷ ② ㄱ, ㄹ ③ ㄱ, ㄴ, ㄷ
④ ㄴ, ㄷ, ㄹ ⑤ ㄹ, ㅁ

보충 자료

표준 발음법

제2장 자음과 모음

제2항 표준어의 자음은 다음 19개로 한다.

ㄱ ㄲ ㄴ ㄷ ㄸ ㄹ ㅁ ㅂ ㅃ
ㅅ ㅆ ㅇ ㅈ ㅉ ㅊ ㅋ ㅌ ㅍ ㅎ

제3항 표준어의 모음은 다음 21개로 한다.

ㅏ ㅐ ㅑ ㅒ ㅓ ㅔ ㅕ ㅖ ㅗ ㅘ
ㅙ ㅚ ㅛ ㅜ ㅝ ㅞ ㅟ ㅠ ㅡ ㅢ ㅣ

제4항 'ㅏ ㅐ ㅓ ㅔ ㅗ ㅚ ㅜ ㅟ ㅡ ㅣ'는 단모음(單母音)으로 발음한다.

[붙임] 'ㅚ, ㅟ'는 이중 모음으로 발음할 수 있다.

제5항 'ㅑ ㅒ ㅕ ㅖ ㅘ ㅙ ㅛ ㅝ ㅞ ㅠ ㅢ'는 이중 모음으로 발음한다.

다만 2. '예, 례' 이외의 'ㅖ'는 [ㅔ]로도 발음한다.

계집[계:집/게:집]	계시다[계:시다/게:시다]
시계[시계/시게](時計)	연계[연계/연게](連繫)
메별[메별/메별](袂別)	개폐[개폐/개페](開閉)
혜택[혜:택/헤:택](惠澤)	지혜[지혜/지헤](智慧)

다만 3. 자음을 첫소리로 가지고 있는 음절의 'ㅢ'는 [ㅣ]로 발음한다.

늴리리	닁큼	무늬	띄어쓰기	씌어
틔어	희어	희떱다	희망	유희

다만 4. 단어의 첫음절 이외의 '의'는 [ㅣ]로, 조사 '의'는 [ㅔ]로 발음함도 허용한다.

주의[주의/주이]	협의[혀븨/혀비]
우리의[우리의/우리에]	강의의[강:의의/강:이에]

제4장 받침의 발음

제8항 받침소리로는 'ㄱ, ㄴ, ㄷ, ㄹ, ㅁ, ㅂ, ㅇ'의 7개 자음만 발음한다.

제9항 받침 'ㄲ, ㅋ', 'ㅅ, ㅆ, ㅈ, ㅊ, ㅌ', 'ㅍ'은 어말 또는 자음 앞에서 각각 대표음 [ㄱ, ㄷ, ㅂ]으로 발음한다.

닦다[닥따]	키읔[키윽]	키읔과[키윽꽈]
옷[옫]	웃다[욷:따]	있다[읻따]
젖[젇]	빚다[빋따]	꽃[꼳]
쫓다[쫃따]	솥[솓]	뱉다[밷:따]
앞[압]	덮다[덥따]	

제10항 겹받침 'ㄳ', 'ㄵ', 'ㄼ, ㄽ, ㄾ', 'ㅄ'은 어말 또는 자음 앞에서 각각 [ㄱ, ㄴ, ㄹ, ㅂ]으로 발음한다.

넋[넉]	넋과[넉꽈]	앉다[안따]
여덟[여덜]	넓다[널따]	외곬[외골]
핥다[할따]	값[갑]	없다[업:따]

다만, '밟-'은 자음 앞에서 [밥]으로 발음하고, '넓-'은 다음과 같은 경우에 [넙]으로 발음한다.

(1) 밟다[밥:따] 밟소[밥:쏘] 밟지[밥:찌]
밟는[밥:는 → 밤:는] 밟게[밥:께]
밟고[밥:꼬]
(2) 넓-죽하다[넙쭈카다] 넓-둥글다[넙뚱글다]

제11항 겹받침 'ㄺ, ㄻ, ㄿ'은 어말 또는 자음 앞에서 각각 [ㄱ, ㅁ, ㅂ]으로 발음한다.

닭[닥]	흙과[흑꽈]	맑다[막따]
늙지[늑찌]	삶[삼:]	젊다[점:따]
읊고[읍꼬]	읊다[읍따]	

다만, 용언의 어간 말음 'ㄺ'은 'ㄱ' 앞에서 [ㄹ]로 발음한다.

맑게[말께]　　묽고[물꼬]　　얽거나[얼꺼나]

제12항 받침 'ㅎ'의 발음은 다음과 같다.

1. 'ㅎ(ㄶ, ㅀ)' 뒤에 'ㄱ, ㄷ, ㅈ'이 결합되는 경우에는, 뒤 음절 첫소리와 합쳐서 [ㅋ, ㅌ, ㅊ]으로 발음한다.

놓고[노코]　　좋던[조:턴]　　쌓지[싸치]
많고[만:코]　　않던[안턴]　　닳지[달치]

[붙임 1] 받침 'ㄱ(ㄺ), ㄷ, ㅂ(ㄼ), ㅈ(ㄵ)'이 뒤 음절 첫소리 'ㅎ'과 결합되는 경우에도, 역시 두 음을 합쳐서 [ㅋ, ㅌ, ㅍ, ㅊ]으로 발음한다.

각하[가카]　　먹히다[머키다]　　밝히다[발키다]
맏형[마텽]　　좁히다[조피다]　　넓히다[널피다]
꽂히다[꼬치다]　　앉히다[안치다]

[붙임 2] 규정에 따라 'ㄷ'으로 발음되는 'ㅅ, ㅈ, ㅊ, ㅌ'의 경우에도 이에 준한다.

옷 한 벌[오탄벌]　　낮 한때[나탄때]
꽃 한 송이[꼬탄송이]　　숱하다[수타다]

2. 'ㅎ(ㄶ, ㅀ)' 뒤에 'ㅅ'이 결합되는 경우에는, 'ㅅ'을 [ㅆ]으로 발음한다.

닿소[다쏘]　　많소[만:쏘]　　싫소[실쏘]

3. 'ㅎ' 뒤에 'ㄴ'이 결합되는 경우에는, [ㄴ]으로 발음한다.

놓는[논는]　　쌓네[싼네]

[붙임] 'ㄶ, ㅀ' 뒤에 'ㄴ'이 결합되는 경우에는, 'ㅎ'을 발음하지 않는다.

않네[안네]　　않는[안는]
뚫네[뚤네 → 뚤레]　　뚫는[뚤는 → 뚤른]

* '뚫네[뚤네 → 뚤레], 뚫는[뚤는 → 뚤른]'에 대해서는 제20항 참조.

4. 'ㅎ(ㄶ, ㅀ)' 뒤에 모음으로 시작된 어미나 접미사가 결합되는 경우에는, 'ㅎ'을 발음하지 않는다.

낳은[나은]　　놓아[노아]　　쌓이다[싸이다]
많아[마:나]　　않은[아는]　　닳아[다라]
싫어도[시러도]

제13항 홑받침이나 쌍받침이 모음으로 시작된 조사나 어미, 접미사와 결합되는 경우에는, 제 음가대로 뒤 음절 첫소리로 옮겨 발음한다.

깎아[까까]　　옷이[오시]　　있어[이써]
낮이[나지]　　꽂아[꼬자]　　꽃을[꼬츨]
쫓아[쪼차]　　밭에[바테]　　앞으로[아프로]
덮이다[더피다]

제14항 겹받침이 모음으로 시작된 조사나 어미, 접미사와 결합되는 경우에는, 뒤엣것만을 뒤 음절 첫소리로 옮겨 발음한다.(이 경우, 'ㅅ'은 된소리로 발음함.)

넋이[넉씨]　　앉아[안자]　　닭을[달글]
젊어[절머]　　곬이[골씨]　　핥아[할타]
읊어[을퍼]　　값을[갑쓸]　　없어[업:써]

제15항 받침 뒤에 모음 'ㅏ, ㅓ, ㅗ, ㅜ, ㅟ' 들로 시작되는 실질 형태소가 연결되는 경우에는, 대표음으로 바꾸어서 뒤 음절 첫소리로 옮겨 발음한다.

밭 아래[바다래]　　늪 앞[느밥]　　젖어미[저더미]
맛없다[마덥따]　　겉옷[거돋]　　헛웃음[허두슴]
꽃 위[꼬뒤]

다만, '맛있다, 멋있다'는 [마싣따], [머싣따]로도 발음할 수 있다.

[붙임] 겹받침의 경우에는, 그중 하나만을 옮겨 발음한다.

넋 없다[너겁따]　　닭 앞에[다가페]
값어치[가버치]　　값있는[가빈는]

한 학기 한 권 읽기

생활 속의 책 읽기

대단원 학습 목표

한 권의 책을 읽고 읽기가 삶 속에서 지니는 가치에 대해 생각해 본다.
읽기 읽기의 가치와 중요성을 깨닫고 읽기를 생활화하는 태도를 지닌다.

❶ 책 앞에서

- 우리 사회의 모습 살펴보기
- 이번 학기 독서 활동 알아보기

독서를 시작하기 전 수행하는 활동이다. 읽을 책을 선정하기 전 사회 문제를 다룬 신문 기사를 통해 글 읽기가 우리 삶에 주는 도움을 생각해 보고 만화를 읽으며 이번 학기 독서 활동을 알아본다.

사전 활동
읽은 책을 선정하기 전 사회 문제를 다룬 신문 기사를 통해 글 읽기가 주는 효용에 대해 알아본다. 평소 관심 있는 분야가 같은 친구들끼리 모둠을 만들어 같이 읽을 책을 골라 본다.

❷ 책 두드리기

- 관심 분야가 같은 친구끼리 모둠 구성하기
- 우리 사회의 모습이 담긴 책 고르기

관심 분야가 같은 친구들끼리 모둠을 구성한 후 모둠의 관심과 흥미를 고려하여 함께 읽고 싶은 책을 고른다.

❸ 책 누리기

- 핵심 내용 정리하며 책 읽기
- 독서 일지 작성하기

모둠에서 결정한 주제에 따라 함께 고른 책을 읽어보는 활동이다. 핵심 정보가 담긴 부분을 표시하고 후에 이를 독서 일지에 기록함으로써 적극적인 이해와 깊이 있는 사고가 가능하도록 한다.

읽기 활동
모둠이 함께 읽기로 선정한 책을 읽으면서 독서 일지를 작성한다. 핵심 내용을 간추리면서 자신의 생각을 덧붙인다. 이번 독서 시간에는 사회 문제와 관련한 책을 읽고 이에 대한 바람직한 대안을 마련해 보는 것이 목적이므로 쟁점이 되는 부분에 자신의 생각도 함께 기록하여 문제 해결력을 키울 수 있게 한다.

❹ 책 나누기

- 책 내용에 관해 서로 이야기 나누고 독서 신문 만들기
- 다른 모둠의 독서 신문을 읽고 함께 의견 나누기

모둠이 함께 읽은 책을 토의한 후 토의의 결과를 반영하여 독서 신문을 직접 만들어 보고 이를 다른 모둠과 공유하여 의견을 서로 나누어 보는 활동이다.

쓰기 활동
독서 일지를 활용하여 정리한 내용을 바탕으로 책의 내용과 관련하여 토의를 한 후 그 결과를 바탕으로 모둠이 함께 독서 신문을 만드는 활동이다. 자유롭게 만든 독서 신문을 다른 모둠과 공유하면서 읽기의 가치와 중요성을 이해하도록 한다.

이 단원에서는 문학 작품 한 권을 정해서 질문을 던지며 끝까지 읽는 활동을 할 거야. 이러한 경험을 통해 책 읽는 즐거움을 느끼고 깊이 있게 생각하는 능력을 기를 수 있어.

문학에서 길 찾기

1 책 앞에서

1. 글 읽기가 우리에게 어떤 도움을 주고 있는지 짝꿍과 이야기해 봅시다.

2. 최근 읽었던 글 중 인상 깊었던 것을 적어 봅시다.

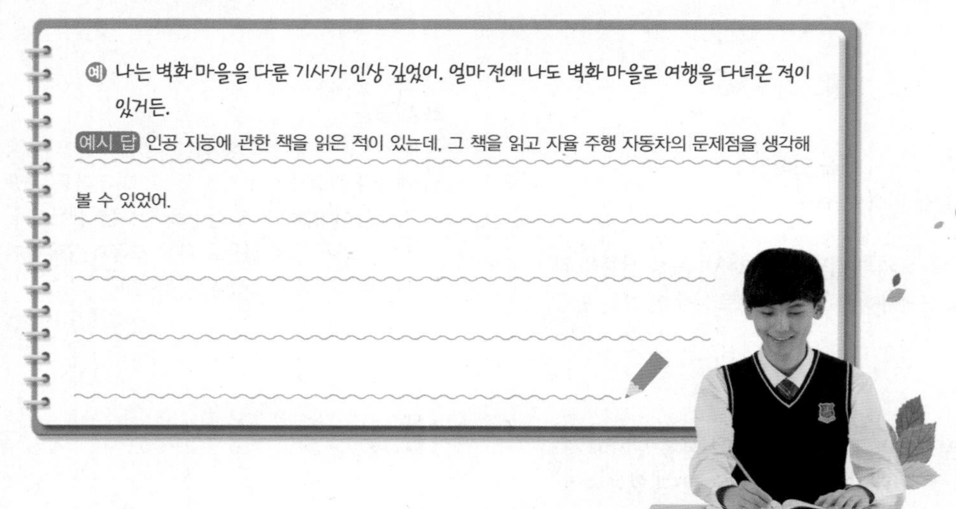

사전 활동 1 글 읽기의 효용에 대한 생각 나누기

➜ 우리는 다양한 목적으로 글을 읽는다. 나는 어떤 목적으로 글을 읽는지 생각해 보고 짝궁과 글을 읽는 이유에 대하여 자유롭게 대화를 나누어 본다.

독서의 효용과 가치

- 다양한 지식과 정보 획득의 기본 수단이 된다.
- 바람직한 가치관과 인격을 함양하는 데 도움이 된다.
- 인간과 사회, 문화에 대한 이해를 신장하는 데 도움이 된다.
- 정서적, 지적으로 풍요로운 사람으로 성장하는 데 도움이 된다.
- 독서를 통해 다양한 삶을 간접적으로 경험할 수 있게 된다.
- 독서를 통한 개별 독자들의 성장은 사회 전체의 성장을 가져오게 된다.

사전 활동 2 독서 경험 떠올리기

➜ 나의 독서 경험을 통해 읽기의 가치를 환기해 보기 위한 활동이다. 사회 문제와 관련하여 인상 깊게 읽었던 글을 그 이유와 함께 적어본다.

3. 다음 신문 기사에 담겨 있는 사회 문제에 대해 생각해 봅시다.

국민일보 2016년 5월 4일

유명한 벽화 마을 한 곳에서 최근 잇따라 벽화가 사라지는 사건이 발생했다. '잉어 계단'의 물고기 그림은 흰 페인트로 싹 지워졌고, 꽃 계단의 그림들 역시 훼손됐다. 주민 중 한 사람이 마을에 관광객이 몰려드는 데에 불만을 품고 몰래 지운 것이었다고 한다. 이 일로 마을에서는 갈등이 불거졌다. 벽화를 지운 주민을 상대로 마을의 다른 주민들과 해당 자치구, 벽화 작가가 고소장을 제출했기 때문이다.

2006년부터 진행된 공공 미술 프로젝트에 의해 이 마을에는 벽화가 그려졌다. 좁은 골목과 계단에 그려진 예쁜 그림들로 이 마을은 국내 관광객뿐 아니라 외국인 관광객까지 많이 찾는 명소가 되었다. 그런데 그로 인해 주민들은 불편에 시달려야 했다. 소음이나 쓰레기는 문제도 아닐 정도였다. 관광객이 불쑥 대문을 열고 들여다봐 놀라는 일까지 자주 생겨났다.

벽화 마을은 마치 유행처럼 전국에 퍼져 있다. 지방 자치 단체는 물론 기업체와 문화 예술 단체, 봉사 단체 등이 경쟁이라도 하듯 마을을 형형색색으로 물들인 결과이다. 삭막하던 골목이 화사해지고, 크고 작은 범죄가 사라지는 순기능도 물론 있었다. 그러나 견디기 힘든 소음이나 쓰레기 무단 투기, 주민 사생활 침해 등 모든 벽화 마을마다 문제가 발생했다. (벽화 마을을 둘러싼 문제의 발생 → 문제 제기) 관리 부족으로 인해 그림이 지워지거나 색이 바래고 벽면 자체가 손상된 경우도 있다. 일부 조형물은 '흉물'로 변해 버리기도 한다. 그런가 하면 벽화 마을이 만들어지면서 경제적 이득을 많이 본 주민과 그렇지 않은 주민 간 갈등의 골이 깊어지는 경우도 많다.

벽화 마을, 어디서부터 잘못된 걸까. 주민들의 목소리를 충분히 듣지 않고, 마을 고유의 내력이나 사연을 무시한 채 그저 눈요깃거리에만 치중하여 마을을 조성한 데에 그 원인이 있다. '일단 조성하고 보자'는 식의 근시안적 발상으로 조성된 벽화마을이 심각한 문제가 되는 경우도 적지 않다.

벽화는 도시를 화려하게 보이도록 하는 '화장'일 수 있다. 또한 보기 좋지 않은 것을 잠깐 가리기 위한 '위장'일 수도 있다. 화장도 지나치면 아니함만 못하고, 위장이라면 사회악이나 다름없다. 마을의 특성과 동떨어진, 겉만 번지르르한 벽화 마을 조성은 그만두는 게 낫다. (기사문의 주장)

사전 활동 3 신문 기사 읽기

➜ 제시된 신문 기사를 읽고 그 신문에서 다루고 있는 사회적 쟁점이 무엇인지 확인하고 글 속에 드러난 서로 다른 주장들을 파악해 본다.

활동 제재 핵심 정리

- 갈래: 신문 기사
- 성격: 비판적
- 기사에서 다룬 쟁점

① 벽화 마을을 둘러싸고 여러 문제점이 계속 발생하는 것

② 겉으로 보기에만 좋아 보이는 벽화 마을을 조성하는 것은 문제라는 것

1 이 기사에서 다루고 있는 문제 상황이 무엇인지 적어 봅시다.

예시 답

- 무분별한 벽화 마을 조성으로 인해 발생한 문제들에 관해 이야기하고 있다.
- 벽화 마을 주민들과 벽화 마을 관광객들 사이의 마찰, 벽화 마을 주민 간의 마찰, 마을의 특성을 고려하지 않고 조성된 벽화 마을의 문제점 등을 보여 주고 있다.

사전 활동 3 ① 핵심 쟁점 파악하기

➜ 먼저 신문 기사에서 말하고자 하는 핵심 쟁점을 파악한 한 후 그와 관련하여 어떤 입장이 있는지 정리해 본다.

2. 최근 읽었던 글 중 인상 깊었던 것을 적어 봅시다.

1 이 기사에서 주장하는 '겉만 번지르르한 벽화 마을 조성은 그만두는 게 낫다'는 의견에 대한 자신의 생각을 말해 봅시다.

예시 답

겉만 번지르르한 벽화 마을 조성은 당연히 문제가 있겠지. 그러나 벽화 마을 자체가 잘못된 건 아니라고 생각해. 관광 산업을 발달하게 해서 주민들이 얻게 되는 이익이 분명 있을 거야. 주민들이 주체적으로 참여하는 벽화 마을 조성이 필요하다고 봐.

사전 활동 3 ② 기사의 주장에 대해 자신의 생각 말해 보기

➜ 주민들이 불편을 겪는 벽화 마을 조성을 반대하는 글쓴이의 주장에 대해 자기의 생각을 근거를 들어 표현해 본다.

3 이 기사에서 다루고 있는 문제를 해결하기 위해 어디서 자료를 찾아보면 좋을지 짝꿍과 이야기해 봅시다.

예시 답 최근 사회적 쟁점이 되고 있는 문제이니 신문 기사를 먼저 찾아보는 것이 좋을 것 같아. 어렵긴 하겠지만 관련된 법을 설명한 자료도 읽어 볼까 해.

사전 활동 3 ③ 관련 자료 찾아보기

➜ 좀 더 적극적인 읽기 활동을 위해 자료를 수집하는 것이 좋다. 인터넷 검색을 통해 관련 기사나 책을 찾아보고 이와 같은 자료가 기사를 이해하는 데 어떤 면에서 도움이 될지 따져본다.

4. 선생님과 학생들의 대화를 살펴보고, 이번 학기 독서 활동을 알아봅시다.

사전 활동 4 수업 대화

➜ 만화 속 선생님과 학생들의 대화를 통해 이번 독서 활동 시간에는 사회적 쟁점과 관련한 모둠별 읽기 활동을 하고, 그에 대한 독서 신문을 만들면서 우리 주변에서 일어나는 사회 문제들에 대해 생각해 보는 시간을 가질 것임을 알 수 있다.

독서 활동의 흐름 분석

책 선정 기준 제시	[학생] "선생님, 이번 독서 시간에는 사회적 쟁점을 다룬 책을 읽었으면 좋겠어요." [선생님] "평소 관심 있는 사회 문제에 관한 책을 읽어 볼까?"
독서 활동 소개	[선생님] "모둠별로 책을 선정해 읽고 독서 신문을 만들어 볼까?" "독서 신문을 다 만들면 교실 뒤 게시판에 전시해 보자."

② 책 두드리기

친구들과 모둠을 지어 이번 학기에 읽을 책을 골라 보는 활동을 해 봅시다.

1. 다음 활동을 통해 관심 분야가 같은 친구들끼리 모둠을 구성해 봅시다.

① 최근 뉴스에 자주 등장하는 주제나 사건에 무엇이 있는지 찾아보고, 관심 있는 기사를 골라 봅시다.

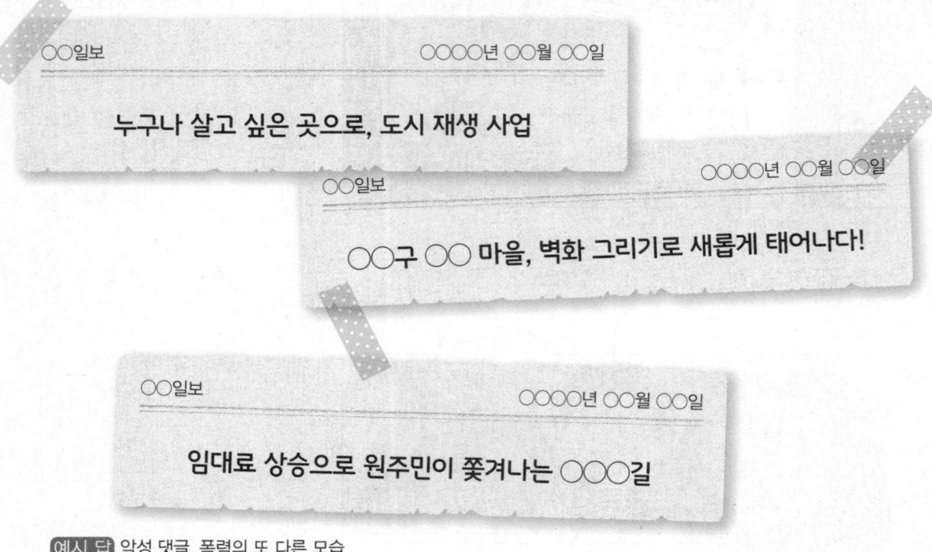

○○일보 ○○○○년 ○○월 ○○일

누구나 살고 싶은 곳으로, 도시 재생 사업

○○일보 ○○○○년 ○○월 ○○일

○○구 ○○ 마을, 벽화 그리기로 새롭게 태어나다!

○○일보 ○○○○년 ○○월 ○○일

임대료 상승으로 원주민이 쫓겨나는 ○○○길

예시 답 악성 댓글, 폭력의 또 다른 모습

② 자기가 고른 기사가 다음 중 어떤 분야에 속하는지 생각해 봅시다.

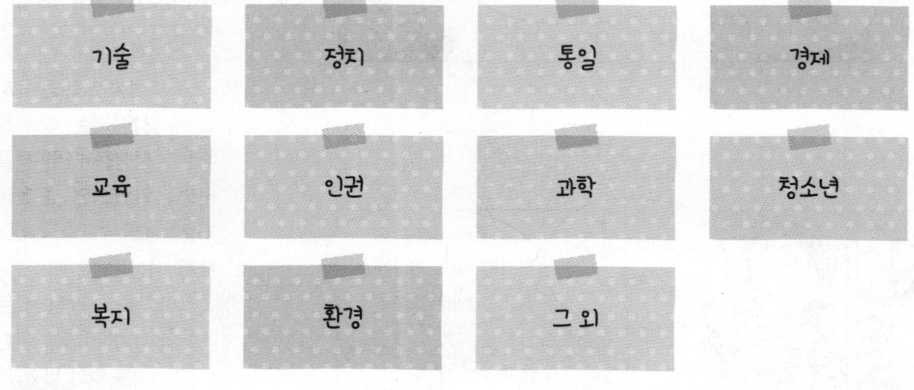

예시 답 그 외: 언어

③ 관심 분야가 같은 친구들끼리 모여 모둠의 주제를 정해 봅시다.

예시 답 악성 댓글로 인한 사회적 문제점

사전 활동 5 모둠 구성하기

➜ 관심 분야가 같은 친구들끼리 모둠을 구성한다.

사전 활동 5 ① 관심 있는 기사 고르기

➜ 근래에 본 뉴스 중에 관심이 있는 기사를 골라 본다. 기사화되지 않았더라도 일상적으로 부딪히게 되는 문제들 중에서 관심 있는 기사를 골라도 좋다.

사전 활동 5 ② 관심 분야 찾기

➜ 내가 찾은 기사 중 가장 큰 비중을 차지하는 기사들이 교과서에 제시된 영역 중 어디에 속하는지 찾아본다. 만약 교과서에 제시된 분야에 속하지 않는다면 '그 외' 옆에 적어본다.

사전 활동 5 ③ 모둠을 구성하여 모둠의 주제 정하기

➜ 관심 분야가 같아도 세부적 관심사는 다를 수 있다. 조금씩 양보하여 주제를 정하도록 한다.

2. 모둠 친구들과 함께 책 읽기 활동을 계획해 봅시다.

1 1에서 정한 주제와 관련하여 읽고 싶은 책을 찾아본 후, 도서 목록을 작성해 봅시다.

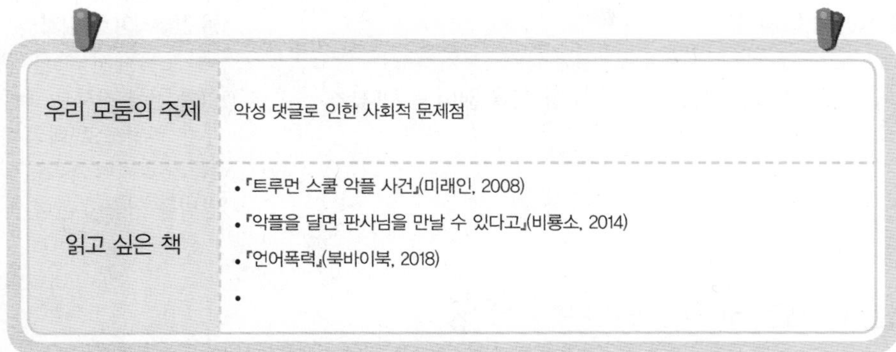

우리 모둠의 주제	악성 댓글로 인한 사회적 문제점
읽고 싶은 책	•『트루먼 스쿨 악플 사건』(미래인, 2008) •『악플을 달면 판사님을 만날 수 있다고』(비룡소, 2014) •『언어폭력』(북바이북, 2018) •

2 모둠 친구들과 의논하여 이번 학기에 모둠에서 읽을 책을 선정해 봅시다.

모둠에서 함께 읽을 책	『트루먼 스쿨 악플 사건』(미래인, 2008)
이 책을 고른 까닭	**주제가 우리 모둠에서 정한 주제와 관련이 있고, 그러한 내용을 소설로 풀어내어 누구나 공감하면서 읽을 수 있을 것이라고 보았기 때문이다.**

사전 활동 6 모둠이 함께 읽을 책 선정하기

➜ 관심 분야가 같은 친구들끼리 모둠을 구성하여 모둠이 함께 읽을 책을 의논하여 선정한다.

사전 활동 6 ① 주제와 관련한 도서 목록 작성하기

➜ 관심 모둠에서 선정한 주제와 관련하여 개인별로 읽고 싶은 책을 선정한다. 도서관에 가서 찾거나 인터넷 서점, 도서관 누리집에 접속하여 읽고 싶은 책을 찾고 이를 도서 목록에 작성한다.

사전 활동 6 ② 모둠에서 읽을 책 선정하기

➜ 개인별로 준비해 온 도서 목록을 바탕으로 모둠에서 함께 읽고 싶은 책을 고른다.

보충 자료

북 매치(BOOKMATCH)의 책 선정 요소와 선정 기준

요소	기준
책의 길이	예 • 읽을 만한 수준의 책 길이인가? • 분량이 적절한가?
언어의 친숙성	예 • 아무 쪽이나 펴서 크게 읽어 보아라. • 자연스럽게 읽을 수 있는가?
글의 구조	예 챕터(chapter)의 길이가 긴가 혹은 짧은가?
책에 대한 선행 지식	예 • 제목을 읽고, 겉표지를 보거나 책 뒤의 요약문을 읽어라. • 책의 주제, 필자, 삽화에 대해 내가 이미 알고 있는가?
다룰 만한 텍스트	예 읽고 있는 부분을 이해할 수 있는가?
장르에 대한 관심	예 좋아할 만한 책의 장르나 글의 유형인가?
주제 적합성	예 이 책의 주제가 편안한가?
연관	예 나와 이 책의 내용을 연관 지을 수 있는가?
높은 흥미	예 • 이 책의 주제에 관하여 흥미가 있는가? • 이 책을 다른 사람이 추천하였는가?

3 책 누리기

책을 읽고 매시간 독서 일지를 작성해 봅시다.

1. 책에서 말하고자 하는 사회 문제가 무엇인지 핵심 내용을 간추리며 책을 읽어 봅시다.

지리 선생님과 함께하는 우리나라 도시 여행

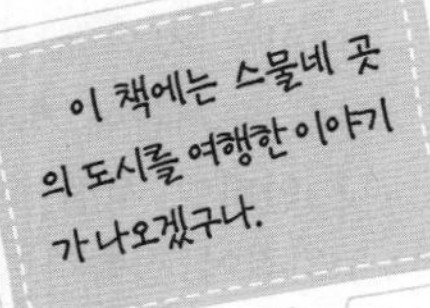

안녕하세요? 여러분과 함께 여행을 떠날 지리 선생님입니다.

이제부터 우리나라의 도시 스물네 곳을 둘러보려고 해요. 높은 빌딩이 많은 대도시에도 가고, 자연에 둘러싸인 작은 도시도 여행할 겁니다. 그런데 잠깐, 출발하기 전에 알아 둘 것들이 있습니다. 바로 두 가지, '여행'과 '도시'에 대해서예요. 우리가 '도시 여행'을 하려고 하기 때문이지요.

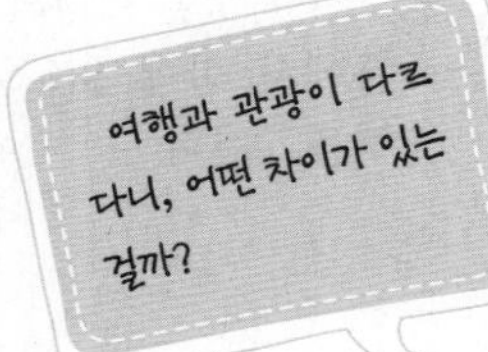

우선 '여행'에 대해 이야기해 볼게요. 우리가 하려는 건 관광이 아니라 여행입니다. 관광이나 여행이나 그게 그거 아니냐고요? 여행사를 통해서 단체 관광을 가니까 말이죠. 그런데 배낭 '여행'이라고는 말해도 배낭 '관광'이라는 말은 안 쓰지요? 여행과 관광은 서로 좀 다릅니다.

관광은 '보고 즐긴다'라는 의미가 강해요. 다른 지역에 가서 경치나 풍속 등을 구경하고 즐기는 거죠. 관광은 산업화에 따라 생겨났다고 합니다. 19세기에 산업화가 진전되면서 그전에 비해 일하는 시간과 여가 시간이 뚜렷이 구분되었지요. 힘들게 일하고 난 뒤에는 뭔가 즐길 것이 필요했는데, 그중에 여행이 꽤 인기 있었대요. 이런 점에 착안해 그즈음 토머스 쿡이라는 영국인이 여행사를 만들고 값싼 표로 단체 관광을 조직했습니다. 그 결과 크게 성공했고요.

독서 활동 1 ① 핵심 내용을 간추리며 글 읽기

➜ 모둠에서 고른 책을 읽기 전에 제시된 책의 일부를 바탕으로 핵심 내용을 간추리며 글을 읽는 방법을 연습해 본다.

제재 탐구

제시된 책에서는 서울, 인천, 강화, 파주, 남양주, 춘천, 태백, 정선, 강릉, 세종, 논산, 보령, 제천, 군산, 김제, 진도, 순천, 구례, 문경, 밀양, 포항, 부산, 제주시, 서귀포시 총 24개 도시를 현역 지리교사들이 직접 답사하며 해당 도시의 공간적 속성과 역사적 변천사, 그리고 그 과정에서 형성된 지역 특유의 문화까지 상세하게 설명하고 있다.

보충 자료

핵심 내용을 간추리며 읽는 방법

중요 정보 찾기
↓
핵심어와 중심 문장을 찾아 밑줄 긋기
↓
중요 정보 연관 짓기
↓
구조도 작성하기
↓
글 전체 내용 요약하기

관광은 이때부터 대중 사업으로 발전합니다. 관광객들은 여행사에서 정한 일정에 맞춰 수동적으로 참여하고 관광지에서 돈을 쓰게끔 되었지요. 그렇게 관광지는 관광객들이 소비하는 대상이 되었고, 그곳에 사는 사람들은 고유문화를 침해받거나 환경이 파괴되는 등 해를 입기 일쑤였습니다. 이런 현상은 지금도 마찬가지여서, 뉴스에 종종 '단체 관광객들로 몸살을 앓는' 지역이 나오지요.

그렇다면 여행은 어떨까요? 여행을 뜻하는 영어 단어인 '트래블(travel)'의 어원에는 '고통, 고난'이라는 뜻이 있다고 해요. 옛날에는 다른 곳으로 옮겨 가는 것이 퍽 힘든 일이었어요. 살기 위해, 종교 순례를 위해, 또는 자연과 자신의 한계에 맞서기 위해 이동했으니까요. 그래서 여행에는 생존, 자기 성찰, 순례, 도전 등의 가치가 들어 있습니다. 관광객과 달리 여행자는 자기 의지에 따라 능동적으로 움직이겠지요? 또 여행하면서 관계를 만들고, 다른 사회와 문화를 존중하고 배워 나갑니다.

글쓴이는 다른 지역을 여행할 때, 공정 여행을 해야 한다는 생각을 지니고 있구나.

이 책에서 우리는 바로 이런 여행을 하려 합니다. 더 구체적으로 말하자면 '공정 여행'이에요. 공정 여행은 앞서 말한 관광 산업을 비판하면서 시작되었어요. 내가 행복한 결과로 다른 사람들이, 혹은 지구가 불행해지는 건 옳지 않다는 것이죠. 우리가 어떤 지역을 찾아가 즐거움을 누렸다면, 그곳에 사는 사람들도 행복해지는 게 바람직하지 않을까요? 적어도 해를 입지는 말아야겠죠. 관광업자와 거대 기업들은 돈을 버는데 현지인들은 살기 힘들다면, 올바른 일이 아닐 거예요.

독서 활동 1 ② 저자의 의도 파악하며 읽기

➜ 이번 학기 독서의 목적이 사회적 쟁점과 관련된 책을 읽고 친구들과 의견을 교환하여 문제 해결력을 키우는 데 있으므로 우선 책에서 말하는 핵심 정보와 저자의 의도를 파악하는 것이 매우 중요하다. 따라서 책을 읽으면서 핵심 정보나 저자의 의도가 드러난 부분에 밑줄을 긋고 자기 생각을 메모하면서 읽도록 한다.

보충 자료

저자에게 질문하기 전략

글이 지닌 의미에 대해 능동적으로 탐색할 수 있게 하는 질문 전략이다.

[질문의 예]

- 저자가 말하려는 것은 무엇인가?
- 저자가 전달하려는 메시지는 무엇인가?
- 저자가 여기에서 의도하는 것은 무엇인가?
- 저자는 명확하게 설명하고 있는가?
- 저자는 우리에게 이유를 이야기하고 있는가?
- 저자는 왜 지금 우리에게 말하고 있다고 생각하는가?

공정 여행은 다른 사회와 문화를 존중하는 여행을 말하는 거야.

몇 년 전부터 '벽화 마을'이 인기를 끌고 있습니다. 그런데 정작 벽화 마을 주민들은 괴로운 경우가 많다고 해요. 시도 때도 없이 관광객이 몰려와 소란을 피우거나 불쑥 대문을 열고 들여다보곤 해서 스트레스를 받는 거예요. 어떤 관광객들은 주민들의 생활 환경을 무시하기도 하고 쓰레기를 마구 버리기도 하지요. 또 장사가 잘되다 보니 상가 건물 주인들이 임대료를 지나치게 올려서, 오랫동안 터를 잡고 장사하던 사람들이 동네를 떠나야 하는 경우도 많고요.

공정 여행은 이런 일에 반대합니다. 현지 사람들과 그곳을 방문한 사람들이 함께 행복한 여행을 추구하지요. 앞서 살펴본 여행의 본래 의미, 그러니까 관계를 맺고 다른 사회와 문화를 존중한다는 뜻을 제대로 살린 여행이 곧 공정 여행인 셈입니다. [중략]

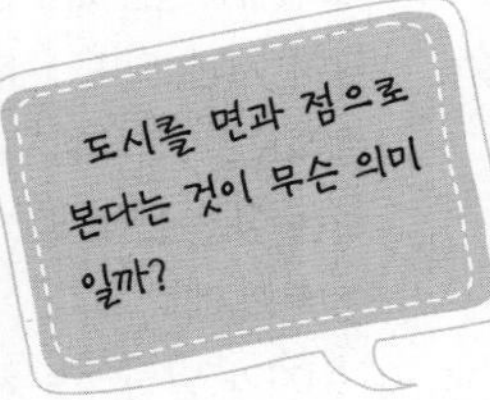

다음으로 '도시'에 대해 알아볼까요? 도시는 우선 인구 밀도가 높은 곳이에요. 그리고 1차 산업(농업, 임업, 수산업) 비율이 낮고 2차, 3차 산업(제조업, 건설업, 상업 등) 비율이 높지요. 도시는 주변 지역에 재화와 용역을 제공하는 중심지 역할을 해요. 도시라고 할 때 가장 중요한 건 인구이므로, 아주 간단히 말해서 도시는 사람이 많이 모여 사는 곳이라고 할 수 있습니다.

여행이 무엇인지, 도시가 어떤 곳인지 감이 좀 잡혔나요? 그럼 도시 여행은 어떻게 하는 게 좋을까요? 일단 도시를 면으로 볼 것인가, 점으로 볼 것인가, 하는

보충 자료

글 전체의 독해를 돕는 방법

- 불분명한 부분, 중요 부분에 밑줄을 긋거나 메모하며 읽는다.
- 지식·경험, 문맥, 단서 등을 활용하여 생략된 내용을 추론한다.
- 문장과 문장, 문단과 문단의 연결 관계를 파악한다.
- 내용의 전개에 따라 유사한 것끼리 묶는다.
- 문단 또는 소제목별로 주요 내용을 간추린다.
- 문단의 중심 내용을 바탕으로 글 전체 내용을 요약한다.
- 긴 글은 중간중간에 앞부분을 돌아보며 내용을 정리한다.
- 글쓴이의 의도와 독서 목적, 독서의 맥락 등을 고려하여 글의 주제를 파악한다.
- 글이 지니는 개인적, 사회적, 역사적 의의를 탐색한다.
- 여러 사람의 요약이나 비평을 비교한다.

문제가 있어요. 면으로 본다는 것은 도시 내부가 어떻게 나뉘고 어떤 기능을 하며 그 속에서 사람들은 어떻게 살아가는지 살피는 것입니다. 점으로 본다는 것은 다른 도시와 맺는 관계를 중시해서 보는 것이고요. 이 책에서는 도시 스물네 곳을 점과 면의 시점에서 고르게 들여다볼까 합니다.

> 머리글을 통해 이 책의 내용을 추측해 볼 수 있겠어. 이 책은 '도시 재생'을 주된 내용으로 하고 있구나.

도시는 마치 생물 같아서 태어나고 자라고 쇠퇴하다 죽기도 해요. 그렇게 변하다 보면 그 안에서 살아가는 사람들에게도 깊은 영향을 미칩니다. 우리는 이번 여행 내내 '도시 재생'이라는 주제를 갖고 갈 거예요. 도시 재생이란 도시를 되살린다는 뜻입니다. 쇠퇴한 지역의 환경과 경제, 사회, 문화를 좋게 만들어 가는 거죠. 그래서 도시와 시민의 삶까지 나아지도록 만들지요. 이 과정을 도시 재생이라고 합니다. 반면에 흔히 말하는 '재개발'은 지역 주민이 소외되거나 심지어 쫓겨나기까지 하는 경우가 있어서, 도시 재생과는 달라요.

실제로 이 책에 나오는 많은 도시에서 도시 재생이 이루어지고 있어요. 재생에 성공한 곳도 있고 아직 목표에 이르지 못한 곳도 있지만, 그 중심에는 '사람'이 있고 '행복한 삶'을 향한 의지가 있답니다. 공동체와 지역 주민이 중심이 되는 도시 재생, 그 현장을 목격하는 것 역시 이 책의 중요한 목표입니다.

> 이 책에 제시된 도시를 책으로 여행하면서 도시 재생의 의미를 되새겨 봐야겠어.

자, 이제 여행을 떠날 준비는 끝났습니다. 모두에게 즐겁고 의미 있는 여행이 되기를 바라면서, 출발해 볼까요?

– 전국지리교사모임, 『지리 선생님과 함께하는 우리나라 도시 여행』

독서 활동 1 ③ 제시 글에 담긴 핵심 쟁점 파악하기

➜ 제시 글은 우리나라 대표 도시 24곳의 지리와 역사, 문화를 친절하고 재미있게 소개해 주는 책의 머리글이다. 책의 머리글에는 저자의 의도와 관점, 생각이 집약적으로 담겨 있다. 머리글을 통해 이 글이 도시 재생에 대한 저자의 생각을 담고 있다는 것을 알 수 있는데 이를 통해 논의하고자 하는 것이 무엇인지 파악해 본다.

보충 자료

젠트리피케이션

중산층 이상의 계층이 비교적 빈곤 계층이 많이 사는 정체 지역에 진입해 낙후된 구도심 지역에 활기를 불어넣으면서 기존의 저소득층 주민을 몰아내는 현상을 이르는 말이다. 1964년 영국 사회학자 루스 글래스가 런던 도심의 황폐한 노동자들의 거주지에 중산층이 이주를 해오면서 지역 전체의 구성과 성격이 변하자 이를 설명하면서 처음 사용한 말이다. '신사 계급, 상류 사회, 신사 사회의 사람들'을 뜻하는 gentry와 화(化)를 의미하는 fication의 합성어다.

2. 책을 읽으면서 정리한 내용을 토대로 매시간 독서 일지를 작성해 봅시다.

예시

독서 일지

읽은 날짜	책 제목	작가	읽은 쪽수
20○○. ○. ○	지리 선생님과 함께하는 우리나라 도시 여행		4 ~ 8 쪽

책을 읽으며 메모한 내용	
중요한 내용	• 머리글 → 이 책의 집필 방향을 알려 줌! • 공정 여행: 현지 사람들과 관광객이 모두 즐거운 여행 • 도시 재생: 공동체와 지역 주민이 중심이 되어야 함. → 이 책의 목표는 도시를 여행하며 공동체와 지역 주민이 중심이 되는 도시 재생을 목격하게 하는 것임.
기억에 남는 부분	• 도시는 유기체와 같음. 태어나 자라고 쇠퇴하다 죽기도 함. • 도시의 변화가 곧 사람들에게 큰 영향을 미침. → 내가 사는 도시의 변화가 나에게도 영향을 미치겠군!
읽으면서 떠오른 질문	• 공정 관광은 없나? • '관광'과 '여행'의 사전적 뜻이 다를까? • 관광객이 많아야 그 도시가 살아날 수 있는 거 아닐까?
핵심 단어나 구절	• 관광 대 여행 • 도시 • 도시 재생 • 스물네 곳의 도시 이야기

선생님의 의견
머리글을 통해 이 책에서 말하고자 하는 핵심 내용을 잘 파악하였구나. 흥미를 가지고 계속 읽어 보렴.

독서 활동 2 독서 일지 쓰기①

➜ 독서 일지는 책을 읽으면서 파악한 핵심 내용을 정리하기 위한 것이고, 또한 다양한 의견을 나누기 위해 자기 생각을 적는 장치이다.

독서 일지 작성 방법

• 중요한 내용: 글을 읽으면서 핵심이 되는 내용을 적는다. 책을 읽고 친구들과 나눔을 하기 위해서는 책에서 말하고자 하는 사회 문제와 그에 대한 저자의 입장을 정확하게 파악하는 것이 중요하다.
• 기억에 남는 부분: 책에서 인상적인 부분을 원문 그대로 옮겨 적거나 간략하게 요약한 후 그에 대한 나의 생각을 적어 놓으면 좋다.
• 읽으면서 떠오른 질문: 글을 읽으면서 의문이 나는 부분이나 선뜻 동의하기 어려운 부분을 적어 놓는다. 질문에 대한 해답을 천천히 찾아보는 과정에서 사고력을 기를 수 있다.
• 제시된 항목을 바탕으로 기록하되 책에서 말하는 핵심 쟁점을 키워드나 구절로 정리해 두면 나중에 그 문제에 관한 나눔을 할 때 쟁점을 초점화하여 접근할 수 있다.

예시 답

독서 일지

읽은 날짜	책 제목	작가	읽은 쪽수
20○○. ○. ○	트루먼 스쿨 악플 사건	도리 힐레스타드 버틀러	133~195

책을 읽으며 메모한 내용	
중요한 내용	• 릴리의 가출: '트루먼의 진실'에 계속해서 자신을 비방하는 익명의 글이 올라오고 '안티 릴리 카페'까지 개설되어 사실이 아닌 내용까지 친구들이 믿으며 자신을 멀리하자 릴리는 꾀병을 부리며 학교에 결석을 하지만, 이를 엄마에게 들켜 학교를 갈 수밖에 없게 되자 결국 가출까지 하게 됨. • 제이비와 엄마의 갈등: 학생들의 표현의 자유를 막을 수는 없다는 제이비의 입장과 운영자로서 책임감을 지니지 않는다면 사이트 운영 자격이 없다는 엄마의 갈등 • 종교 때문에 왕따를 당해 왔던 아무르의 생각: 많은 어른들이 컴퓨터 때문에 발생하는 모든 일을 비난하고 있지만, 학생들은 컴퓨터가 발명되기 훨씬 오래전부터 서로에게 괴롭힘을 당해 왔다. 그러니까 컴퓨터만 탓해서는 안 된다. 학생들을 탓해야지.
기억에 남는 부분	• 중학교 생활에 대해 뭔가 의미 있고 활기찬 기사를 자유롭게 싣고 싶어 사이트를 만들었던 제이비가 악플 사건 이후 '사람들은 누구나 비열해질 수 있습니다.'라는 글을 마지막으로 올리며 사이트를 폐쇄하는 장면 • 악플 사건 이후 사이트 운영자로서 책임감을 깨달은 제이비가 나쁜 글이나 허위 사실의 글은 삭제하기로 하고 다시 사이트를 개설하는 장면
읽으면서 떠오른 질문	• 악성 댓글과 관련된 법에는 어떤 것들이 있을까? • 은행 통장 실명제처럼 인터넷도 실명제를 하는 건 어떨까? • 악성 댓글을 막는 방법에는 무엇이 있을까?
핵심 단어나 구절	• 인신공격, 악성 댓글, 언어폭력 • 사이버 폭력은 왜 나쁜가? • 기술의 발달은 사람들이 새로운 방식으로 서로를 공격하게 만들고 있다.

선생님의 의견
생략

독서 활동 2 독서 일지 쓰기②

➜ 이번 독서 시간에는 사회 문제와 관련된 책을 읽고, 그 내용을 정리하는 것이 독서 일지를 작성하는 목적이므로 책에 담긴 중요 내용을 독서 일지에 정리하면서 이에 대한 자기 생각도 함께 기록하여 문제 해결력을 키울 수 있도록 한다.

『트루먼 스쿨 악플 사건』

트루먼 중학교 교내 신문부 부장을 맡고 있던 제이비는 획일적인 학교 교육 과정과 선생님들에 불만을 품고, 친구인 아무르와 함께 '트루먼의 진실'이란 웹사이트를 만들어 운영한다. 그러던 어느 날, 이 웹사이트에 익명으로 누군가가 교내 인기 여학생인 릴리를 비방하는 사진과 글을 올린다. 이후 정체 모를 악플의 영향은 일파만파 번져 릴리는 점점 친구들한테 왕따를 당하고 결국 그 충격을 견디지 못해 가출을 하면서 학교가 발칵 뒤집힌다. 처음에 악플을 단 진짜 범인이 누구인지를 추적하는 과정으로 이루어진 이 소설은 일상생활에서 실제 말로써 행하는 언어폭력뿐만 아니라 인터넷상에서 일어나는 언어폭력도 인간에게 큰 상처를 준다는 사실을 깨달아 가는 아이들의 모습을 보여 준다.

4 책 나누기

책을 읽고 난 후 독서 신문을 만드는 활동을 해 봅시다.

1. 모둠에서 읽은 책에 대해 자유롭게 의견을 나누고 이를 모둠 토의록에 정리해 봅시다.

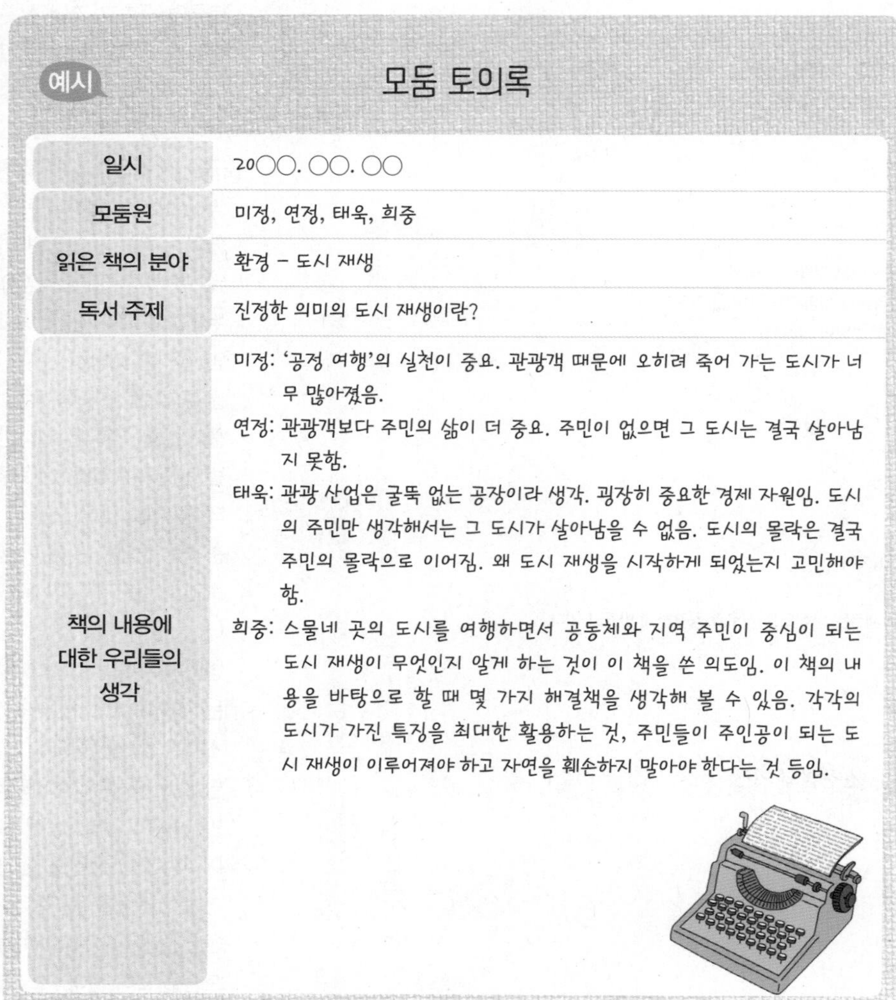

예시

모둠 토의록

일시	20○○. ○○. ○○
모둠원	미정, 연정, 태욱, 희중
읽은 책의 분야	환경 – 도시 재생
독서 주제	진정한 의미의 도시 재생이란?
책의 내용에 대한 우리들의 생각	미정: '공정 여행'의 실천이 중요. 관광객 때문에 오히려 죽어 가는 도시가 너무 많아졌음. 연정: 관광객보다 주민의 삶이 더 중요. 주민이 없으면 그 도시는 결국 살아남지 못함. 태욱: 관광 산업은 굴뚝 없는 공장이라 생각. 굉장히 중요한 경제 자원임. 도시의 주민만 생각해서는 그 도시가 살아남을 수 없음. 도시의 몰락은 결국 주민의 몰락으로 이어짐. 왜 도시 재생을 시작하게 되었는지 고민해야 함. 희중: 스물네 곳의 도시를 여행하면서 공동체와 지역 주민이 중심이 되는 도시 재생이 무엇인지 알게 하는 것이 이 책을 쓴 의도임. 이 책의 내용을 바탕으로 할 때 몇 가지 해결책을 생각해 볼 수 있음. 각각의 도시가 가진 특징을 최대한 활용하는 것, 주민들이 주인공이 되는 도시 재생이 이루어져야 하고 자연을 훼손하지 말아야 한다는 것 등임.

독서 후 활동 1 모둠 토의록 작성하기 ①

➜ 이번 학기 독후 활동은 사회적 쟁점이 있는 책을 모둠이 함께 읽고 토의 후 독서 신문 만드는 것이다.

독서 신문 만들기에 앞서 책의 내용에 관하여 모둠별로 토의를 한 후 그 내용을 토의록에 정리한다. 모둠 토의록에 기록된 모둠원들의 의견은 모둠 독서 신문을 만드는 데 기초 자료로 활용할 수 있으며 다양한 의견을 듣고 정리하는 과정에서 사회 문제에 대한 해결책을 찾는 능력을 기를 수 있다.

독서 토의의 진행 과정

도입	• 사회자의 진행 • 책의 주요 내용이나 글쓴이, 글이 실린 매체 등 기본 정보를 공유함.
전개	• 각자 준비한 발제 발표 • 사회자의 발제 정리 • 의견 교환 및 토의록 정리
정리	• 사회자가 발제 의견들을 정리하여 발표하고 더 이상 의견이 없는지 확인함. • 독서 토의에 대한 자기 평가 및 상호 평가

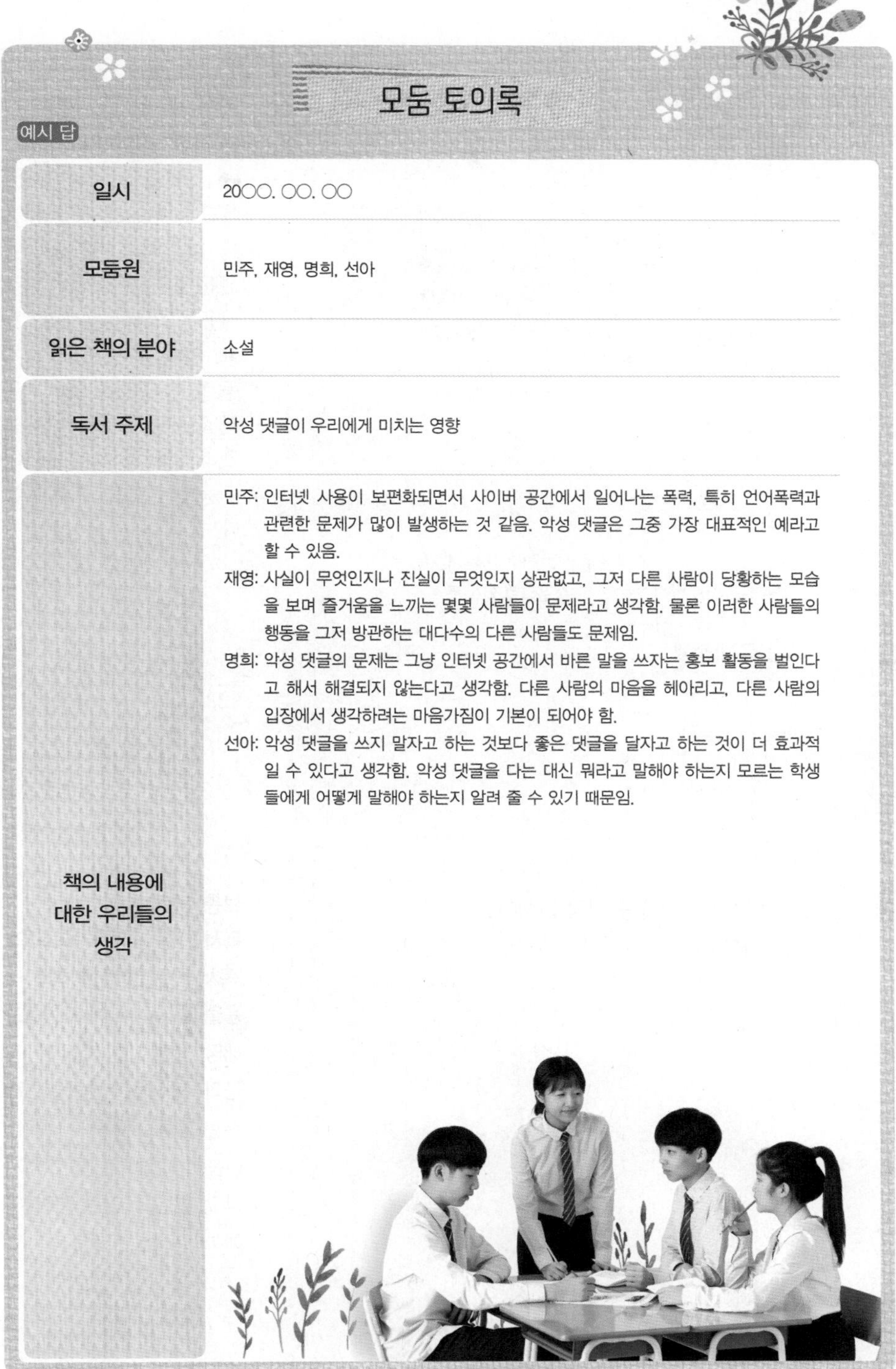

모둠 토의록

예시 답

일시	20○○. ○○. ○○
모둠원	민주, 재영, 명희, 선아
읽은 책의 분야	소설
독서 주제	악성 댓글이 우리에게 미치는 영향
책의 내용에 대한 우리들의 생각	민주: 인터넷 사용이 보편화되면서 사이버 공간에서 일어나는 폭력, 특히 언어폭력과 관련한 문제가 많이 발생하는 것 같음. 악성 댓글은 그중 가장 대표적인 예라고 할 수 있음. 재영: 사실이 무엇인지나 진실이 무엇인지 상관없고, 그저 다른 사람이 당황하는 모습을 보며 즐거움을 느끼는 몇몇 사람들이 문제라고 생각함. 물론 이러한 사람들의 행동을 그저 방관하는 대다수의 다른 사람들도 문제임. 명희: 악성 댓글의 문제는 그냥 인터넷 공간에서 바른 말을 쓰자는 홍보 활동을 벌인다고 해서 해결되지 않는다고 생각함. 다른 사람의 마음을 헤아리고, 다른 사람의 입장에서 생각하려는 마음가짐이 기본이 되어야 함. 선아: 악성 댓글을 쓰지 말자고 하는 것보다 좋은 댓글을 달자고 하는 것이 더 효과적일 수 있다고 생각함. 악성 댓글을 다는 대신 뭐라고 말해야 하는지 모르는 학생들에게 어떻게 말해야 하는지 알려 줄 수 있기 때문임.

독서 후 활동 1 모듬 토의록 작성하기 ②

➜ 책을 읽고 난 후 자유롭게 토의해 보는 활동을 통해 책의 내용을 얼마나 제대로 이해했는지를 확인해 볼 수 있다.
책 내용을 더욱 폭넓게 이해할 수 있도록 적극적으로 토의 활동에 참여하도록 하고 모둠원들끼리 나눈 다양한 의견을 예시처럼 실제 토의록에 기록해 둔다.

보충 자료

『독서 토의와 상호 텍스트성』

소모둠 독서 토의는 자신이 가지고 있는 하나의 배경지식을 바탕으로 하여 상대방이 가지고 있는 다른 하나를 통해 더 깊고 넓고 새로운 지식·정보를 만들어 가는 상호 교섭(transaction)의 과정이라고 볼 수 있다. 알마시(Almasi)는 학생 주도의 모둠 독서에서 일어나는 이러한 교섭 작용이란 결국 의미가 텍스트에 있는 것이 아니라, 텍스트를 통한 독자들의 상호 작용에 있다는 것을 보여 준다고 설명한다.

2. 1에서 나눈 의견을 토대로 독서 신문을 만들어 봅시다.

1 모둠별로 독서 신문에 넣을 내용을 골라 보고, 역할을 분담하여 독서 신문에 들어갈 각 부분을 완성해 봅시다.

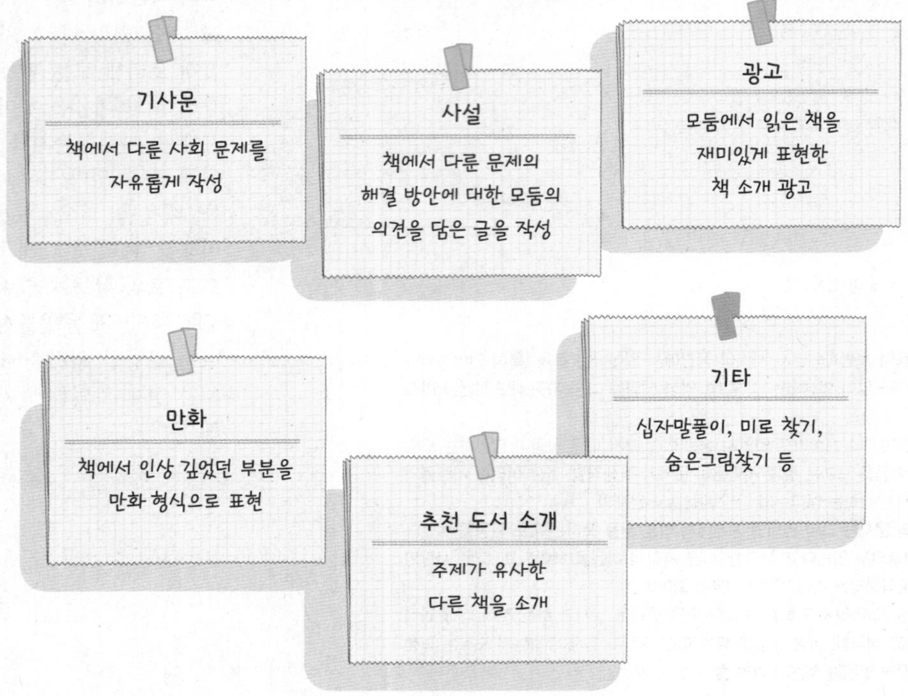

2 각자 만들어 온 내용을 신문에 어떻게 배치할지 판면을 구성해 봅시다.

예시 답

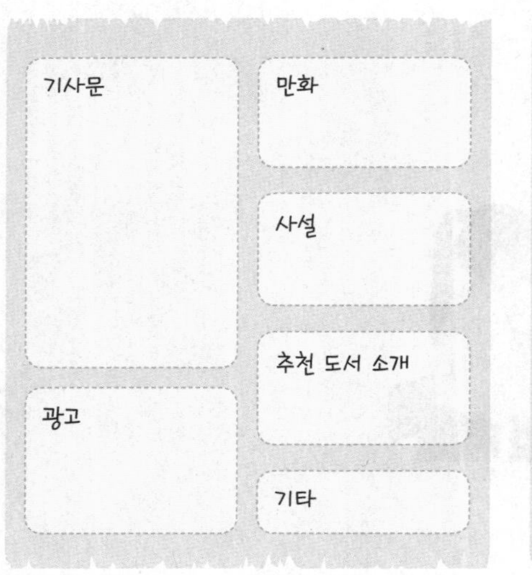

보충 자료

판면(版面)

인쇄판의 글씨나 그림이 드러난 면. 조판에 의하여 형성되는 글자 면을 말한다. 활자 조판을 할 때 인쇄물의 판형에서 주위의 여백을 뺀 본문이나 제목의 활자 등이 인쇄되는 부분이다.

독서 후 활동 2 독서 신문 판면 구성하기

➜ 1의 활동을 바탕으로 독서 신문에 들어갈 내용을 마련하는 활동이다. 신문에 들어갈 수 있는 내용은 기사문, 사설, 광고, 만화, 추천 도서 소개 등 다양하므로 이 중 독서 신문에 들어갈 내용을 골라 완성한 후 모둠 친구들과 판면을 구성해 본다.

보충 자료

독서 신문 제작하기의 의의

'독서 신문'은 읽은 책의 내용을 현장감 있게 표현하고 해당 책에 대한 다양한 접근과 해석을 가능하게 해 주는 활동으로 책의 내용을 단순히 해석하는 데 그치지 않고 현실과 연관 지어 이해하도록 돕는다.

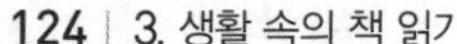

3. 2에 따라 독서 신문을 완성해 봅시다.

예시

독서 후 활동 3 독서 신문 완성하기

➜ 2에서 논의한 판면 구성에 따라 신문 편집 형식에 맞춰 기사를 직접 배치하여 신문을 완성한다. 판면 배치를 논의할 때 전체적인 기사 내용을 조율하고 편집하는 데 각기 필요한 역할이 있으므로 미리 역할을 분담하여 진행한다.

보충 자료

독서 신문에 들어갈 수 있는 내용

• 작가나 인물 소개
• 책과 관련한 추천 도서 소개 및 서평
• 책 내용과 관련한 공익 광고
• 작가나 등장인물, 독자 등을 인터뷰한 내용
• 책 내용을 활용한 퀴즈나 만화
• 책 내용과 관련하여 더 알고 싶은 내용
• 책 속의 사건이나 사회 현상 등에 대한 의견이나 칼럼 등 다양함.

4. 모둠별로 만든 독서 신문을 교실 뒤편에 전시해 봅시다.

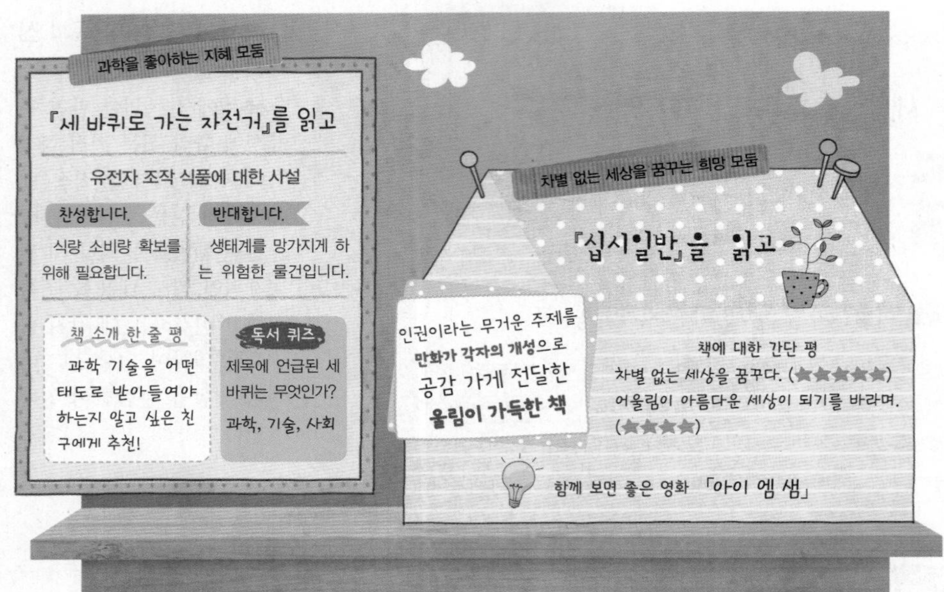

독서 후 활동 4 독서 신문 전시하기

➜ 완성된 독서 신문을 교실 게시판이나 벽면을 활용해 전시한다. 컴퓨터를 활용해 독서 신문을 완성한 경우에는 인터넷 주소를 친구들과 공유해서 다른 모둠의 독서 신문도 읽어볼 수 있도록 한다.

5. 다른 모둠의 독서 신문 중 하나를 골라 독자 의견을 보내 봅시다.

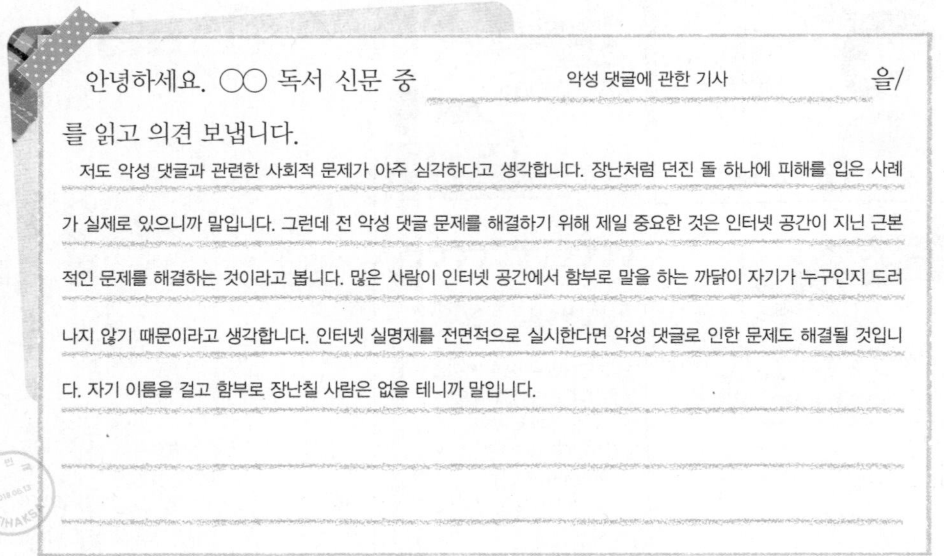

안녕하세요. ◯◯ 독서 신문 중 악성 댓글에 관한 기사 을/를 읽고 의견 보냅니다.

저도 악성 댓글과 관련한 사회적 문제가 아주 심각하다고 생각합니다. 장난처럼 던진 돌 하나에 피해를 입은 사례가 실제로 있으니까 말입니다. 그런데 전 악성 댓글 문제를 해결하기 위해 제일 중요한 것은 인터넷 공간이 지닌 근본적인 문제를 해결하는 것이라고 봅니다. 많은 사람이 인터넷 공간에서 함부로 말을 하는 까닭이 자기가 누구인지 드러나지 않기 때문이라고 생각합니다. 인터넷 실명제를 전면적으로 실시한다면 악성 댓글로 인한 문제도 해결될 것입니다. 자기 이름을 걸고 함부로 장난칠 사람은 없을 테니까 말입니다.

독서 후 활동 5 독자 의견 보내기

➜ 읽기에서 쓰기로, 다시 읽기와 쓰기로 한 권 책읽기 독서 활동이 순환적이며 연쇄적 특성을 지닐 수 있도록 구성된 활동이다. 다른 모둠과 독서 신문을 공유하고 새로운 의견을 덧붙이는 과정에서 책에 대한 더욱 깊이 있는 이해가 이루어질 수 있도록 한다.

보충 자료

세 바퀴로 가는 과학자전거

현대과학기술의 실마리와 실천을 담은 『세 바퀴로 가는 과학자전거』. 이 책은 과학 전문 기자인 저자가 2004년부터 2005년까지 한국과학문화재단에서 내는 인터넷 매체 「사이언스타임스」에 연재했던 내용들을 다듬어 엮은 것이다.

『세 바퀴로 가는 과학자전거』는 일상생활에서 친숙하게 사용하는 제품들을 통해 과학 기술이 어떤 과정을 통해 오늘과 같은 모습을 띠게 됐는지 설명하고 오늘날 과학기술이 해결해야 할 문제들을 소개한다. 또한 수많은 과학기술문제를 해결하기 위한 방안도 제시한다.

6. 아래 기준에 따라 독서 신문 만들기 활동을 평가해 봅시다.

평가 기준	평가
❶ 독서 신문을 만들기 전에 책의 내용에 대해 충분히 의견을 나누었나요?	☆☆☆☆☆
❷ 각자의 역할에 따라 독서 신문에 담길 내용을 열심히 작성하였나요?	☆☆☆☆☆
❸ 모둠원끼리 의논하여 구성한 판면에 맞춰 그 내용을 바르게 배치하여 독서 신문을 완성하였나요?	☆☆☆☆☆
❹ 다른 모둠의 독서 신문도 꼼꼼히 살펴보고 독자 의견을 보냈나요?	☆☆☆☆☆

7. 이번 학기 독서 활동을 통해 새롭게 깨닫게 된 것이 있다면 무엇인지 친구들과 서로 이야기를 나누어 봅시다. 예시 답 생략

독서 후 활동 7 독서의 가치 깨닫기

➜ 이번 학기 독서 활동을 되돌아보며 서로 이야기 나눠 보는 활동이다. 이러한 활동을 수행하면서 읽기의 가치와 중요성을 이해하고 읽기를 생활화하도록 하자.

보충 자료

다양한 독후 활동

• 독서 퀴즈 내기

학생 스스로 독서 퀴즈를 만들고 그에 따른 문제를 풀게 하는 것은 주체성 있는 독후 활동이 가능하게 함. 독서 후 책에 나왔던 낱말을 사용하여 퍼즐을 만들어 보거나 책에 나오는 구절의 의미를 묻는 문제, 인물의 말을 제시하고 누가 한 말인지를 맞히는 문제, 책에 나온 지명을 묻는 문제 등 다양한 문제를 낼 수 있음.

• 책 광고하기

책 광고 만들기나, 책을 선택하도록 만드는, 일종의 광고 성격을 띠는 표지 그리기 활동은 흥미로운 독서 후 활동임. 책을 읽고 나서 그 책을 읽어 보지 못한 친구와 그 책에 흥미를 느끼지 못하는 친구의 마음을 끌 수 있는 광고를 만들어 보거나 책을 광고하는 문구나 짧은 글을 넣어 책 표지를 꾸미면 책에 관한 흥미가 높아지게 됨.

함께 만드는 의미

(1) 듣고 말하며 나누기

(2) 흑설 공주

대단원 학습 목표

듣기·말하기 듣기와 말하기는 의미 공유의 과정임을 이해하고, 듣고 말할 수 있다.
문학 재구성된 작품을 원작과 비교하고, 변화 양상을 파악하며 감상할 수 있다.

• 정답과 해설 p.21

(1) 듣고 말하며 나누기

듣기와 말하기는 의미 공유의 과정임을 이해하고, 듣고 말할 수 있다.

- 「아들과 함께 걷는 길」에 나타난 의미 공유의 과정 이해하기
- 「세상의 모든 어버이께」를 학습하며 의미를 공유하는 듣기·말하기의 다양한 방식 이해하기

듣기와 말하기: 말하는 이와 듣는 이가 함께 의미를 만들어 가는 과정
「아들과 함께 걷는 길」: 아버지와 아들의 생각이 대화를 통해 공유되는 과정을 잘 보여 주는 글
「세상의 모든 어버이께」: 10대 청소년이 국제회의인 유엔 환경 개발 회의에서 세계 여러 문제의 심각성을 알리고 해결을 촉구한 연설

아버지와 아들의 대화가 담긴 「아들과 함께 걷는 길」을 통해 대화가 의미 공유의 과정임을 이해하고, 연설문 「세상의 모든 어버이께」를 통해 듣기와 말하기가 의사를 전달하고 공통의 가치를 나누는 과정임을 생각해 보도록 한다.

듣기와 말하기는 의미를 공유하는 활동이며, 그 과정에서 감정과 생각이 변화해 나간다.

확인 문제

01 듣기와 말하기에 대한 설명으로 적절하지 않은 것은?

① 의미를 공유하는 과정이다.
② 대인 관계에서 중요한 활동이다.
③ 자신의 생각이 조정되기도 한다.
④ 듣기보다 말하기가 더 중요하다.
⑤ 서로 소통하고 이해하는 과정이다.

02 빈칸에 들어갈 알맞은 말을 쓰시오.

'듣기와 말하기는 말하는 사람과 듣는 사람이 서로 소통하여 함께 (　　　)을/를 만들어 가는 과정이다

(2) 흑설 공주

재구성된 작품을 원작과 비교하고, 변화 양상을 파악하며 감상할 수 있다.

- 「흑설 공주」를 읽고, 재구성된 작품과 원작 비교하기
- 「흑설 공주」를 읽고, 작품을 비판적·창조적으로 재구성하기

문학 작품의 재구성: 작품에 대한 비판적 이해를 바탕으로 새로운 생각과 느낌을 담는 창조적 과정
재구성된 작품의 감상 방법
– 원작과 비교하여 공통점과 변화된 부분을 함께 파악함.
– 글쓴이가 원작을 재구성한 의도를 생각하면서 감상함.
「흑설 공주」: 동화 「백설 공주」를 재구성하여 글쓴이가 아름다움에 관한 자기 생각을 드러낸 글

「흑설 공주」는 원작 「백설 공주」에 글쓴이의 상상과 새로운 가치를 더해 내용과 주제를 바꾸어 재구성한 작품이다. 두 작품의 비교를 통해 그 변화 양상을 파악하고 재구성된 작품에 담긴 글쓴이의 의도를 이해하도록 한다.

「흑설 공주」는 동화 「백설 공주」를 재구성하여 아름다움에 대한 글쓴이의 생각을 드러내고 있다.

확인 문제

03 재구성된 작품을 감상하는 방법으로 적절하지 않은 것은?

① 원작과 어떤 점이 달라졌는지 파악해 본다.
② 글쓴이가 원작을 재구성한 의도를 생각해 본다.
③ 원작의 주제가 어떻게 변형되었는지 파악해 본다.
④ 원작과의 공통점과 차이점이 무엇인지 파악해 본다.
⑤ 글쓴이와 원작 작가의 개인적 친밀도를 조사해 본다.

듣기와 말하기가 의미 공유 과정임을 이해하고 재구성된 작품을 감상하여 이를 나눔으로써 타인과 공감하고 함께하는 기쁨을 느낄 수 있을 거야.

듣고 말하며 나누기

• 생각 열기 다음 두 사람의 대화를 보고 이어지는 질문에 답해 봅시다.

대화를 나누기 전 경훈과 인주는 각각 어떤 생각을 가지고 있었을지 말해 봅시다. 예시 답 좋은 판단을 하기 위해서 경훈은 평소 생각을 많이 해야 한다고 생각했고, 인주는 책을 많이 읽어야 한다고 생각했다.

이와 같이 대화를 해 나가면서 자신의 말과 생각을 조정했던 경험을 말해 봅시다. 예시 답 나는 체력만 좋으면 운동을 잘할 수 있다고 생각했는데 친구와 함께 야구의 규칙에 관한 얘기를 나누면서 운동을 잘하려면 사고력이나 판단력도 좋아야 한다는 것을 알게 되었다.

• 학습 목표로 내용 엿보기

"듣기와 말하기는 말하는 사람과 듣는 사람이 서로 소통하여 함께 의미를 만들어 가는 과정이야. 듣기와 말하기의 특성과 가치를 이해하고 계획을 세워 연습하면 효율적으로 소통하고 바람직한 인간관계를 형성할 수 있게 될 거야."

핵심 1 의미 공유의 과정과 방법 파악하기

핵심 2 의미 공유를 위해 듣고 말하기

핵심 원리 이해하기 의미 공유 과정으로서의 대화

1. 대화 의미를 공유하는 활동, 대화의 과정에서 감정과 생각이 변화해 감.

2. 의미 공유 과정으로서의 대화가 갖는 특징

- 상호 교섭적 성격: 참여자들이 어떤 주제를 중심으로 서로 의미를 교섭해 가면서 의미를 새로이 구성해 가는 과정임.
- 역동성: 듣는 이와 말하는 이, 대화가 이루어지고 있는 장면이 서로 영향을 미치면서 의미를 구성해 가는 역동적인 과정임.

개념 확인 콕콕 • 정답과 해설 p.21

[01~02] 다음 빈칸에 알맞은 말을 쓰시오.

01 여학생과 남학생의 대화 주제는 '좋은 ( ) 을 하기 위해 무엇을 해야 하는가'이다.

02 대화를 나누기 전 여학생과 남학생은 서로 ( )이 달랐지만, ( )를 해 나가면서 서로의 생각을 조정해 나가고 있다.

03 대화에 대한 올바른 설명을 모두 고른 것은?

보기
㉠ 대화의 목적은 참여자들이 서로의 생각을 설득하는 것이다.
㉡ 대화를 통하여 듣는 이와 말하는 이의 생각이 조정될 수 있다.
㉢ 대화는 효율적으로 소통하고 바람직한 인간관계를 형성하는 데 도움이 된다.
㉣ 대화에서 가장 중요한 것은 자신의 감정을 드러내지 않는 것이다.

① ㉠, ㉡ ② ㉠, ㉢ ③ ㉡, ㉢
④ ㉡, ㉣ ⑤ ㉢, ㉣

04 대화 참여자의 태도로 바람직한 것은?

① 자신의 생각을 상대방이 수용하는 것에 가장 큰 의미를 둔다.
② 상대방의 말을 경청하기 위해 자신의 생각을 드러내지 않는다.
③ 자신과 상대방의 생각이 일치할 때까지 논리를 갖추어 말한다.
④ 상대방과 소통하는 과정에서 자신의 말과 생각을 조정해 나간다.
⑤ 권위 있는 사람들의 말을 인용하여 상대방이 자신의 말을 신뢰하게 만든다.

활동 미리보기

활동 안내

이 소단원은 듣기와 말하기가 의미를 공유하는 과정임을 알게 하는 단원이다. 먼저 「아들과 함께 걷는 길」은 우정을 주제로 한 아버지와 아들의 대화가 담긴 글로, 대화가 의미 공유의 과정임을 잘 보여 준다. 또한 연설문 「세상의 모든 어버이께」는 많은 사람들의 생각과 행동을 변화시키기 위한 담화로서 듣기와 말하기가 의사를 전달하고 공통의 가치를 나누는 과정임을 잘 드러낸다. 두 글의 내용을 파악하면서 듣고 말하는 과정에서의 의미 공유 과정을 이해하도록 한다.

활동 1
- 의미를 공유하는 듣기와 말하기
- 의미 공유 과정을 파악하면서 글의 대화 장면 읽기
- 대화가 의미 공유 활동임을 알기

→

활동 2
- 여러 사람과 의미를 나누기
- 연설 내용 파악하기
- 공적인 말하기 · 듣기 상황에서 의미를 공유하기 위해 가져야 할 태도 알기

→

창의·융합 활동

대화와 연설을 통해서 의미 공유 과정을 성찰하며, 실제로 연설문 써 보기

활동 개관

★ **활동 1** 의미를 공유하는 듣기와 말하기

아버지와 아들이 나누는 대화를 통해 듣기와 말하기가 말하는 이와 듣는 이가 함께 의미를 구성해 가는 과정임을 이해하기 위한 활동이다. 글 전체가 대화 형식으로 전개되고 있으며 대화의 과정에서 의미를 이해하고 공유함으로써 서로 영향을 주고받는 과정이 잘 드러나 있다.

「아들과 함께 걷는 길」 소설가 이순원이 실제 경험을 바탕으로 쓴 소설로, 글쓴이가 아들과 나눈 서른일곱 가지 주제의 대화를 담고 있다. 교과서에 수록된 부분은 그중에서 친구에 관한 대화를 나눈 부분이다.

★ **활동 2** 여러 사람과 의미를 나누기

연설을 바탕으로 여러 사람 앞에서 말하기를 할 때 제대로 의미를 형성하기 위해 어떤 말하기·듣기 태도를 취해야 하는지 파악하기 위한 활동이다. 10대 청소년이 국제회의인 유엔 환경 개발 회의에서 발표한 연설문을 살펴보며 공적인 상황에서 여러 사람에게 자신의 의사를 전달하는 태도와 연설을 들을 때 필요한 자세를 생각해 보도록 한다.

★ **창의 융합 활동** 대화와 연설을 통해서 의미 공유 과정을 성찰하며, 실제로 연설문 써 보기

듣기·말하기를 통한 의미 공유에 관해 학습한 내용을 소설 속 대화에 적용하여 살펴보는 활동과 중학생이 어른들을 대상으로 한 연설을 듣고, 학생들 스스로 연설 주제를 정하여 연설문을 만들어 보는 활동이다. 세대 간의 의미 공유 과정에 관해 더욱 깊이 이해하고, 주제와 논거를 파악하며 연설을 들을 수 있도록 한다.

듣고 말하며 나누기

활동 1 의미를 공유하는 듣기와 말하기

이것이 핵심! ✓ 대화의 바람직한 태도 ✓ 이 글에 나타난 대화 요소 및 태도

아버지와 아들의 대화가 담긴 글을 읽고, 이어지는 활동을 해 봅시다.

"상우야, 이제 많이 어두워졌지?"

"예, 별도 하나둘 보이고요."

"이제 몇 굽이만 더 내려가면 우리가 내려가야 할 대관령은 다 내려가는 거야. 거기서부턴 다시 작은 산길로 가면 되고."

"아빠, 아빠는 윤태 아저씨 말고도 친구가 많죠?"

"그럼, 많지."

"그런데 누구하고 제일 친하세요?"

"그건 잘 모르겠다. 어느 친구하고도 다 친하니까. 전에 할아버지 댁 앞에서 본 친구하고도 친하고, 또 학교 다닐 때의 친구, 나중에 글을 쓰면서 알게 된 친구, 서울에 와서 살면서 알게 된 친구, 그런 친구들이 모두 아빠의 친구니까."

"그중에서 아빠하고 제일 ㉠오래 사귄 친구는 누구세요? 전에 할아버지 댁 앞에서 본 그 아저씬가요?"

"그래. 그 아저씨하고도 아주 오래된 친구지. 한마을에서 태어나 지금까지 친구로 지내고 있으니까. 그렇지만 아빠한텐 그 친구보다 더 오래된 친구도 있어."

확인 문제

• 정답과 해설 p.21

01 이 대화에 대한 설명으로 옳은 것을 모두 고른 것은?

보기
ⓐ '친구'를 화제로 대화가 이루어지고 있다.
ⓑ 대화의 시간적·공간적 배경이 드러나 있지 않다.
ⓒ 설득하기 위한 목적으로 대화가 이루어지고 있다.
ⓓ 아버지와 아들 사이에서 이루어지는 사적 대화이다.

① ⓐ, ⓑ ② ⓐ, ⓒ ③ ⓐ, ⓓ
④ ⓑ, ⓓ ⑤ ⓒ, ⓓ

핵심

02 이 대화를 구성하고 있는 요소가 아닌 것은?

① 듣는 이 ② 말하는 이
③ 대화 상황 ④ 대화의 규칙
⑤ 대화의 주제

03 ㉠과 관련 있는 한자 성어는?

① 죽마고우(竹馬交友)
② 이심전심(以心傳心)
③ 형설지공(螢雪之功)
④ 문방사우(文房四友)
⑤ 교각살우(矯角殺牛)

04 이 대화에서 대화가 이루어지는 시간을 짐작할 수 있는 구절을 찾아 3어절로 쓰시오.

[참고 자료] 친구의 우정과 관련된 한자 성어
- 관포지교(管鮑之交): 매우 다정하고 허물없는 사이
- 막역지우(莫逆之友): 마음이 맞아 서로 거스르는 일 없이 없는 매우 친밀한 사이
- 간담상조(肝膽相照): 서로 마음을 터놓고 친밀히 사귐
- 금란지교(金蘭之交): 우정이 깊은 사귐을 이르는 말

"어떤 친군데요?"

"사귄 지가 아마 백 년도 더 되는 아주 오랜 친구."

"어떻게 그럴 수가 있어요? 아빠가 그렇게 살지도 않았는데."

"그렇지만 친구는 그럴 수 있거든."

"어떻게요?"

"너 익현이 아저씨 알지?"

"예, 서점에 있는 아저씨요."

"그 아저씨하고 아빠가 ㉠그런 친구야."

"그렇지만 아빠 나이하고 그 아저씨 나이를 합쳐도 백 년이 안 되는데요?"

"아빠하고 그 아저씨는 4대에 걸친 친구거든. 아빠의 증조할아버지와 그 아저씨의 증조할아버지가 친구였고, 아빠 할아버지와 그 아저씨의 할아버지가 친구였고, 네 할아버지와 그 친구의 아버지가 친구였었고, 또 아빠와 그 아저씨가 친구니까."

"우와."

"그런 사이를 어른들은 집안 간에 오랜 ㉡세교가 있었다고 말한단다. 오랜 세월을 두고 우정을 쌓고 왕래한 집안이라는 뜻으로."

"그럼 백 년도 더 넘겠어요."

"아마 그럴 거야."

"그 아저씨 아들하고 저하고 친구 하면 5대에 걸친 친구가 되는 거네요."

"이제 아빠도 고향을 떠나 있고, 그 아저씨도 고향을 떠나 있어 그러기가 쉽지는 않지만, 이다음 너희가 또 왕래하고 친구를 하면 그렇게 되는 거지. 어릴 때 그 아저씨 집에 아빠도 할아버지를 모시고 자주 놀러 갔고, 그 아저씨도 할아버지를 모시고 우리 집에 자주 오곤 했지. 할아버지들이 장기를 두다가 그다음엔 우리가 장기를 두고 할아버지들은 손자들 훈수를 하고. 자라서 그 아저씨가 먼저 군대에 갔는데 그땐 아빠가 그 집에 자주 찾아가서 뵙고, 또 아빠가 군대에 가 있을 땐 아저씨가 우리 집에 자주 찾아오고 그랬단다. 지금도 아빠가 책을 낼 때마다 그 아저씨가 꼭 ㉢전화를 하지?"

"예."

"그렇게 오랜 친구는 꼭 가까이 있지 않고 또 자주 보지 않아도 서로 마음속에 있고 세월 속에 있는 거란다."

핵심

05 이 대화에서 아버지와 아들의 말하기 태도로 적절한 것은?

① 아들은 아버지가 하는 말을 비판적으로 수용하고 있다.
② 아버지는 아들이 궁금해하는 점을 자상하게 설명하고 있다.
③ 아들과 아버지는 서로를 설득하기 위해 노력하고 있다.
④ 아버지는 아들의 잘못된 태도를 바로잡기 위해 노력하고 있다.
⑤ 아들은 아버지의 말을 무조건 수용하며 별다른 반응을 보이지 않고 있다.

06 아버지가 ㉠과 같이 말한 까닭으로 적절한 것은?

① 나이를 합쳐도 백 년이 안 되기 때문
② 아들 간에도 왕래하는 친구이기 때문
③ 둘 다 증조할아버지가 살아 계시기 때문
④ 아저씨와 아빠가 자주 연락을 하기 때문
⑤ 오랜 세월을 두고 우정을 쌓아 왔기 때문

07 ㉡의 뜻에 해당하는 부분을 찾아 20자 이내로 쓰시오.

08 ㉢에 담긴 말하는 이의 의도로 알맞은 것은?

① 듣는 이의 행동 변화를 촉구한다.
② 자신의 생각을 직접적으로 전달한다.
③ 자신의 요구를 간접적으로 명령한다.
④ 상대방이 이미 알고 있는 사실을 확인한다.
⑤ 상대방에게 좀 더 자세한 설명을 요구한다.

"아빠, 친구는 꼭 서로 나이나 수준이 맞아야 되는 건 아니죠?"

"어떤 수준 말이냐?"

"공부도 그렇고, 생각하는 것도 그렇고요."

"옛말에 보면 친구는 위로 보고 사귀라고 했는데, 아빠는 그 말이 잘못 되었다고 생각한다. 그 말은 이왕 친구를 사귈 거면 좋은 친구를 사귀라고 한 말이지 꼭 그래야 한다는 건 아닐 거야. 친구를 사귈 때 다 위로 보고 사귀면, 아래에 있는 친구는 자기보다 나은 친구를 사귀고 싶어도 평생 그런 친구를 사귈 수 없는 거지. 자기가 사귀고 싶어 하는 그 친구가 자기보다 못한 사람과 친구를 하지 않으려 하면 말이지."

㉠"그럼 어떻게 해요?"

"자기보다 나은 친구, 못한 친구 얘기를 하는 건 친구에게 배울 점을 찾으라는 이야기인 거야. 또 ㉡나쁜 친구를 사귀게 되면 함께 나쁜 생각과 나쁜 행동을 하게 되는 것도 사실이고. 더구나 너희처럼 자라날 때는 말이지. 그렇지만 어른이 되면 친구란 내가 외롭거나 어려울 때 서로 믿고 도울 수 있고, 또 당장 어렵거나 외롭지 않더라도 그런 친구 곁에 있는 것만으로도 위로가 되고 큰 힘이 될 수 있는 친구가 가장 좋은 친구란다. 서로 붙어 다니며 놀기만 좋아하는 친구보다는 이다음 서로 믿고, 서로 돕고, 서로 위로하고, 서로 힘이 될 수 있는 그런 친구를 사귀라는 뜻이야. 너 친구에 관한 ㉢옛날이야기 알지? 아버지의 친구와 아들의 친구 이야기 말이다."

"알아요. 돼지를 잡아 놓고 사람을 실수로 죽였다고 하고 찾아가니까 아들 친구는 자기가 잘못될까 봐 도로 내쫓는데 아버지 친구는 다른 사람이 볼까 봐 얼른 집 안에 숨겨 주고요."

"바로 그런 친구를 사귀라는 거야."

"아빠는 그런 친구가 있어요?"

"그런 건 자신 있게 말하는 게 아니야."

"왜요?"

"그건 그 말을 들은 친구를 부담스럽게 할 수도 있는 일이니까. 대신 아빠가 자신 있게 그렇게 해 줄 친구는 있단다."

"그럼 그 친구도 아빠에게 그렇게 해 줄 거예요."

"전에 성률이 아빠가 눈길에 이 길로 우리를 할아버지 댁에 데려다 주었던 거 생각나니?"

핵심

09 이 대화에 나타난 아버지의 대화 방식을 바르게 묶은 것은?

보기
ⓐ 듣는 이가 잘 알고 있는 옛이야기를 들어 알기 쉽게 설명하고 있다.
ⓑ 듣는 이의 질문에 대해 자신의 생각을 상세하게 밝히고 있다.
ⓒ 듣는 이와 자신의 사고 방식을 대조하여 알기 쉽게 설명하고 있다.
ⓓ 듣는 이가 창의적 사고를 할 수 있도록 사실을 과장하여 말하고 있다.

① ⓐ, ⓑ ② ⓐ, ⓒ ③ ⓐ, ⓓ
④ ⓑ, ⓓ ⑤ ⓒ, ⓓ

10 ㉠에 대한 아버지의 대답을 찾아 4어절의 한 문장으로 쓰시오.

11 ㉡의 의미를 담고 있는 말은?

① 근묵자흑(近墨者黑)
② 막역지우(莫逆之友)
③ 대기만성(大器晩成)
④ 유비무환(有備無患)
⑤ 고장난명(孤掌難鳴)

12 ㉢의 교훈으로 알맞은 것은?

① 자신보다 나은 친구를 사귀어야 한다.
② 부담을 주지 않는 친구를 사귀어야 한다.
③ 자신 곁에 있어줄 친구를 사귀어야 한다.
④ 희생 정신이 강한 친구를 사귀어야 한다.
⑤ 어려울 때 도움을 주는 친구를 사귀어야 한다.

"네, 설날 눈이 많이 올 때요."

"비행기도 안 뜨고, 아빠도 운전에 자신이 없어 할아버지 댁에도 못 가고 서울에 눌러앉았을 때, 성률이 아빠가 대목 날인데도 온종일 자기 택시 영업을 하지 않고 우리를 데려다 주러 왔던 거야. 그리고 서울에서 열네 시간 동안 이 길을 넘어왔다가 다시 쉬지도 않고 열 시간 동안 이 길을 넘어가고. 그때에도 아빠가 영업하는 차가 그냥 허탕 치면 어떻게 하느냐고 택시 요금을 주려고 하니까 성률이 아빠가 뭐랬는 줄 아니?"

"안 받겠다고요."

"그냥 안 받은 게 아니란다. 나는 네가 친구니까 ㉠죽음을 무릅쓰고 눈길을 넘어온 건데 너는 왜 그걸 꼭 돈으로만 계산하려고 하느냐고 그랬단다. 그래도 직업이고 영업하는 차가 아니냐니까, 너는 글을 쓸 때마다 영업을 생각하며 글을 쓰냐며 오히려 아빠를 부끄럽게 했단다."

"성률이 아빠도 아빠한텐 참 좋은 친구예요. ㉡그렇죠?"

"아빠는 어디 가서 친구 이야기를 하면 꼭 익현이 아저씨와 성률이 아빠 이야기를 한단다. 아빠가 성률이 아빠에게 해 주는 건 아무것도 없는데 성률이 아빠는 아빠가 자기 친구라는 것만으로도 자랑스러워 영업하는 자동차까지 세워 두고 달려오지 않니. 아빠가 성률이 아빠에게 해 주는 건 아빠 책이 나올 때마다 그것을 한 권씩 주는 것 말고는 아무것도 없는데, 그러면 성률이 아빠는 그 책을 택시 안에 넣어 두고 다니고."

"아빠한텐 기한이 아저씨도 그렇잖아요. 우리가 이사를 하면 나중에 와서 손을 다 봐 주고요. 전기선도 달아 주고 제 책상도 다시 손봐 주고. 그러면서도 전에 아빠가 밤중에 기한이 아저씨한테 가 준 걸 늘 고마워하고요"

핵심

13 이 대화에 나타난 아들의 태도를 바르게 골라 묶은 것은?

보기
ⓐ 상대방의 말을 부분적으로 수용하고 있다.
ⓑ 상대방의 말에 적절한 반응을 보이고 있다.
ⓒ 자신의 생각에 대해 상대방의 동의를 구하고 있다.
ⓓ 자신과 생각을 달리 하는 상대방을 설득하고 있다.

① ⓐ, ⓑ ② ⓐ, ⓒ ③ ⓑ, ⓒ ④ ⓑ, ⓓ ⑤ ⓒ, ⓓ

14 이 대화를 통해 알 수 있는 사실이 아닌 것은?

① 성률이 아빠가 하는 일
② 아버지와 성률이 아빠의 관계
③ 아버지가 운전하기를 싫어하는 이유
④ 아버지가 택시비를 내겠다고 한 이유
⑤ 성률이 아빠가 택시비를 안 받은 이유

15 ㉠에 해당하는 구체적인 행동이 담긴 문장을 찾아 그 처음과 끝 어절을 쓰시오.

핵심

16 ㉡에 담긴 말하는 이의 의도로 가장 알맞은 것은?

① 상대방을 설득한다.
② 모르는 것을 질문한다.
③ 자신의 생각을 확인한다.
④ 새로운 사실을 제시한다.
⑤ 상대방의 주장에 감탄한다.

"그때 기한이 아저씨가 함께 집 짓는 일을 하러 다니는 사람들과 이상한 내기를 했거든. 기한이 아저씨가 내 친구 중에 소설가가 있다고 자랑을 한 거야. 그러니 다른 아저씨들이 우리가 막일을 하러 다니는 사람인데 어떻게 그런 친구가 있을 수 있느냐고 믿지 않고, 그 사람이 정말 친구면 불러내 보라고 한 거지. 그러자 기한이 아저씨는 늦은 밤까지 글 쓰는 친구를 어떻게 아무 일도 없이 불러내느냐고 그러고, 그러니까 저쪽 친구는 거짓말이니까 못 불러낸다고 그러고. 그러다 누군가 기한이 아저씨한테 친구라면 불러낼 수도 있는 것 아니냐고, 그걸로 ㉠내기를 하자고 그러고."

"그래서 기한이 아저씨가 전화를 한 거예요?"

"그런 말도 하지 않고 그냥 지금 어느 식당에 있는데 나올 수 있겠느냐고 물었단다. 무슨 일이냐니까 별일은 아닌데 그냥 나왔으면 좋겠다고. 그러면서 지금 뭘 하다가 전화를 받았느냐고 물어서 내일 넘길 바쁜 원고를 쓰고 있다니까 그럼 나오지 말라고 그러고. 그냥 친구들과 장난으로 전화를 건 거라면서."

"그래서요?"

"기한이 아저씨가 그냥 장난으로 전화를 걸 사람이 아니니까 거기 어디냐고 물어서 얼른 택시를 타고 나갔던 거지. 가니깐 그런 내기를 한 거야. 거기 있는 친구들과."

"그래서 기한이 아저씨가 이긴 거예요?"

"아니, ㉡아빠가 이긴 거지. 그때까지 아빠는 아직 한 번도 기한이 아저씨를 위해 몸으로 무얼 해 본 적이 없었거든. 그런데도 기한이 아저씨는 아빠한테 자기는 늘 몸으로만 때우는 친구라 미안하다고 했는데, 그날 아빠가 기한이 아저씨를 위해 몸으로 때워 보니 정말 몸으로 때워 주는 것만큼 힘든 일도 없고, 또 좋은 친구도 없는 거야."

"저는 어른들도 그런 장난을 하는 게 신기해요."

"장난이긴 하지만 친구란 ㉢그런 거야. 무얼 꼭 크게 도와주고 힘든 일을 해 주어야만 좋은 친구인 것이 아니라 어떤 일로든 그 사람이 정말 내 친구구나 하는 걸 확인하게 될 때 마음속에 다시 커다란 우정이 쌓이는 거란다. 그리고 그런 우정이 쌓일 때 옛날이야기 속의 아버지 친구 같은 이야기도 나오는 거고."

"알아요, 아빠. 그리고 따뜻하고요."

17 기한이 아저씨를 통해 아버지가 깨닫게 된 것은?

① 친구와 함께 많은 시간을 보낼 수 있어야 한다.
② 친구를 위해 자신의 시간을 내줄 수 있어야 한다.
③ 친구가 부당한 요구를 하더라도 참고 견뎌야 한다.
④ 자신의 일을 이해해 줄 수 있는 친구를 사귀어야 한다.
⑤ 친구란 서로에게 허물 없이 장난을 칠 수 있어야 한다.

서술형

18 ㉠의 내용을 간략하게 정리하여 30자 이내로 쓰시오.

19 아버지가 ㉡과 같이 말한 까닭은?

① 친구의 장난을 너그럽게 이해해 주었으므로
② 장난인 줄 알았지만 모르는 척하였으므로
③ 친구에게 닥친 위기를 함께 이겨냈으므로
④ 친구를 위해 몸으로 무엇을 해 주었으므로
⑤ 귀중한 친구의 존재를 깨닫게 되었으므로

핵심

20 ㉢에 담긴 의미로 가장 적절한 것은?

① 큰 도움을 줄 수 있어야 하는 거야.
② 친구를 위해 힘든 일을 해 주어야 하는 거야.
③ 가까이 있어 소중한 사람임을 느끼게 해 주어야 하는 거야.
④ 어려운 상황을 함께 견뎌낼 수 있어야 하는 거야.
⑤ 정말 내 친구라는 사실을 확인시켜 줄 수 있어야 하는 거야.

"친구를 가려 사귀기는 하되 절대 차별해서 사귀면 안 되는 거야. 알았지?"

"저도 이다음에 아빠 같은 친구를 많이 사귈 거예요. 제가 그 사람의 친구인 걸 자랑스럽게 여기는 친구들을요."

"그리고 그런 친구들을 상우 네가 자랑할 수 있어야 하고."

1. 이 글에 나타난 대화를 다음 표에 정리해 봅시다.

예시 답

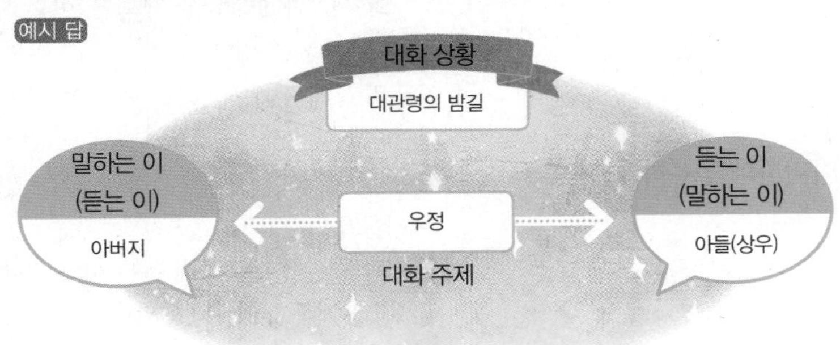

2. 아버지와 상우의 대화 내용과 듣기·말하기 태도를 파악해 봅시다.

1 아버지와 친구들의 일화 속에서의 우정은 어떤 것인지 써 봅시다.

예시 답

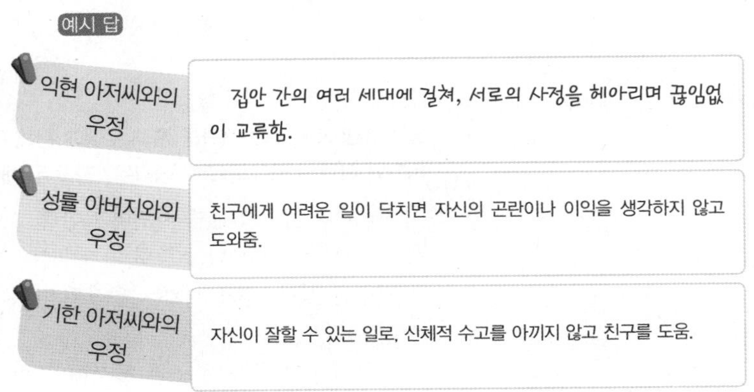

익현 아저씨와의 우정	집안 간의 여러 세대에 걸쳐, 서로의 사정을 헤아리며 끊임없이 교류함.
성률 아버지와의 우정	친구에게 어려운 일이 닥치면 자신의 곤란이나 이익을 생각하지 않고 도와줌.
기한 아저씨와의 우정	자신이 잘할 수 있는 일로, 신체적 수고를 아끼지 않고 친구를 도움.

핵심

21 이 대화에 대한 설명으로 적절한 것은?

보기
- ⓐ 아버지와 아들 간의 사적인 대화이므로 주제가 일정하지 않다.
- ⓑ 아버지는 자신의 구체적인 경험을 들어 이야기하고 있다.
- ⓒ 아들은 자신이 궁금한 것을 자유롭게 질문하고 있다.
- ⓓ 아들은 아버지의 말을 비판적인 태도로 경청하고 있다.

① ⓐ, ⓑ ② ⓐ, ⓒ ③ ⓑ, ⓒ
④ ⓑ, ⓓ ⑤ ⓒ, ⓓ

22 이와 같은 대화의 필수적 요소가 아닌 것은?

① 대화가 이루어지는 시간
② 대화가 이루어지는 공간
③ 말하는 이와 듣는 이
④ 대화를 지켜보는 청중
⑤ 대화의 주제

23 이 대화의 주제와 관련된 말들로 묶인 것은?

보기
- ⓐ 금란지교(金蘭之交)
- ⓑ 간담상조(肝膽相照)
- ⓒ 유비무환(有備無患)
- ⓓ 주경야독(晝耕夜讀)

① ⓐ, ⓑ ② ⓐ, ⓒ ③ ⓑ, ⓒ
④ ⓑ, ⓓ ⑤ ⓒ, ⓓ

핵심

24 이 대화에서 아버지가 친구의 덕목으로 가장 강조하고 있는 것은?

① 상대방의 장점을 인정해 주는 것
② 서로에게 부족한 점을 보완하는 것
③ 작은 것이라도 함께 나누어 갖는 것
④ 다른 사람에게 모범을 보여 줄 수 있는 것
⑤ 친구라는 사실을 서로 자랑스러워하는 것

2 다음 대화에 나타난 아버지와 상우의 듣기·말하기 태도를 말해 봅시다.

> "아빠, 친구는 꼭 서로 나이나 수준이 맞아야 되는 건 아니죠?"
> "어떤 수준 말이냐?"
> "공부도 그렇고, 생각하는 것도 ㉠그렇고요."
> "옛말에 보면 친구는 위로 보고 사귀라고 했는데, 아빠는 그 말이 잘못되었다고 생각한다. [중략] 아래에 있는 친구는 자기보다 나은 친구를 사귀고 싶어도 평생 그런 친구를 사귈 수 없는 거지. 자기가 사귀고 싶어 하는 그 친구가 자기보다 못한 사람과 친구를 하지 않으려 하면 말이지."
> "그럼 어떻게 해요?"

예시 답

아버지 의 듣기·말하기 태도	상우 의 듣기·말하기 태도
→ 질문을 통해 아들의 말의 구체적인 의미를 확인함으로써 성실한 듣기·말하기 태도를 보이고 있다.	→ 아버지의 말에 적절한 반응을 보이며 성실한 듣기·말하기 태도를 보이고 있다.

3. 아버지와 상우가 나눈 대화의 가치를 생각해 봅시다.

1 다음 대화를 바탕으로 상우가 우정에 관해 아버지와 공유하게 된 생각을 정리해 봅시다.

> "장난이긴 하지만 친구란 그런 거야. 무얼 꼭 크게 도와주고 힘든 일을 해 주어야만 좋은 친구인 것이 아니라 어떤 일로든 그 사람이 정말 내 친구구나 하는 걸 확인하게 될 때 마음속에 다시 커다란 우정이 쌓이는 거란다. 그리고 그런 우정이 쌓일 때 옛날이야기 속의 아버지 친구 같은 이야기도 나오는 거고."
> "알아요, 아빠. 그리고 따뜻하고요."
> "친구를 가려 사귀기는 하되 절대 차별해서 사귀면 안 되는 거야. 알았지?"
> "저도 이다음에 아빠 같은 친구를 많이 사귈 거예요. 제가 그 사람의 친구인 걸 자랑스럽게 여기는 친구들을요."

• 우정은 친구임을 확인할 수 있는 계기를 통해 다시 커다랗게 쌓이는 것이다.

예시 답 • 차별하지 않고 친구를 사귀어야 한다.
• 우정은 친구를 자랑스럽게 여기는 것이다.

[참고 자료] 「아들과 함께 걷는 길」의 줄거리

소설가인 '나'는 최근 쓴 소설이 부모님의 마음을 불편하게 만들 수 있는 집안의 상처를 다룬 것이라 심란한 상태이다. 본가에 다녀가라는 아버지의 전언을 들은 '나'는 큰아들인 상우와 함께 대관령을 걸어서 넘기로 결심한다. 서른일곱 굽이를 넘으며 '나'와 아들은 자연 만물, 집안 내력, 세상을 살아가는 데 필요한 지혜에 관한 대화를 나누고, 이윽고 캄캄한 밤이 되어서야 본가 근처에 도착하여 어두운 길을 마중 나온 아버지를 만나게 된다.

25 대화의 바람직한 태도에 해당하는 것은?(정답 두 개)

① 대화 참여자들은 서로의 생각에 관여하지 않는다.
② 서로를 배려하는 마음을 가지고 대화에 참여해야 한다.
③ 자신의 기준에 맞게 상대의 말을 점검하고 조정해야 한다.
④ 점검과 조정을 통하여 서로 의미를 공유할 수 있어야 한다.
⑤ 말하기보다 듣기 과정에서 더 많은 점검과 조정이 이루어져야 한다.

핵심

26 2**2**의 대화에 나타난 아버지의 대화 태도로 적절한 것은?

① 자신의 생각과 일치하는 옛말을 인용하여 상대를 설득하고 있다.
② 질문을 통해 상대방 말의 구체적인 의미를 확인하고 있다.
③ 상대방의 질문에 질문자 스스로 답을 찾도록 이끌고 있다.
④ 옛 사람의 말을 인용하여 듣는 이와 정서적 일체감을 꾀하고 있다.
⑤ 전문적인 지식을 동원하여 상대방이 궁금해하는 점을 해결하고 있다.

서술형

27 ㉠에 담긴 의미를 본문의 말을 활용하여 한 문장으로 쓰시오.

핵심

28 3**1**에 제시된 대화를 통해 우정에 관해 아버지와 아들이 공유하게 된 생각은?(정답 두 개)

① 차별하지 않고 친구를 사귀어야 한다.
② 자신보다 친구를 더 소중히 여겨야 한다.
③ 친구를 자랑스럽게 여기는 우정을 나누어야 한다.
④ 친구라면 잘못을 무조건 용서해 주어야 한다.
⑤ 자신보다 나은 사람을 친구로 두어야 한다.

2 이 글에서 생략된 다음 글을 읽고 아버지와 상우의 관계에 이 글의 대화가 어떤 영향을 미쳤을지 이야기해 봅시다.

> "아빠, 저는 오늘 이 길이 참 좋았어요. 저 꼭대기에서부터 제가 아빠하고 걸어왔다는 게……."
> "아빠도 그렇단다. 네가 아빠하고 함께 걸을 수 있을 만큼 큰 것도 대견하고."
> "이제 제가 힘들 때 ㉠ 이 길을 생각할 거예요. 사랑해요, 아빠."
> "그래. 아빠도 널 사랑한단다."

예시 답 대화를 통해 의미를 공유함으로써 아버지와 상우의 관계가 더욱 깊어졌다.

핵심 정리

활동 제재 정리

갈래	소설
성격	교훈적, 감동적
주제	우정의 참뜻과 친구를 사귀는 기준
특징	• 아버지가 아들과 밤길을 걸으며 이야기를 주고받는 형식임. • 아버지를 이해하는 아들과 아들에게 지혜를 전하는 아버지의 모습을 따뜻하게 그려 내 여운을 줌.

대화

뜻	말하는 이와 듣는 이가 함께 의미를 만들어 가는 과정
요소	듣는 이, 말하는 이, 대화의 내용(주제), 대화가 이루어지는 상황 등
바람직한 태도	• 말하는 이와 듣는 이는 서로를 배려하는 마음을 지녀야 함. • 듣고 말하는 모든 과정에 걸쳐 점검과 조정이 필요함.

이 글에 나타난 대화 요소

대화 상황(시간·공간)	대관령의 밤길
대화 주제	우정
참여자(말하는 이, 듣는 이)	아버지, 아들(상우)

대화 참여자의 태도

아버지	질문을 통해 아들의 말의 구체적 의미를 확인함.
아들(상우)	아버지의 말에 적절한 반응을 보임.

↓

대화를 통해 공유하게 된 우정의 의미	• 우정은 친구임을 확인할 수 있는 계기를 통해 다시 커다랗게 쌓이는 것임. • 차별하지 않고 친구를 사귀어야 함. • 우정은 친구를 자랑스럽게 여기는 것임.

29 다음은 대화에 대하여 정리한 내용이다. 빈칸에 들어갈 말을 차례대로 쓰시오.

> • 대화란 말하는 이와 듣는 이가 함께 (　　) 를 만들어 가는 과정이다.
> • 대화를 이루는 요소에는 말하는 이, 듣는 이, 대화의 (　　), 대화가 이루어지는 (　　) 등이 있다.

핵심

30 대화에서 듣는 이의 올바른 태도를 모두 고른 것은?

보기
> ⓐ 상대방의 말을 집중해서 듣는다.
> ⓑ 대화에 집중하기 위해 반응을 자제한다.
> ⓒ 상대방의 말에 진심어린 반응을 보인다.
> ⓓ 상대의 말을 비판하는 데 초점을 둔다.

① ⓐ, ⓑ　② ⓐ, ⓒ　③ ⓑ, ⓒ
④ ⓑ, ⓓ　⑤ ⓒ, ⓓ

31 빈칸에 들어갈 말을 순서대로 쓰시오.

> 아버지와 상우는 대관령을 넘으며 나눈 대화를 통해 (　　)에 관한 서로의 생각을 (　　)하게 되었다.

서술형

32 ㉠의 구체적인 의미를 〈조건〉에 맞게 쓰시오.

조건
> • 길의 출발점과 대화의 화제를 구체적으로 밝힐 것
> • 본문의 말들을 활용하여 쓸 것

활동 ② 여러 사람과 의미를 나누기

이것이 핵심! ✓ 효과적인 의미 전달을 위한 말하기 ✓ 이 연설의 특징

다음 연설을 듣고 이어지는 활동을 해 봅시다.

세상의 모든 어버이께

세번 스즈키

처음 안녕하세요. 저는 세번 스즈키입니다. 저는 에코(ECHO-환경을 지키는 어린이 조직)의 대표로 여기에 왔습니다.

저희들은 열두 살에서 열세 살 사이의 캐나다 아이들로서 무언가 변화에 기여하려는 모임을 만들었는데, 바네사 수티, 모건 가이슬러, 미셜 퀴그, 그리고 제가 회원이에요. 어른들께 살아가는 방식을 바꾸지 않으면 안 될 거라는 말씀을 드리기 위해 오천 마일(mil)을 여행하는 데 필요한 경비를 저희 스스로 모금했답니다.

저는 미래의 모든 세대를 위해 여기에 섰습니다. 저는 세계 전역의 굶주리는 아이들을 대신하여 여기에 섰습니다. 저는 이 행성 위에서 죽어 가고 있는 수많은 동물들을 위해 여기에 섰습니다. 우리는 이제 말하지 않고는 그냥 있을 수 없게 되었거든요.

처음 : 자기소개 및 연설을 하게 된 과정과 까닭

중간 ㉠[저는 오존층의 구멍 때문에 햇빛 속으로 나가기가 두렵습니다. 공기 속에 무슨 화학 물질이 들어 있을지 모르기 때문에 숨 쉬기가 두렵습니다. 저는 아빠와 함께 밴쿠버에서 낚시를 즐겼습니다. 그런데 바로 몇 해 전에 암에 걸린 물고기들을 발견했습니다. 그리고 지금 우리는 날마다 동식물이 사라지고 있다는, 그들이 영원히 소멸되고 있다는 소식을 듣고 있습니다.]

33 이와 같은 말하기에 대한 설명으로 적절한 것은?(정답 두 개)

① 여러 사람들 앞에서 자기 주장이나 의견을 말하는 것이다.
② 청중 앞에서 효과적으로 자신의 생각을 전하기 위해서는 충분한 연습을 해야 한다.
③ 설득력을 높이기 위해서는 사실을 과장하여 말해야 한다.
④ 사회적인 문제에 대한 최선의 해결책을 제시하는 것이 목적이다.
⑤ 공공의 이익을 위한 말하기이므로 개인적인 의견은 배제하며 말해야 한다.

핵심
34 이 연설을 통해 알 수 있는 내용이 아닌 것은?

① 연설자의 신분
② 연설을 하게 된 목적
③ 에코 조직 결성 과정
④ 에코 조직 결성 목적
⑤ 여행 경비 마련 방법

35 연설자를 강단에 서게 한 대상을 찾아 쓰시오.

핵심
36 ㉠에 사용된 말하기 방식을 바르게 골라 묶은 것은?

보기
ⓐ 내용의 비중을 점차 높여 가며 뜻을 강조하고 있다.
ⓑ 문제의 원인과 결과를 밝혀서 말하고 있다.
ⓒ 중요한 사실들을 대등하게 열거하고 있다.
ⓓ 다른 사람의 말을 인용하여 주장을 뒷받침하고 있다.

① ⓐ, ⓑ ② ⓐ, ⓒ ③ ⓑ, ⓒ
④ ⓑ, ⓓ ⑤ ⓒ, ⓓ

저는 언제나 야생 동물들의 무리를 보고 싶었고, 새들과 나비들로 가득 찬 정글과 열대 숲을 보기를 꿈꿨습니다. 그렇지만 제가 엄마가 되었을 때 우리 아이들이 볼 수 있도록, 그런 것들이 세상에 과연 존재하고 있기나 할지 모르겠습니다. 여러분은 이런 소소한 것에 대해서 제 나이 때 걱정해 보셨습니까? 이 모든 것이 실제로 우리 눈앞에서 일어나고 있는데도, 우리는 마치 충분한 시간과 해결책을 가지고 있는 것처럼 행동하고 있습니다.

저는 어린아이일 뿐이고, 따라서 해결책을 가지고 있지 않습니다. 저는 여러분께 과연 해결책을 가지고 있으신지 묻고 싶습니다. 여러분은 오존층에 난 구멍을 수리하는 방법, 죽은 강으로 연어를 다시 돌아오게 할 방법, 사라져 버린 동물을 되살려 놓는 방법을 알지 못합니다. 그리고 여러분은 이미 사막이 된 곳을 푸른 숲으로 되살려 놓을 능력도 없습니다.

여러분이 고칠 방법을 모른다면, 제발 그만 망가뜨리시기 바랍니다! 여러분은 정부의 대표로, 기업가로, 기자나 정치가로 여기에 와 계실 겁니다. 그렇지만 여러분은 그 이전에 누군가의 어머니와 아버지, 형제와 자매, 아주머니와 아저씨 들이며, 그리고 여러분 모두 누군가의 자녀입니다.

㉠저는 어린아이일 뿐입니다. 그렇지만 저는 우리가 모두 삼십오억 명으로 된 가족, 아니 삼천만 종으로 된 한 가족의 일부라는 사실을 알고 있습니다. 우리는 모두 공기, 물, 흙을 나누어 가지고 있으며, 정부와 국경이 감히 그것을 변경하지는 못할 겁니다.

저는 어린아이일 뿐입니다. 그렇지만 저는 우리가 모두 하나이며, ㉡한나의 목표를 향해 행동해야 한다는 것만은 알고 있습니다. 저는 분노하고 있지만, 눈이 멀지는 않았습니다. 저는 두려워하고 있지만, 제가 어떻게 느끼는지 세상에 말하는 것을 망설이지는 않습니다.

우리나라 사람들은 너무 많은 쓰레기를 만들어 냅니다. 우리는 사고 버리고, 또 사고 버립니다. 그러면서도 가난한 사람들과 나누려 하지 않습니다. 우리는 필요한 것보다 더 많이 가지고 있으면서도 조금도 잃고 싶어 하지 않고, 나누어 갖기를 두려워합니다.

저는 이틀 전 여기 브라질에서 큰 충격을 받았습니다. 우리는 길거리에서 살고 있는 몇몇 아이들과 얼마 동안 시간을 보냈습니다. 그중 한 아이가 우리에게 이렇게 말하더군요.

> "내가 부자가 되었으면 좋겠다. 만약 내가 부자라면 나는 거리의 모든 아이들에게 음식과 옷과 약과 집, 그리고 사랑과 애정을 주겠다."

37 이 연설에 대한 설명으로 적절한 것은?

① 청중들이 누구인지 알기 어렵다.
② 청중들을 설득하려는 의도가 강하다.
③ 세대 간의 갈등을 화제로 말하고 있다.
④ 과거와 현재 상황을 대조하여 말하고 있다.
⑤ 미래에 대해 낙관적인 태도를 보이고 있다.

38 이 연설의 말하는 이의 태도를 바르게 골라 묶은 것은?

보기
ⓐ 청중들의 행동 변화를 촉구하고 있다.
ⓑ 자신의 주장을 분명하게 밝히고 있다.
ⓒ 정부의 책임 있는 태도를 요구하고 있다.
ⓓ 법규 제정을 하자고 강력하게 촉구하고 있다.

① ⓐ, ⓑ　② ⓐ, ⓒ　③ ⓑ, ⓒ
④ ⓑ, ⓓ　⑤ ⓒ, ⓓ

핵심
39 ㉠을 반복하여 얻는 효과로 알맞은 것은?

① 청중들의 동정심을 유발한다.
② 연설의 목적을 보다 분명히 밝힌다.
③ 말하는 이의 겸손한 태도를 강조한다.
④ 청중들의 감정에 호소하여 변화를 촉구한다.
⑤ 청중들을 배려하는 마음을 효과적으로 드러낸다.

40 ㉡을 위해 어른들이 할 수 없는 방법이 아닌 것은?

① 오존층에 난 구멍을 수리하는 방법
② 사라져 버린 동물을 되살려 놓는 방법
③ 죽은 강으로 연어를 돌아오게 하는 방법
④ 사막이 된 곳을 푸른 숲으로 되살리는 방법
⑤ 공기, 물, 흙을 나누어 가지는 방법

[A] 아무것도 가진 게 없는 거리의 아이가 기꺼이 나누겠다고 하는데, 모든 것을 다 가지고 있는 우리는 어째서 그토록 인색할까요? 저는 이 아이들이 제 또래라는 사실을 자꾸 생각하게 됩니다. 어디서 태어났는가 하는 사실이 굉장한 차이를 만든다는 것, 저도 리우의 빈민가 파벨라스에 살고 있는 저 아이들 중 하나일 수 있었음을 생각하지 않을 수 없습니다. 저는 소말리아에서 굶주려 죽어 가는 한 어린이일 수도 있었고, 중동의 전쟁 희생자, 또는 인도의 거지일 수도 있었습니다.

저는 아이일 뿐입니다. 그렇지만 전쟁에 쓰이는 모든 돈이 빈곤을 해결하고, 환경 문제를 해결하는 데 쓰인다면, ㉠이 지구가 얼마나 멋진 곳으로 바뀔지 알고 있습니다.

학교에서도, 유치원에서도, 어른들은 우리에게 착한 사람이 되라고 가르칩니다. 어른들은 서로 싸우지 말고 존중하며, 자원을 절약하고, 몸과 주변을 청결히 하고, 다른 생물들을 해치지 말고 보호하며, 자원을 더불어 나누어야 한다고 가르칩니다. ㉡그런데 어째서 여러분 어른들은 우리에게 하라고 한 것과는 정반대의 행동을 하십니까?

중간 | 환경 문제, 전쟁 문제, 빈곤 문제의 심각성 및 그 해결 방안

끝 여러분이 이 회의에 참석하고 계신 이유가 무엇이며, 누구를 위해서 이런 회의를 열고 있는지 잊지 마십시오. 저희는 여러분의 아이들입니다. 여러분은 저희가 앞으로 어떤 세계에서 자라날지 결정하고 계신 겁니다.

"모든 일이 잘될 거야. 우리는 최선을 다하는 중이고, 세상의 종말은 오지 않을 거야."

라고 부모님들이 자녀들을 안심시킬 수 있어야만 합니다. 그렇지만 여러분은 그런 말을 우리에게 더 이상 할 수 없을 것 같아 보입니다. 도대체 어린아이들이 여러분이 하고 있는 회의의 우선순위에 올라 있기나 합니까?

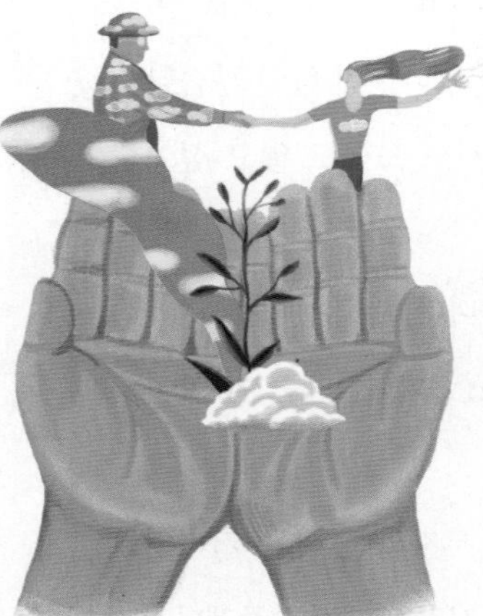

핵심

41 이 연설의 성격을 바르게 골라 묶은 것은?

보기
ⓐ 회의라는 공식적인 자리에서 이루어진 말하기이다.
ⓑ 청중과의 질의응답을 통해 해결 방안을 찾고 있다.
ⓒ 특정 문제의 심각성을 알리고 해결책을 촉구하고 있다.
ⓓ 공적인 말하기이므로 개인적인 의견은 배제하고 있다.

① ⓐ, ⓑ ② ⓐ, ⓒ ③ ⓑ, ⓒ
④ ⓑ, ⓓ ⑤ ⓒ, ⓓ

42 [A]에서 다루고 있는 주된 문제로 알맞은 것은?

① 환경 문제
② 세대 갈등
③ 빈민 문제
④ 전쟁 문제
⑤ 성차별 문제

서술형

43 ㉠을 위해 실천해야 할 일을 본문에서 찾아 30자 내외로 쓰시오.

44 ㉡에 드러난 연설자의 태도로 적절한 것은?

① 자신의 상황과 처지를 한탄하고 있다.
② 자신의 속마음을 숨긴 채 말하고 있다.
③ 상대방의 무례한 태도를 지적하고 있다.
④ 어른들의 잘못된 행동을 비판하고 있다.
⑤ 상대방의 진심어린 사과를 요청하고 있다.

저희 아빠는 항상 말씀하십니다.

㉢"너의 말이 아니라 행동이 진짜 너를 만든단다."

하지만 여러분의 행동은 밤마다 저를 울게 합니다. 여러분은 항상 우리를 사랑한다고 말합니다. 저는 이 자리에서 여러분에게 호소합니다. 제발 저희의 바람이 여러분의 행동에 반영되도록 노력해 주십시오.

끝 | 회의의 목적 상기 및 문제 해결을 위한 태도 변화 촉구

1. 이 연설의 내용을 정리한 후, 공적인 상황에서의 듣기·말하기에 관해 생각해 봅시다.

1 이 연설의 내용을 다음과 같이 정리해 봅시다.

예시 답

• 말하는 이: 에코의 대표인 열두 살 소녀 세번 스즈키

• 연설 대상

직접적인 대상	유엔 환경 개발 회의 참석자(듣는 이)
간접적인 대상	세상의 모든 어른(선진국의 어른들)

• 장소와 상황: 리우의 유엔 환경 개발 회의에서 연설하고 있다.

• 말하는 이의 입장

문제 상황의 인식

1. 환경 문제
- 오존층이 파괴됨.
- 병에 걸린 물고기가 발견됨.
- 야생 동물이 멸종됨.
- 숲이 사막으로 변하고 있음.
- 부유한 나라의 사람들은 너무 많은 쓰레기들을 만들어 내고 있음.

2. 빈곤 문제
- 부유한 나라의 사람들이 가난한 나라의 사람들과 자원을 나누려 하지 않음.
- 빈곤으로 인해 굶어 죽어 가는 어린이들이 있음.

↓

주장

어른들이, 그리고 부유한 나라에서 미래 세대를 위하여 환경 문제와 빈곤 문제의 해결을 위해 적극적으로 나서야 한다.

45 이 연설에서 제시한 문제 상황이 나머지 넷과 다른 것은?

① 오존층이 파괴됨.
② 병든 물고기가 발견됨.
③ 야생 동물이 멸종됨.
④ 숲이 사막으로 변하고 있음 .
⑤ 굶어 죽어 가는 어린이들이 있음.

46 [끝 부분]에 나타난 연설자의 태도로 적절한 것은?

① 현재를 바탕으로 미래를 예측하고 있다.
② 격식을 갖추기 위해 비판을 삼가고 있다.
③ 두 입장의 차이를 대조하여 말하고 있다.
④ 청중들에게 간곡한 태도로 호소하고 있다.
⑤ 전문가의 말을 인용하여 주장을 강조하고 있다.

핵심

47 〈보기〉와 같이 판단한 근거가 되는 말을 본문에서 찾아 처음과 끝 어절을 각각 쓰시오.

보기

"스즈키는 어른들에게 세계의 환경과 빈곤 문제를 인식하게 하고, 이에 관한 행동을 촉구하려는 목적으로 이 연설을 한 것이구나."

48 ㉢에서 강조하는 태도를 나타내기에 적절한 말은?

① 주객전도(主客顚倒)
② 언행일치(言行一致)
③ 역지사지(易地思之)
④ 청출어람(靑出於藍)
⑤ 괄목상대(刮目相對)

2 이 연설을 앞서 배운 「아들과 함께 걷는 길」의 대화와 비교해 봅시다.

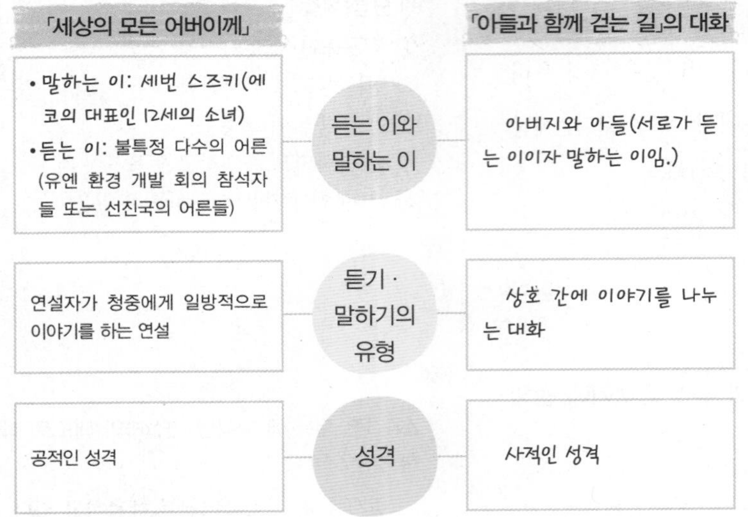

3 연설을 들을 때는 어떤 태도로 들으면 좋을지 생각해 봅시다.

예시 답 자신의 배경지식을 충분히 활용하면서 말하는 이의 말을 주의 깊게 듣고, 말하는 이가 자신의 공감이나 이해 상태를 파악할 수 있도록 예의에 벗어나지 않게 적절하게 반응을 보인다. 또, 자신이 이해하기 어려웠던 내용, 더 알고 싶은 내용은 메모해 두었다가 연설이 끝난 후에 질문한다.

효과적인 의미 전달을 위한 말하기

- 여러 사람 앞에서 자신의 의사를 전달하기 위해 말하는 이는 듣는 이의 지식과 수준, 감정과 태도 등을 충분히 고려하고, 소통하는 과정에서 듣는 이의 반응을 살펴 가며 말하기 방식이나 태도를 조정해야 한다.
- 듣는 이는 말하는 이의 의도, 전달하고자 하는 핵심 내용 등을 파악하며, 자신의 경험과 배경지식 등을 충분히 활용하여 적극적으로 들어야 한다.

2. 이 연설을 들은 후 듣는 이의 생각이 어떻게 변화하였을지 생각해 봅시다.

1 이 연설을 들은 후 어떠한 생각을 하였을지 어른과 아이의 입장에서 각각 예측하여 정리해 봅시다.

어른들	아이들
• 부유한 나라의 정치인들이 가난한 나라의 아동 문제에 더욱 관심을 가지게 되었을 것이다. • 유엔의 관계자들은 범국가적인 차원에서 가난한 나라의 아동들에 대한 원조를 강화할 수 있는 방법을 생각해 볼 것이다.	• 가난한 나라의 아이들은 부유한 나라에도 자신들의 문제에 관심을 가지고 도움을 주고자 하는 사람이 있음을 알게 되었을 것이다. • 부유한 나라의 아이들은 가난한 나라에서는 자신과 같은 또래의 아이들이 생존에 위협을 받을 정도로 극심한 가난을 겪고 있다는 것을 알게 되었을 것이다.

49 이 연설에 대한 설명으로 적절하지 않은 것은?

① 연설하는 장소와 상황을 알 수 있다.
② 말하는 이의 나이와 신분이 드러나 있다.
③ 말하는 이의 주장이 분명하게 드러나 있다.
④ 연설의 직·간접적인 대상을 짐작할 수 있다.
⑤ 말하는 이의 가정 형편이 자세히 나타나 있다.

50 이와 같은 연설을 준비하는 과정으로 적절하지 않은 것은?

① 자신의 개인적 고민을 정리한다.
② 연설의 목적이 무엇인지 정한다.
③ 주장하려는 내용을 분명하게 설정한다.
④ 주장을 뒷받침하는 근거들을 마련한다.
⑤ 연설의 장소, 시간, 청중 등을 분석한다.

핵심

51 이 연설에서 말하는 이가 주장하는 바를 〈보기〉와 같이 정리할 때 빈칸에 들어갈 말을 쓰시오.

보기

어른들이, 그리고 부유한 나라에서 미래 세대를 위하여 (　　) 문제와 (　　) 문제의 해결하기 위해 적극적으로 나서야 한다.

52 이와 같은 연설과 대화의 공통점으로 옳은 것은?

① 공적인 성격의 말하기이다.
② 말하는 이와 듣는 이의 구분이 없다.
③ 말하는 이의 입장과 생각이 나타난다.
④ 청중에게 일방적으로 의견을 전한다.
⑤ 말하는 과정에서 청중의 입장이 중요하다.

2 이 연설을 들은 후 나의 생각은 어떻게 변하였는지 말해 보고, 달라진 내 생각을 친구들에게 이야기해 봅시다.

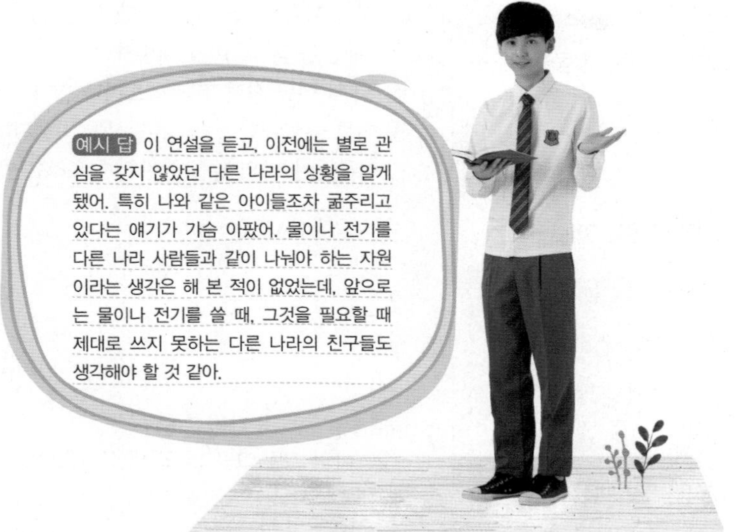

핵심 정리 활동 제재 정리

갈래	연설
성격	논리적, 설득적
제재	환경 문제, 전쟁 문제, 빈곤 문제
주제	지구의 환경을 지키고 전쟁과 빈곤이 없는 세상을 만들기를 바람.
특징	• 격식을 갖춘 정중한 말투를 사용함. • 연설의 대상을 '세상의 모든 어른'으로 설정함. • 말하고자 하는 내용을 구체적 사례를 들어 호소력 있게 제시함. • 환경 문제, 전쟁 문제, 빈곤 문제를 나열식으로 제시함.

연설의 뜻

여러 사람 앞에서 자기 주장이나 의견을 말하는 것

효과적인 의미 전달을 위한 말하기

말하는 이	• 듣는 이의 지식과 수준, 감정과 태도 등을 고려함. • 듣는 이의 반응을 살펴 가며 말하기 방식을 조정함.
듣는 이	• 말하는 이의 의도, 전달하고자 하는 핵심 내용을 파악함. • 자신의 배경지식을 활용하여 적극적으로 들음. • 예의에 벗어나지 않게 적절하게 반응을 보임.

핵심

53 이와 같은 말하기에서 효과적인 의미 전달을 위한 방법으로 적절한 것을 모두 고른 것은?

보기
ⓐ 말하는 이의 지식과 수준 등을 충분히 고려해야 한다.
ⓑ 듣는 이의 반응을 살펴 가며 말하기 방식을 조정해야 한다.
ⓒ 듣는 이는 자신의 경험을 충분히 활용하여 들어야 한다.
ⓓ 말하는 이의 수준에 맞는 화제를 선택해서 말해야 한다.

① ⓐ, ⓑ ② ⓐ, ⓒ ③ ⓑ, ⓒ
④ ⓑ, ⓓ ⑤ ⓒ, ⓓ

54 이 연설을 들은 후 듣는 이의 반응을 예측한 것으로 가장 적절한 것은?

① 어른들에 대한 아이들의 불신감이 계속하여 증가하겠군.
② 아이들 스스로 환경 문제 해결을 위해 단체 행동을 하게 되겠군.
③ 아이들이 자신의 소비 성향을 되돌아보고 반성하게 되겠군.
④ 부유한 나라의 정치인들이 빈곤 문제에 더욱 관심을 가지게 되겠군.
⑤ 가난한 나라의 아동들이 환경 문제의 심각성을 깨닫게 되겠군.

55 이 연설과 같은 설득적 말하기에서 말하는 이가 가져야 할 태도로 적절한 것은?

① 듣는 이의 동정심을 불러일으킨다.
② 주장에 대한 타당한 근거를 제시한다.
③ 듣는 이의 반응에 따라 주장을 바꾼다.
④ 듣는 이의 지식이나 수준보다 높게 말한다.
⑤ 듣는 이의 생각이 변화할 때까지 생각을 반복하여 말한다.

창의·융합 활동

혼자 하기

1. 다음은 소설 「어린 왕자」 중 일부입니다. 글을 읽고 이어지는 활동을 해 봅시다.

어린 왕자

생텍쥐페리 지음, 박성창 옮김, 『어린 왕자』

여섯 살 때 나는 『체험담』이라는 제목의, 원시림에 관한 어떤 책에서 굉장한 그림 하나를 본 적이 있다. 보아뱀이 맹수를 잡아먹고 있는 그림이었다. 위의 그림은 그것을 옮겨 그려 본 것이다.

그 책에는 이렇게 쓰여 있었다.

“보아뱀은 먹이를 씹지 않고 통째로 삼킨다. 그러고는 그것을 소화시키느라 꼼짝도 하지 못하고 여섯 달 동안 잠을 잔다.”

그래서 나는 정글 속의 신기한 모험들에 관해 곰곰이 생각해 본 후 색연필을 가지고, 태어나서 처음으로 그림을 그려 보았다. 내 그림 1호는 이러했다.

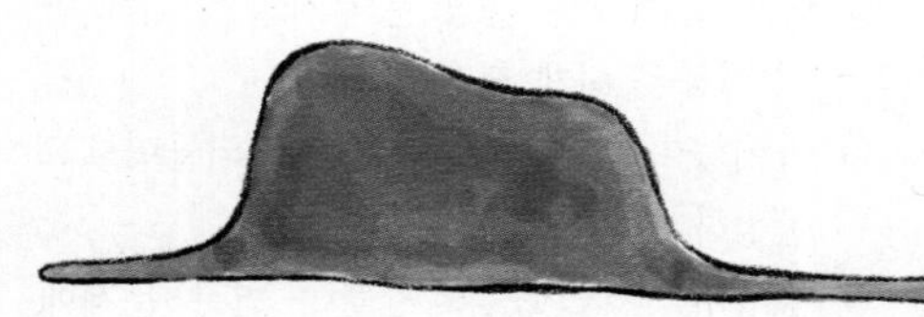

나는 내 걸작품을 어른들에게 보여 주며 내 그림이 무섭지 않냐고 물어보았다.

어른들은 “아니, 모자가 뭐가 무섭다는 거니?”라고 대답했다.

내 그림은 모자를 그린 게 아니었다. 그건 코끼리를 소화시키고 있는 보아뱀이었다. 그래서 나는 어른들이 이해할 수 있도록 보아뱀의 속을 그려 주었다. 어른들은 꼭 설명을 해 주어야만 한다. 내 그림 제2호는 이런 것이었다.

어른들은 나에게, 속이 보였다 안 보였다 하는 보아뱀의 그림일랑은 집어치우고 지리나 역사, 혹은 산수나 문법에 관심을 가져 보라고 충고해 주었다. 이렇게 해서 나는 여섯 살 때에 ㉠ <u>화가라는 멋진 직업을 포기해 버렸다.</u> ㉡ <u>내 그림 1호와 2호가 성공을 거두지 못해서 낙심했기 때문이었다.</u> 어른들은 혼자서는 아무것도 이해하지 못한다. 그렇다고 늘 설명을 해 주자니 어린이들로서는 여간 귀찮은 게 아니다.

• 정답과 해설 p.24

01 이 글을 바르게 이해하지 <u>못한</u> 것은?

① 어린 시절을 회상하고 있다.
② ‘나’는 등장인물이자 서술자이다.
③ ‘나’의 어린 시절 경험이 드러나 있다.
④ 어른들에 대한 ‘나’의 존경심이 느껴진다.
⑤ 어른들이 ‘나’의 말을 알아듣지 못하고 있다.

서술형

02 ‘나’가 그린 그림 1호의 내용을 〈조건〉에 맞게 각각 쓰시오.

조건
ⓐ ‘나’가 표현하려고 한 내용
ⓑ 어른들이 이해한 그림의 내용

03 ‘나’가 어른들에게 자신의 뜻을 제대로 전달하지 <u>못한</u> 이유는?

① ‘나’가 ‘보아뱀’을 잘 알지 못했기 때문에
② ‘나’가 처음으로 그림을 그려 보았기 때문에
③ ‘나’의 그림 그리는 실력이 부족했기 때문에
④ 어른들에게 ‘보아뱀’에 관한 설명을 하지 않았기 때문에
⑤ ‘나’와 어른들의 관계가 친밀하지 않았기 때문에

04 ㉠에 대한 ㉡의 성격을 바르게 말한 것은?

① 대등 ② 원인 ③ 예시
④ 부연 ⑤ 주지

1 '나'가 어른들에게 전달하려는 바를 의도대로 전달하지 못한 까닭을 생각해 봅시다.

내가 생각할 때 '나'가 어른들에게 그림을 보여 주면서 보아뱀에 관한 이야기를 하지 않았기 때문이야.

내가 생각할 때 어른들이 그림을 자신의 기준에 따라서만 보고 그림이 겁나지 않느냐는 아이의 말을 무시했기 때문이야.

2 '나'와 어른들의 대화가 원활하게 이루어지려면 어떻게 하면 좋을지 이야기해 봅시다.

예시 답

- '나'는 듣는 이를 배려하여 그림에 관해 좀 더 자세한 설명을 해야 한다.
- 어른들은 말하는 이가 빠뜨린 정보를 요구하고 그 내용을 확인하며 이야기를 들어야 한다.

| 활동 제재 개관 |

갈래	소설
성격	동화적, 교훈적, 비판적
제재	코끼리를 삼킨 보아뱀 그림 이야기
주제	본질을 이해하지 못하는 어른들과 그로 인한 소통 부재
특징	① 어린 시절을 회상하는 형식을 취함. ② 일화를 통해 아이의 시선에서 어른들을 비판함. ③ 내용 이해를 위한 삽화를 함께 보여 줌.

[참고 자료] 「어린 왕자」의 전체 줄거리

비행기 조종사인 '나'는 사막에 불시착하고, 거기에서 양 한 마리를 그려 달라는 어린 왕자를 만나게 된다. 소행성에서 별을 가꾸고, 석양을 보고, 장미를 돌보던 어린 왕자는 여러 별을 돌아다니며 많은 사람들을 만나는 중이다. '정말 중요한 것은 눈에 보이지 않는 것'이라는 어린 왕자의 말에 '나'는 동의하고 어린 왕자는 기뻐한다. 지구에 온 지 1년이 되었다는 어린 왕자는 자신의 장미를 위해 돌아가야 한다고 말하고, 독사에게 물려 쓰러진다. 다음 날 어린 왕자가 사라진 것을 보고 '나'는 그가 자신의 소행성으로 돌아갔음을 알게 된다.

수행 평가 대비 활동

| 수행 평가 TIP | 듣기·말하기를 통한 의미 공유에 관해 학습한 내용을 소설 속 대화에 적용하는 활동을 통해 의미 공유의 성공과 실패 원인을 분석하고 자신의 의견을 어른들에게 적절하게 전달할 수 있어야 합니다.
소설 속 인물들이 의미 공유에 실패한 원인을 찾으며 등장인물들의 말하기 방법을 평가해 보고, 어른과 아이 각자의 입장에서 해결 방안을 찾아보도록 합니다.

1 평가 내용 확인하기

- 아이인 '나'와 어른이 대화를 하다 의미 공유에 실패한 까닭 파악하기
- 의미 공유에 성공하기 위한 해결 방안 생각해 보기

2 평가 기준 확인하기

- 의미 공유의 측면에서 실제의 듣기 · 말하기를 이해하고 개선할 수 있는가?

'나'와 어른의 입장에서 각각 어떤 태도가 필요한지 생각해 보도록 해요.

- 의미를 공유하며 말하기 내용을 만들어 낼 수 있는가?

아이인 '나'가 그림을 통해 전달하고자 한 바가 무엇이었는지 먼저 이해해야 해요. 또한, 어른들에게 그림을 이해시키기 위해 무엇이 필요할지 생각해 보도록 해요.

수행 평가 ⊕

- 부모님에게 소설 속 그림을 보여 주며 의미를 공유할 수 있도록 이야기를 나누어 봅시다.

도와줄게 보아뱀에 관한 이야기를 먼저 해 드린 다음, 소설 속 그림을 보여 주며 이야기를 나누어 본다.

예 엄마, 보아뱀은 먹이를 씹지 않고 통째로 삼키는 버릇이 있대요. 이 그림이 먹이를 삼킨 보아뱀을 그린 것이라는데 느낌이 어떠세요?

혼자 하기 

2. 다음 연설을 듣고, 이와 같이 어른들에게 내가 하고 싶은 말을 담아 연설문을 써 봅시다.

제가 오늘 여러분들에게 소개해 드릴 것은 다양한 매력이 있는 열대어입니다. 기대되지 않나요? 저는 열대어를 키우는데요, 저의 어항에는 백여 마리의 많은 열대어들이 각각의 개성을 가지고 살고 있습니다.

제가 열대어를 키워 본 결과 ㉠ 열대어의 특징은 세 가지로 들 수 있는데요, 첫 번째로 열대어는 굉장히 약합니다. 그래서 수온이나 산도가 갑자기 높아지면 죽을 수도 있습니다. 두 번째로는 진화를 합니다. 코리도라스라는 열대어는 여느 물고기처럼 아가미로 호흡하지만 창자를 통한 장 호흡이 가능하게 진화해서 모세혈관을 통해 대기 중의 산소를 흡수하기도 합니다. 세 번째 특징은 혼자 있으면 안 된다는 것입니다. 네온테트라라는 열대어는 무리 지어 헤엄치는 물고기인데, 한 마리만 키우면 먹이도 안 먹고 움직이지도 않고 잠도 안 자며 굉장히 불안에 떨다가 3~4일 후면 죽고 맙니다.

▲ 코리도라스

그런데 제가 소개한 열대어들의 특징에서 무언가 느껴지시지 않았나요? 제가 2년 동안 열대어를 키우면서 생각한 것은 이 열대어들의 특징이 저나 제 친구들의 특징과 굉장히 비슷하다는 점입니다. 약하고, 진화하고, 혼자 두면 안 되고.

▲ 네온테트라

청소년들은 열대어입니다. 저희는 약해서 잘 보살펴 주어야 해요. 차가운 수온이 열대어를 죽게 만들 수도 있듯이 어른들의 차가운 시선은 우리의 마음을 얼어붙게 하고, 차가운 말들은 우리를 아프게 만듭니다. 우리는 매일 진화하고, 혼자 있으면 외로워집니다. 방황하는 청소년, 무기력한 청소년들은 사회의 시선, 사회가 자신에게 대하는 태도에 따라 점점 변하고 있는 것입니다.

제 이야기를 듣는 분들께서 한 가지 약속을 해 주셨으면 좋겠습니다. 여러분들의 ㉡ 사랑하는 열대어들에게 사랑하는 말투, 사랑하는 마음으로 다가가 주세요. 그러면 열대어들은 자신의 예쁜 원래 색을 찾고, 원래의 자신으로 돌아갈 겁니다. 제 이야기를 들어 주셔서 감사합니다.

–『세상을 바꾸는 시간, 15분』(시비에스(CBS), 2015. 9. 16. 방송)

• 정답과 해설 p.24

05 이 연설에 대한 설명으로 적절한 것을 모두 골라 바르게 묶은 것은?

보기
- ⓐ 열대어를 기르는 방법을 설명하는 데 초점을 두고 있다.
- ⓑ 여러 사람들의 일반적인 경험을 예로 제시하고 있다.
- ⓒ 구체적인 대상을 향하여 자신의 주장을 전달하고 있다.
- ⓓ 청소년에 대한 어른들의 바람직한 태도를 요청하고 있다.

① ⓐ, ⓑ ② ⓐ, ⓒ ③ ⓑ, ⓒ ④ ⓑ, ⓓ ⑤ ⓒ, ⓓ

06 이 연설에서 말하는 이가 청중들에게 당부하고 있는 핵심 내용이 잘 드러나 있는 문장을 찾아 처음과 끝 어절을 쓰시오.

07 ㉠을 통해 궁극적으로 말하고자 하는 것은?

① 청소년 시기의 특성
② 열대어 기르기의 어려움
③ 열대어와 청소년의 공통점
④ 청소년에 대한 어른들의 관심 촉구
⑤ 청소년 진학 지도에 대한 관심의 필요성

08 ㉡에 대한 설명으로 적절한 것은?

① 청소년에 대한 비유적 표현이다.
② 이 연설의 주된 청중을 빗댄 표현이다.
③ 말하는 이의 개성을 드러낸 표현이다.
④ 열대어에 대한 사랑을 강조한 표현이다.
⑤ 열대어를 기르는 방법을 암시하기 위한 표현이다.

1 이 연설에서 말하고자 하는 것은 무엇인지 이야기해 봅시다.

예시 답 청소년의 특성을 열대어에 빗대어 설명하고 청소년들에게 따뜻한 보살핌과 사랑이 필요함을 주장하고 있다.

2 자기 나름의 소재를 찾아 내용을 구성해 보고, 어른들에게 전달하기 위한 연설문을 써 봅시다.

예시 답 우리는 살아가면서 여러 가지 선택을 해야 합니다. 그 선택은 "오늘 뭘 먹을까?" 하는 가벼운 문제에서부터 인생의 방향을 바꾸는 중대한 문제까지 다양합니다.

저는 우리가 선택할 수 있는 하나의 가치로서 '정직'을 주제로 이야기하려 합니다.

우리는 가정에서, 그리고 학교에서 '바른생활', '도덕', '윤리' 과목을 통해 정직하게 살라고 배웠습니다. 우리는 과연 정직하게 살고 있을까요?

2013년 한 대학과 언론사의 조사에 따르면 '길에서 돈을 주우면 주인을 찾아 줄 것인가?'라는 물음에 중학생 2,171명 중 41.8%가 '찾아 주지 않겠다.'고 답했다고 합니다. 오히려 잃어버린 사람이 잘못이라고 말하는 학생들도 있었다고 합니다. 또 2012년 한국투명성기구 조사에 따르면 15~30세 1,031명 중 41.1%가 '부정부패를 저질러서라도 부자가 되는 것이 정직하게, 가난하게 사는 것보다 낫다'고 했다고 합니다.

저 역시도 높은 점수와 지위를 얻기 위해서라면 한 번쯤은 그런 잘못을 저질러도 된다고 생각했습니다. 물론 이런 행동이 잘못된 것임을 압니다. 그러나 학교에서 따돌림이나 괴롭힘을 당할까 봐 두려워서, 또는 여러 유혹에서 벗어나지 못해 정직하지 못한 선택을 하는 때가 종종 있습니다. 하지만 분명한 것은 정직하지 못한 행동을 하면 양심의 가책을 느낀다는 것입니다.

미국 작가 H. 잭슨 브라운 주니어는 '잘 사는 삶이란 자식들이 공정, 정직, 배려를 생각했을 때 당신을 떠올리는 삶이다.'라고 말했습니다. 저는 미래의 제 자식들에게 부끄럽지 않고, 존경스러운 부모가 되고 싶습니다. 이런 생각을 하면 순간의 이익을 위한 손쉬운 거짓이 아닌 양심을 선택할 수 있게 됩니다. 저는 우리 모두가 아직은 양심이 살아 있는 우리 사회를 만드는 데 중요한 역할을 할 수 있고 이러한 선택이 우리 사회를 공정하게 만들 수 있다고 생각합니다. 지금까지 제 이야기를 들어 주셔서 감사합니다.

| 활동 제재 개관 |

갈래	연설문
제재	청소년에 대한 어른들의 관심
주제	청소년들에게 따뜻한 시선과 애정을 가져주기를 부탁함.
배경	사막
특징	① 열대어의 특징을 나열하여 설명함. ② 열대어의 특징에 청소년의 특징을 빗대어 자신의 생각을 주장함.

수행 평가 대비 활동

| 수행 평가 TIP | 연설을 듣고 연설자가 말하고자 하는 주제를 설득력 있게 전달하기 위해 어떤 방식으로 내용을 구성하였는지 파악해 보도록 합니다.
이를 바탕으로 평소에 자신이 주변 어른들에게 하고 싶었던 말을 생각해 보고, 자신의 의견이 잘 전달되도록 근거와 사례, 일화 등을 함께 제시하여 설득력 있는 연설문을 써 보도록 합니다.

1 평가 내용 확인하기

- 이 연설에서 말하고자 하는 바가 무엇인지 파악해 보기
- 자기 나름의 소재를 찾아 내용을 구성해 보고, 어른들에게 전달하기 위한 연설문 써 보기

2 평가 기준 확인하기

- 의미 공유의 측면에서 실제의 듣기·말하기를 이해하고 개선할 수 있는가?

이 연설을 통해 연설자가 공유하고자 한 의미가 무엇인지 생각해 보고 의미가 잘 전달되었는지 따져 보도록 해요.

- 의미를 공유하며 말하기 내용을 만들어 낼 수 있는가?

어른들에게 공유하고 싶은 의미 있는 말하기 내용을 생각해 보도록 해요. 자신의 의견을 잘 드러내기 위해 들 수 있는 사례나 인용할 수 있는 자료를 다양한 매체를 통해 찾아 이를 자신의 주장을 뒷받침하는 근거로 삼도록 해요.

수행 평가 +

- **청소년의 특성을 다른 대상에 빗대어 청소년에 대한 어른들의 관심이 필요하다는 연설을 해 봅시다.**

도와줄게 청소년의 특성을 생각해 보고 이와 비슷한 특성을 가진 다른 대상을 떠올려 봅니다.

예 청소년은 자라나는 나무와 같습니다. 나무가 잘 자라기 위해 물과 공기, 햇빛이 필요하듯이 청소년들에게도 어른들의 사랑과 관심이 필요합니다.

핵심 콕 마무리

핵심 원리

의미를 공유하는 듣기와 말하기

대화의 뜻	말하는 이와 듣는 이가 함께 의미를 만들어 가는 과정
대화의 요소	듣는 이, 말하는 이, 대화의 내용(주제), 대화가 이루어지는 상황(시간, 장소) 등
바람직한 태도	• 말하는 이와 듣는 이는 서로를 배려하는 마음을 지녀야 함. • 듣고 말하는 모든 과정에 걸쳐 점검과 조정이 필요함.

여러 사람과 의미를 나누기

연설의 뜻	여러 사람들 앞에서 자기의 주장이나 의견을 말하는 것	
효과적인 의미 전달을 위한 말하기	말하는 이	• 듣는 이의 지식과 수준, 감정과 태도 등을 충분히 고려함. • 소통하는 과정에서 듣는 이의 반응을 살펴 가며 말하기 방식이나 태도를 조정해야 함.
	듣는 이	• 말하는 이의 의도, 전달하고자 하는 핵심 내용 등을 파악함. • 자신의 경험과 배경지식 등을 활용하여 적극적으로 들음.

핵심 내용

(1) 의미를 공유하는 듣기와 말하기

❶ 이 글에 나타난 대화의 요소

대화 상황(시간, 공간)	대관령의 (❶)
대화의 주제	(❷)
참여자(말하는 이, 듣는 이)	아버지, 아들(상우)

❷ 아버지와 친구들의 일화 속에 나타난 우정

익현 아저씨와의 우정	집안 간의 여러 세대에 걸쳐, 서로의 사정을 헤아리며 끊임없이 교류함.
성룡 아버지와의 우정	친구에게 어려운 일이 닥치면 자신의 곤란이나 이익을 생각하지 않고 도와줌.
기한 아저씨와의 우정	자신이 잘할 수 있는 일로, 신체적 수고를 아끼지 않고 친구를 도움.

❸ 대화 참여자의 태도와 대화로 공유된 의미

아버지의 듣기·말하기 태도	아들의 듣기·말하기 태도
(❸)을 통해 아들의 말의 구체적인 의미를 확인함으로써 성실한 듣기·말하기 태도를 보임.	아버지의 말에 적절한 (❹)을 보이며 성실한 듣기·말하기 태도를 보임.

↓

공유된 의미	• 우정은 친구임을 확인할 수 있는 계기를 통해 다시 커다랗게 쌓이는 것임. • 차별하지 않고 친구와 사귀어야 함. • 우정은 친구를 자랑스럽게 여기는 것임.

(2) 여러 사람과 의미를 나누기

❶ 이 연설의 내용

말하는 이	에코의 대표인 열두 살 소녀 세번 스즈키	
연설(❺)	직접적인 대상	간접적인 대상
	유엔 환경 개발 회의 참석자(듣는 이)	세상의 모든 어른(선진국의 어른들)
장소와 상황	리우의 유엔 환경 개발 회의에서 연설하고 있음.	
말하는 이의 입장	문제 상황의 인식	• (❻) 문제 • 빈곤 문제
	↓	
	주장	어른들이, 그리고 부유한 나라에서 미래 세대를 위하여 빈곤 문제와 환경 문제의 해결을 위해 적극적으로 나서야 한다.

❷ 연설을 들을 때의 올바른 태도

- 자신의 (❼)을 충분히 활용하면서 말하는 이의 말을 주의 깊게 듣는다.
- 말하는 이가 자신의 공감이나 이해 상태를 파악할 수 있도록 예의에 벗어나지 않게 적절하게 반응을 보인다.
- 자신이 이해하기 어려웠던 내용, 더 알고 싶은 내용은 메모해 두었다가 연설이 끝난 후에 질문한다.

정답 ❶ 밤길 ❷ 우정 ❸ 질문 ❹ 반응 ❺ 대상 ❻ 환경 ❼ 배경지식

소단원 핵심 문제

• 정답과 해설 p.24

[01~06] 다음 글을 읽고, 물음에 답하시오.

가 "상우야, 이제 많이 어두워졌지?"
"예, 별도 하나둘 보이고요."
"이제 몇 굽이만 더 내려가면 우리가 내려가야 할 대관령은 다 내려가는 거야. 거기서부턴 다시 작은 산길로 가면 되고."
"아빠, 아빠는 윤태 아저씨 말고도 친구가 많죠?"

나 "옛말에 보면 친구는 위로 보고 사귀라고 했는데, 아빠는 그 말이 잘못되었다고 생각한다. 그 말은 이왕 친구를 사귈 거면 좋은 친구를 사귀라고 한 말이지 꼭 그래야 한다는 건 아닐 거야. 친구를 사귈 때 다 위로 보고 사귀면, 아래에 있는 친구는 자기보다 나은 친구를 사귀고 싶어도 평생 그런 친구를 사귈 수 없는 거지. 자기가 사귀고 싶어 하는 그 친구가 자기보다 못한 사람과 친구를 하지 않으려 하면 말이지."
"그럼 어떻게 해요?"
"자기보다 나은 친구, 못한 친구 얘기를 하는 건 친구에게 배울 점을 찾으라는 이야기인 거야. 또 나쁜 친구를 사귀게 되면 함께 나쁜 생각과 나쁜 행동을 하게 되는 것도 사실이고. 더구나 너희처럼 자라날 때는 말이지. 그렇지만 어른이 되면 친구란 내가 외롭거나 어려울 때 서로 믿고 도울 수 있고, 또 당장 어렵거나 외롭지 않더라도 그런 친구 곁에 있는 것만으로도 위로가 되고 큰 힘이 될 수 있는 친구가 가장 좋은 친구란다. 서로 붙어 다니며 놀기만 좋아하는 친구보다는 이다음 서로 믿고, 서로 돕고, 서로 위로하고, 서로 힘이 될 수 있는 ㉠그런 친구를 사귀라는 뜻이야. 너 친구에 관한 옛날이야기 알지? 아버지의 친구와 아들의 친구 이야기 말이다."
"알아요. 돼지를 잡아 놓고 사람을 실수로 죽였다고 하고 찾아가니까 아들 친구는 자기가 잘못될까 봐 도로 내쫓는데 아버지 친구는 다른 사람이 볼까 봐 얼른 집 안에 숨겨 주고요."

다 "비행기도 안 뜨고, 아빠도 운전에 자신이 없어 할아버지 댁에도 못 가고 서울에 눌러앉았을 때, 성률이 아빠가 대목 날인데도 온종일 자기 택시 영업을 하지 않고 우리를 데려다 주러 왔던 거야. 그리고 서울에서 열네 시간 동안 이 길을 넘어왔다가 다시 쉬지도 않고 열 시간 동안 이 길을 넘어가고. 그때에도 아빠가 영업하는 차가 그냥 허탕 치면 어떻게 하느냐고 택시 요금을 주려고 하니까 성률이 아빠가 뭐랬는 줄 아니?"
"안 받겠다고요."
"그냥 안 받은 게 아니란다. 나는 네가 친구니까 죽음을 무릅쓰고 눈길을 넘어온 건데 너는 왜 그걸 꼭 ㉡돈으로만 계산하려고 하느냐고 그랬단다. 그래도 직업이고 영업하는 차가 아니냐니까, 너는 글을 쓸 때마다 영업을 생각하며 글을 쓰냐며 오히려 아빠를 부끄럽게 했단다."
"성률이 아빠도 아빠한텐 참 좋은 친구예요. 그렇죠?"

출제 예감 90%

01 대화의 올바른 태도로 적절한 것은?(정답 두 개)

① 말하는 이와 듣는 이는 서로를 배려한다.
② 타당한 근거를 들어 자신의 주장을 내세운다.
③ 대화를 통해 자신의 생각을 조정하고 점검한다.
④ 자신의 생각을 상대방이 수용할 때까지 설득한다.
⑤ 상대방의 말을 경청하기 위해서 자신의 생각을 드러내지 않는다.

출제 예감 75%

02 이 글에 나타난 대화를 정리한 표이다. 적절하지 않은 것은?

	대화의 요소	
①	공간적 배경	대관령 산길
②	시간적 배경	저녁 무렵
③	말하는 이	아버지(아들)
④	듣는 이	아들(아버지)
⑤	대화의 주제	아들의 교우 관계

소단원 핵심 문제

출제 예감 95%

03 아버지의 말하기 태도에 대한 설명으로 적절한 것을 모두 고른 것은?

보기
ⓐ 옛말에 담긴 의미를 자신의 입장에서 해석하여 말하고 있다.
ⓑ 옛말을 인용하여 아들에게 올바른 질문의 태도를 가르치고 있다.
ⓒ 아들의 질문에 대해 자신의 생각을 자상하게 들려 주고 있다.
ⓓ 주제와 관련이 있는 옛날이야기와 자신의 경험을 들려주어 공감을 끌어내고 있다.
ⓔ 아들과 자신의 경험을 대조하여 아들 스스로 답을 찾게 하고 있다.

① ⓐ, ⓑ, ⓒ ② ⓐ, ⓒ, ⓓ ③ ⓑ, ⓒ, ⓓ
④ ⓑ, ⓓ, ⓔ ⑤ ⓒ, ⓓ, ⓔ

출제 예감 80%

04 (가)에 대한 설명으로 적절한 것은?

① 대화의 상황을 이루는 공간과 시간을 알 수 있다.
② 화제에 대한 말하는 이의 생각이 잘 드러나 있다.
③ 갈등 해소를 위한 말하는 이의 노력이 나타나 있다.
④ 화제와 관련된 듣는 이의 경험을 추측해 볼 수 있다.
⑤ 대화를 하게 된 계기가 무엇인지 짐작해 볼 수 있다.

출제 예감 80% 서술형 논술 대비

05 ㉠은 어떤 친구를 의미하는지 본문의 말을 활용하여 30자 이내로 쓰시오.

출제 예감 75%

06 ㉡의 뜻에 가장 가까운 것은?

① 적반하장(賊反荷杖) ② 이해타산(利害打算)
③ 타산지석(他山之石) ④ 아전인수(我田引水)
⑤ 언행일치(言行一致)

[07~09] 다음 글을 읽고, 물음에 답하시오.

(가) "그때 기한이 아저씨가 함께 집 짓는 일을 하러 다니는 사람들과 이상한 내기를 했거든. 기한이 아저씨가 내 친구 중에 소설가가 있다고 자랑을 한 거야. 〈중략〉 그러자 기한이 아저씨는 늦은 밤까지 글 쓰는 친구를 어떻게 아무 일도 없이 불러내느냐고 그러고, 그러니까 저쪽 친구는 거짓말이니까 못 불러낸다고 그러고. 그러다 누군가 기한이 아저씨한테 친구라면 불러낼 수도 있는 것 아니냐고, 그걸로 내기를 하자고 그러고."

"그래서 기한이 아저씨가 전화를 한 거예요?"

"그런 말도 하지 않고 그냥 지금 어느 식당에 있는데 나올 수 있겠느냐고 물었단다. 무슨 일이냐니까 별일은 아닌데 그냥 나왔으면 좋겠다고. 그러면서 지금 뭘 하다가 전화를 받았느냐고 물어서 내일 넘길 바쁜 원고를 쓰고 있다니까 그럼 나오지 말라고 그러고. 그냥 친구들과 장난으로 전화를 건 거라면서." / "그래서요?"

"기한이 아저씨가 그냥 장난으로 전화를 걸 사람이 아니니까 거기 어디냐고 물어서 얼른 택시를 타고 나갔던 거지. 가니깐 그런 내기를 한 거야. 거기 있는 친구들과."

"그래서 기한이 아저씨가 이긴 거예요?"

"아니, 아빠가 이긴 거지. 그때까지 아빠는 아직 한 번도 기한이 아저씨를 위해 몸으로 무얼 해 본 적이 없었거든. 그런데도 기한이 아저씨는 아빠한테 자기는 늘 몸으로만 때우는 친구라 미안하다고 했는데, 그날 ㉠아빠가 기한이 아저씨를 위해 몸으로 때워 보니 정말 몸으로 때워 주는 것만큼 힘든 일도 없고, 또 좋은 친구도 없는 거야."

(나) "장난이긴 하지만 친구란 그런 거야. 무얼 꼭 크게 도와주고 힘든 일을 해 주어야만 좋은 친구인 것이 아니라 어떤 일로든 그 사람이 정말 내 친구구나 하는 걸 확인하게 될 때 마음속에 다시 커다란 우정이 쌓이는 거란다. 그리고 그런 우정이 쌓일 때 옛날이야기 속의 아버지 친구 같은 이야기도 나오는 거고."

"알아요, 아빠. 그리고 따뜻하고요."

"친구를 가려 사귀기는 하되 절대 차별해서 사귀면 안 되는 거야. 알았지?"
"저도 이다음에 아빠 같은 친구를 많이 사귈 거예요. 제가 그 사람의 친구인 걸 자랑스럽게 여기는 친구들을요."
"그리고 그런 친구들을 상우 네가 자랑할 수 있어야 하고."

출제 예감 90%

07 이 대화에 대한 설명으로 적절한 것을 모두 고른 것은?

보기

ⓐ 특정 주제에 관해 듣는 이와 말하는 이가 자유롭게 대화하고 있다.
ⓑ 듣는 이와 말하는 이는 이해와 신뢰를 바탕으로 화제에 관한 의미를 공유하고 있다.
ⓒ 말하는 이는 듣는 이가 경험한 내용에 조언을 해 주면서 대화에 적극적으로 참여하고 있다.
ⓓ 듣는 이와 말하는 이는 화제와 관련한 서로의 대립된 생각을 조정하기 위해 노력하고 있다.

① ⓐ, ⓑ ② ⓐ, ⓒ ③ ⓑ, ⓒ
④ ⓑ, ⓓ ⑤ ⓒ, ⓓ

출제 예감 95%

08 이 대화를 통해 아버지와 아들이 공유하게 된 생각으로 적절하지 않은 것은?(정답 두 개)

① 차별하지 않고 친구를 사귀어야 한다.
② 우정은 친구를 자랑스러워하는 것이다.
③ 도울 수 있는 무엇인가를 해 주는 것이 진정한 우정이다.
④ 서로가 친구라는 사실을 확인할 수 있는 기회를 자주 가져야 한다.
⑤ 우정은 친구임을 확인할 수 있는 계기를 통해 다시 커다랗게 쌓이는 것이다.

출제 예감 80% 서술형 논술 대비

09 ㉠이 가리키는 의미를 〈조건〉에 맞게 서술하시오.

조건

• 아빠의 행동을 밝혀 쓸 것
• 시간과 장소를 드러낼 것

[10~13] 다음 글을 읽고 물음에 답하시오.

(가) 안녕하세요. 저는 세번 스즈키입니다. 저는 에코(ECHO-환경을 지키는 어린이 조직)의 대표로 여기에 왔습니다. / 저희들은 열두 살에서 열세 살 사이의 캐나다 아이들로서 무언가 변화에 기여하려는 모임을 만들었는데, 바네사 수티, 모건 가이슬러, 미셜 퀴그, 그리고 제가 회원이에요. 어른들께 살아가는 방식을 바꾸지 않으면 안 될 거라는 말씀을 드리기 위해 오천 마일(mil)을 여행하는 데 필요한 경비를 저희 스스로 모금했답니다.

(나) 저는 미래의 모든 세대를 위해 여기에 섰습니다. 저는 세계 전역의 굶주리는 아이들을 대신하여 여기에 섰습니다. 저는 이 행성 위에서 ㉠죽어 가고 있는 수많은 동물들을 위해 여기에 섰습니다.

(다) 저는 ㉡오존층의 구멍 때문에 햇빛 속으로 나가기가 두렵습니다. 공기 속에 무슨 화학 물질이 들어 있을지 모르기 때문에 숨 쉬기가 두렵습니다. 저는 아빠와 함께 밴쿠버에서 낚시를 즐겼습니다. 그런데 바로 몇 해 전에 ㉢암에 걸린 물고기들을 발견했습니다. 그리고 지금 우리는 날마다 동식물이 사라지고 있다는, 그들이 영원히 소멸되고 있다는 소식을 듣고 있습니다.

(라) 저는 어린아이일 뿐이고, 따라서 해결책을 가지고 있지 않습니다. 저는 여러분께 과연 해결책을 가지고 있으신지 묻고 싶습니다. 여러분은 오존층에 난 구멍을 수리하는 방법, 죽은 강으로 연어를 다시 돌아오게 할 방법, ㉣사라져 버린 동물을 되살려 놓는 방법을 알지 못합니다. 그리고 여러분은 이미 ㉤사막이 된 곳을 푸른 숲으로 되살려 놓을 능력도 없습니다.

(마) 여러분이 고칠 방법을 모른다면, 제발 그만 망가뜨리시기 바랍니다! 여러분은 정부의 대표로, 기업가로, 기자나 정치가로 여기에 와 계실 겁니다. 그렇지만 여러분은 그 이전에 누군가의 어머니와 아버지, 형제와 자매, 아주머니와 아저씨 들이며, 그리고 여러분 모두 누군가의 자녀입니다.

소단원 핵심 문제

출제 예감 90%

10 이와 같은 말하기의 성격을 모두 골라 묶은 것은?

보기

ⓐ 공공의 이익을 위하여 사실에 근거해서 말해야 하므로 말하는 이의 주관적 의견은 배제된다.

ⓑ 많은 사람들을 대상으로 이루어지며, 특정 주제에 관한 말하는 이의 의도가 잘 드러난다.

ⓒ 다수의 사람들을 설득해야 하므로 격식을 갖추기보다 편한 태도로 말하는 것이 좋다.

ⓓ 주제에 관한 자신의 입장을 명확하게 정하고 그를 뒷받침할 합당한 근거를 들어 말한다.

ⓔ 말하는 이와 듣는 이의 구분 없이 상호 간에 의견을 조정하여 해결책을 찾아야 한다.

① ⓐ, ⓑ ② ⓑ, ⓓ ③ ⓒ, ⓔ
④ ⓐ, ⓑ, ⓓ ⑤ ⓑ, ⓓ, ⓔ

출제 예감 85% 서술형 논술 대비

11 말하는 이가 이 회의에 참석하게 된 목적을 (가)에서 찾아 30자 내외로 쓰시오.

출제 예감 75%

12 (가)~(마) 중, 이 연설의 청중에 대한 구체적인 정보가 나타난 문단은?

① (가) ② (나) ③ (다)
④ (라) ⑤ (마)

출제 예감 80%

13 ㉠~㉤ 중 나머지 넷의 원인에 해당하는 것은?

① ㉠ ② ㉡ ③ ㉢
④ ㉣ ⑤ ㉤

[14~19] 다음 글을 읽고 물음에 답하시오.

(가) 저는 어린아이일 뿐입니다. 그렇지만 저는 우리가 모두 하나이며, 하나의 목표를 향해 행동해야 한다는 것만은 알고 있습니다. 저는 분노하고 있지만, 눈이 멀지는 않았습니다. 저는 두려워하고 있지만, 제가 어떻게 느끼는지 세상에 말하는 것을 망설이지는 않습니다.

(나) 우리나라 사람들은 너무 많은 쓰레기를 만들어 냅니다. 우리는 사고 버리고, 또 사고 버립니다. 그러면서도 가난한 사람들과 나누려 하지 않습니다. 우리는 필요한 것보다 더 많이 가지고 있으면서도 조금도 잃고 싶어 하지 않고, 나누어 갖기를 두려워합니다.

(다) 저는 이틀 전 여기 브라질에서 큰 충격을 받았습니다. 우리는 길거리에서 살고 있는 몇몇 아이들과 얼마 동안 시간을 보냈습니다. 그중 한 아이가 우리에게 이렇게 말하더군요.

"내가 부자가 되었으면 좋겠다. 만약 내가 부자라면 나는 거리의 모든 아이들에게 음식과 옷과 약과 집, 그리고 사랑과 애정을 주겠다."

아무것도 가진 게 없는 거리의 아이가 기꺼이 나누겠다고 하는데, 모든 것을 다 가지고 있는 우리는 어째서 그토록 인색할까요?

(라) 저는 아이일 뿐입니다. 그렇지만 전쟁에 쓰이는 모든 돈이 빈곤을 해결하고, 환경 문제를 해결하는 데 쓰인다면, 이 지구가 얼마나 멋진 곳으로 바뀔지 알고 있습니다.

학교에서도, 유치원에서도, 어른들은 우리에게 착한 사람이 되라고 가르칩니다. 어른들은 서로 싸우지 말고 존중하며, 자원을 절약하고, 몸과 주변을 청결히 하고, 다른 생물들을 해치지 말고 보호하며, 자원을 더불어 나누어야 한다고 가르칩니다. 그런데 어째서 여러분 ㉠<u>어른들</u>은 우리에게 하라고 한 것과는 정반대의 행동을 하십니까?

(마) 여러분이 이 회의에 참석하고 계신 이유가 무엇이며, 누구를 위해서 이런 회의를 열고 있는지 잊지 마십시오. 저희는 여러분의 아이들입니다. 여러분은 저희가 앞으로 어떤 세계에서 자라날지 결정하고 계신 겁니다.

"모든 일이 잘될 거야. 우리는 최선을 다하는 중이고, 세상의 종말은 오지 않을 거야."

라고 부모님들이 자녀들을 안심시킬 수 있어야만 합니다. 그렇지만 여러분은 그런 말을 우리에게 더 이상 할 수 없을 것 같아 보입니다. ㉡도대체 어린아이들이 여러분이 하고 있는 회의의 우선순위에 올라 있기나 합니까?

저희 아빠는 항상 말씀하십니다.

"너의 말이 아니라 행동이 진짜 너를 만든단다."

하지만 여러분의 행동은 밤마다 저를 울게 합니다. 여러분은 항상 우리를 사랑한다고 말합니다. 저는 이 자리에서 여러분에게 호소합니다. 제발 저희의 바람이 여러분의 행동에 반영되도록 노력해 주십시오.

출제 예감 90%

14 이 연설에서 말하는 이에 대한 설명으로 적절하지 않은 것은?

① 여러 사람들 앞에서 정중한 태도로 말하고 있다.
② 조직의 대표 자격으로 공적인 문제를 다루고 있다.
③ 구체적인 사례를 들어 청중들 앞에서 호소하고 있다.
④ 청중을 설득하기 위해 최선의 해결책을 제시하고 있다.
⑤ 어른인 아빠의 말을 인용하며 어른들의 반성을 이끌어 내고 있다.

출제 예감 85%

15 이 연설에 대한 학생들의 반응으로 적절하지 않은 것은?

① 민지: 어른들의 잘못된 행동을 단호한 태도로 비판하고 있어.
② 연주: 우리가 당면하고 있는 문제에 관해 진지한 태도로 말하고 있어.
③ 동수: 어른들이 어린아이들의 미래를 위해 행동할 것을 촉구하고 있어.
④ 진성: 자신이 어린아이일 뿐이라는 말은 청중들의 감정에 호소하는 힘이 있어.
⑤ 혜은: 자신의 평소 생활 습관을 반성함으로써 청중들의 신뢰감을 얻고 있어.

출제 예감 95% 서술형 논술 대비

16 이 연설에서 말하는 이의 주장을 〈조건〉에 맞게 서술하시오.

조건
- 말하는 이가 문제로 제기한 세 가지 내용을 포함시킬 것
- 문제 해결의 주체가 누구인지 밝혀 명령문 형식으로 쓸 것

출제 예감 85%

17 (가)~(마) 중, 말하는 이의 직접적인 경험이 나타나 있는 것은?

① (가) ② (나) ③ (다) ④ (라) ⑤ (마)

출제 예감 80%

18 ㉠의 태도를 비판하기에 가장 적절한 말은?

① 수구초심(首丘初心) ② 과유불급(過猶不及) ③ 이율배반(二律背反) ④ 곡학아세(曲學阿世) ⑤ 근묵자흑(近墨者黑)

출제 예감 75%

19 ㉡에 담겨 있는 말하는 이의 태도는?

① 자신의 태도를 성찰하고 있다.
② 잘못된 현실에 체념하고 있다.
③ 현실 극복의 의지를 다지고 있다.
④ 상대방의 행동을 비판하고 있다.
⑤ 사실에 대한 정보를 설명하고 있다.

흑설 공주

• 생각 열기 다음 두 작품을 보고 이야기 나누어 봅시다.

▲ 레오나르도 다빈치, 「모나리자」

▲ 페르난도 보테로, 「모나리자」

원작인 레오나르도 다빈치의 「모나리자」와 이를 재창작한 보테로의 「모나리자」가 주는 느낌을 비교하여 봅시다.

예시 답 레오나르드 다빈치의 「모나리자」는 우아한 느낌을 준다. 보테로의 「모나리자」는 익살스러운 느낌을 준다./ 뚱뚱한 모나리자의 아름다움을 표현하고 있다.

보테로가 「모나리자」를 통해 표현하려고 한 것이 무엇일지 생각해 봅시다.

예시 답 뚱뚱함에도 그 나름의 아름다움이 있다는 것을 표현하고 있는 듯하다. 뚱뚱함의 귀여움을 보여 주려 한 것 같다. 사람들이 '뚱뚱하다'의 문제에 관해서 다시 생각해 보기를 원한 것 같다.

• 학습 목표로 내용 엿보기

"재구성된 작품을 원작과 비교하며 감상하면 그 안에 담긴 새로운 상상과 가치를 발견하는 즐거움을 느낄 수 있어. 알고 있던 작품을 내용이나 매체를 바꾸어 재구성하면 재미도 있고 새로운 주제를 전달할 수도 있을 거야."

핵심 1 재구성 과정에서의 변화 양상 파악하기

핵심 2 작품 재구성 과정에서 반영되는 새로운 상상과 가치 등을 발견하기

핵심 원리 이해하기 재구성의 의미와 방법

의미	원작의 내용에 글쓴이의 새로운 상상과 가치를 더하여 새롭게 구성하는 것	
방법	• 내용 바꾸기 • 맥락 바꾸기	• 형식 바꾸기 • 매체 바꾸기

개념 확인 콕콕

• 정답과 해설 p.26

[01~02] 다음 빈칸에 들어갈 알맞은 말을 쓰시오.

01 (　　　　)된 작품을 원작과 비교하여 감상하면 그 안에 담긴 새로운 상상과 가치를 발견할 수 있다.

02 보테로의 「모나리자」는 다빈치의 원작이 우아한 느낌을 주는 것과는 달리 (　　　　) 모나리자의 아름다움을 표현하여 익살스러운 느낌을 준다.

03 재구성의 방법으로 적절하지 않은 것은?

① 새로운 등장인물을 삽입한다.
② 작품의 서술 방식이나 시점 등의 형식을 달리 한다.
③ 재구성된 작품에 등장하는 인물의 성격에 변화를 준다.
④ 원작에 충실해야 하므로 작품의 갈래는 바꾸지 않는다.
⑤ 글쓴이의 상상력으로 작품의 사회적 · 문화적 배경을 다르게 설정한다.

04 재구성된 작품에 대한 올바른 감상 태도를 모두 고른 것은?

보기
ⓐ 재구성 과정에서 어떤 변화가 일어났는지 파악하며 읽는다.
ⓑ 원작의 의미를 훼손하지 않고 재구성하였는지 비교하며 읽는다.
ⓒ 재구성 과정에서 반영된 새로운 가치 등을 발견하며 읽는다.
ⓓ 원작보다 인기가 많은지 독자의 반응을 확인하며 읽는다.

① ⓐ, ⓑ　② ⓐ, ⓒ　③ ⓑ, ⓒ
④ ⓑ, ⓓ　⑤ ⓒ, ⓓ

활동 안내

이 소단원은 원작과 비교하여 재구성된 작품에 반영된 새로운 상상과 가치 등을 발견하며 작품을 감상하기 위한 단원이다. 「흑설 공주」는 원작 「백설 공주」에 글쓴이의 상상과 새로운 가치를 더해 내용과 주제를 바꾸어 재구성한 소설이다. 재구성된 작품과 원작의 비교를 통해, 변화 양상을 파악하고 재구성된 작품에 담긴 글쓴이의 의도를 이해할 수 있도록 한다.

발단
왕비(백설 공주)의 소망으로 살빛이 검은 공주가 태어남.

→ **전개**
왕비가 죽자 새 왕비가 들어와 흑설 공주를 죽이고자 함.

→ **위기**
공주가 위기를 극복하고 난쟁이들의 도움을 받아 평화롭게 살아감.

(전개~위기: 교과서 〈중략〉 부분)

→ **절정**
- 사냥꾼이 공주를 죽이지 않은 사실을 알고 왕비가 분노함.
- 공주가 변장한 왕비에 의해 숨이 끊어짐.

→ **결말**
- 나무꾼의 눈물에 공주가 깨어남.
- 왕비는 쫓겨나고 공주는 나무꾼과 결혼하여 행복하게 삶.

본문 개관

★ **글쓴이 소개** 이경혜

동화 작가. 주요 저서로 「어느 날 내가 죽었습니다」, 「스물일곱 송이 붉은 연꽃」 등이 있다.

★ **갈래** 현대 소설, 개작 동화

이 소설은 기존의 동화 「백설 공주」를 재구성하여 쓴 개작 동화이며 현대 소설이다.

★ **성격** 동화적, 환상적, 교훈적

이 소설은 널리 알려진 동화인 「백설공주」를 재구성하여 글쓴이가 아름다움에 관한 자기 생각을 드러낸 동화적인 소설이다. 흑설 공주의 엄마인 왕비가 앉은 창가에만 검은 눈송이가 내리고, 주인공이 죽었다가 살아나는 과정 등에서 환상적인 성격을 보이고 있다. 또한 아름다움의 가치를 새롭게 해석하여 겉모습만을 중시하고, 내면의 건강함과 아름다움을 등한시하는 요즘 사회의 현실을 비판하고 있다는 점에서 교훈적 성격도 갖고 있다.

★ **주제** 인간은 모두 자신만의 아름다움을 가지고 있다.

검은 색 피부를 가진 주인공을 내세워 아름다움의 기준을 한 가지로 정해서 판단해서는 안 된다는 점과 아름다움이 외면으로만 결정되는 것은 아니라는 주제를 드러내고 있다.

흑설 공주

이경혜

이것이 핵심! ✔ 원작과의 공통점과 차이점 ① ✔ 소재의 의미

발단 가 흰 눈이 펑펑 쏟아지는 겨울날이었다.

㉠눈처럼 하얀 드레스를 입은 왕비가 창가에 앉아 뜨개질을 하고 있었다. 왕비는 하얀 털실로 태어날 아기가 입을 망토를 짜고 있었다. 왕비는 하얀색을 유난히 좋아해서 커튼도 침대보도 아기가 입을 옷도 모두 하얀색으로 만들었다. 이 왕비가 바로 눈처럼 하얀 피부에 피처럼 붉은 입술, 흑단처럼 ㉡검은 머리칼을 지닌 그 유명한 '백설 공주'였다.

흑단: 감나뭇과의 상록 활엽 교목인 흑단나무에서 얻는 단단하고 검은 목재

'우리 아기도 나를 닮아 눈처럼 하얀 살결을 지니겠지.'

왕비는 조용히 미소를 지었다.

그때였다. 문득 고개를 들고 창을 바라보던 왕비는 깜짝 놀라고 말았다. / 창밖에 ㉢검은 눈이 내리고 있었다!

그것도 다른 곳에는 여전히 흰 눈이 펄펄 내리는데, 왕비가 앉아 있는 창밖에만 반짝반짝 검게 빛나는 눈이 내리는 것이었다.

"아니, 이게 무슨 일이지?"

왕비는 놀라서 창문을 열고 손바닥에 검은 눈을 받아 보았다.

하얀 왕비의 손 위에 놓인 검은 눈송이는 흑진주처럼 ㉣영롱한 빛으로 반짝이다가 조용히 녹아내렸다.

"아, 정말로 아름답구나. 이 검은 눈처럼 아름다운 아기를 낳았으면!"

왕비는 자기도 모르게 한숨 쉬듯 그런 말을 뱉고 말았다.

나 몇 달 후 왕비는 공주를 낳았다. 그런데 놀랍게도 공주는 굴뚝에서 빼내 온 아이처럼 온몸이 새까맸다. 시녀들은 어쩔 줄 몰라 비명을 질렀지만 왕비만은 그 새까만 공주를 품에 안으며 기쁨의 눈물을 흘렸다.

"오, 정말로 검은 눈처럼 아름다운 아기가 태어났구나. 이 아기를 흑설 공주라고 부르도록 하여라."

흑설은 검은 눈이란 뜻이었다. 왕비는 흑설 공주에게 ㉤하얀 망토를 입히고 몹시 사랑했지만 안타깝게도 흑설 공주가 첫돌이 되기 전에 그만 병에 걸려 세상을 떠나고 말았다.

확인 문제

• 정답과 해설 p.26

01 이 글에 대한 설명으로 적절한 것을 모두 골라 묶은 것은?

보기
ⓐ 매체를 바꾸어 원작을 재구성한 작품이다.
ⓑ 원작과는 다른 인물이 주인공으로 등장한다.
ⓒ 작가의 새로운 상상력으로 재구성한 작품이다.
ⓓ 원작과는 달리 동화적이고 환상적인 성격을 지닌다.

① ⓐ, ⓑ ② ⓐ, ⓒ ③ ⓑ, ⓒ ④ ⓑ, ⓓ ⑤ ⓒ, ⓓ

핵심
02 이 글의 감상 방법으로 적절하지 않은 것은?

① 원작과 비교하여 공통점과 차이점을 파악해 본다.
② 글쓴이가 원작을 재구성한 의도를 생각해 본다.
③ 원작과 등장인물의 성격을 비교하여 감상한다.
④ 원작의 주제 의식이 그대로 반영되었는지 파악한다.
⑤ 비판적, 창의적으로 재구성된 부분을 원작과 비교해 본다.

03 ㉠~㉤ 중, 〈보기〉의 설명에 해당하는 것은?

보기
• 글의 분위기를 환상적으로 만드는 소재
• '흑설 공주'라는 이름에 담긴 뜻

① ㉠ ② ㉡ ③ ㉢ ④ ㉣ ⑤ ㉤

핵심 서술형
04 (나)와 원작의 공통점과 차이점을 각각 하나씩 쓰시오.

다 어머니가 없어도 흑설 공주는 무럭무럭 자라났다. 하지만 공주를 사랑해 주는 사람은 이 세상에 한 사람도 없었다.

백성들은 모두 공주를 이상한 눈으로 바라보았다.

"기가 막히지. 임금님도 왕비님도 모두 고귀한 하얀 피부를 갖고 계신데, 어째서 공주는 저렇게 온몸이 새까맣지? 어유, 보기 싫어라!"

아버지인 왕마저 공주를 볼 때마다 한숨을 푹푹 쉬었다.

"어허, 어째서 백설 공주의 딸이 흑설 공주가 되었단 말인가? 비록 내 딸이지만 사랑스럽지가 않구나."

흑설 공주는 손가락질을 당하고 미움을 받는 것에 길이 들어 늘 고개를 숙이고 다녔다. 오직 어머니가 떠 준 ㉠하얀 망토만을 언제나 품속에 넣고 다녔다. 무엇에든 욕심이 없는 공주였지만 그 하얀 망토만은 절대로 몸에서 떼어 놓는 법이 없었고, 아무도 손을 대지 못하게 했다. 잠을 잘 때도 공주는 망토를 품에 꼭 안고 잤다. 그럴 때면 공주도 엄마 품에서 잠드는 것처럼 아늑한 행복을 느꼈다.

길: 어떤 일에 익숙하게 된 솜씨

궁궐의 시녀조차도 흑설 공주 앞에서는 자신의 ㉡하얀 피부를 뽐내며 공주를 무시하기 일쑤였다. 그래서 흑설 공주는 언제나 사람들 눈에 띄지 않는 곳만을 찾아다녔다. 아무도 책을 읽는 사람이 없어 먼지만 쌓이고 있는 궁궐의 ㉢작은 도서관이나 정원 귀퉁이의 ㉣덤불숲 같은 곳에서 하루 종일 시간을 보내곤 하였다. 그러다 보니 흑설 공주는 어느덧 ㉤책을 좋아하게 되었고, 들쥐나 새 같은 작은 짐승들과도 친해졌다.

덤불숲: 어수선하고 엉클어진 얕은 수풀이 꽉 들어찬 것

발단 | 왕비(백설 공주)의 소망으로 살빛이 검은 공주가 태어남.

핵심 확인 원작과의 공통점과 차이점 ①

공통점	공주가 태어나자마자 얼마 안 되어 왕비가 죽음.	
차이점	「백설 공주」	눈처럼 흰 피부를 가진 공주가 태어나고 모두에게서 사랑받음.
	「흑설 공주」	까만 피부를 가진 공주가 태어나고 아버지인 왕까지도 공주를 사랑스럽게 여기지 않음.

소재의 의미

소재	의미
검은 눈	흑설 공주의 탄생과 관련하여 환상적이고 신비로움을 조성
하얀 망토	흑설 공주를 사랑하는 왕비의 마음과 어머니를 그리워하는 흑설 공주의 마음을 나타냄.

핵심

05 글의 전개 과정에서 나머지 넷의 원인에 해당하는 것은?

① 흑설 공주가 늘 고개를 숙이고 다님.
② 공주의 아버지인 왕마저 공주를 사랑하지 않음.
③ 검은 눈처럼 까만 피부를 가진 공주가 태어남.
④ 공주를 사랑해 주는 사람이 이 세상에 아무도 없음.
⑤ 흑설 공주는 언제나 사람들 눈에 띄지 않는 곳만을 찾아다님.

서술형

06 이 글의 사건 전개에서 빈칸에 들어갈 내용을 본문에서 찾아 한 문장으로 쓰시오.

궁궐의 시녀조차 흑설 공주를 무시함.
↓
흑설 공주는 궁궐의 작은 도서관이나 정원 귀퉁이에서 하루 종일 시간을 보냄.
↓
( )

07 이 글을 재구성하는 과정에서 반영된 비판적 현실 인식으로 볼 수 있는 것은?

① 물질만능주의적 현실
② 성 역할에 대한 편견
③ 세대 간의 인식 차이
④ 계층 간의 대립과 갈등
⑤ 미적 기준에 대한 편견

낱개 확인 문제

08 ㉠~㉤ 중, 어머니에 대한 공주의 그리움을 나타내는 것은?

① ㉠ ② ㉡ ③ ㉢
④ ㉣ ⑤ ㉤

[중략된 부분의 줄거리] 왕은 새 왕비를 맞아들이고, 새 왕비는 자신의 아름다움을 더욱 빛나 보이게 하기 위하여 흑설 공주를 데리고 다니며 잘 대해 주는 척한다. 그러다가 진실의 거울로부터 세상에서 가장 아름다운 사람이 흑설 공주라는 사실을 들은 왕비는 왕을 설득하여 공주를 성 밖으로 내보내고, 사냥꾼을 시켜 공주를 죽이게 한다. 사냥꾼의 동정으로 겨우 목숨을 구한 흑설 공주는 깊은 숲속에 들어가 「백설 공주」에 나왔던 일곱 난쟁이의 자식인 일곱 명의 난쟁이들을 만나 함께 지내게 된다.

이것이 핵심! ✔ 원작과의 공통점 ✔ 새 왕비가 흑설 공주를 죽이려고 한 까닭

절정 1 ㉣ 한편 왕비는 이제 흑설 공주를 죽였으니 다시 거울에게 물어보고 싶은 마음이 생겼다.

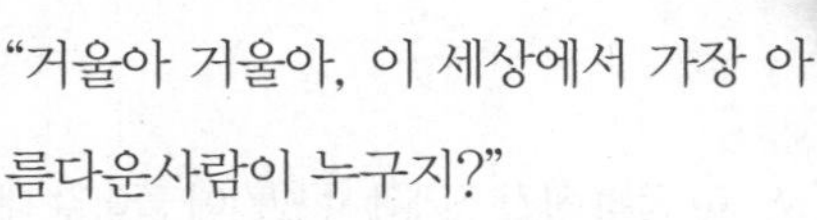

"거울아 거울아, 이 세상에서 가장 아름다운사람이 누구지?"

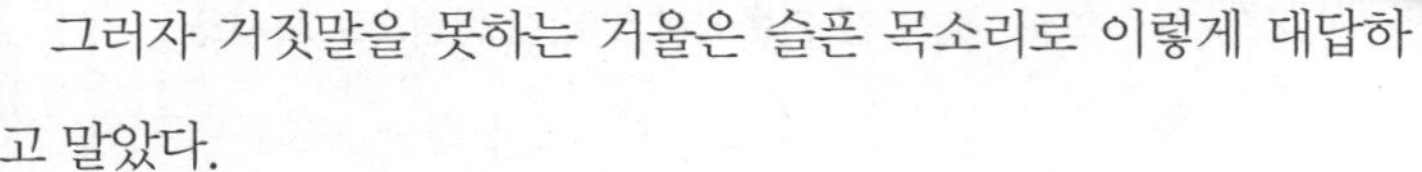

그러자 거짓말을 못하는 거울은 슬픈 목소리로 이렇게 대답하고 말았다.

"왕비님, 왕비님은 물론 아름다우십니다. 하지만 세상에서 가장 아름다운 분은 저기 일곱 개의 산 너머 일곱 난쟁이 집에 있는 흑설 공주님이십니다."

왕비는 질투와 분노로 바드득 이를 갈았다. 사냥꾼이 자기를 속인 것이다! 당장 사냥꾼을 잡아들이게 했지만 사냥꾼은 이미 왕비가 준 상금을 들고 다른 나라로 달아나고 없었다.

'으으! 흑설 공주가 살아 있어선 안 돼. 그랬다가는 내가 자기를 죽이려 했다는 사실을 언젠가는 세상에 알리고야 말걸. 더군다나 거울도 저렇게 지껄이고 있는 걸 보면 언제 그 애가 갑자기 아름답게 둔갑해 나타날지 어떻게 안단 말이야? ㉠나보다 아름다운 사람이 이 세상에 있는 꼴은 절대로 볼 수 없지!'

절정 1 | 사냥꾼이 공주를 죽이지 않은 사실을 알고 분노하는 새 왕비

핵심 확인 원작과의 공통점
- 거울에게 세상에서 가장 아름다운 사람이 누구인지를 물어봄.
- 사냥꾼에게 공주를 죽이라는 명령을 내림.
- 공주가 살아 있다는 사실을 알고 공주를 죽이려는 결심을 함.

새 왕비가 흑설 공주를 죽이려고 한 까닭: 흑설 공주가 없으면 자신이 세상에서 가장 아름다운 사람이 될 수 있다고 생각했기 때문

09 다음 중 시간적으로 가장 먼저 일어난 사건은?

① 새 왕비가 사냥꾼을 시켜 흑설 공주를 죽이게 함.
② 새 왕비가 사냥꾼에게 속은 것을 알고 크게 분노함.
③ 새 왕비가 왕을 설득하여 공주를 성 밖으로 내보냄.
④ 사냥꾼은 왕비가 준 상금을 들고 다른 나라로 달아남.
⑤ 진실의 거울이 흑설 공주가 세상에서 가장 아름답다고 말함.

10 새 왕비의 계략에도 흑설 공주가 죽지 않았다는 사실을 알게 해 주는 문장을 본문에서 찾아 처음과 끝 어절을 쓰시오.

핵심

11 이 글과 원작의 공통점으로 볼 수 <u>없는</u> 것은?

① 새 왕비는 사냥꾼을 시켜 공주를 죽이게 한다.
② 새 왕비는 공주가 살아 있음을 알고 공주를 죽이려고 결심한다.
③ 진실의 거울은 새 왕비보다 공주가 더 아름답다고 말한다.
④ 공주는 새 왕비의 계략을 왕에게 알리려고 결심한다.
⑤ 새 왕비는 거울에게 세상에서 가장 아름다운 사람이 누구인지를 묻는다.

서술형

12 ㉠으로 미루어 알 수 있는 새 왕비의 행동을 한 문장으로 서술하시오.

이것이 핵심! ✓ 원작과의 공통점과 차이점 ② ✓ 이 부분에 나타난 복선

절정 2 **마** 예전에 마녀에게 마법을 배우기도 했던 왕비는 자신이 직접 나서 흑설 공주를 죽이기로 마음먹었다. 왕비는 늙수그레한(꽤 늙어 보이는) 장사꾼 영감처럼 모습을 바꾸고, 일곱 개의 산을 넘어 일곱 난쟁이의 집을 찾아가 문을 두드렸다.

"헌책 사세요! 헌책 사세요!"

왕비는 ㉠독 사과 따위를 들고 가는 짓은 하지 않았다. 공주가 가장 좋아하는 것이 책이란 것을 잘 알고 있었던 것이다. 흑설 공주는 책이란 말에 눈이 번쩍 뜨였다. 안 그래도 ㉡난쟁이네 집에 있는 몇 권 안 되는 책들은 벌써 외울 만큼 여러 번 읽어 버린 뒤여서 다른 책이 몹시 읽고 싶었던 참이었다.

공주는 가만히 창밖을 내다보았다. 밖에는 늙수그레한 영감이 책을 한 더미나 지고 서 있었다. 여자가 아니라 남자인 것을 보니 마음이 놓인 공주는 살그머니 문을 열었다.

㉢왕비는 이때다 싶어 책 한 권을 펼쳐 보이며 말했다.

"자, 예쁜 아가씨, 세상에서 가장 재미있는 이 책을 한번 보시우."

그 책에는 공주가 살던 왕궁의 모습과 '진실의 ㉣거울'과 아늑한 다락방의 친구들이 그려져 있었다. 흑설 공주는 자기도 모르게 손을 뻗어 그 책을 받아 들었다. 왕비는 굵직한 목소리로 말했다.

"아주 귀한 ㉤책이라우. 이런 산속에서는 볼 수도 없는 책이지. 내가 지고 다니기가 무거워서 그러니 물 한 잔만 주면 이 책을 선물로 주고 가리다." / "정말요?"

흑설 공주는 기뻐서 얼른 물을 가지러 안으로 들어갔다.

바 그 사이 왕비는 공주가 펼쳐 둔 페이지에 재빨리 독을 발랐다. 그리고 다음 페이지에는 그 독을 풀 수 있는 해독제도 발랐다. 책에 독을 바를 때는 반드시 다음 장에 해독제도 발라야 하는 것이 마녀 세계의 법칙이었다. 그것은 마녀와 책의 요정들 사이에 맺어진 계약이었다. 하지만 책을 읽는 사람은 독이 입에 들어가는 순간 숨이 끊어지니 다음 장에 해독제(몸 안에 들어간 독성 물질의 작용을 없애는 약)가 발라져 있어도 별달리 소용이 없었다.

핵심

13 이 글과 원작을 비교한 내용으로 적절하지 않은 것은?

공통점	① 왕비가 공주를 죽이려고 함.
	② 왕비가 독을 사용하여 공주를 죽이려고 함.
	③ 왕비가 책을 들고 공주를 찾아감.
차이점	④ 공주가 책 읽기를 몹시 좋아함.
	⑤ 왕비가 책에 독과 함께 해독제도 바름.

서술형 | 낱개 확인 문제

14 이 글에서 독으로 죽은 공주가 다시 살아날 수 있는, 암시적 장치에 해당하는 왕비의 행동을 찾아 한 문장으로 쓰시오.

15 공주가 왕비의 계략에 넘어가게 된 원인으로 보기 어려운 것은?

① 공주가 난쟁이네 집을 떠나려고 하였다.
② 공주가 책을 읽는 것을 매우 좋아하였다.
③ 책을 권하는 사람이 늙수그레한 영감이었다.
④ 책에 왕궁의 모습과 친구들이 그려져 있었다.
⑤ 공주가 다른 책들을 읽고 싶은 마음이 간절하였다.

16 ㉠~㉤ 중, 글쓴이의 상상력으로 새롭게 재구성된 소재는?

① ㉠ ② ㉡ ③ ㉢ ④ ㉣ ⑤ ㉤

아니나 다를까, 물을 가져다준 공주는 아까 읽던 페이지를 다 읽고 손가락에 침을 묻혀 다음 장을 넘겼다. ㉠왕비는 침을 꼴깍 삼키며 공주를 바라보았다. 이미 공주의 손끝에는 독이 묻어 있었다. 그 손가락에 다시 침을 묻히면 왕비의 목적이 달성되는 것이었다. 또다시 다음 장을 넘기기 위해 손가락에 침을 묻히던 공주는 그대로 자리에서 풀썩 쓰러지고 말았다. 왕비는 미소를 지으며 품 안에서 ㉡손거울을 꺼내 공주의 코끝에 대 보았다. 만약 공주가 숨을 쉰다면 거울에 김이 서릴 것이기 때문이다. 그러나 거울에는 아무런 흔적도 없었다. 공주는 숨이 끊어졌다. / "으히히히히히!"

달성되는: 목적한 것이 이루어지는

왕비의 소름 끼치는 ㉢웃음소리가 오래도록 숲을 울렸다.

궁궐에 돌아온 왕비는 얼른 ㉣다락방으로 올라가 거울에게 물었다.

"거울아 거울아, 이 세상에서 가장 아름다운 사람은 누구지?"

거울은 슬픈 목소리로 대답했다.

"왕비님입니다. 바로 왕비님이 이 세상에서 가장 아름다운 분입니다."

"오호호호호! 이제야 네가 바른말을 하는구나."

질투심으로 미칠 것 같았던 왕비는 이제야 겨우 마음을 놓고 더욱 아름답게 보이기 위해 ㉤새 옷을 지을 재단사를 불렀다.

재단사: 옷감이나 재목 따위를 치수에 맞도록 재거나 자르는 일을 하는 것을 전문으로 하는 사람

절정 2 공주가 변장한 왕비에 의해 숨이 끊어짐.

핵심 확인 원작과의 공통점과 차이점 ②

공통점	• 새 왕비는 독을 사용하여 공주를 죽이려고 함. • 새 왕비의 독에 공주의 숨이 끊어짐.	
차이점	「백설 공주」	사과에 독을 바름.
	「흑설 공주」	책에 독을 바름.

이 부분에 나타난 복선

새 왕비가 독과 함께 해독제를 바름. → 공주가 되살아날 것을 암시함.

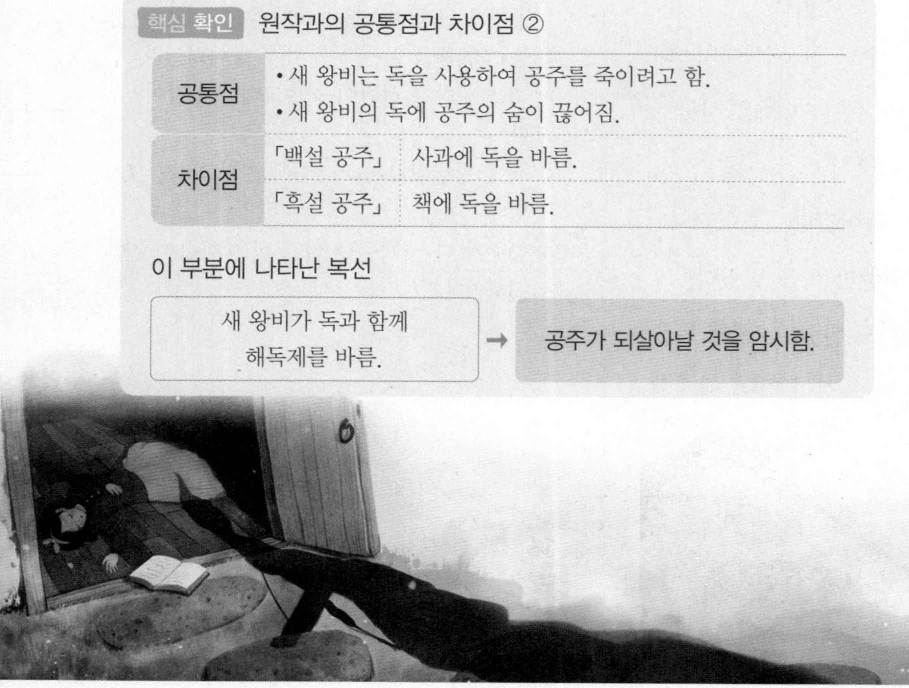

핵심

17 이 글과 원작을 비교한 내용으로 적절한 것을 골라 바르게 묶은 것은?

보기
ⓐ 원작에는 등장하지 않는 새 왕비를 주요 인물로 내세웠다.
ⓑ 원작과 마찬가지로 독을 사용하여 공주를 죽게 하였다.
ⓒ 원작과 달리 왕비가 아름다움보다는 명예를 중시하고 있다.
ⓓ 원작과 마찬가지로 왕비의 아름다움에 대해 말해 주는 거울을 등장시켰다.

① ⓐ, ⓑ ② ⓐ, ⓒ
③ ⓑ, ⓒ ④ ⓑ, ⓓ
⑤ ⓒ, ⓓ

서술형

18 공주가 죽게 되는 과정을 다음과 같이 정리하였다. 빈칸에 들어갈 알맞은 내용을 한 문장으로 쓰시오.

왕비가 책에 독을 묻혀 두었다.
↓
공주가 손가락에 침을 묻혀 책장을 넘겼다.
↓
(   )
↓
공주는 그대로 자리에서 쓰러지고 말았다.

19 나머지 넷의 원인에 해당하는 것은?

① 공주의 손끝에 독이 묻어 있었다.
② 왕비가 새 옷을 지을 재단사를 불렀다.
③ 공주가 책장을 넘기다 쓰러지고 말았다.
④ 왕비의 웃음소리가 오래도록 숲을 울렸다.
⑤ 공주의 코끝에 대 본 손거울에 아무런 흔적도 남지 않았다.

20 ㉠~㉤ 중, 왕비의 치밀한 성격을 엿볼 수 있는 것은?

① ㉠ ② ㉡ ③ ㉢
④ ㉣ ⑤ ㉤

이것이 핵심! ✔ 원작과의 공통점과 차이점 ③ ✔ 나무꾼의 등장

결말 1 (사) 한편 달이 떠서 집으로 돌아온 일곱 난쟁이들은 공주가 쓰러져 있는 것을 발견했다. 난쟁이들은 예전의 일을 거울삼아 공주의 허리띠도 풀어 보고, 머리에 빗이 꽂혀 있는지, 입안에 독 사과가 남아 있는지 다 뒤져 보았지만 아무리 찾아도 공주가 어떻게 죽었는지 알 수가 없었다. 흑설 공주는 숨이 끊어진 게 확실했다. 일곱 난쟁이들은 흑설 공주의 옆에 앉아 사흘 밤낮을 울었다.

거울삼아: 남의 일이나 지나간 일을 보아 본받거나 분명히 타일러 다시는 같은 잘못을 저지르지 않도록

하지만 흑설 공주는 여전히 흑진주처럼 영롱하게 빛이 나서 죽은 사람처럼 보이지 않았다. 그래서 난쟁이들은 예전에 백설 공주를 담았던 투명한 유리 관에 흑설 공주를 눕혔다. 죽은 공주 옆에 놓여 있던 읽다만 책도 펼친 쪽 그대로 관 속에 넣었다. 죽어서라도 공주가 그 책을 계속 읽고 싶을지 모른다고 생각했기 때문이다.

그런 다음 난쟁이들은 숲속으로 관을 메고 갔다. 낮이면 사슴이며 여우, 토끼, 다람쥐, 까마귀, 들쥐 들이 모두 공주의 관 앞에 찾아와 눈물을 흘렸다. 난쟁이들은 밤마다 번갈아 공주의 관을 지켰다. 하지만 신기하게도 공주의 몸은 전혀 썩지 않아서 그냥 조용히 잠든 사람만 같았다.

(아) 그렇게 며칠이 흐른 뒤였다. 젊은 나무꾼 한 사람이 나무를 하러 왔다가 ㉠공주가 누워 있는 관을 보게 되었다. 드레스를 입고 누워 있는 검은 여인의 모습을 보자 나무꾼은 한눈에 그가 ㉡흑설 공주란 것을 알아보았다.

"아, 공주님이 돌아가시다니!"

나무꾼은 너무나 슬펐다. 고개를 숙인 채 화려한 왕비에게 끌려다니던 ㉢검은 공주를 나무꾼은 오래전부터 사모하고 있었다. 공주가 마녀라고 사람들이 수군댈 때도 나무꾼은 공주 편이었다. 나무꾼 역시 ㉣혼자 있기를 좋아하고, 책을 좋아하는 청년이라 공주의 괴로움을 잘 알 수 있었다. 옛날이야기를 많이 읽은 나무꾼은 혹시나 하는 마음에 유리 관 뚜껑을 열고 공주의 입에 살짝 입맞춤을 해 보았지만 공주의 입술은 여전히 싸늘하기만 했다. ㉤나무꾼의 눈에 눈물이 그렁그렁 맺혔다.

사모하고: 애틋하게 생각하고 그리워하고

핵심

21 (사), (아)에서 원작과 가장 두드러지게 달라진 내용은?

① 난쟁이들이 공주가 쓰러진 것을 발견함.
② 난쟁이들이 공주를 살리려고 애를 씀.
③ 난쟁이들이 공주 옆을 떠나지 않음.
④ 공주가 죽은 원인을 밝혀내지 못함.
⑤ 며칠 뒤 젊은 나무꾼이 나타남.

22 공주가 예전에도 쓰러진 적이 있음을 알게 하는 난쟁이들의 행동은?(정답 두 개)

① 공주의 머리에 빗이 꽂혀 있는지 살펴봄.
② 입안에 독 사과가 남아 있는지 뒤져 봄.
③ 공주 옆에서 사흘 밤낮을 울며 지샘.
④ 공주가 읽던 책을 관 속에 넣어 줌.
⑤ 밤마다 번갈아 공주의 관을 지킴.

서술형

23 이 글에서 공주를 살려 내기 위해 나무꾼이 한 행동을 찾아 한 문장으로 쓰시오.

24 ㉠~㉤ 중, 인물의 성격을 드러내는 것은?

① ㉠ ② ㉡ ③ ㉢
④ ㉣ ⑤ ㉤

자 그때 나무꾼의 눈에 공주가 읽다 만 책이 들어왔다. 책을 좋아하는 나무꾼은 공주가 읽던 책이 무슨 책인지 몹시 궁금해졌다. 그래서 책을 가져다 보니, 펼쳐진 책에는 공주가 즐겨 머물렀던 다락방과 진실의 거울에 관한 이야기가 적혀 있었다. 그러자 나무꾼의 가슴은 다시금 슬픔으로 차올랐다.

"아, 가엾은 공주님……."

슬픔에 젖은 나무꾼의 눈에서 눈물이 줄줄 흘러내렸다. 눈물은 책장 위를 지나 아래로 뚝뚝 떨어져 공주의 입안으로 흘러 들어갔다.

그때였다. 공주가 "아!" 하고 작은 한숨을 내쉬더니 눈을 떴다. 나무꾼의 눈물에 책장에 묻어 있던 해독제가 공주의 입안으로 녹아 들어간 것이었다. 눈을 뜬 공주는 나무꾼의 눈 속에 비친 자신의 모습을 바라보았다. 공주는 그 모습이 아름답게 느껴졌다. 자기도 아름다운 사람이라는 것을 깨달은 공주는 나무꾼을 바라보며 환하게 미소를 지었다. 숲속에 검은 태양이 뜬 듯 그 모습은 눈부시게 아름다웠다.

결말 1 | 나무꾼의 눈물에 공주가 깨어남.

핵심 확인 원작과의 공통점과 차이점 ③

공통점		• 일곱 난쟁이들이 공주를 유리 관에 둠. • 공주를 발견한 남자에 의해 공주가 깨어남. • 공주를 깨운 남자는 공주를 사랑함.
차이점	「백설 공주」	• 왕자가 숨이 끊어진 공주를 발견함. • 공주의 아름다움에 왕자가 첫눈에 반함. • 왕자의 입맞춤에 공주가 깨어남. • 공주가 깨어난 후 둘이 사랑하게 됨.
	「흑설 공주」	• 나무꾼이 숨이 끊어진 공주를 발견함. • 나무꾼은 이전부터 공주를 사모하고 있었으며 공주처럼 책을 좋아함. • 나무꾼의 눈물에 책장에 묻어 있던 해독제가 공주의 입안으로 흘러 들어가 공주가 깨어남. • 깨어난 공주는 나무꾼의 눈에 비친 자신의 얼굴을 보고 자신의 아름다움을 깨닫게 됨.

나무꾼의 등장

왕자가 아닌 나무꾼이 공주를 구함.

↓

원작을 향한 글쓴이의 비판적인 관점이 반영된 부분으로 글쓴이의 의도를 엿볼 수 있음.

핵심 | 날개 확인 문제

25 〈결말 1〉 부분과 원작의 공통점에 해당하는 것은?

① 나무꾼이 공주의 죽음을 슬퍼함.
② 공주가 나무꾼에 의해 다시 살아남.
③ 공주를 발견한 남자가 공주를 살려 냄.
④ 나무꾼이 이전부터 공주를 사랑해 왔음.
⑤ 눈을 뜬 공주가 자신의 아름다움을 발견함.

서술형

26 공주가 살아나게 되는 과정을 정리한 것이다. 빈칸에 들어갈 알맞은 내용을 본문에서 찾아 한 문장으로 쓰시오.

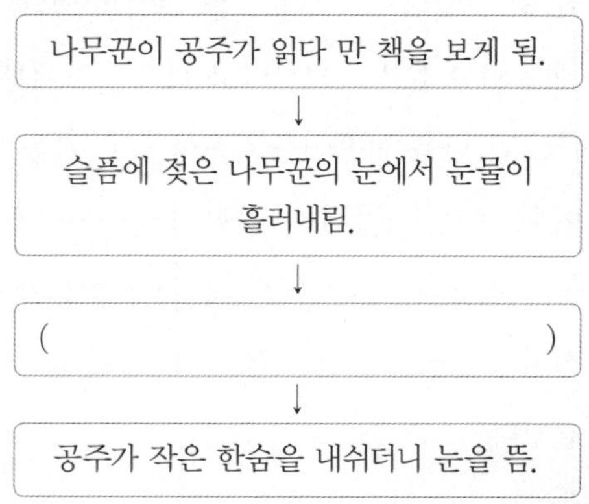

핵심

27 이 글의 주제 의식이 반영되어 있는 것은?

① 공주와 나무꾼이 책을 좋아함.
② 나무꾼의 눈물에 공주가 눈을 뜸.
③ 나무꾼이 공주의 죽음을 슬퍼하며 눈물을 흘림.
④ 공주의 모습이 나무꾼의 눈 속에 비침.
⑤ 공주가 자신의 아름다움을 깨닫게 됨.

28 공주의 아름다움을 비유적으로 표현한 것을 찾아 2어절로 쓰시오.

이것이 핵심! ✔ 원작과의 공통점과 차이점 ④ ✔ 작품의 주제 의식

결말 2 차 흑설 공주가 돌아오자 왕궁은 발칵 뒤집어졌다. 무엇보다도 ㉠조금도 달라진 것이 없는 여전히 새까만 공주가 어째서 이토록 아름답게 여겨지는지 사람들은 당황하고 말았다. 왕비의 사악한 음모도 드러났다. 아름답게만 여겨졌던 왕비의 모습은 이제 징그러운 껍질처럼만 느껴졌다. 왕은 불같이 화를 내며 왕비를 감옥에 가두었다.

음모: 나쁜 목적으로 몰래 흉악한 일을 꾸밈. 또는 그런 꾀

나무꾼과 공주의 결혼식이 성대하게 거행되었다.

카 검게 빛나는 공주가 어찌나 아름다운지 숯검정을 얼굴에 칠하는 게 유행이 되었다. 더 아름다워지고 싶은 여자들은 아예 굴뚝 속에 들어갔다 나오기도 하였다.

큰 깨달음을 얻은 흑설 공주는 다락방의 거울에게 가서 물었다.

"거울아 거울아, ㉡세상에서 가장 못생긴 사람이 누구니?"

그러면 거울은 그때마다 정직하게 대답했다.

"저 바닷가 마을 오두막에 사는 메리라는 처녀입니다."

그러면 공주는 그 사람을 불러다 자신의 아름다움을 깨달을 수 있도록 도와주었다. 다른 사람들이 세운 아름다움의 기준이라는 것은 하루아침에 바뀔 수 있는 허약한 것으로, 아름다움이란 것은 누구에게나 깃들어 있다는 것을 알려 주었다. 자신만이 가지고 있는 아름다움을 찾아내어 바라볼 수 있는 눈을 키워 주었던 것이다. 그리하여 흑설 공주의 나라에는 아름답지 않은 사람이 하나도 없게 되었다.

핵심 | 날개 확인 문제

29 〈결말 2〉 부분과 원작의 공통점으로 알맞은 것은?

① 공주가 자신의 아름다움을 발견해 냄.
② 새 왕비가 벌을 받고 공주는 행복해짐.
③ 사람들이 저마다의 아름다움을 알게 됨.
④ 사람들이 검은 색의 아름다움을 깨닫게 됨.
⑤ 나무꾼과 공주의 결혼식이 성대하게 거행됨.

핵심

30 이 글의 주제와 관련 있는 내용을 모두 골라 묶은 것은?

보기
ⓐ 숯검정을 얼굴에 칠하는 게 유행이 되었다.
ⓑ 다른 사람들이 세운 아름다움의 기준은 허약한 것이다.
ⓒ 다락방 거울은 공주가 물어볼 때마다 정직하게 대답했다.
ⓓ 아름다움이란 누구에게나 깃들어 있는 것이다.

① ⓐ, ⓑ ② ⓐ, ⓒ
③ ⓑ, ⓒ ④ ⓑ, ⓓ
⑤ ⓒ, ⓓ

핵심 | 날개 확인 문제

31 ㉠의 이유로 적절한 것은?

① 공주가 왕궁으로 돌아왔기 때문에
② 왕비의 사악한 음모가 드러났기 때문에
③ 공주의 모습이 예전과 많이 달라졌기 때문에
④ 사람들이 하얀 피부보다 새까만 피부를 좋아하게 되었기에
⑤ 공주가 자신의 아름다움을 알고 스스로 사랑하게 되었기에

서술형

32 공주가 ㉡과 같이 물어본 이유가 무엇인지 본문의 내용을 바탕으로 서술하시오.

타 이제 거울은 "거울아 거울아, 세상에서 가장 아름다운 사람이 누구지?" 하는 공주의 질문에 대답할 수 없게 되었다.

"모르겠어요. 다들 나름대로 아름다우니 누가 가장 아름다운지 도무지 알 수가 없어요."

흑설 공주는 그제야 미소를 지으며 대답했다.

"그래, 그게 정답이란다. 세상 사람들은 누구나 각각 다른 아름다움을 가지고 있거든. 장미는 장미대로 아름답고, 제비꽃은 제비꽃대로 아름답듯이 말이야!"

그러나 ㉠<u>나무꾼에게 있어 가장 아름다운 사람은 여전히 검은 피부, 검은 눈동자, 검은 머리의 온통 밤처럼 새까만 흑설 공주 한 사람뿐이었다.</u>

결말 2 | 왕비는 쫓겨났고 공주는 나무꾼과 결혼하여 행복하게 삶.

핵심 확인 원작과의 공통점과 차이점 ④

공통점	왕비는 벌을 받고, 자신을 살려 준 남자와 결혼한 공주는 행복하게 삶.	
차이점	「백설 공주」	공주는 자기만 세상에서 가장 아름다운 사람으로 남음.
	「흑설 공주」	공주는 사람들에게 누구나 각각 다른 아름다움을 가지고 있음을 알려 주고, 왕궁의 모든 사람은 아름다운 사람이 됨.

작품의 주제 의식

다시 깨어난 공주가 예전과 조금도 달라진 것이 없음에도 사람들의 눈에 아름답게 여겨짐. → 자신의 아름다움을 알고 자신을 사랑하는 사람은 남들의 눈에도 아름답게 보임.

핵심

33 이 글에 대한 설명으로 적절한 것은?

① 원작과 매체를 바꾸어서 재구성하였다.
② 원작의 사회·문화적 배경을 달리 하였다.
③ 작품의 내용에 변화를 주어 재구성하였다.
④ 서술의 시점을 바꾸어 주제를 전달하였다.
⑤ 원작과 달리 행복한 결말로 끝맺음을 하였다.

서술형

34 이 글에서 글쓴이가 궁극적으로 말하고자 하는 바를 〈조건〉에 맞게 서술하시오.

조건
- 인물의 말 속에서 찾아 쓸 것
- 비유적 표현 없이 구체적 의미를 반영하여 한 문장으로 정리하여 쓸 것

핵심

35 이 글의 주제와 가장 가까운 것은?

① 진정한 아름다움은 건강한 신체에서 비롯된다.
② 사랑에 빠지면 누구나 아름다운 존재가 된다.
③ 인간은 누구나 아름다움을 추구하며 살아간다.
④ 정신이 성숙한 사람은 아름다움에 얽매이지 않는다.
⑤ 자신의 아름다움과 가치는 스스로가 만드는 것이다.

36 ㉠에 드러난 나무꾼의 행동을 나타내기에 가장 적절한 말은?

① 제 눈에 안경
② 빛 좋은 개살구
③ 뚝배기보다 장맛
④ 짚신도 제 짝이 있다.
⑤ 쥐구멍에도 볕 들 날 있다.

학습 활동

• 정답과 해설 p.28

이해 활동

1. 이 소설의 내용을 사건이 일어난 순서에 따라 정리해 봅시다.

예시 답

왕비가 된 백설 공주는 아름다운 검은 눈을 보고 흑설 공주를 낳지만 일찍 세상을 떠난다. 흑설 공주는 자라면서 자신을 싫어하는 사람들을 피해 숨어 지낸다.

왕과 결혼한 새 왕비는 세상에서 가장 아름다운 사람이 흑설 공주라는 말을 듣고 사냥꾼을 시켜 공주를 죽이려 하였다.

사냥꾼에게 애원하여 목숨을 건진 흑설 공주는 일곱 난쟁이들의 집에 살게 된다. 이를 알고 왕비는 영감으로 둔갑하여 공주를 찾아가 독을 바른 책으로 공주를 죽였다.

오래전부터 흑설 공주를 사모했던 나무꾼이 공주의 죽음을 보고 슬퍼서 눈물을 흘렸고, 그 눈물이 책장에 묻어 있던 해독제를 녹이고 공주의 입안에 흘러 들어가 공주가 살아났다.

흑설 공주는 왕궁으로 돌아와 나무꾼과 결혼하였고, 사람들이 각자의 아름다움을 찾아낼 수 있도록 도와주어 모든 사람들이 아름답게 되었다.

1 〈보기〉의 사건을 순서대로 나열하시오.

보기

㉠ 새 왕비는 영감으로 둔갑하여 공주를 찾아가 독을 바른 책으로 공주를 죽인다.
㉡ 새 왕비는 흑설 공주의 아름다움을 질투하여 사냥꾼을 시켜 죽이라고 한다.
㉢ 사냥꾼에게 애원하여 목숨을 건진 흑설 공주는 일곱 난쟁이네 집에서 지낸다.
㉣ 왕비가 된 백설 공주는 검은 눈을 보고 흑설 공주를 낳지만 일찍 세상을 떠난다.
㉤ 나무꾼의 눈물로 책장에 묻어 있던 해독제가 공주의 입안으로 흘러 들어간다.
㉥ 공주를 사모했던 나무꾼이 죽은 공주를 발견한다.
㉦ 공주가 왕궁으로 돌아와 나무꾼과 결혼한다.

목표 활동

1. 이 소설의 내용을 원작 「백설 공주」의 내용과 비교해 보고, 공통점과 차이점을 정리해 봅시다.

1 두 작품에 공통적으로 나타나는 사건의 전개 양상을 정리해 봅시다.

예시 답

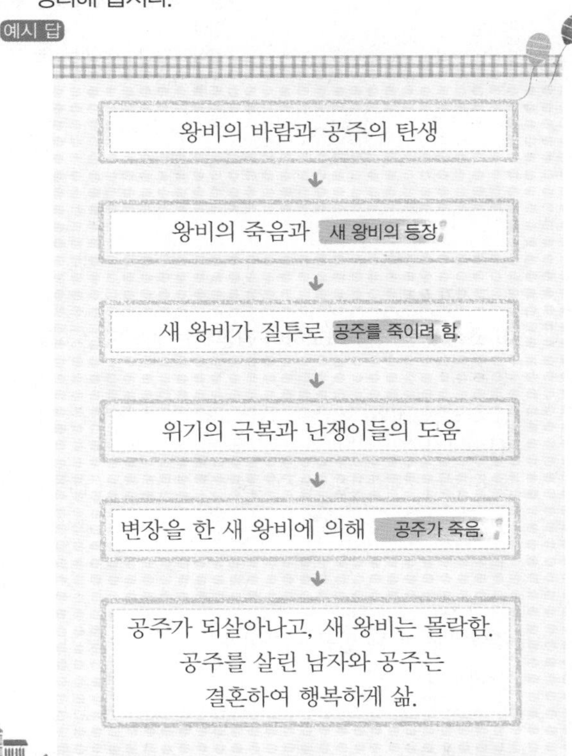

2 두 작품의 주인공과 그 주변 인물들의 성격과 행동 등의 특징을 비교해 보고, 「흑설 공주」에서 원작과 달라진 점을 정리해 봅시다.

예시 답

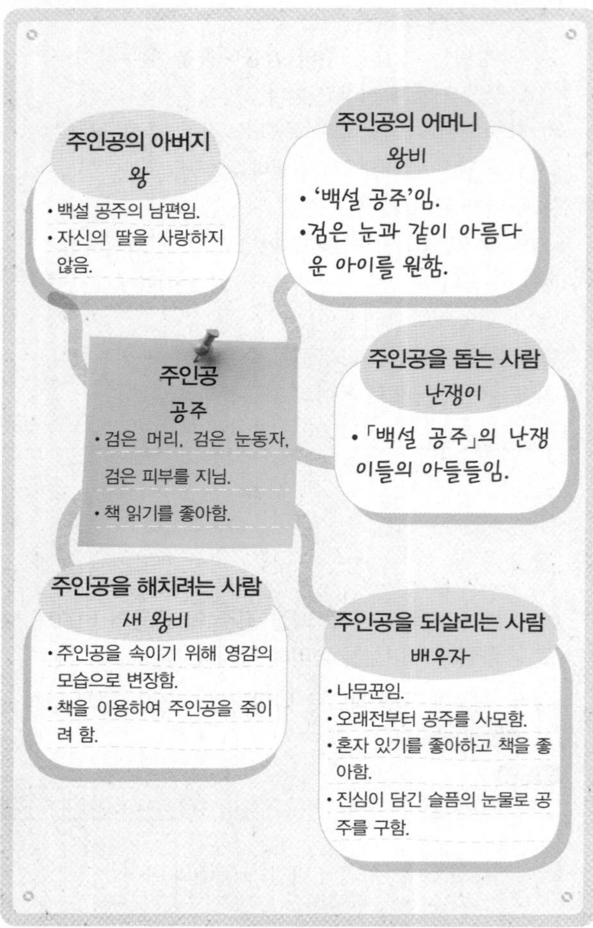

목표 다지기 문제

1 이 소설과 원작을 비교하여 감상하는 방법으로 적절하지 않은 것은?

① 주인공이 처한 상황과 신분이 원작과 어떻게 다른지 살펴본다.
② 주인공의 아버지인 왕이 주인공을 대하는 태도를 비교해 본다.
③ 원작에 나타난 공주의 외모가 어떻게 바뀌었는지 비교해 본다.
④ 주인공을 돕는 일곱 난쟁이가 이 글에도 등장하는지 살펴본다.
⑤ 공주를 되살리는 인물이 원작과는 어떻게 다른지 비교해 본다.

2. 이 소설이 원작 「백설 공주」의 인물과 사건을 달리함으로써 전달하려 한 바가 무엇일지 질문을 만들어 정리해 봅시다.

질문지

예

Q 죽은 공주를 다시 살리는 사람을 왕자에서 나무꾼으로 바꾸고, 눈물에 의해 공주가 다시 살아나게 한 까닭은 무엇일까요?

A 왕자와 같은 특별한 사람이 공주의 외모에 반해서 입맞춤한 것보다, 나무꾼과 같이 평범한 사람이라 하더라도 사랑하는 이의 죽음을 진정으로 슬퍼하며 흘린 눈물이 더 소중하다는 점을 일깨우려고 하였다.

Q 예시 답 주인공의 어머니가 하얀 눈과 같은 아기를 원하는 것에서 검은 눈과 같은 아기를 원하는 것으로 바뀐 것은 무엇 때문일까요?

A 예시 답 아름다움을 한 가지 기준('흰색')으로만 판단해서는 안 된다는 이야기의 주제를 전달하려고 검은색 피부를 가진 아름다운 주인공을 내세운 것이다. 이를 통해 검은색도 아름답다는 것을 이야기하려 한 것일 수도 있고, 아름다움이 외면으로만 결정되는 것은 아니라는 것을 이야기하려 한 것일 수도 있다.

목표 다지기 문제

2 〈보기〉의 질문에 대한 글쓴이의 대답으로 가장 적절한 것은?

보기

원작과 달리 검은 피부를 가진 공주를 주인공으로 바꾼 것은 무엇 때문인가요?

① 흰색보다 검은 색이 더 아름답다는 것을 강조하고 싶어서입니다.
② 남녀 차별 때문에 발생하는 사회 문제를 해결하고 싶어서입니다.
③ 아름다움의 기준은 다양할 수 있다는 주제를 전달하고 싶어서입니다.
④ 진정한 아름다움은 평범함 속에 있다는 것을 알려 주기 위해서입니다.
⑤ 주인공의 강직한 성품을 통해 주제를 선명하게 보여 줄 수 있기 때문입니다.

3. **다음은 「흑설 공주」를 쓴 글쓴이의 글입니다. 이를 읽고 이어지는 활동을 해 봅시다.**

"한 사람이 사는 짧은 인생의
시간 중에도 아름다움의 기준은 변합니다.
저는 「흑설 공주」 이야기를 통해 바로 그 얘기를 하고 싶었습니다.
그렇게 쉽사리 변하는 것에 죽을 둥 살 둥 매달리고, 그것으로
사람을 판단한다는 것이 얼마나 어리석은 일인지를
말하고 싶었답니다.
[중략]
또한 아름다움이란 것은 우리 모두에게 깃들어 있는 것이란
이야기도 하고 싶었습니다. 단지 각자 가진 그 아름다움을 찾아내서
그것에 자신감을 갖는 것이 중요할 뿐이지요."

1 「흑설 공주」를 통해 전달하려는 가치가 무엇인지 이야기해 봅시다.

예시 답

➜ 글쓴이는 「흑설 공주」를 통해 외모만 중요한 것이 아니며 사람에게는 각자의 아름다움이 있고, 그 아름다움을 스스로 발견해야 한다 는 말을 전달하려고 한 것이다.

2 아름다움에 관한 글쓴이의 입장을 평가하고, 자기 생각을 정리해 봅시다.

예시 답

나는 아름다움의 기준이 사람에 따라서 달라질 수 있다는 것과, 자신의 아름다움을 찾아내고 자신감을 갖는 게 중요하다는 이야기가 신선하게 느껴졌다. 지금까지 나는 아름다움은 누구나 알 수 있는 객관적인 것이어야 한다고 생각하고 남의 눈에 예쁘게 보이는 게 중요하다고만 여겨왔던 것 같다. 다른 사람들의 시선을 무시할 수만도 없지만 사람은 자기 자신과 가장 오랜 시간을 보내기 때문에 자신만의 기준을 가지고 아름다움을 지켜 나갈 수 있어야만 언제 어디서나 진정하게 아름다운 사람이 될 수 있을 것 같다.

[참고 자료] 문학을 주체적으로 해석하고 평가하는 방법

문학을 주체적인 관점에서 평가한다는 것은 읽는 이가 작품의 내용과 의미를 자기 스스로의 힘으로 생각하고 평가하고 판단한다는 것이다. 즉 작품의 표현이나 내용, 형식, 주제 의식 등을 읽는 이의 경험, 배경지식, 가치관을 바탕으로 적절한 근거를 들어 해석하는 것이다. 작품에 관한 읽는 이의 주체적인 해석과 평가가 설득력을 얻기 위해서는 적절하고 타당한 근거가 뒷받침되어야 한다. 또한 글쓴이의 주체적인 평가가 분명하게 드러나는 비평문을 읽을 때에도 그 해석의 내용과 근거가 적절한지 비판적 태도로 읽어야 한다.

3 자기 생각을 친구들과 나누고, 친구들의 의견을 정리해 봅시다.

나의 생각을 들은 친구들의 생각

예시 답 아름다움의 기준이 계속 바뀌고 주관적이라는 점에 대체로 동의하는 편이었다.

친구들의 의견

예시 답 영미: 사람들이 가지고 있는 각자의 개성이 모두 아름다운 것도 맞지만, 내면적인 아름다움은 결국 선을 추구하는 마음이라고 생각한다.

[참고 자료] 재구성의 방법

내용 바꾸기	줄거리 바꾸기, 등장인물의 성격 변화, 새로운 인물의 삽입 등 작품의 내용에 변형을 가함. 예 백설 공주의 성격을 바꾼 「백설 공주」
형식 바꾸기	작품의 서술 방식, 시점 등 형식을 달리 함. 예 1인칭 주인공 시점의 「백설 공주」
맥락 바꾸기	작품 속의 사회 · 문화적 배경을 바꿈. 예 현대판 「백설 공주」
매체 바꾸기	작품의 갈래를 바꿈. 예 웹툰으로 창작된 「백설 공주」

새로운 상상과 가치를 담는, 재구성

문학 작품을 재구성하는 과정은 단순히 원작의 일부를 변형하는 것이 아니라, 작품을 비판적으로 이해하고 그로부터 생겨난 새로운 생각과 느낌을 담는 창조적인 과정입니다. 따라서 형식, 맥락, 매체 등의 변화를 바탕으로, 글쓴이가 원작을 어떠한 관점에서 재구성하여 어떤 가치를 담으려 하였는지 주목하며 읽도록 합니다.

목표 다지기 문제

3 글쓴이가 이 글을 통해 전달하려는 가치로 적절한 것은?

① 아름다움은 평범함 속에 존재한다.
② 사람에게는 각자의 아름다움이 있다.
③ 미래를 위해 노력하는 사람이 아름답다.
④ 아름다움을 추구하기 위해 노력해야 한다.
⑤ 자신감을 가져야 아름다운 사람이 될 수 있다.

4 아름다움에 관한 생각이 글쓴이와 같은 사람은?

① 은우: 아름다움의 기준은 객관적이어야 한다.
② 자영: 자신의 아름다움에 대해 겸손해야 한다.
③ 철호: 진정한 아름다움은 쉽사리 변하지 않는다.
④ 경석: 아름다움을 추구하는 것은 무의미한 일이다.
⑤ 우리: 아름다움의 기준은 사람에 따라 달라질 수 있다.

5 이 글의 주제를 드러내는 내용으로 보기 어려운 것은?

① 공주가 자신도 아름다운 사람이라는 것을 깨달음.
② 다른 사람들이 세운 아름다움의 기준은 언제든지 바뀔 수 있음.
③ 공주의 나라에는 아름답지 않은 사람이 하나도 없게 됨.
④ 공주가 사람들에게 자신만의 아름다움을 찾아내는 눈을 키워 줌.
⑤ 검게 빛나는 공주의 아름다움을 보고 숯검정을 얼굴에 칠하는 게 유행이 됨.

6 이 글의 주제를 뒷받침하기에 적절한 관용적 표현은?

① 뚝배기보다 장맛이다.
② 천릿길도 한 걸음부터
③ 보기 좋은 떡이 먹기도 좋다.
④ 구슬이 서 말이라도 꿰어야 보배
⑤ 귀에 걸면 귀걸이 코에 걸면 코걸이

창의·융합 활동

새로운 관점에서 「백설 공주」를 창의적으로 재구성하여 동영상을 만들어 봅시다.

함께하기 

1. 「백설 공주」를 재구성하여 우리 모둠만의 이야기를 만들어 봅시다.

1 새로운 이야기를 통해 사람들에게 전하고 싶은 주제를 정하여 봅시다.

예시 답 아름다움보다는 건강과 행복의 가치를 전해 주는 이야기를 만들고 싶다.

2 **1**에서 정한 주제를 표현하기 위하여 「백설 공주」에서 바꾸어야 할 사항을 정리해 봅시다.

	바꿀 내용
인물의 측면	예시 답 예쁜 공주가 아니라 씩씩하고 운동을 잘하는 여자 아이로 바꾼다.
사건의 측면	예시 답 다리를 다쳐 축구를 그만두었다가 다시 축구 선수를 하게 되는 이야기로 바꾼다.
배경의 측면	예 21세기 현대를 배경으로 한다.

3 **2**의 내용을 바탕으로 새로운 내용의 「백설 공주」의 줄거리를 구상해 봅시다.

예시 답 우리 모둠에서는 현대를 배경으로, 씩씩하고 운동을 잘하는 여자 아이를 주인공으로 정하였다. 주인공 '백설'을 가졌을 때 튼튼하고 운동을 잘하는 아이를 소원했던 백설의 엄마는 백설을 낳고 곧 세상을 뜬다. 백설은 엄마의 바람대로 튼튼하고 씩씩하게 자라며 축구 선수를 꿈꾸나 자신의 재산을 노리는 친척 아저씨의 계략으로 사고를 당하게 된다. 다리를 다치고 자신이 좋아하던 축구를 하지 못하게 된 백설은 사랑하는 사람의 도움으로 재활에 성공하여 결국 축구 선수가 된다.

2. 1에서의 설정을 바탕으로 촬영 대본을 작성해 영상으로 제작해 봅시다.

예

순서	장면의 내용	표현 방법	
		시각 요소	청각 요소
1	백설의 엄마: 우리 아이는 저렇게 튼튼하고 운동을 잘하는 아이였으면 좋겠어.	• 자막을 삽입한다. • 멀리 보이던 아이들을 클로즈업한다.	• 밝고 경쾌한 음악을 삽입한다. • 아이들이 떠드는 소리를 효과음으로 삽입한다.

예시 답

순서	장면의 내용	표현 방법	
		시각 요소	청각 요소
2	백설의 아빠: 백설아! 넌 누구를 닮아서 이렇게 뛰어노는 것을 좋아하니? 백설을 혼내고 있는 백설 아빠 삽화	옆집의 깨진 창문 아래에서 축구공을 들고 있는 백설을 클로즈업한다.	• 창문이 깨지는 효과음을 넣는다. • 어두운 분위기의 음악을 삽입한다.

3. 완성한 영상을 친구들과 함께 보고, 다른 모둠의 영상은 어떠했는지 이야기해 봅시다.

예시 답

모둠	바뀐 내용	그에 대한 나의 생각
1모둠	백설 공주를 평범한 중학생으로 바꾸고, 축구 선수로 성장하는 이야기로 재구성하였다.	허구적 배경이 아닌 현대를 배경으로 설정하여 더 재미있었고, 나와 같은 중학생이 주인공이라 더 공감이 되었다.

수행 평가 대비 활동

| 수행 평가 TIP | 문학 작품을 비판적, 창의적으로 감상한 후 그 결과를 친구들과 나누고, 토의를 거쳐 새로운 매체로 재구성하는 활동입니다. 원작을 새로운 관점에서 창의적으로 재구성하여 동영상으로 만들어 보도록 합니다.

1 평가 내용 확인하기

• 원작을 비판적, 창의적으로 감상한 후 이를 바탕으로 내용 재구성하기

• 재구성된 내용에 맞는 매체를 활용하여 표현하기

2 평가 기준 확인하기

• 적절한 주제를 정하였는가?

원작을 바탕으로 전달하고 싶은 새로운 주제를 정하기 위하여 우선 모둠원들과 자유롭게 의견을 교환하도록 해요.

• 바뀐 주제를 표현하기 위해 내용이 적절하게 바뀌었는가?

주제를 전달하기에 알맞은 인물, 사건, 배경을 설정하여 새로운 이야기를 만들어야 해요.

• 참신한 표현을 사용하여 영상을 잘 만들었는가?

시각 요소와 청각 요소를 고려하여 촬영 계획을 세우고 다양한 촬영 기법을 사용하여 표현해야 해요.

수행 평가 +

1. 우리 고전 문학 작품 중에서 재구성하고 싶은 작품을 소개해 봅시다.

도와줄게 자신이 읽어 본 고전 중에서 주제나 매체를 달리 하여 재구성하고 싶은 작품을 골라서 그 작품을 고른 이유를 말해 봅시다.

예 「흥부전」의 시대적 배경을 우리가 살고 있는 현대로 바꾸고 주인공을 중학생으로 설정하고 싶어요. 이와 같은 변형을 통해 현재 부모님과 중학생이 겪는 갈등과 화해를 그려냄으로써 진정한 가족애의 가치를 말해 보고 싶습니다.

2. 1의 내용을 바탕으로 새로운 매체를 설정하여 재구성해 봅시다.

도와줄게 동영상 외에도 만화, 희곡, 시나리오 등 다양한 매체로 바꾸어 재구성할 수 있습니다. 모둠원들이 적절하게 역할을 분담하고, 작품에 대한 자유로운 토의 과정을 통하여 내용과 형식 면에서 원작과 다른 새로운 결과물을 만들어 보도록 합시다.

소단원 제재 정리

갈래: 현대 소설, 개작 동화
성격: 동화적, 환상적, 교훈적
주제: 인간은 모두 자신만의 아름다움을 가지고 있다.
특징: ① 널리 알려진 「백설 공주」를 재구성한 작품임.
② 원작의 인물 구성과 이야기 요소를 변형함.

제재 한눈에 보기

발단	왕비의 소망으로 살빛이 검은 공주가 태어남.
전개	왕비가 죽자 새 왕비가 들어와 흑설 공주를 질투하여 죽이려 함.
위기	공주가 위기를 극복하고 난쟁이들의 도움을 받아 평화롭게 살아감.
절정	• 사냥꾼이 공주를 죽이지 않은 사실을 알고 왕비가 분노함. • 공주가 변장한 왕비에 의해 숨이 끊어짐.
결말	• 나무꾼의 눈물에 공주가 깨어남. • 왕비는 쫓겨나고 공주는 나무꾼과 결혼하여 행복하게 삶.

핵심 원리

• **재구성의 뜻**: 원작을 바탕으로 작가의 상상을 통해 내용이나 형식 등을 달리 하여 새롭게 창작하는 것

• **재구성의 방법**

내용 바꾸기	줄거리 바꾸기, 등장인물의 성격 변화, 새로운 인물의 삽입 등으로 작품의 내용에 변형을 가함.
형식 바꾸기	작품의 서술 방식, (❶) 등 형식을 달리 함.
(❷) 바꾸기	작품 속의 사회, 문화적 배경을 바꿈.
매체 바꾸기	작품의 갈래를 바꿈.

핵심 내용

(1) 원작과 공통적인 사건 전개 양상

왕비의 바람과 공주의 탄생
↓
왕비의 죽음과 새 왕비의 등장
↓
새 왕비가 질투로 공주를 죽이려 함.
↓
위기의 극복과 (❸)들의 도움
↓
변장을 한 새 왕비에 의해 공주가 죽음.
↓
공주가 되살아나고, 새 왕비는 몰락함.
↓
공주를 살린 남자와 공주는 결혼하여 행복하게 삶.

(2) 원작과 달라진 인물의 특징

인물	달라진 특징
주인공	• 검은 머리, 검은 눈동자, 검은 피부를 지님. • 책 읽기를 좋아함. • 사람들에게 누구나 각각 다른 아름다움이 있음을 알려 줌.
왕	• '백설 공주'의 남편으로 자신의 딸을 사랑하지 않음.
왕비	• '백설 공주'로 검은 눈과 같이 아름다운 아이를 원함.
난쟁이	• 「백설 공주」에 등장하는 '난쟁이'의 아들들임.
새 왕비	• 주인공을 속이기 위해 영감의 모습으로 변장함. • (❹)을 이용하여 주인공을 죽이려고 함.
배우자	• (❺)임. • 오래전부터 공주를 사모함. • 혼자 있기를 좋아하고 책을 좋아함. • 진심이 담긴 슬픔의 눈물로 공주를 구함.

↓
원작을 향한 글쓴이의 비판적 관점이 드러남.

(4) 글쓴이가 전달하려는 가치

(❻)만 중요한 것이 아니며 사람에게는 각자의 아름다움이 있고, 그 아름다움을 스스로 발견해야 함.

정답 ❶ 시점 ❷ 맥락 ❸ 난쟁이 ❹ 책 ❺ 나무꾼 ❻ 외모

소단원 핵심 문제

• 정답과 해설 p.28

[01~04] 다음 글을 읽고 물음에 답하시오.

(가) 흰 눈이 펑펑 쏟아지는 ⓐ겨울날이었다.

눈처럼 하얀 드레스를 입은 왕비가 창가에 앉아 뜨개질을 하고 있었다. 왕비는 하얀 털실로 태어날 아기가 입을 망토를 짜고 있었다. 왕비는 하얀색을 유난히 좋아해서 커튼도 침대보도 아기가 입을 옷도 모두 하얀색으로 만들었다. 이 왕비가 바로 눈처럼 하얀 피부에 피처럼 ⓑ붉은 입술, 흑단처럼 검은 머리칼을 지닌 그 유명한 '백설 공주'였다.

(나) 그때였다. 문득 고개를 들고 창을 바라보던 왕비는 깜짝 놀라고 말았다.

창밖에 ⓒ검은 눈이 내리고 있었다!

그것도 다른 곳에는 여전히 흰 눈이 펄펄 내리는데, 왕비가 앉아 있는 창밖에만 반짝반짝 검게 빛나는 눈이 내리는 것이었다.

"아니, 이게 무슨 일이지?"

(다) 하얀 왕비의 손 위에 놓인 검은 눈송이는 ⓓ흑진주처럼 영롱한 빛으로 반짝이다가 조용히 녹아내렸다.

"아, 정말로 아름답구나. 이 검은 눈처럼 아름다운 아기를 낳았으면!"

왕비는 자기도 모르게 한숨 쉬듯 그런 말을 뱉고 말았다.

(라) 몇 달 후 왕비는 공주를 낳았다. 그런데 놀랍게도 공주는 굴뚝에서 빼내 온 아이처럼 온몸이 새까맸다. 시녀들은 어쩔 줄 몰라 비명을 질렀지만 왕비만은 그 새까만 공주를 품에 안으며 기쁨의 눈물을 흘렸다.

"오, 정말로 검은 눈처럼 아름다운 아기가 태어났구나. 이 아기를 흑설 공주라고 부르도록 하여라."

(마) 흑설은 검은 눈이란 뜻이었다. 왕비는 흑설 공주에게 ⓔ하얀 망토를 입히고 몹시 사랑했지만 안타깝게도 흑설 공주가 첫돌이 되기 전에 그만 병에 걸려 세상을 떠나고 말았다.

어머니가 없어도 흑설 공주는 무럭무럭 자라났다. 하지만 공주를 사랑해 주는 사람은 이 세상에 한 사람도 없었다. 백성들은 모두 공주를 이상한 눈으로 바라보았다.

"기가 막히지. 임금님도 왕비님도 모두 고귀한 하얀 피부를 갖고 계신데, 어째서 공주는 저렇게 온몸이 새까맣지? 어유, 보기 싫어라!"

㉠아버지인 왕마저 공주를 볼 때마다 한숨을 푹푹 쉬었다.

"어허, 어째서 백설 공주의 딸이 흑설 공주가 되었단 말인가? 비록 내 딸이지만 사랑스럽지가 않구나."

출제 예감 90%

01 이 글에 대한 설명으로 적절한 것은?

① 고전을 새로운 시각으로 해석한 비평문이다.
② 원작의 갈래를 현대적 관점에서 변형하였다.
③ 역사적인 사건을 배경으로 사실감을 높혔다.
④ 원작의 인물 구성과 이야기 요소를 변형시켰다.
⑤ 실제 일어난 사건을 소재로 내용을 재창작하였다.

출제 예감 95%

02 (가)~(마)에 대한 설명으로 적절하지 않은 것은?

① (가): 계절적 배경을 드러내는 소재가 나타난다.
② (나): 자연 현상을 통하여 현실성을 부각시켰다.
③ (다): 인물의 소망을 대사를 통해 드러내고 있다.
④ (라): 시간적 흐름에 따라 사건이 전개되고 있다.
⑤ (마): 흑설 공주의 이름에 담긴 뜻이 나타나 있다.

출제 예감 85%

03 ⓐ~ⓔ 중, 신비로운 분위기를 조성하고 있는 소재는?

① ⓐ ② ⓑ ③ ⓒ ④ ⓓ ⑤ ⓔ

출제 예감 80%

04 ㉠의 태도를 비판하기에 가장 적절한 속담은?

① 한 치 건너 두 치
② 팔이 안으로 굽지 밖으로 굽나
③ 가지 많은 나무에 바람 잘 날 없다.
④ 고슴도치도 제 새끼는 함함하다고 한다.
⑤ 자라 보고 놀란 가슴 솥뚜껑 보고 놀란다.

소단원 핵심 문제

[05~09] 다음 글을 읽고 물음에 답하시오.

(가) 흑설 공주는 손가락질을 당하고 미움을 받는 것에 길이 들어 늘 고개를 숙이고 다녔다. 오직 어머니가 떠 준 하얀 망토만을 언제나 품속에 넣고 다녔다. 무엇에든 욕심이 없는 공주였지만 그 하얀 망토만은 절대로 몸에서 떼어 놓는 법이 없었고, 아무도 손을 대지 못하게 했다. 잠을 잘 때도 공주는 망토를 품에 꼭 안고 잤다. 그럴 때면 공주도 엄마 품에서 잠드는 것처럼 아늑한 행복을 느꼈다.

(나) 궁궐의 시녀조차도 흑설 공주 앞에서는 자신의 하얀 피부를 뽐내며 공주를 무시하기 일쑤였다. 그래서 흑설 공주는 언제나 사람들 눈에 띄지 않는 곳만을 찾아다녔다. 아무도 책을 읽는 사람이 없어 먼지만 쌓이고 있는 궁궐의 작은 도서관이나 정원 귀퉁이의 덤불숲 같은 곳에서 하루 종일 시간을 보내곤 하였다. 그러다 보니 흑설 공주는 어느덧 책을 좋아하게 되었고, 들쥐나 새 같은 작은 짐승들과도 친해졌다.

(다) 한편 왕비는 이제 흑설 공주를 죽였으니 다시 거울에게 물어보고 싶은 마음이 생겼다.

"거울아 거울아, 이 세상에서 가장 아름다운 사람이 누구지?"

그러자 거짓말을 못하는 ㉠ <u>거울은 슬픈 목소리로 이렇게 대답하고 말았다.</u>

"왕비님, 왕비님은 물론 아름다우십니다. 하지만 세상에서 가장 아름다운 분은 저기 일곱 개의 산 너머 일곱 난쟁이 집에 있는 흑설 공주님이십니다."

(라) 왕비는 질투와 분노로 바드득 이를 갈았다. 사냥꾼이 자기를 속인 것이다! 당장 사냥꾼을 잡아들이게 했지만 사냥꾼은 이미 왕비가 준 상금을 들고 다른 나라로 달아나고 없었다.

'으으! 흑설 공주가 살아 있어선 안 돼. 그랬다가는 내가 자기를 죽이려 했다는 사실을 언젠가는 세상에 알리고야 말걸. 더군다나 거울도 저렇게 지껄이고 있는 걸 보면 언제 그 애가 갑자기 아름답게 둔갑해 나타날지 어떻게 안단 말이야? 나보다 아름다운 사람이 이 세상에 있는 꼴은 절대로 볼 수 없지!'

(마) 예전에 마녀에게서 마법을 배우기도 했던 왕비는 자신이 직접 나서 흑설 공주를 죽이기로 마음먹었다. 왕비는 늙수그레한 장사꾼 영감처럼 모습을 바꾸고, 일곱 개의 산을 넘어 일곱 난쟁이의 집을 찾아가 문을 두드렸다.

"헌책 사세요! 헌책 사세요!"

㉡ <u>왕비는 독 사과 따위를 들고 가는 짓은 하지 않았다.</u> 공주가 가장 좋아하는 것이 책이란 것을 잘 알고 있었던 것이다. 흑설 공주는 책이란 말에 눈이 번쩍 뜨였다. 안 그래도 난쟁이네 집에 있는 몇 권 안 되는 책들은 벌써 외울 만큼 여러 번 읽어 버린 뒤여서 다른 책이 몹시 읽고 싶었던 참이었다.

출제 예감 95% 학습 활동 응용

05 **이 글을 읽고 나눈 대화로 적절한 것끼리 바르게 짝지어 진 것은?**

보기

ⓐ 원작의 주제를 살리기 위해 등장인물의 성격을 바꾸어 재구성하였네.

ⓑ 인물의 성격 변화와 갈래의 변형을 통해 원작을 새롭게 해석했군.

ⓒ 등장인물들의 대립과 갈등 구조는 원작에서 크게 벗어나지 않았어.

ⓓ 주인공의 성격과 외모 등의 변형을 통해 원작을 재구성한 점이 흥미롭군.

① ⓐ, ⓑ ② ⓐ, ⓒ ③ ⓑ, ⓒ
④ ⓑ, ⓓ ⑤ ⓒ, ⓓ

출제 예감 85%

06 **(가)~(마) 중, 어머니에 대한 공주의 그리움이 나타나 있는 것은?**

① (가) ② (나) ③ (다)
④ (라) ⑤ (마)

출제 예감 80% 학습 활동 응용

07 (나)와 (다) 사이에 들어갈 사건에 해당하는 것은?

① 왕비가 흑설 공주를 낳고 일찍 세상을 떠남.
② 궁궐의 시녀들이 공주를 무시하는 행동을 함.
③ 새 왕비가 공주를 죽이기 위해 사냥꾼을 보냄.
④ 새 왕비가 공주가 살아 있음을 뒤늦게 알게 됨.
⑤ 새 왕비가 사냥꾼이 달아났다는 사실을 알게 됨.

출제 예감 85% 서술형 논술 대비

08 ㉠의 결과로 일어난 사건이 무엇인지 (마)의 내용을 바탕으로 서술하시오.

출제 예감 75%

09 ㉡의 까닭을 바르게 말한 것은?

① 일곱 난쟁이들이 독 사과에 대해 알고 있기 때문에
② 공주가 책을 좋아한다는 것을 알고 있었기 때문에
③ 독 사과로 사람을 죽이는 것은 불가능하기 때문에
④ 공주가 왕비의 속임수를 눈치채고 있었기 때문에
⑤ 사냥꾼이 다른 나라로 달아나고 없었기 때문에

[10~14] 다음 글을 읽고 물음에 답하시오.

(가) 공주는 가만히 창밖을 내다보았다. 밖에는 늙수그레한 영감이 책을 한 더미나 지고 서 있었다. 여자가 아니라 남자인 것을 보니 마음이 놓인 공주는 살그머니 문을 열었다.

왕비는 이때다 싶어 책 한 권을 펼쳐 보이며 말했다.

"자, 예쁜 아가씨, 세상에서 가장 재미있는 이 책을 한 번 보시우."

그 책에는 공주가 살던 왕궁의 모습과 ⓐ'진실의 거울'과 아늑한 다락방의 친구들이 그려져 있었다. 흑설 공주는 자기도 모르게 손을 뻗어 그 책을 받아 들었다. 왕비는 굵직한 목소리로 말했다.

"아주 귀한 책이라우. 이런 산속에서는 볼 수도 없는 책이지. 내가 지고 다니기가 무거워서 그러니 ㉠물 한 잔만 주면 이 책을 선물로 주고 가리다."

"정말요?"

(나) 흑설 공주는 기뻐서 얼른 물을 가지러 안으로 들어갔다.

그 사이 왕비는 공주가 펼쳐 둔 페이지에 재빨리 독을 발랐다. 그리고 다음 페이지에는 그 독을 풀 수 있는 ⓑ해독제도 발랐다. 책에 독을 바를 때는 반드시 다음 장에 해독제도 발라야 하는 것이 마녀 세계의 법칙이었다. 그것은 마녀와 ⓒ책의 요정들 사이에 맺어진 계약이었다. 하지만 책을 읽는 사람은 독이 입에 들어가는 순간 숨이 끊어지니 다음 장에 해독제가 발라져 있어도 별달리 소용이 없었다.

아니나 다를까, 물을 가져다준 공주는 아까 읽던 페이지를 다 읽고 손가락에 침을 묻혀 다음 장을 넘겼다. 왕비는 침을 꼴깍 삼키며 공주를 바라보았다. 이미 공주의 손끝에는 독이 묻어 있었다. 그 손가락에 다시 침을 묻히면 왕비의 목적이 달성되는 것이었다. 또다시 다음 장을 넘기기 위해 손가락에 침을 묻히던 공주는 그대로 자리에서 풀썩 쓰러지고 말았다. 왕비는 미소를 지으며 품 안에서 ⓓ손거울을 꺼내 공주의 코끝에 대 보았다. (㉡) 만약 공주가 숨을 쉰다면 거울에 김이 서릴 것이기 때문이다. (㉢) 거울에는 아무런 흔적도 없었다. 공주는 숨이 끊어졌다.

(다) 궁궐에 돌아온 왕비는 얼른 다락방으로 올라가 거울에게 물었다.

"거울아 거울아, 이 세상에서 가장 아름다운 사람은 누구지?"

거울은 슬픈 목소리로 대답했다.

"왕비님입니다. 바로 왕비님이 이 세상에서 가장 아름다운 분입니다."

"오호호호호! 이제야 네가 바른말을 하는구나."

질투심으로 미칠 것 같았던 왕비는 이제야 겨우 마음을 놓고 더욱 아름답게 보이기 위해 새 옷을 지을 ⓔ재단사를 불렀다.

소단원 핵심 문제

출제 예감 90% 학습 활동 응용

10 이 글과 원작의 가장 큰 차이점에 해당하는 것은?

① 왕비가 책을 이용하여 공주를 죽인 것
② 왕비의 독에 의해 공주의 숨이 끊어진 것
③ 왕비가 직접 나서서 공주를 죽이려 한 것
④ 공주의 아름다움에 왕비가 질투를 느낀 것
⑤ 거울이 누가 가장 아름다운지를 말해 주는 것

출제 예감 80% 서술형 학습 활동 응용

11 이 글의 사건 전개 과정을 다음과 같이 정리할 때 빈칸에 들어갈 내용을 한 문장으로 정리하여 쓰시오.

> 왕비가 공주에게 책을 펼쳐 보임. → 공주가 물을 가지러 안으로 들어감. → (　　　　　　　　　　　　) → 공주가 책에 묻은 독에 쓰러짐. → 왕비가 마음 놓고 새 옷을 지을 재단사를 부름.

출제 예감 75%

12 ㉠에 대한 설명으로 적절한 것은?

① 공주를 안심시키기 위한 의도로 한 말이다.
② 왕비가 자신의 정체를 숨기기 위해 한 말이다.
③ 공주의 성격을 알아보기 위한 의도로 한 말이다.
④ 왕비가 자신의 능력을 과시하기 위해 한 말이다.
⑤ 책에 독을 바르려고 공주를 속이기 위해 한 말이다.

출제 예감 75%

13 ㉡과 ㉢에 들어갈 접속어를 바르게 묶은 것은?

	㉡	㉢
①	결국	그래서
②	왜냐하면	그러나
③	그리하여	왜냐하면
④	그러므로	한편
⑤	그리고	그러므로

출제 예감 90%

14 ⓐ~ⓔ 중, 공주가 살아나기 위한 장치에 해당하는 소재는?

① ⓐ　② ⓑ　③ ⓒ　④ ⓓ　⑤ ⓔ

[15~19] 다음 글을 읽고 물음에 답하시오.

(가) 한편 달이 떠서 집으로 돌아온 일곱 난쟁이들은 공주가 쓰러져 있는 것을 발견했다. 난쟁이들은 예전의 일을 거울삼아 공주의 허리띠도 풀어 보고, 머리에 빗이 꽂혀 있는지, 입안에 독 사과가 남아 있는지 다 뒤져 보았지만 아무리 찾아도 공주가 어떻게 죽었는지 알 수가 없었다. 흑설 공주는 숨이 끊어진 게 확실했다.

(나) 하지만 흑설 공주는 여전히 흑진주처럼 영롱하게 빛이 나서 죽은 사람처럼 보이지 않았다. 그래서 난쟁이들은 예전에 백설 공주를 담았던 투명한 유리 관에 흑설 공주를 눕혔다. 죽은 공주 옆에 놓여 있던 읽다 만 책도 펼친 쪽 그대로 관 속에 넣었다. 죽어서라도 공주가 그 책을 계속 읽고 싶을지 모른다고 생각했기 때문이다.

그런 다음 난쟁이들은 ㉠숲속으로 관을 메고 갔다. 낮이면 사슴이며 여우, 토끼, 다람쥐, 까마귀, 들쥐 들이 모두 공주의 관 앞에 찾아와 눈물을 흘렸다. 난쟁이들은 밤마다 번갈아 공주의 관을 지켰다. 하지만 신기하게도 공주의 몸은 전혀 썩지 않아서 그냥 조용히 잠든 사람만 같았다.

(다) 그렇게 며칠이 흐른 뒤였다. 젊은 나무꾼 한 사람이 나무를 하러 왔다가 공주가 누워 있는 관을 보게 되었다. 드레스를 입고 누워 있는 검은 여인의 모습을 보자 나무꾼은 한눈에 그가 흑설 공주란 것을 알아보았다.

㉡"아, 공주님이 돌아가시다니!"

(라) 나무꾼은 너무나 슬펐다. 고개를 숙인 채 화려한 왕비에게 끌려다니던 검은 공주를 나무꾼은 오래전부터 사모하고 있었다. 공주가 마녀라고 사람들이 수군댈 때도 나무꾼은 공주 편이었다. 나무꾼 역시 혼자 있기를 좋아하고, 책을 좋아하는 청년이라 공주의 괴로움을 잘 알 수 있었다. 옛날이야기를 많이 읽은 나무꾼은 혹시나 하는 마음에 유리 관 뚜껑을 열고 공주의 입에 살짝 입맞춤을 해 보았지만 공주의 입술은 여전히 싸늘하기만 했다. 나무꾼의 눈에 눈물이 그렁그렁 맺혔다.

(마) 그때 나무꾼의 눈에 공주가 읽다 만 책이 들어왔다. 책을 좋아하는 나무꾼은 공주가 읽던 책이 무슨 책인지 몹시 궁금해졌다. 그래서 책을 가져다 보니, 펼쳐진 책에는 공주가 즐겨 머물렀던 다락방과 진실의 거울에 관한 이야기가 적혀 있었다. 그러자 나무꾼의 가슴은 다시금 슬픔으로 차올랐다.

"아, 가엾은 공주님……."

슬픔에 젖은 나무꾼의 눈에서 눈물이 줄줄 흘러내렸다. 눈물은 책장 위를 지나 아래로 뚝뚝 떨어져 공주의 입안으로 흘러 들어갔다.

그때였다. 공주가 "아!" 하고 작은 한숨을 내쉬더니 눈을 떴다. 나무꾼의 눈물에 책장에 묻어 있던 해독제가 공주의 입안으로 녹아 들어간 것이었다.

출제 예감 95% 학습 활동 응용

15 이 글과 원작을 비교한 내용으로 옳은 것은?

	공통점	차이점
①	공주를 발견한 남자에 의해 공주가 깨어남.	책에 묻은 해독제에 의해 공주가 깨어남.
②	공주가 난쟁이들의 보살핌을 받음.	남자가 아름다운 공주를 보고 첫눈에 반함.
③	공주를 깨운 남자의 신분이 평범함.	책에 묻은 해독제에 의해 공주가 깨어남.
④	남자가 아름다운 공주를 보고 첫눈에 반함.	공주를 깨운 남자의 신분이 평범함.
⑤	공주를 발견한 남자에 의해 공주가 깨어남.	높은 신분의 남자에 의해 공주가 깨어남.

출제 예감 75%

16 이 글을 영화로 각색할 때 과거 회상 장면이 들어가기에 적절한 곳은?(정답 두 개)

① (가) ② (나) ③ (다)
④ (라) ⑤ (마)

출제 예감 85% 서술형

17 (마)에서 공주가 눈을 뜨게 된 과정을 다음과 같이 나타낼 때, 빈칸에 들어갈 알맞은 내용을 한 문장으로 서술하시오.

> 나무꾼이 공주가 읽다 만 책을 보게 됨. → 책을 읽고 난 나무꾼이 슬픔에 찬 눈물을 흘림. → (　　　　　　　　) → 공주가 작은 한숨을 내쉬더니 눈을 뜸.

출제 예감 80%

18 ㉠이 이 글에서 갖는 역할로 적절한 것은?

① 공주의 죽음을 사회적인 문제로 확대시킨다.
② 공주와 난쟁이들 간의 대립을 초래하게 만든다.
③ 새로운 갈등이 일어나는 전환점이 만들어진다.
④ 나무꾼의 등장으로 극적 반전이 일어나게 한다.
⑤ 나무꾼이 공주에게 사랑을 느끼는 계기를 마련한다.

출제 예감 70%

19 ㉡에 담긴 나무꾼의 심정으로 가장 적절한 것은?

① 고독 ② 체념 ③ 한탄
④ 자책 ⑤ 분노

[20~24] 다음 글을 읽고 물음에 답하시오.

(가) 눈을 뜬 공주는 나무꾼의 눈 속에 비친 자신의 모습을 바라보았다. 공주는 그 모습이 아름답게 느껴졌다. 자기도 아름다운 사람이라는 것을 깨달은 공주는 나무꾼을 바라보며 환하게 미소를 지었다. 숲속에 검은 태양이 뜬 듯 그 모습은 눈부시게 아름다웠다.

(나) 흑설 공주가 돌아오자 왕궁은 발칵 뒤집어졌다. 무엇보다도 조금도 달라진 것이 없는 여전히 새까만 공주가 어째서 이토록 아름답게 여겨지는지 ㉠사람들은 당황하고 말았다. 왕비의 사악한 음모도 드러났다. 아름답게만 여겨졌던 왕비의 모습은 이제 징그러운 껍질처럼만 느껴졌다. 왕은 불같이 화를 내며 왕비를 감옥에 가두었다.

소단원 핵심 문제

(다) 검게 빛나는 공주가 어찌나 아름다운지 숯검정을 얼굴에 칠하는 게 유행이 되었다. 더 아름다워지고 싶은 여자들은 아예 굴뚝 속에 들어갔다 나오기도 하였다.

큰 깨달음을 얻은 흑설 공주는 다락방의 거울에게 가서 물었다.

"거울아 거울아, ㉡세상에서 가장 못생긴 사람이 누구니?" / 그러면 거울은 그때마다 정직하게 대답했다.

"저 바닷가 마을 오두막에 사는 메리라는 처녀입니다."

(라) 그러면 공주는 그 사람을 불러다 자신의 아름다움을 깨달을 수 있도록 도와주었다. 다른 사람들이 세운 아름다움의 기준이라는 것은 하루아침에 바뀔 수 있는 허약한 것으로, 아름다움이란 것은 누구에게나 깃들어 있다는 것을 알려 주었다. 자신만이 가지고 있는 아름다움을 찾아내어 바라볼 수 있는 ㉢눈을 키워 주었던 것이다. 그리하여 흑설 공주의 나라에는 아름답지 않은 사람이 하나도 없게 되었다.

(마) 이제 거울은 "거울아 거울아, 세상에서 가장 아름다운 사람이 누구지?" 하는 공주의 질문에 대답할 수 없게 되었다.

"모르겠어요. 다들 나름대로 아름다우니 누가 가장 아름다운지 도무지 알 수가 없어요."

흑설 공주는 그제야 미소를 지으며 대답했다.

"그래, 그게 정답이란다. 세상 사람들은 누구나 각각 다른 아름다움을 가지고 있거든. 장미는 장미대로 아름답고, 제비꽃은 제비꽃대로 아름답듯이 말이야!"

그러나 나무꾼에게 있어 가장 아름다운 사람은 여전히 검은 피부, 검은 눈동자, 검은 머리의 온통 밤처럼 새까만 흑설 공주 한 사람뿐이었다.

출제 예감 95% 학습 활동 응용

20 이 글을 통해 글쓴이가 전달하려고 한 내용을 바르게 말한 것은?

① 아름다움의 기준은 객관적으로 정해져야 한다.
② 진정한 아름다움은 시대가 달라져도 변함이 없다.
③ 착한 사람이 복을 받는 것은 변하지 않는 진리이다.
④ 사람들은 누구나 자신만의 아름다움을 가지고 있다.
⑤ 아름다움을 추구하는 것은 사람만이 가진 특권이다.

출제 예감 95% 학습 활동 응용

21 원작의 재구성과 관련하여 질문한 내용으로 적절하지 않은 것은?

① 공주가 스스로 자신의 아름다움을 찾는 것은 어떤 의미일까요?
② 나무꾼의 눈물로 공주를 다시 살아나게 한 까닭은 무엇일까요?
③ 죽은 공주를 되살리는 사람을 나무꾼으로 바꾼 까닭은 무엇일까요?
④ 거울의 말을 통해 글의 주제를 전달하고 있는 글쓴이의 의도는 무엇일까요?
⑤ 공주가 거울에게 가장 못 생긴 사람이 누구냐고 물은 까닭은 무엇일까요?

출제 예감 95% 서술형

22 ㉠에게 공주가 해 줄 수 있는 말로 적절한 내용을 (마)의 내용을 토대로 한 문장으로 서술하시오.

출제 예감 75%

23 공주가 ㉡과 같이 물어보는 이유로 알맞은 것은?

① 아름다움의 기준을 정확하게 정하기 위해서
② 자신의 생각을 다른 사람들과 맞추기 위해서
③ 사람들이 자신을 어떻게 생각하는지 알고 싶어서
④ 사람들이 생각하는 아름다움이 무엇인지 알고 싶어서
⑤ 사람들이 자신의 아름다움을 깨달을 수 있도록 도와주기 위해서

출제 예감 70%

24 밑줄 친 말이 ㉢과 같은 의미로 쓰인 것은?

① 눈이 나빠 안경을 쓴다.
② 그는 보는 눈이 정확하다.
③ 다른 사람의 눈을 의식하다.
④ 의심하는 눈으로 보고 있다.
⑤ 사람들의 눈이 무서운 줄 알아라.

활동 순서 모둠원끼리 의견 나누기 ➔ 「흥부전」의 내용 재구성하기 ➔ 역할을 나누어 만화 「흥부전」 만들기

활동 길잡이
여러 사람과 함께 원작을 재구성하면 다양한 의견을 바탕으로 더욱 참신한 내용을 만들 수 있다. 모둠원들과 대화를 통해 고전 소설 「흥부전」의 내용을 바꾸고, 만화로 만드는 활동을 한다.

「흥부전」을 새로운 이야기의 만화로 만들려고 합니다. 모둠원들과 의견을 나누어 우리 모둠만의 만화 「흥부전」을 만들어 봅시다.

1 다음 대화를 참고하여 모둠원끼리 의견을 나누며 이어지는 활동을 해 봅시다.

혜민: 「흥부전」의 내용을 어떻게 바꿀까?
지원: 시대는 현대로 바꾸면 재미있을 것 같아.
세현: 현대로? 박씨를 물어 오는 제비나 도깨비가 등장하는 장면은 어떻게 하고?
지원: 모두 사람으로 바꾸어야지.
혜민: 사람으로?
지원: 응, 사람으로. 제비는 다리를 다친 아이로, 도깨비는 나쁜 사람을 잡는 경찰로 바꾸면 되지 않을까?
세현: 아아, 그러니까 비현실적인 요소들을 현대의 배경에 맞춰 현실적인 것들로 바꾸자는 거지?
혜민: 재미있겠다. 그럼 이건 어때? 박씨는 포상금으로 바꾸는 거야.
지원: 그것도 좋은 생각이네.
세현: 그리고 사회적 문제인 저출산 현상을 반영해서 흥부네가 다자녀 가구인 것을 강조하는 이야기로 만들면 더 뜻깊을 것 같아.

1 모둠원끼리 의견을 조정하여 우리 모둠이 만들 「흥부전」의 내용을 재구성해 봅시다.

예

주제	세 아이의 부모인 착한 흥부 부부가 얻은 행운
배경	21세기 대한민국
등장 인물	흥부, 흥부 부인, 흥부의 아이들, 놀부, 놀부 부인, 다친 아이, 아이 부모, 경찰들
줄거리	흥부는 마을에서 자식 많고 착하기로 유명하다. 흥부는 형의 질투로 부모님의 유산을 한 푼도 받지 못하고 살던 집에서 쫓겨난다. 그러던 어느 날 다리를 다친 채 부모를 잃어버린 어린아이를 도와주는데, 아이의 부모가 선물로 준 복권이 당첨되며 흥부는 부자가 된다.

예시 답

주제	상인으로 성공하는 흥부
배경	조선 시대
등장 인물	흥부, 흥부 남편, 놀부, 놀부 남편, 상인
줄거리	흥부는 큰 밭을 가진 농사꾼의 둘째 딸이다. 평소에 농사에 관심이 없던 흥부는 욕심쟁이 언니 놀부가 부모님의 밭을 모두 물려받지만 별로 신경 쓰지 않는다. 그러던 어느 날 흥부는 중국 강남 지방에서 온 상인이 산적을 만나 돈을 몽땅 뺏기고 다리도 다쳐 곤란해 하고 있는 것을 발견하게 되고, 그를 치료해 주고 노잣돈을 빌려준다. 이듬해에 돌아온 상인은 흥부가 빌려준 돈보다 훨씬 큰돈으로 빚을 갚고, 흥부가 장사를 할 수 있도록 도와준다. 그리고 흥부는 큰 부자가 된다. 한편 이를 본 놀부는 자기도 장사로 부자가 되려고 가진 땅을 모두 팔지만, 욕심만 부리다 장사를 망치고 길거리에 나앉는다.

2 모둠원끼리 대화를 하여, 만화를 만들기 위한 역할 분담을 해 봅시다.

예시 답 생략

2 모둠원들과 나눈 의견을 바탕으로, 만화 「흥부전」을 만들어 봅시다.

예시 답 생략

3 만화의 내용이 모둠에서 정한 주제를 잘 드러내는지 생각해 봅시다.

예시 답 생략

4 친구들에게 우리 모둠의 「흥부전」은 고전 소설 「흥부전」의 어떤 특징을 중심으로 새롭게 재구성한 것인지 설명해 봅시다.

예시 답 흥부가 곤경에 처한 아이를 도와주고 생각지도 않았던 복권 당첨의 행운을 얻게 되었다는 이야기인데, 이것은 아무런 계산 없이 선행을 베풀었던 「흥부전」 원작에서의 흥부의 성격을 그대로 유지한 것이다.

• 정답과 해설 p.30

대단원 확인 문제

[01~05] 다음 글을 읽고 물음에 답하시오.

(가) "사귄 지가 아마 ㉠백 년도 더 되는 아주 오랜 친구."
"어떻게 그럴 수가 있어요? 아빠가 그렇게 살지도 않았는데." / "그렇지만 친구는 그럴 수 있거든."
"어떻게요?" / "너 익현이 아저씨 알지?"
"예, 서점에 있는 아저씨요."
"그 아저씨하고 아빠가 그런 친구야."
"그렇지만 아빠 나이하고 그 아저씨 나이를 합쳐도 ㉡백 년이 안 되는데요?"
"아빠하고 그 아저씨는 4대에 걸친 친구거든. 아빠의 증조할아버지와 그 아저씨의 증조할아버지가 친구였고, 아빠 할아버지와 그 아저씨의 할아버지가 친구였고, 네 할아버지와 그 친구의 아버지가 친구였었고, 또 아빠와 그 아저씨가 친구니까."

(나) "아빠, 친구는 꼭 서로 나이나 수준이 맞아야 되는 건 아니죠?" / "어떤 수준 말이냐?"
"공부도 그렇고, 생각하는 것도 그렇고요."
"옛말에 보면 친구는 위로 보고 사귀라고 했는데, 아빠는 그 말이 잘못되었다고 생각한다. 그 말은 이왕 친구를 사귈 거면 좋은 친구를 사귀라고 한 말이지 꼭 그래야 한다는 건 아닐 거야. 친구를 사귈 때 다 위로 보고 사귀면, 아래에 있는 친구는 자기보다 나은 친구를 사귀고 싶어도 평생 그런 친구를 사귈 수 없는 거지. 자기가 사귀고 싶어 하는 그 친구가 자기보다 못한 사람과 친구를 하지 않으려 하면 말이지."
"그럼 어떻게 해요?"
"자기보다 나은 친구, 못한 친구 얘기를 하는 건 친구에게 배울 점을 찾으라는 이야기인 거야. 또 ㉢나쁜 친구를 사귀게 되면 함께 나쁜 생각과 나쁜 행동을 하게 되는 것도 사실이고. 더구나 너희처럼 자라날 때는 말이지. 그렇지만 어른이 되면 친구란 내가 외롭거나 어려울 때 서로 믿고 도울 수 있고, 또 당장 어렵거나 외롭지 않더라도 그런 친구 곁에 있는 것만으로도 위로가 되고 큰 힘이 될 수 있는 친구가 가장 좋은 친구란다. 서로 붙어 다니며 놀기만 좋아하는 친구보다는 이다음 서로 믿고, 서로 돕고, 서로 위로하고, 서로 힘이 될 수 있는 그런 친구를 사귀라는 뜻이야. 너 친구에 관한 옛날이야기 알지? 아버지의 친구와 아들의 친구 이야기 말이다."
"알아요. 돼지를 잡아 놓고 사람을 실수로 죽였다고 하고 찾아가니까 아들 친구는 자기가 잘못될까 봐 도로 내쫓는데 아버지 친구는 다른 사람이 볼까 봐 얼른 집 안에 숨겨 주고요."
"바로 그런 친구를 사귀라는 거야."

01 이와 같은 대화에 대한 설명으로 적절한 것은?(정답 두 개)
① 대화 참여자가 의미를 공유하는 활동이다.
② 상대방을 설득하는 것이 가장 중요한 목적이다.
③ 대화 과정에서 감정 변화가 일어나지 않아야 한다.
④ 상황이나 목적에 관계없이 대화의 주제는 동일해야 한다.
⑤ 듣고 말하는 과정에서 자신의 말과 생각이 조정되기도 한다.

02 아버지의 대화 태도를 바르게 말한 사람은?
① 은영: 듣는 이가 경험한 사실을 예로 들고 있어.
② 정우: 전문가의 말을 인용하여 설득력을 높이고 있군.
③ 나리: 듣는 이의 관심을 끌기 위해 주제를 바꾸어 가며 말하고 있네.
④ 희준: 질문을 통해 듣는 이의 말에 담긴 구체적인 의미를 확인하고 있어.
⑤ 윤화: 과거 경험에서 얻은 깨달음을 통해 듣는 이에게 교훈을 주고 있어.

서술형 | 논술 대비
03 (나)에서 아버지가 말한 좋은 친구란 어떤 친구인지를 30자 이내로 서술하시오.

04 ㉠과 ㉡을 바르게 이해한 것은?

① 아들은 ㉠과 ㉡을 같은 뜻으로 받아들이고 있다.
② 아버지는 ㉠과 ㉡을 똑같은 의미로 사용하고 있다.
③ 아버지와 아들은 ㉠에 같은 의미를 부여하고 있다.
④ 아들은 ㉠을 '대대로 이어온'이라는 뜻으로 이해하였다.
⑤ 아버지는 ㉠을 '살아온 시간'이라는 뜻으로 사용하고 있다.

05 ㉢을 경계하는 말로 가장 적절한 것은?

① 바늘 가는 데 실 간다.
② 먹을 가까이 하면 검어진다.
③ 간에 가 붙고 쓸개에 가 붙는다.
④ 길동무가 좋으면 먼 길도 가깝다.
⑤ 친구는 옛 친구가 좋고 옷은 새 옷이 좋다.

[06~10] 다음 글을 읽고 물음에 답하시오.

㉮ "비행기도 안 뜨고, 아빠도 운전에 자신이 없어 할아버지 댁에도 못 가고 서울에 눌러앉았을 때, 성률이 아빠가 대목 날인데도 온종일 자기 택시 영업을 하지 않고 우리를 데려다 주러 왔던 거야. 그리고 서울에서 열네 시간 동안 이 길을 넘어왔다가 다시 쉬지도 않고 열 시간 동안 이 길을 넘어가고. 그때에도 아빠가 영업하는 차가 그냥 허탕 치면 어떻게 하느냐고 택시 요금을 주려고 하니까 성률이 아빠가 뭐랬는 줄 아니?"

"안 받겠다고요."

"그냥 안 받은 게 아니란다. 나는 네가 친구니까 죽음을 무릅쓰고 눈길을 넘어온 건데 너는 왜 그걸 꼭 돈으로만 계산하려고 하느냐고 그랬단다. 그래도 직업이고 영업하는 차가 아니냐니까, 너는 글을 쓸 때마다 ㉠ 영업을 생각하며 글을 쓰냐며 오히려 아빠를 부끄럽게 했단다."

㉯ "아빠는 어디 가서 친구 이야기를 하면 꼭 익현이 아저씨와 성률이 아빠 이야기를 한단다. 아빠가 성률이 아빠에게 해 주는 건 아무것도 없는데 성률이 아빠는 아빠가 자기 친구라는 것만으로도 자랑스러워 영업하는 자동차까지 세워 두고 달려오지 않니. 아빠가 성률이 아빠에게 해 주는 건 아빠 책이 나올 때마다 그것을 한 권씩 주는 것 말고는 아무것도 없는데, 그러면 성률이 아빠는 그 책을 택시 안에 넣어 두고 다니고."

"아빠한텐 기한이 아저씨도 그렇잖아요. 우리가 이사를 하면 나중에 와서 손을 다 봐 주고요. 전기선도 달아 주고 제 책상도 다시 손봐 주고. 그러면서도 전에 아빠가 밤중에 기한이 아저씨한테 가 준 걸 늘 고마워하고요."

㉰ "기한이 아저씨가 그냥 장난으로 전화를 걸 사람이 아니니까 거기 어디냐고 물어서 얼른 택시를 타고 나갔던 거지. 가니깐 그런 내기를 한 거야. 거기 있는 친구들과."

"그래서 기한이 아저씨가 이긴 거예요?"

"아니, 아빠가 이긴 거지. 그때까지 아빠는 아직 한 번도 기한이 아저씨를 위해 몸으로 무얼 해 본 적이 없었거든. 그런데도 기한이 아저씨는 아빠한테 자기는 늘 몸으로만 때우는 친구라 미안하다고 했는데, 그날 아빠가 기한이 아저씨를 위해 몸으로 때워 보니 정말 몸으로 때워 주는 것만큼 힘든 일도 없고, 또 좋은 친구도 없는 거야."

㉱ "장난이긴 하지만 친구란 ㉡ 그런 거야. 무얼 꼭 크게 도와주고 힘든 일을 해 주어야만 좋은 친구인 것이 아니라 어떤 일로든 그 사람이 정말 내 친구구나 하는 걸 확인하게 될 때 마음속에 다시 커다란 우정이 쌓이는 거란다. 그리고 그런 우정이 쌓일 때 옛날이야기 속의 아버지 친구 같은 이야기도 나오는 거고."

"알아요, 아빠. 그리고 따뜻하고요."

"친구를 가려 사귀기는 하되 절대 차별해서 사귀면 안 되는 거야. 알았지?"

"저도 이다음에 아빠 같은 친구를 많이 사귈 거예요. 제가 그 사람의 친구인 걸 자랑스럽게 여기는 친구들을요."

"그리고 그런 친구들을 상우 네가 자랑할 수 있어야 하고."

06 이 대화에 대한 설명으로 적절한 것을 모두 고르면?

① 특정한 주제 없이 자유롭게 대화가 진행되고 있다.
② '친구'에 대해 대화 참여자들이 의미를 공유하고 있다.
③ 대화를 통해 아들과 아버지의 갈등이 해소되고 있다.
④ 대화 참여자들은 서로의 말에 적절한 반응을 보이고 있다.
⑤ 서로의 '친구'에 대한 정보를 공유하기 위해 대화를 이어 가고 있다.

07 이 대화에서 아버지의 말하기 방식으로 적절하지 않은 것은?

① 아들의 질문에 자신의 생각을 밝히고 있다.
② 아들의 고민을 듣고 해결책을 제시하고 있다.
③ 화제와 관련된 자신의 경험을 들려주고 있다.
④ 경험을 통해 얻게 된 삶의 태도를 말하고 있다.
⑤ 자신의 경험을 예로 들어 알기 쉽게 말하고 있다.

서술형
08 (다)에서 아빠가 친구와 있었던 일을 통해 깨닫게 된 점을 〈조건〉에 맞게 서술하시오.

조건
- 아들의 질문에 대한 답에서 찾아 쓸 것
- '좋은 친구란 ~'으로 시작하는 한 문장으로 쓸 것

서술형
09 ㉠의 의미를 쓰시오.

10 ㉡에 담긴 의미를 바르게 말한 사람은?

① 큰 도움을 주어야 해.
② 모든 일을 함께 해야 해.
③ 힘든 일을 대신 해 주어야 해.
④ 친구를 위해 자신을 희생해야 해.
⑤ 어떤 일로든 정말 내 친구란 걸 확인시켜 주어야 해.

[11~14] 다음 글을 읽고 물음에 답하시오.

(가) 안녕하세요. 저는 세번 스즈키입니다. 저는 에코(ECHO-환경을 지키는 어린이 조직)의 대표로 여기에 왔습니다.

저희들은 열두 살에서 열세 살 사이의 캐나다 아이들로서 무언가 변화에 기여하려는 모임을 만들었는데, 바네사 수티, 모건 가이슬러, 미셸 퀴그, 그리고 제가 회원이에요. 어른들께 살아가는 방식을 바꾸지 않으면 안 될 거라는 말씀을 드리기 위해 오천 마일(mil)을 여행하는 데 필요한 경비를 저희 스스로 모금했답니다.

(나) 저는 미래의 모든 세대를 위해 여기에 섰습니다. 저는 세계 전역의 굶주리는 아이들을 대신하여 여기에 섰습니다. 저는 이 행성 위에서 죽어 가고 있는 수많은 동물들을 위해 여기에 섰습니다. 우리는 이제 말하지 않고는 그냥 있을 수 없게 되었거든요.

(다) 저는 언제나 야생 동물들의 무리를 보고 싶었고, 새들과 나비들로 가득 찬 정글과 열대 숲을 보기를 꿈꿨습니다. 그렇지만 제가 엄마가 되었을 때 우리 아이들이 볼 수 있도록, 그런 것들이 세상에 과연 존재하고 있기나 할지 모르겠습니다. 여러분은 이런 소소한 것에 대해서 제 나이 때 걱정해 보셨습니까? 이 모든 것이 실제로 우리 눈앞에서 일어나고 있는데도, 우리는 마치 충분한 시간과 해결책을 가지고 있는 것처럼 행동하고 있습니다.

(라) 저는 어린아이일 뿐이고, 따라서 해결책을 가지고 있지 않습니다. 저는 여러분께 과연 해결책을 가지고 있으신지 묻고 싶습니다. 여러분은 오존층에 난 구멍을 수리하는 방법, 죽은 강으로 연어를 다시 돌아오게 할 방법, 사라져 버린 동물을 되살려 놓는 방법을 알지 못합니다.

(마) 여러분이 고칠 방법을 모른다면, 제발 그만 망가뜨리시기 바랍니다! 여러분은 정부의 대표로, 기업가로, 기자나 정치가로 여기에 와 계실 겁니다. 그렇지만 여러분은 그 이전에 누군가의 어머니와 아버지, 형제와 자매, 아주머니와 아저씨 들이며, 그리고 여러분 모두 누군가의 자녀입니다.

11 이 연설에 대한 설명으로 적절한 것은?(정답 두 개)

① 듣는 대상이 누구인지 드러나 있지 않다.
② 듣는 이에게 행동의 변화를 촉구하고 있다.
③ 문제에 대한 구체적인 해결책을 제안하고 있다.
④ 구체적인 사례를 들어 호소력 있게 말하고 있다.
⑤ 연설자는 일정한 격식 없이 자유롭게 말하고 있다.

12 〈보기〉와 비교할 때 이 글의 특징으로 적절한 것은?

보기
"상우야, 이제 많이 어두워졌지?"
"예, 별도 하나둘 보이고요."
"이제 몇 굽이만 더 내려가면 우리가 내려가야 할 대관령은 다 내려가는 거야. 거기서부턴 다시 작은 산길로 가면 되고."
"아빠, 아빠는 윤태 아저씨 말고도 친구가 많죠?"

① 비공식적이고 사적인 성격이 강하다.
② 듣는 이가 적극적으로 참여하고 있다.
③ 청중들의 반응에 따라 주제가 바뀐다.
④ 연설자가 청중에게 일방적으로 말한다.
⑤ 말하는 이와 듣는 이의 경계가 모호하다.

13 (가)~(마) 중, 〈보기〉의 설명에 해당하는 글은?

보기
• 말하는 이의 바람과 우려가 나타나 있다.
• 현재의 심각한 문제를 안일하게 대처하는 어른들의 태도를 비판하고 있다.

① (가) ② (나) ③ (다)
④ (라) ⑤ (마)

서술형 논술 대비

14 말하는 이가 회의에 참석하여 연설을 하게 된 까닭을 (가)를 토대로 한 문장으로 정리하여 쓰시오.

[15~19] 다음 글을 읽고 물음에 답하시오.

(가) ㉠저는 어린아이일 뿐입니다. 그렇지만 저는 우리가 모두 하나이며, 하나의 목표를 향해 행동해야 한다는 것만은 알고 있습니다. 저는 분노하고 있지만, 눈이 멀지는 않았습니다. 저는 두려워하고 있지만, 제가 어떻게 느끼는지 세상에 말하는 것을 망설이지는 않습니다.

(나) 저는 이틀 전 여기 브라질에서 큰 충격을 받았습니다. 우리는 길거리에서 살고 있는 몇몇 아이들과 얼마 동안 시간을 보냈습니다. 그중 ㉡한 아이가 우리에게 이렇게 말하더군요.

"내가 부자가 되었으면 좋겠다. 만약 내가 부자라면 나는 거리의 모든 아이들에게 음식과 옷과 약과 집, 그리고 사랑과 애정을 주겠다."

(다) 어디서 태어났는가 하는 사실이 굉장한 차이를 만든다는 것, 저도 리우의 빈민가 파벨라스에 살고 있는 저 아이들 중 하나일 수 있었음을 생각하지 않을 수 없습니다. 저는 ㉮소말리아에서 굶주려 죽어 가는 한 어린이일 수도 있었고, ㉯중동의 전쟁 희생자, 또는 인도의 거지일 수도 있었습니다.

(라) 저는 아이일 뿐입니다. 그렇지만 전쟁에 쓰이는 모든 돈이 빈곤을 해결하고, 환경 문제를 해결하는 데 쓰인다면, 이 지구가 얼마나 멋진 곳으로 바뀔지 알고 있습니다.

학교에서도, 유치원에서도, 어른들은 우리에게 착한 사람이 되라고 가르칩니다. 어른들은 서로 싸우지 말고 존중하며, 자원을 절약하고, 몸과 주변을 청결히 하고, 다른 생물들을 해치지 말고 보호하며, 자원을 더불어 나누어야 한다고 가르칩니다. 그런데 어째서 여러분 어른들은 우리에게 하라고 한 것과는 정반대의 행동을 하십니까?

(마) 저희 아빠는 항상 말씀하십니다.

"너의 말이 아니라 행동이 진짜 너를 만든단다."

하지만 여러분의 행동은 밤마다 저를 울게 합니다. 여러분은 항상 우리를 사랑한다고 말합니다. 저는 이 자리에서 여러분에게 호소합니다. 제발 저희의 바람이 여러분의 행동에 반영되도록 노력해 주십시오.

대단원 확인 문제

15 연설자의 말하기 방식을 모두 골라 묶은 것은?

보기
ⓐ 상황과 격식에 맞는 정중한 말투를 쓰고 있다.
ⓑ 비유적인 표현으로 청중들을 감동시키고 있다.
ⓒ 경험을 통하여 느낀 점을 이야기해 주고 있다.
ⓓ 청중들이 행동으로 실천할 것을 촉구하고 있다.
ⓔ 반복과 과장을 통해 청중들의 관심을 끌고 있다.

① ⓐ, ⓑ ② ⓐ, ⓒ ③ ⓑ, ⓔ
④ ⓐ, ⓒ, ⓓ ⑤ ⓑ, ⓓ, ⓔ

16 (가)~(마) 중, 〈보기〉에 해당하는 것은?

보기
• 전쟁과 빈곤, 환경 문제 해결의 필요성을 강조하고 있다.
• 어른들의 모순된 행동을 비판하고 있다.

① (가) ② (나) ③ (다) ④ (라) ⑤ (마)

서술형 논술 대비

17 ㉮와 ㉯의 문제를 해결하기 위한 방안으로 연설자가 제시한 것을 (라)의 내용을 활용하여 한 문장으로 서술하시오.

18 ㉠의 효과로 볼 수 있는 것은?

① 어른들의 감정에 호소하여 행동 변화를 촉구한다.
② 말하는 이의 처지에 대해 동정심을 불러일으킨다.
③ 청중들에게 어린 시절의 추억을 떠올리게 만든다.
④ 연설자의 생각을 논리적으로 판단할 수 있게 한다.
⑤ 어린이들을 존중하지 않았던 태도를 반성하게 된다

19 ㉡이 전하고자 하는 것은?

① 환경에 따라 아이들의 생활 수준이 결정된다.
② 자신이 부유한 나라에 태어난 것이 다행스럽다.
③ 인색한 태도를 버리고 나누는 삶을 살아야 한다.
④ 자신이 한 말을 행동으로 실천하며 살아야 한다.
⑤ 어른들은 어린이들의 생각을 존중해 주어야 한다.

[20~23] 다음 글을 읽고 물음에 답하시오.

(가) 흰 눈이 펑펑 쏟아지는 겨울날이었다.

눈처럼 하얀 드레스를 입은 왕비가 창가에 앉아 뜨개질을 하고 있었다. 왕비는 하얀 털실로 태어날 아기가 입을 망토를 짜고 있었다. 왕비는 하얀색을 유난히 좋아해서 커튼도 침대보도 아기가 입을 옷도 모두 하얀색으로 만들었다. 이 왕비가 바로 눈처럼 하얀 피부에 피처럼 붉은 입술, 흑단처럼 검은 머리칼을 지닌 그 유명한 '백설 공주'였다.

(나) 그때였다. 문득 고개를 들고 창을 바라보던 왕비는 깜짝 놀라고 말았다.

창밖에 검은 눈이 내리고 있었다!

그것도 다른 곳에는 여전히 흰 눈이 펄펄 내리는데, 왕비가 앉아 있는 창밖에만 반짝반짝 검게 빛나는 눈이 내리는 것이었다.

"아니, 이게 무슨 일이지?"

(다) 몇 달 후 왕비는 공주를 낳았다. 그런데 놀랍게도 공주는 굴뚝에서 빼내 온 아이처럼 온몸이 새까맸다. 시녀들은 어쩔 줄 몰라 비명을 질렀지만 왕비만은 그 새까만 공주를 품에 안으며 기쁨의 눈물을 흘렸다.

"오, 정말로 검은 눈처럼 아름다운 아기가 태어났구나. 이 아기를 흑설 공주라고 부르도록 하여라."

흑설은 검은 눈이란 뜻이었다. 왕비는 흑설 공주에게 하얀 망토를 입히고 몹시 사랑했지만 안타깝게도 흑설 공주가 첫돌이 되기 전에 그만 병에 걸려 세상을 떠나고 말았다.

(라) 백성들은 모두 공주를 이상한 눈으로 바라보았다.

"기가 막히지. 임금님도 왕비님도 모두 고귀한 하얀 피부를 갖고 계신데, 어째서 공주는 저렇게 온몸이 새까맣지? 어유, 보기 싫어라!"

아버지인 왕마저 공주를 볼 때마다 한숨을 푹푹 쉬었다.

"어허, 어째서 백설 공주의 딸이 흑설 공주가 되었단 말인가? 비록 내 딸이지만 사랑스럽지가 않구나."

흑설 공주는 손가락질을 당하고 미움을 받는 것에 ㉠ <u>길이 들어</u> 늘 고개를 숙이고 다녔다.

20 이 글에 대한 설명으로 적절한 것은?

① 원작의 갈래를 바꾸어 재구성하였다.
② 원작과 달리 시대적 배경을 바꾸었다.
③ 원작의 인물 구성을 바꾸어 재구성하였다.
④ 원작과 달리 동화적이고 환상적인 분위기가 느껴진다.
⑤ 원작과 달리 비현실적인 요소를 현실적으로 변형시켰다.

21 이 글에서 〈보기〉의 설명을 뒷받침하는 사건은?

> 보기
> 원작과 여러 면에서 차이가 있지만, 분위기로 볼 때 이 글도 비현실적이고 신비적인 요소를 포함하고 있다.

① 왕비가 창가에 앉아 뜨개질을 함.
② 왕비가 앉은 창밖에만 검은 눈이 내림.
③ 검은 눈처럼 아름다운 공주가 태어남.
④ 공주가 첫돌이 되기 전에 왕비가 죽음.
⑤ 사람들이 공주를 이상한 눈으로 바라봄.

서술형 논술 대비

22 공주가 태어날 때의 모습을 (다)의 내용을 바탕으로 〈조건〉에 맞게 서술하시오.

> 조건
> • 시녀들과 왕비의 눈에 비친 모습을 모두 포함할 것
> • 비유적인 표현을 사용하여 30자 이내로 쓸 것

23 밑줄 친 부분이 ㉠과 같은 의미로 쓰인 것은?

① 인류 문명이 발전해 온 길을 돌아본다.
② 그녀는 서점에 가는 길에 전화를 걸었다.
③ 서랍은 길이 들지 않아 잘 열리지 않았다.
④ 그는 크게 소리를 친 후 그 길로 도망갔다.
⑤ 트럭에 실린 나무의 길이는 열 길이 넘었다.

[24~27] 다음 글을 읽고 물음에 답하시오.

(가) 한편 왕비는 이제 흑설 공주를 죽였으니 다시 거울에게 물어보고 싶은 마음이 생겼다.

"거울아 거울아, 이 세상에서 가장 아름다운 사람이 누구지?"

그러자 거짓말을 못하는 거울은 슬픈 목소리로 이렇게 대답하고 말았다.

"왕비님, 왕비님은 물론 아름다우십니다. 하지만 세상에서 가장 아름다운 분은 저기 일곱 개의 산 ⓐ너머 일곱 난쟁이 집에 있는 흑설 공주님이십니다."

(나) 예전에 마녀에게서 마법을 배우기도 했던 왕비는 자신이 직접 나서 흑설 공주를 죽이기로 마음먹었다. 왕비는 늙수그레한 장사꾼 영감처럼 모습을 바꾸고, 일곱 개의 산을 ⓑ넘어 일곱 난쟁이의 집을 찾아가 문을 두드렸다.

"헌책 사세요! 헌책 사세요!"

왕비는 독 사과 따위를 들고 가는 짓은 하지 않았다. 공주가 가장 좋아하는 것이 책이란 것을 잘 알고 있었던 것이다. 흑설 공주는 책이란 말에 눈이 번쩍 뜨였다. 안 그래도 난쟁이네 집에 있는 몇 권 안 되는 책들은 벌써 외울 만큼 여러 번 읽어 버린 뒤여서 다른 책이 몹시 읽고 싶었던 참이었다.

(다) 아니나 다를까, 물을 가져다준 공주는 아까 읽던 페이지를 다 읽고 손가락에 침을 묻혀 다음 장을 넘겼다. 왕비는 침을 꼴깍 삼키며 공주를 바라보았다. 이미 공주의 손끝에는 독이 묻어 있었다. 그 손가락에 다시 침을 묻히면 왕비의 목적이 달성되는 것이었다. 또다시 다음 장을 넘기기 위해 손가락에 침을 묻히던 공주는 그대로 자리에서 풀썩 쓰러지고 말았다. 왕비는 미소를 지으며 품 안에서 손거울을 꺼내 공주의 코끝에 대 보았다. 만약 공주가 숨을 쉰다면 거울에 김이 서릴 것이기 때문이다. 그러나 거울에는 아무런 흔적도 없었다. 공주는 숨이 끊어졌다.

(라) 한편 달이 떠서 집으로 돌아온 일곱 난쟁이들은 공주가 쓰러져 있는 것을 발견했다. 난쟁이들은 ㉠예전의 일을 거울삼아 공주의 허리띠도 풀어 보고, 머리에 빗이 꽂

혀 있는지, 입안에 독 사과가 남아 있는지 다 뒤져 보았지만 아무리 찾아도 공주가 어떻게 죽었는지 알 수가 없었다. 흑설 공주는 숨이 끊어진 게 확실했다. 일곱 난쟁이들은 흑설 공주의 옆에 앉아 사흘 밤낮을 울었다.

24 이 글을 읽고 난 학생들의 대화이다. 적절하지 않은 것은?

① 우주: 원작과 달리 공주를 미워하고 질투하는 새 왕비의 모습이 흥미로워.
② 두진: 새 왕비가 거울을 향해 자신의 아름다움을 확인하는 모습은 원작 그대로야.
③ 다영: 왕비, 공주, 난쟁이 등의 주요 인물들은 원작과 유사한 역할을 하고 있군.
④ 진수: 원작의 독 사과 대신 헌 책으로 공주를 죽이려고 하는 것은 재미있는 설정이야.
⑤ 연희: 일곱 난쟁이들이 공주를 지극한 정성으로 보살피는 장면은 원작과 별 차이가 없군.

서술형
25 왕비의 치밀한 성격을 알 수 있는 행동을 (다)에서 찾아 20자 이내의 한 문장으로 서술하시오.

26 (라)의 내용을 바탕으로 ㉠을 추리할 때, 적절한 것은?

① 공주가 독 사과를 먹고 쓰러졌다.
② 왕비가 직접 나서 공주를 죽였다.
③ 나무꾼이 공주를 사랑하게 되었다.
④ 공주가 책 읽기를 매우 좋아하였다.
⑤ 난쟁이들이 독 사과를 찾지 못했다.

27 ⓐ와 ⓑ의 비교로 옳은 것은?

① ⓐ, ⓑ 모두 특정 지점을 가리킨다.
② ⓐ, ⓑ 모두 특정 행동을 가리킨다.
③ ⓐ는 공간, ⓑ는 행동을 나타낸다.
④ ⓐ는 ⓑ와 달리 조사가 붙을 수 없다.
⑤ ⓐ는 ⓑ와 달리 형태가 변할 수 있다.

[28~32] 다음 글을 읽고 물음에 답하시오.

(가) "아, 가엾은 공주님……."

슬픔에 젖은 나무꾼의 눈에서 눈물이 줄줄 흘러내렸다. 눈물은 책장 위를 지나 아래로 뚝뚝 떨어져 공주의 입안으로 흘러 들어갔다.

그때였다. 공주가 "아!" 하고 작은 한숨을 내쉬더니 눈을 떴다. 나무꾼의 눈물에 책장에 묻어 있던 해독제가 공주의 입안으로 녹아 들어간 것이었다. 눈을 뜬 공주는 나무꾼의 눈 속에 비친 자신의 모습을 바라보았다. 공주는 그 모습이 아름답게 느껴졌다. 자기도 아름다운 사람이라는 것을 깨달은 공주는 나무꾼을 바라보며 환하게 미소를 지었다. 숲속에 ⓐ검은 태양이 뜬 듯 그 모습은 눈부시게 아름다웠다.

(나) 흑설 공주가 돌아오자 왕궁은 발칵 뒤집어졌다. 무엇보다도 조금도 달라진 것이 없는 여전히 새까만 공주가 어째서 이토록 아름답게 여겨지는지 사람들은 당황하고 말았다. 왕비의 사악한 음모도 드러났다. 아름답게만 여겨졌던 왕비의 모습은 이제 ⓑ징그러운 껍질처럼만 느껴졌다. 왕은 불같이 화를 내며 왕비를 감옥에 가두었다.

(다) 나무꾼과 공주의 결혼식이 성대하게 거행되었다.

검게 빛나는 공주가 어찌나 아름다운지 숯검정을 얼굴에 칠하는 게 유행이 되었다. 더 아름다워지고 싶은 여자들은 아예 굴뚝 속에 들어갔다 나오기도 하였다.

큰 깨달음을 얻은 흑설 공주는 다락방의 거울에게 가서 물었다.

"거울아 거울아, 세상에서 가장 못생긴 사람이 누구니?"

그러면 거울은 그때마다 정직하게 대답했다.

"저 바닷가 마을 오두막에 사는 메리라는 처녀입니다."

그러면 공주는 그 사람을 불러다 ㉠자신의 아름다움을 깨달을 수 있도록 도와주었다. 다른 사람들이 세운 아름다움의 기준이라는 것은 하루아침에 바뀔 수 있는 허약한 것으로, 아름다움이란 것은 누구에게나 깃들어 있다는 것을 알려 주었다. 자신만이 가지고 있는 아름다움을 찾아

내어 바라볼 수 있는 눈을 키워 주었던 것이다. 그리하여 흑설 공주의 나라에는 아름답지 않은 사람이 하나도 없게 되었다.

라 이제 거울은 "거울아 거울아, 세상에서 가장 아름다운 사람이 누구지?" 하는 공주의 질문에 대답할 수 없게 되었다.

"모르겠어요. 다들 나름대로 아름다우니 누가 가장 아름다운지 도무지 알 수가 없어요."

흑설 공주는 그제야 미소를 지으며 대답했다.

"그래, 그게 정답이란다. 세상 사람들은 누구나 각각 다른 아름다움을 가지고 있거든. 장미는 장미대로 아름답고, 제비꽃은 제비꽃대로 아름답듯이 말이야!"

그러나 나무꾼에게 있어 가장 아름다운 사람은 여전히 검은 피부, 검은 눈동자, 검은 머리의 온통 밤처럼 새까만 흑설 공주 한 사람뿐이었다.

28 원작을 바탕으로 이 글을 재구성하는 과정에서 글쓴이가 떠올렸을 생각으로 적절하지 않은 것은?

① 새 왕비의 질투로 공주가 시련을 겪는다는 구조는 유지하는 것이 좋겠어.
② 다른 사람들이 세운 아름다움의 기준은 무의미하다는 것을 말해야겠어.
③ 아름다움의 기준을 객관화시킬 필요성이 있다는 것을 사람들에게 인식시켜 줘야겠어.
④ 왕자가 등장하여 공주를 깨우는 부분에서 왕자를 다른 인물로 바꾸어야겠어.
⑤ 자기만의 아름다움을 찾아낼 수 있는 눈을 키워야 한다는 것을 강조해야겠어.

서술형

29 이 글을 통해 글쓴이가 말하고자 하는 바를 (다)에서 찾아 15자 내외로 서술하시오.

30 이 글의 내용과 일치하지 않는 것은?

① 아름답게 변한 공주의 모습에 사람들은 당황하였다.
② 나무꾼의 눈물에 해독제가 녹아 공주가 살아나게 되었다.
③ 왕비의 사악한 음모가 드러나자 왕은 왕비를 감옥에 가두었다.
④ 공주는 사람들에게 자신의 아름다움을 깨닫도록 도와주었다.
⑤ 시간이 흘러도 흑설 공주에 대한 나무꾼의 사랑은 한결같았다.

31 ㉠의 과정에서 공주가 했을 말로 가장 적절한 것은?

① 남들보다 뛰어난 자신만의 능력을 개발하면 된다.
② 실패를 극복하는 용기를 갖는 것이 가장 중요하다.
③ 자신만의 아름다움을 찾아내는 눈을 길러야 한다.
④ 행복이란 멀리 있는 것이 아니라 가까운 곳에 있다.
⑤ 큰 그릇은 늦게 만들어지듯이 때를 기다리며 노력해야 한다.

32 ⓐ와 ⓑ에 대하여 바르게 말한 것은?

① ⓐ는 ⓑ와 달리 비유적인 표현이 사용되었다.
② ⓐ, ⓑ 모두 어떤 대상을 직접적으로 가리킨다.
③ ⓐ는 사람, ⓑ는 사람의 행동을 비유한 표현이다.
④ ⓐ, ⓑ는 각기 다른 인물에 대한 비유적 표현이다.
⑤ ⓐ는 ⓑ와 달리 왕궁 사람들의 눈에 비친 모습이다.

대단원 확인 문제

[33~37] 다음 글을 읽고 물음에 답하시오.

(가) "옛말에 보면 친구는 위로 보고 사귀라고 했는데, 아빠는 그 말이 잘못되었다고 생각한다. 그 말은 이왕 친구를 사귈 거면 좋은 친구를 사귀라고 한 말이지 꼭 그래야 한다는 건 아닐 거야. 친구를 사귈 때 다 위로 보고 사귀면, 아래에 있는 친구는 자기보다 나은 친구를 사귀고 싶어도 평생 그런 친구를 사귈 수 없는 거지. 자기가 사귀고 싶어 하는 그 친구가 자기보다 못한 사람과 친구를 하지 않으려 하면 말이지."

"그럼 어떻게 해요?"

"자기보다 나은 친구, 못한 친구 얘기를 하는 건 친구에게 배울 점을 찾으라는 이야기인 거야. 또 나쁜 친구를 사귀게 되면 함께 나쁜 생각과 나쁜 행동을 하게 되는 것도 사실이고. 더구나 너희처럼 자라날 때는 말이지. 그렇지만 어른이 되면 친구란 내가 외롭거나 어려울 때 서로 믿고 도울 수 있고, 또 당장 어렵거나 외롭지 않더라도 그런 친구 곁에 있는 것만으로도 위로가 되고 큰 힘이 될 수 있는 친구가 가장 좋은 친구란다. 서로 붙어 다니며 놀기만 좋아하는 친구보다는 이다음 서로 믿고, ㉠서로 돕고, 서로 위로하고, 서로 힘이 될 수 있는 그런 친구를 사귀라는 뜻이야. 너 친구에 관한 옛날이야기 알지? 아버지의 친구와 아들의 친구 이야기 말이다."

"알아요. 돼지를 잡아 놓고 사람을 실수로 죽였다고 하고 찾아가니까 아들 친구는 자기가 잘못될까 봐 도로 내쫓는데 아버지 친구는 다른 사람이 볼까 봐 얼른 집 안에 숨겨 주고요."

"바로 그런 친구를 사귀라는 거야."

(나) 저는 미래의 모든 세대를 위해 여기에 섰습니다. 저는 세계 전역의 굶주리는 아이들을 대신하여 여기에 섰습니다. 저는 이 행성 위에서 죽어 가고 있는 수많은 동물들을 위해 여기에 섰습니다. 우리는 이제 말하지 않고는 그냥 있을 수 없게 되었거든요.

저는 오존층의 구멍 때문에 햇빛 속으로 나가기가 두렵습니다. 공기 속에 무슨 화학 물질이 들어 있을지 모르기 때문에 숨 쉬기가 두렵습니다. 저는 아빠와 함께 밴쿠버에서 낚시를 즐겼습니다. 그런데 바로 몇 해 전에 암에 걸린 물고기들을 발견했습니다. 그리고 지금 우리는 날마다 동식물이 사라지고 있다는, 그들이 영원히 소멸되고 있다는 소식을 듣고 있습니다.

저는 언제나 야생 동물들의 무리를 보고 싶었고, 새들과 나비들로 가득 찬 정글과 열대 숲을 보기를 꿈꿨습니다. 그렇지만 제가 엄마가 되었을 때 우리 아이들이 볼 수 있도록, 그런 것들이 세상에 과연 존재하고 있기나 할지 모르겠습니다. 여러분은 이런 소소한 것에 대해서 제 나이 때 걱정해 보셨습니까? 이 모든 것이 실제로 우리 눈앞에서 일어나고 있는데도, 우리는 마치 충분한 시간과 해결책을 가지고 있는 것처럼 행동하고 있습니다. 〈중략〉

저는 아이일 뿐입니다. 그렇지만 전쟁에 쓰이는 모든 돈이 빈곤을 해결하고, 환경 문제를 해결하는 데 쓰인다면, 이 지구가 얼마나 멋진 곳으로 바뀔지 알고 있습니다.

학교에서도, 유치원에서도, 어른들은 우리에게 착한 사람이 되라고 가르칩니다. 어른들은 서로 싸우지 말고 존중하며, 자원을 절약하고, 몸과 주변을 청결히 하고, 다른 생물들을 해치지 말고 보호하며, 자원을 더불어 나누어야 한다고 가르칩니다. 그런데 어째서 여러분 어른들은 우리에게 하라고 한 것과는 정반대의 행동을 하십니까?

(다) 그러면 공주는 그 사람을 불러다 자신의 아름다움을 깨달을 수 있도록 도와주었다. 다른 사람들이 세운 아름다움의 기준이라는 것은 하루아침에 바뀔 수 있는 허약한 것으로, 아름다움이란 것은 누구에게나 깃들어 있다는 것을 알려 주었다. 자신만이 가지고 있는 아름다움을 찾아내어 바라볼 수 있는 눈을 키워 주었던 것이다. 그리하여 흑설 공주의 나라에는 아름답지 않은 사람이 하나도 없게 되었다.

이제 거울은 "거울아 거울아, 세상에서 가장 아름다운 사람이 누구지?"하는 공주의 질문에 대답할 수 없게 되었다.

"모르겠어요. 다들 나름대로 아름다우니 누가 가장 아

름다운지 도무지 알 수가 없어요."

흑설 공주는 그제야 미소를 지으며 대답했다.

"그래, 그게 정답이란다. 세상 사람들은 누구나 각각 다른 아름다움을 가지고 있거든. 장미는 장미대로 아름답고, 제비꽃은 제비꽃대로 아름답듯이 말이야!"

그러나 나무꾼에게 있어 가장 아름다운 사람은 여전히 검은 피부, 검은 눈동자, 검은 머리의 온통 밤처럼 새까만 흑설 공주 한 사람뿐이었다.

33 (가)~(다)에 대한 설명으로 적절한 것은?

① (가)~(다)의 말하는 이는 모두 허구적인 인물이다.
② (가)~(다)는 모두 창의적인 방법으로 원작을 재창작하였다.
③ (가)에 비해, (나)는 말하는 이가 듣는 이에게 자신의 생각을 일방적으로 전달하고 있다.
④ (가), (나)와 달리, (다)는 듣기와 말하기가 의미를 공유 과정임을 보여 주고 있다.
⑤ (가), (다)와 달리, (나)는 교훈적인 성격을 지니고 있다.

34 (가)에 대해 나눈 대화로 적절하지 않은 것은?

① 아버지와 아들이 '친구'를 주제로 나눈 대화구나.
② 아들은 아버지의 말에 적절한 반응을 보이고 있어.
③ 아버지는 자신이 직접 경험한 '옛날이야기'를 사례로 들어 설득력을 높이고 있네.
④ 아들은 이해되지 않는 부분에 대해서는 질문을 하는 등 성실한 듣기 태도를 보이고 있어.
⑤ 아버지는 진정한 친구란 어떤 친구인지 자신의 생각을 아들에게 친절하게 말해 주고 있군.

35 (나)에서 말하는 이의 말하기 방식으로 옳은 것을 모두 고르면?

보기

ⓐ 자신의 불우한 처지를 내세워 듣는 이의 동정심을 이끌어내고 있다.
ⓑ 공식적인 회의에 참석하여 개인적인 문제 해결을 목적으로 말하고 있다.
ⓒ 공식적인 자리에서 어른들의 감정에 호소하여 생각의 변화를 촉구하고 있다.
ⓓ 듣는 이의 행동에 대해 문제점을 제기하고 올바른 행동 방향을 제시하고 있다.

① ⓐ, ⓑ ② ⓐ, ⓒ ③ ⓑ, ⓒ
④ ⓑ, ⓓ ⑤ ⓒ, ⓓ

36 「백설 공주」를 재창작한 (다)를 통해 작가가 말하려는 것으로 적절하지 않은 것은?

① 아름다움이란 선한 마음에 있다.
② 아름다움의 기준은 절대적이지 않다.
③ 세상에 아름답지 않은 사람은 하나도 없다.
④ 자신만의 아름다움을 찾는 눈을 가져야 한다.
⑤ 다른 사람이 세운 아름다움의 기준은 중요하지 않다.

37 ㉠의 뜻에 가장 가까운 말은?

① 타산지석(他山之石)
② 고진감래(苦盡甘來)
③ 근묵자흑(近墨者黑)
④ 상부상조(相扶相助)
⑤ 과유불급(過猶不及)

5 이해를 돕는 매체

(1) 명태의 귀환
(2) 내가 보는 세상은 진짜일까

대단원 미리 보기

대단원 학습 목표	**읽기** 매체에 드러난 다양한 표현 방법과 의도를 평가하며 읽는다. **듣기·말하기** 매체 자료의 효과를 판단하며 듣는다.

• 정답과 해설 p.33

(1) 명태의 귀환

매체에 드러난 다양한 표현 방법과 의도를 평가하며 읽는다.

• 다양한 매체의 표현 방법을 바탕으로 글의 정보 파악하기
• 매체에 사용된 표현 방법의 효과와 적절성 판단하기

매체

인간이 지닌 생각, 감정, 지식과 같은 정보를 전달하고 공유하는 일종의 매개자로서의 역할을 담당

↓

인간의 의사소통 수단이 되는 음성 언어나 문자 언어, 인쇄 매체, 전자 매체 등을 모두 포함함.

「명태의 귀환」은 세계 최초로 성공한 '명태 살리기 프로젝트', 즉 명태 완전 양식에 관해 소개하고 있는 기사문이다. 어휘나 문장 표현뿐만 아니라, 도표, 그림, 사진 등과 같은 다양한 표현 방법을 활용하여 정보를 제공하고 있음을 확인하고, 제시된 자료의 적절성과 효과를 평가해 보도록 한다.

매체란 사전적 의미로 '사람들의 생각이나 사물을 전달하는 수단이나 방편'을 말하며, 일반적으로 음성 언어나 인쇄 매체, 전자 매체 등을 모두 포함하는 용어이다.

확인 문제

01 매체에 대한 설명으로 적절하지 않은 것은?

① 어떤 대상을 전달하는 도구이다.
② 인쇄물이나 영상물도 매체에 속한다.
③ 인간의 의사소통 수단에서 비롯되었다.
④ 음성 언어는 일회성이 있어서 매체에 속하지 않는다.
⑤ 정보를 전달하고 공유하는 매개자로서의 역할을 한다.

(2) 내가 보는 세상은 진짜일까

매체 자료의 효과를 판단하며 듣는다.

• 강연을 듣고 매체 자료를 활용한 의도 파악하기
• 강연에 사용된 매체 자료의 효과 평가하기

매체 자료의 유형과 효과

유형	효과
그림, 삽화	영상이나 사진으로 보여 줄 수 없는 사건이나 상황을 전달하는 데 효과적임.
도표, 그래프	복잡한 수치를 간단하게 제시하는 데 효과적임.
사진, 영상	사실적인 느낌이나 현장감을 주는 데 효과적임.

「내가 보는 세상은 진짜일까」는 심리학자인 글쓴이가 착시 현상에 관한 정보를 전달하는 강연이다. 말하기에 사용된 다양한 매체 자료의 특징을 파악하고 이를 바탕으로 말하는 이가 전달하고자 하는 내용을 효과적으로 이해한다. 더 나아가 매체 자료의 효과를 판단하는 능력을 기를 수 있도록 한다.

강연에서 **매체 자료**를 적절히 사용하면 청중의 이해를 돕고 청중에게 강렬한 인상을 줄 수 있다.

확인 문제

02 다음과 같은 매체 자료를 활용하여 얻을 수 있는 효과를 쓰시오.

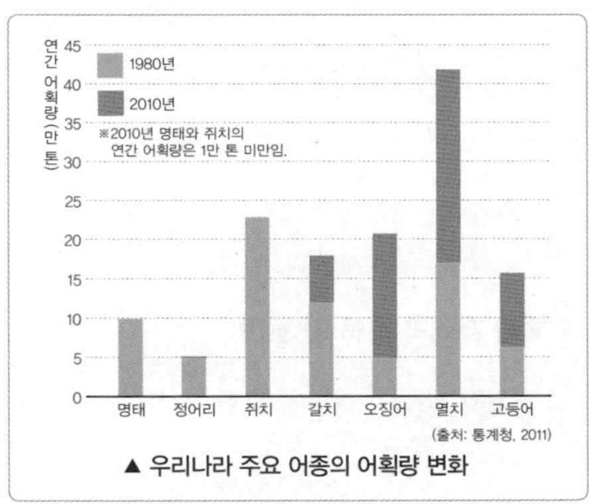

▲ 우리나라 주요 어종의 어획량 변화

표현 효과를 중심으로 매체에 담긴 다양한 자료를 평가해 보자. 그러면 내가 매체로 표현할 때도 더 효과적으로 할 수 있어.

명태의 귀환

• 생각 열기 **친구네 집에 가는 길을 설명하는 두 상황을 비교해 보고, 매체 자료의 효과를 생각해 봅시다.**

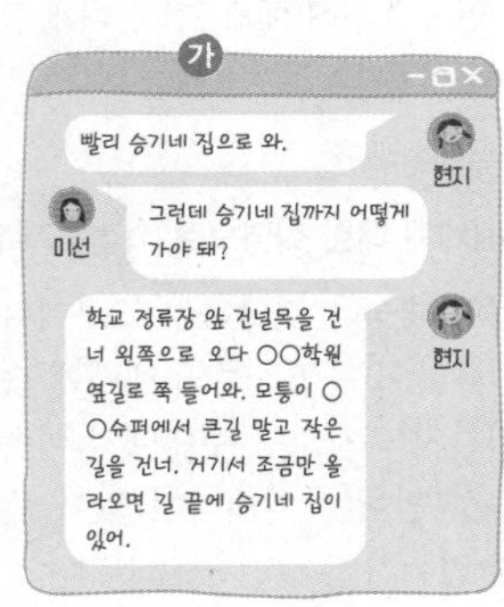

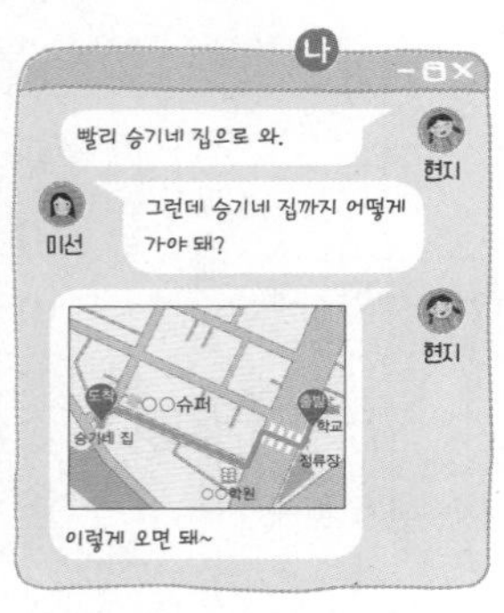

가와 나 중 승기네 집에 가는 방법을 쉽게 알려 주는 설명은 어느 쪽일까요? 예시 답 지도를 활용한 나의 설명이 승기네 집에 가는 방법을 쉽게 알려 준다.

위에서 선택한 설명이 더 쉽게 이해되었던 까닭을 생각해 봅시다.
예시 답 글로 길게 설명하는 것보다, 지도와 같은 자료를 활용하면 더 이해하기 편하기 때문이다.

• 학습 목표로 내용 엿보기

"글에는 문자 이외에도 다양한 사진이나 그림, 도표 등이 함께 제시되는 경우가 많아. 인터넷에서는 다양한 동영상이나 음악과 함께 제시되기도 하지. 이렇게 매체 속의 다양한 자료를 잘 활용한다면 글의 내용을 더욱 쉽게 이해할 수 있을 거야."

핵심 1 기사문 「명태의 귀환」을 읽고 다양한 매체의 표현 방법을 바탕으로 글의 정보를 파악하기

핵심 2 기사문 「명태의 귀환」을 읽고 매체에 사용된 표현 방법의 효과와 적절성을 판단하기

핵심 원리 이해하기 매체

매체 자료의 종류 및 효과

종류	예	효과
시각 자료	사진, 그림, 도표 등	→ 글 내용을 효과적으로 전달하여 매체 자료를 보거나 읽는 이의 이해를 돕고 관심을 유발하며 신뢰성을 높일 수 있음.
청각 자료	소리, 음악 등	
시청각 자료	동영상, 애니메이션 등	

개념 확인 콕콕 • 정답과 해설 p.33

01 기사문에서 매체 자료를 활용하는 이유로 가장 적절한 것은?

① 주제를 분명하게 드러내기 위해
② 정보를 효과적으로 전달하기 위해
③ 글쓴이의 정서를 분명하게 드러내기 위해
④ 불합리한 현실을 효과적으로 풍자하기 위해
⑤ 주장에 대한 효과적인 근거를 제시하기 위해

02 다음 내용을 설명하면서 사용하기에 가장 적절한 매체 자료 유형은?

> 우리나라 주요 어종의 어획량 변화

① 그림 ② 도표
③ 사진 ④ 음악
⑤ 동영상

03 매체 자료의 조건으로 적절하지 않은 것은?

① 독특하고 개성적이어야 한다.
② 글 내용과 관련이 있어야 한다.
③ 출처가 분명한 자료여야 한다.
④ 적절한 위치에 제시되어야 한다.
⑤ 주장이나 설명을 뒷받침해야 한다.

04 실물이나 상황의 특징만을 표현하여 내용을 효과적으로 이해할 수 있도록 도와 주는 매체 자료의 종류를 쓰시오.

본문 미리보기

본문 안내

이 소단원은 글 속의 매체 자료를 활용하여 글을 효과적으로 이해하고, 아울러 매체 자료의 효과와 적절성을 판단해 보는 단원이다. 글쓴이는 전달하고자 하는 생각을 효과적으로 전달하기 위해 다양한 매체 자료를 활용한다. 이 기사문에서도 글쓴이는 사진, 그림, 도표 등을 활용하여 사라졌던 '국민 생선'인 명태가 어떻게 복원되었는지를 전달하고 있다. 이 글을 통해서 정보를 효과적으로 전달하기 위해서 어떻게 매체 자료를 활용할 수 있는지 이해하고, 이를 바탕으로 매체 자료를 능동적으로 활용하여 글을 쓸 수 있는 능력을 키울 수 있다.

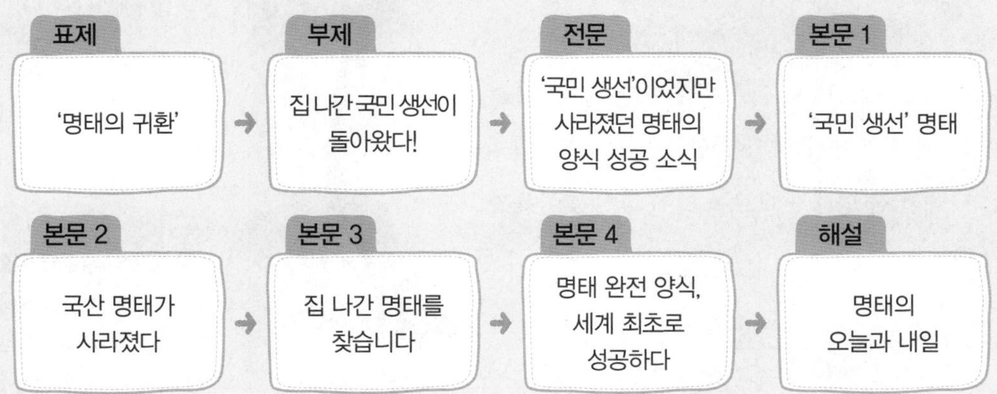

본문 개관

★ **갈래** 기사문

명태 복원 사업에 관한 기사문이다. 명태의 완전 양식에 관한 정보를 다양한 자료를 활용하여 소개하고 있다.

★ **성격** 정보 전달적, 객관적

이 글은 '명태'와 '국산 명태의 복원'에 관한 정보를 객관적으로 전달하고 있다. 특히 정보를 효과적으로 전달하기 위해 사진, 그림, 도표 등의 매체 자료를 적절하게 제시하였다. 글쓴이는 사진을 통해 독자들이 잘 알지 못하는 대상을 사실적이고 현장감 있게 제공하고, 그림을 통해 글만으로 전달하기 어려운 상황을 효과적으로 전달하고 있다. 아울러 도표를 통해 내용을 간략하게 요약하고 한눈에 알아볼 수 있도록 제시하고 있다.

★ **제재** 명태 살리기 프로젝트

'국민 생선'이었던 명태가 2008년 이후로 우리 바다에서 사라지고 난 후 이를 복원하기 위해 노력하고 마침내 성공을 거둔 '명태 살리기 프로젝트'를 소재로 하고 있다.

★ **주제** 사라진 '국민 생선' 명태의 성공적인 복원 과정 소개

기사문인 이 글은 '명태 살리기 프로젝트'의 과정과 앞으로의 전망을 객관적인 시각에서 전달하고 있다.

명태의 귀환

이것이 핵심! ✓ 부제의 의미 ✓ 전문의 내용

표제 **명태의 귀환**

부제 **– ㉠ 집 나간 국민 생선이 돌아왔다!**

전문 ㈎ 따끈한 생태탕, 푸짐한 코다리 찜, 짭짤한 명란젓……. 이름은 다 달라도 모두 명태 요리이다. '국민 생선'이라고 불릴 만큼 사랑받는 생선 명태. 그런 명태가 안타깝게도 2008년 이후로 우리 바다에서 사라졌다. 그런데 최근 명태 양식에 성공했다는 소식이 들린다. 우리 식탁에 국산 명태가 오르는 날이 다시 찾아올까.

전문 ⁞ '국민 생선'이었지만 사라졌던 명태의 양식이 성공함.

핵심 확인

부제의 의미

집 나간	국민 생선이	돌아왔다!
→ 우리 바다에서 사라짐.	→ 명태	→ 양식에 성공함.

전문의 내용

명태는 '국민 생선'으로 사랑을 받아 왔음. → 명태는 안타깝게도 2008년 이후로 우리 바다에서 사라졌음. → 최근 명태 양식에 성공했음.

이것이 핵심! ✓ 명태의 가치 ✓ 사진의 역할

'국민 생선' 명태

본문 1 ㈏ 명태만큼 여러 이름으로 불리는 생선이 있을까? 예로부터 우리나라에서는 잡은 지 얼마 안 된 싱싱한 '생태'로, 또는 꽁꽁 얼린 '동태'로 얼큰하게 탕을 끓여 먹고 매콤하게 찜을 해 먹었다. 꾸덕꾸덕하게(물기 있는 물체의 거죽이 조금 마르거나 얼어서 꽤 굳어 있게) 말려 찜 요리에 적당한 '코다리', 노릇노릇하게 구워 먹는 '노가리'(명태의 새끼), 통통한 주머니 안에 작은 알들이 가득한 '명란젓', 꼬들꼬들한 식감을 자랑하는 '창난젓'까지 모두 명태로 만든 것이다. 눈과 비, 바람을 맞히며

확인 문제 • 정답과 해설 p.33

01 이와 같은 글의 특징으로 적절하지 않은 것은?

① 일반 대중을 독자로 한다.
② 빠른 전달보다는 정확한 전달을 중시한다.
③ 부정확하거나 모호한 표현을 사용하지 않는다.
④ 사실을 객관적으로 전달하는 것을 목적으로 한다.
⑤ 독자가 쉽고 빠르게 이해할 수 있도록 간결하게 표현한다.

핵심

02 ㈎의 역할을 적절하게 설명한 것은?

① 사건과 관련된 배경지식을 제시한다.
② 글쓴이의 주장을 요약적으로 제시한다.
③ 기사 전체의 내용을 요약하여 제시한다.
④ 사건에 대한 앞으로의 전망을 제시한다.
⑤ 사건의 구체적인 내용을 자세히 제시한다.

03 ㈎를 참고할 때, ㉠을 통해 알 수 있는 내용이 아닌 것은?

① 명태의 양식에 성공하였다.
② 명태는 '국민 생선'으로 불린다.
③ 명태는 값싸고 맛있는 생선이다.
④ 명태는 국민의 사랑을 받던 생선이다.
⑤ 명태는 현재 우리 바다에서 찾아볼 수 없다.

서술형

04 ㈎에서 글쓴이가 기대하고 있는 것이 무엇인지 한 문장으로 서술하시오.

오랫동안 말린 '황태'나 바싹 말린 '북어'로 육수를 우려내 요리의 기본 재료로 쓰기도 한다. 많은 이름에서도 알 수 있듯, 우리 식단에 가장 많이 등장하는 생선이 명태다.

다 하지만 명태는 다른 나라에서는 그렇게 인기 있는 생선이 아니다. 살코기 자체에 별다른 맛이나 식감이 없어, 불에 직접 구워 먹기를 좋아하는 식문화에는 어울리지 않기 때문이다. 그래서 외국에서는 다른 생선과 함께 잘게 다져서 어묵을 만들거나, 튀김옷을 입혀 바삭하게 튀겨서 소스를 묻혀 먹는다. 하지만 얼큰한 국물을 좋아하는 한국인의 입맛에는 딱 맞는 '국민 생선'이라 해도 손색이 없다. 우리나라에서는 명태를 한 해에 25만 톤(t)이나 소비한다.

본문 1 ⋮ 한 해에 25만 톤이나 소비되며 우리 식단에 자주 등장하는 명태

핵심 확인

명태의 가치

• 우리 식단에 가장 많이 등장함. • 한 해에 25만 톤을 소비함.	→	'국민 생선'이라고 불림.

매체 자료의 역할

• '코다리찜' 사진 • '노가리' 사진	글 속의 내용을 시각적(구체적)으로 보여 줌.

이것이 핵심! ✓ 국산 명태가 사라진 이유 ✓ 매체 자료의 역할

국산 명태가 사라졌다

본문 2 라 명태는 1970년대만 해도 동해에서 매년 7만 톤(t) 안팎으로 잡힐 만큼 흔했다. 알을 밴 고기일수록 맛이 좋고 어린 고기까지 술안주로 인기 있었던 탓일까. 결국, 우리 바다에서 명태의 씨가 말라 버렸다. 2008년 이후 매년 우리나라 가까운 바다에서 잡히는 명태는 1톤(t) 안팎이다. 지금 우리 식탁에 올라오는 명태는 거의 다 수입한 것으로, 러시아산이 대부분이다.

날개 확인 문제

05 글쓴이가 명태를 국민 생선이라고 하는 이유로 적절한 것은?

① 명태가 많이 잡히기 때문에
② 여러 나라에서 인기가 있기 때문에
③ 우리나라의 명태가 유난히 맛있기 때문에
④ 우리 식단에 자주 오르고 소비량도 많기 때문에
⑤ 우리나라 식단에서 요리의 기본 재료가 되기 때문에

핵심

06 (나)의 사진이 하는 역할로 적절한 것은?

① 설명 대상을 사실적으로 보여 준다.
② 글쓴이의 생각을 우회적으로 드러낸다.
③ 글의 내용에 대한 신뢰성을 매우 높여 준다.
④ 복잡한 내용을 시각적으로 정리하여 보여 준다.
⑤ 설명 내용을 한눈에 이해할 수 있도록 요약해 준다.

07 (나)의 중심 내용으로 적절한 것은?

① 명태의 다양한 종류
② 명태가 다양하게 불리는 이유
③ 생선 요리의 대표인 명태 요리
④ 명태로 만들 수 있는 다양한 요리
⑤ 우리 식단에 등장하는 생선의 종류

서술형

08 (라)에서 명태의 어획량이 줄어든 이유로 글쓴이가 추측한 것은 무엇인지 서술하시오.

마 전문가들은 국산 명태가 사라진 원인 중 하나로, 어린 명태까지 마구잡이로 잡은 것을 든다. 기후가 변하면서 동해의 표층 수온이 변한 것도 원인으로 추정한다. 명태는 차가운 물을 좋아하는 냉수성 어류인데,

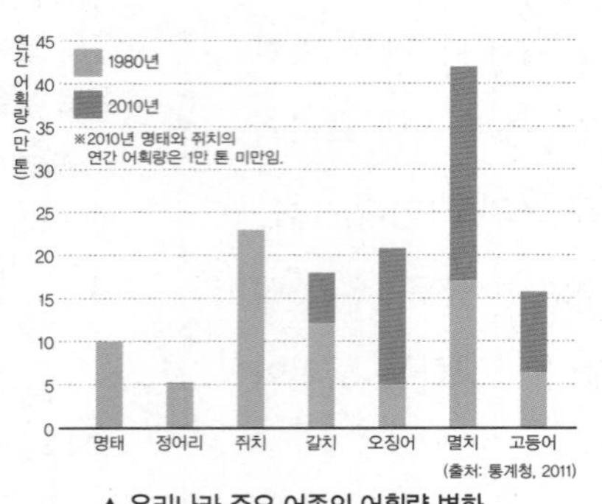

▲ 우리나라 주요 어종의 어획량 변화

수온이 올라가는 바람에 동해가 이제는 명태가 살기 어려운 환경이 되었다는 것이다. 국립수산과학원에 따르면 동해의 연평균 표층 수온은 1970년부터 2016년까지 47년간 섭씨 0.93도(℃)가량 올랐다. 이렇게 바닷물이 따뜻해지면서, 1970년대와 1980년대에 많이 잡히던 명태와 정어리, 갈치, 쥐치의 수가 줄어들었다. 특히 명태와 정어리는 2000년대 이후 찾기가 힘들다. 대신에 1990년대부터 오징어, 멸치, 고등어 등이 늘어났으며 예전에는 우리 바다에 거의 없었던 온대성, 아열대성 물고기들이 많이 나타났다. 모두 기후 변화에 따른 현상이다.

본문 2 | 마구잡이와 기후 변화로 사라진 국산 명태

핵심 확인

국산 명태가 사라진 이유

어린 명태의 마구잡이 포획 + 수온이 높아짐.

매체 자료의 역할

우리나라 주요 어종의 어획량 변화 도표	어종에 따른 어획량의 변화를 한눈에 시각적으로 보여 줌.
우리나라 주요 어종의 변화 그림	우리나라 지도를 활용하여 1980년대와 2000년대의 주요 어종을 그림으로 구체적으로 보여 줌.

1980
정어리
명태
동해
갈치
쥐치
2000
오징어
멸치
고등어
아열대성 물고기

▲ 우리나라 주요 어종의 변화

날개 확인 문제

09 (마)를 참고할 때 국산 명태가 사라진 원인으로 적절한 것은?(답 2개)

① 명태의 먹이가 사라졌다.
② 동해의 수온이 상승하였다.
③ 새끼 명태까지 무분별하게 포획하였다.
④ 오징어와 멸치, 고등어의 수가 증가하였다.
⑤ 온대성, 아열대성 물고기들이 많이 나타났다.

핵심

10 (마)에서 도표가 하는 역할로 적절한 것은?

① 동해의 수온 변화를 한눈에 보여 준다.
② 동해에서 잡히는 어종의 생김새를 제시한다.
③ 해마다 명태의 어획량이 어떻게 변하는지 나타낸다.
④ 어종에 따른 어획량의 변화를 시각적으로 보여 준다.
⑤ 동해에서 잡히는 어종의 변화를 구체적으로 보여 준다.

11 '우리나라 주요 어종의 변화'를 보여 주는 그림 자료에 대한 설명으로 적절하지 않은 것은?

① 우리나라 지도를 활용하고 있다.
② 바다 환경의 변화를 추측하게 한다.
③ 명태가 잡히는 장소의 변화를 알게 한다.
④ 우리 바다에 서식하는 어종의 변화를 시각적으로 보여 준다.
⑤ 우리 바다에서 사라진 물고기들이 무엇인지 알려 준다.

서술형

12 (마)를 통해 알 수 있는 명태의 생태적 특성이 무엇인지 한 문장으로 서술하시오.

이것이 핵심! ✓ 국산 명태 완전 양식이 어려운 이유 ✓ 매체 자료의 역할

집 나간 명태를 찾습니다

본문 3 ㉶ 명태는 이대로 국민 생선의 명성을 잃고 마는 것일까. 해양수산부는 국산 명태를 복원할 필요성을 인식하고 2014년 '명태 살리기 프로젝트'를 시작했다. 국립수산과학원 동해수산연구소, 강원도 한해성수산자원센터, 강릉원주대가 함께 연구팀을 꾸렸다. 이 프로젝트는 국산 명태를 대량으로 번식시킬 수 있도록 완전 양식 기술을 개발하는 데 목표를 두었다.

㉷ 완전 양식은 명태를 인공적으로 키워 종자를 생산하는 기술이다. 먼저 동해에서 살아 있는 명태를 잡아 수정란을 얻은 다음 인공적으로 부화하게 한다. 이렇게 부화한 어린 고기를 건강한 성체로 잘 사육해서 다시 수정란을 얻는다. 이 과정이 순조롭게 되풀이된다면 명태를 바다에서 낚지 않고도 계속 생산할 수 있다.

성체: 다 자라서 생식 능력이 있는 동물. 또는 그런 몸

㉸ 그런데 명태를 완전 양식 하려니 걸림돌이 있었다. 우선 동해에서 명태를 찾기가 쉽지 않았다. 어쩌다 명태를 잡더라도 수정란을 얻을 수 있을 만큼 성숙하지 않거나 건강하지 않았다. 명태를 잡아 올리는 과정도 문제였다. 명태는 깊은 바닷속에서 살기 때문에 자망을 이용해서 잡는다. 자망의 그물코는 물고기보다 작아서, 지나가던 물고기들이 그 그물코에 걸려 낚인다. 그물에 걸릴 때 상처가 나거나 스트레스를 받기 때문에, 이렇게 잡힌 명태는 2~3일 안에 죽기 일쑤였다. 결국, ㉠ 연구팀은 한 마리에 50만 원씩 현상금을 걸고 '살아 있는 명태 어미 고기'를 찾아 나섰다.

자망: 바다에서 물고기 떼가 지나다니는 길목에 쳐 놓아 고기를 잡는 데 쓰는 그물

㉹ 몸값까지 걸며 간절히 찾은 덕분일까. 명태 살리기 프로젝트를 시작한 이듬해인 2015년 1월, 건강한 자연산 명태 어미 한 마리를 구할 수 있었다. 그리고 그해 2월, 실내 수조에서 질 좋은 수정란 53만 개를 얻어 인공 부화하였다.

▲ 연구소에서 양식되고 있는 명태 치어

13 (바)~(자)의 내용 전개 방법에 대한 설명으로 적절한 것은?

① 차이가 나는 두 대상을 견주고 있다.
② 공통점이 있는 두 대상을 견주고 있다.
③ 대상의 모습을 있는 그대로 묘사하였다.
④ 시간 순서에 따라 일의 경과를 설명하였다.
⑤ 대상을 구성 성분으로 나누어 설명하였다.

날개 확인 문제

14 ㉠의 이유로 적절한 것은?

① 명태의 가치가 높아져서
② 명태 어미를 찾는 사람이 많아져서
③ 명태의 완전 양식을 진행하기 위해서
④ 국산 명태와 외국 명태를 비교하기 위해서
⑤ 국산 명태 복원에 대한 경쟁이 치열해져서

서술형

15 다음은 명태의 완전 양식 과정을 정리한 것이다. 빈칸에 알맞은 내용을 서술하시오.

건강한 자연산 명태 어미를 잡음.
↓
(   )
↓
부화한 어린 고기를 잘 사육해 다시 수정란을 얻음.

핵심

16 이 글에 들어가기에 적절한 사진 자료가 아닌 것은?

① 명태 수정란의 사진
② 자연산 명태 어미 사진
③ '자망'을 보여 주는 사진
④ 연구소에서 양식되고 있는 명태 치어 사진
⑤ 양식을 통해 키워 낼 수 있는 다른 생선 사진

명태 완전 양식 과정

2015년 1월	자연산 명태 어미 포획
2015년 2월	명태 어미의 알로부터 인공 1세대인 어린 고기 부화
2015년 12월	양식한 인공 1세대 일부를 동해안에 방류
2016년 9월	성체가 된 인공 1세대의 산란
2017년 1월	동해산 명태 67마리 중 2마리가 인공 1세대와 일치하는 것으로 밝혀짐.
2018년 12월	인공 2세대가 산란기를 맞는 시기로 추정됨.

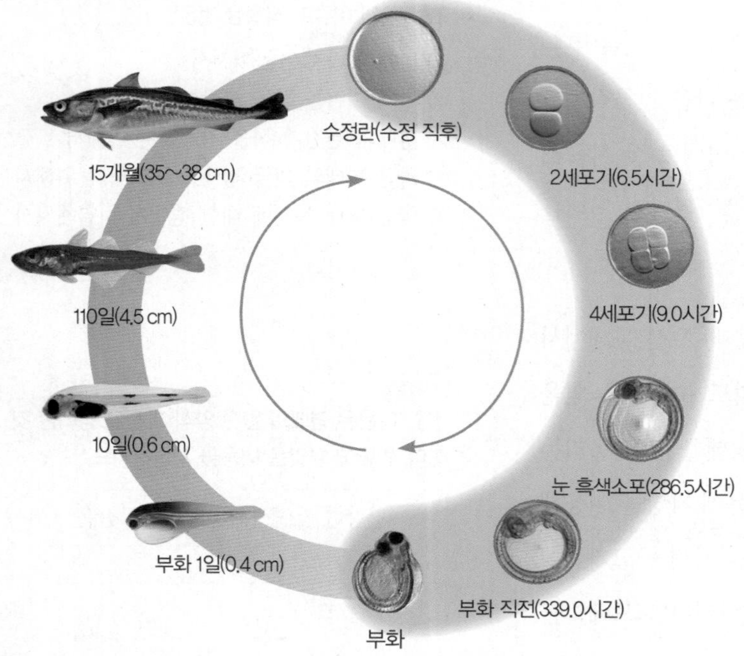

▲ 명태의 난 발생 및 성장 발달 과정

본문 3 | 국산 명태의 완전 양식을 위한 명태 살리기 프로젝트 시행

핵심 확인

국산 명태의 완전 양식이 어려운 이유

국산 명태를 구하기 어려움. → 국산 명태를 구해도 수정란을 얻을 수 있을 정도로 성숙하거나 건강하지 않음.

매체 자료의 역할

명태 완전 양식 과정 도표	글의 내용을 일목요연하게 제시하여 이해를 도움.
명태의 난 발생 및 성장 발달 과정 자료	글 속의 내용을 시각적(구체적)으로 보여 줌.

17 '명태 완전 양식 과정' 도표를 통해 알 수 있는 내용이 아닌 것은?

① 인공 1세대의 산란기
② 인공 2세대의 산란기
③ 인공 1세대의 양식 성공 비율
④ 자연산 명태 어미를 포획한 시기
⑤ 동해산 명태 중 인공 1세대의 비율

핵심

18 '명태 완전 양식 과정'과 같은 매체 자료의 특징으로 적절한 것은?

① 중요한 정보를 반복적으로 제시한다.
② 그래프 형식으로 대상의 변화를 표현한다.
③ 복잡한 내용을 일목요연하게 정리해 보여 준다.
④ 실제로 보기 어려운 내용을 사진으로 제시한다.
⑤ 두 대상의 특징적 차이를 대조하여 보여 준다.

19 '명태 난 발생 및 성장 발달 과정' 자료에 대한 설명으로 적절하지 않은 것은?

① 명태의 한살이를 제시하고 있다.
② 화살표를 통해 과정의 진행을 보여 준다.
③ 수정란의 모습을 과장된 그림으로 보여 준다.
④ 명태의 성장 과정에 대한 정보를 알 수 있다.
⑤ 사진을 활용하여 명태의 사실적 모습을 보여 준다.

서술형

20 이 글에서 매체 자료를 활용한 궁극적인 목적을 한 문장으로 서술하시오.

이것이 핵심! ✓ 명태 양식을 위한 연구 내용 ✓ 사진이 어울리지 않는 이유

㉠ 명태 완전 양식, 세계 최초로 성공하다

본문 4 ㉾ '명태 살리기 프로젝트' 연구팀은 명태가 살기에 가장 적절한 수온을 찾기 시작했다. 그 결과 섭씨 7~12도(℃)에서 잘 자란다는 사실을 알아냈다. 그리고 명태를 키우는 실내 수조에 병원체가 얼마나 있는지, 이것이 어린 고기에게 어떤 영향을 미치는지도 연구했다. 어린 고기가 질병에 걸리는 일을 예방해 초기 생존율을 높이기 위해서였다.

병원체: 병의 원인이 되는 본체. 세균, 바이러스, 기생충 등의 미생물이 이에 해당한다.

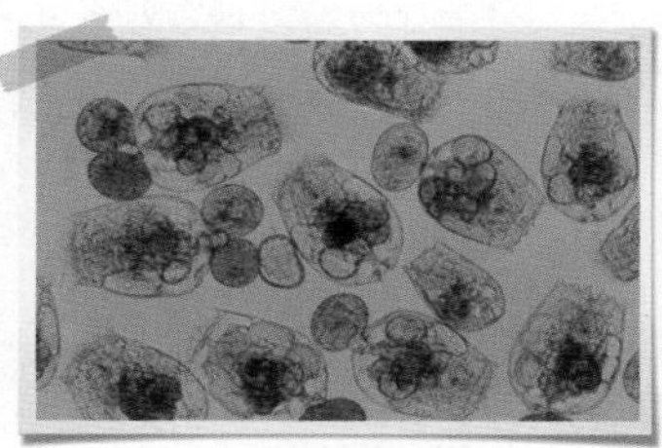

▲ 로티퍼

㉿ 또 하나 특별하게 고려한 것은 먹이였다. 알에서 부화한 새끼 명태에게 적합한 저온성 먹이생물이 당장 없었기 때문이다. 보통은 어류 종자를 생산할 때 동물성 플랑크톤인 로티퍼를 먹이로 쓴다. 그래서 명태가 사는 차가운 물에 로티퍼를 넣었더니, 로티퍼는 활력을 잃고 수조 바닥으로 가라앉아 버렸다. 로티퍼는 섭씨 25도(℃) 이상의 환경에서 잘 자라기 때문에, 명태에게 맞는 온도가 로티퍼에게는 너무 낮았던 것이다. 그렇게 가라앉은 로티퍼는 심지어 수질을 악화시키기까지 했다.

타 연구팀은 '저온성 먹이생물 배양 장치'를 개발해, 로티퍼가 자라는 수조의 온도를 단계적으로 낮췄다. 그런 다음 차가운 물에서도 활기를 띠는 로티퍼만 고른 뒤 따로 배양했다. 이렇게 배양한 로티퍼는 약 섭씨 10도(℃)의 물에서 10퍼센트(%) 이상 증식했다. 저온성 로티퍼는 명태뿐 아니라 대구 등 다른 냉수성 어류를 사육하는 데에도 큰 역할을 하리라 본다.

배양: 인공적인 환경을 만들어 동식물 세포와 조직의 일부나 미생물 따위를 가꾸어 기름.

파 연구팀은 ㉡ 고도 불포화 지방산(EPA, DHA) 같은 영양 성분이 든 고에너지 명태 전용 배합 사료도 개발했다. 명태가 잘 성장하고 성숙하는 데 필요한 영양 성분을 이 사료로 공급했다. 그 결과, 연구팀이 사육하는 명태는 자연 상태에서보다 훨씬 빨리 자랐다. 명태는 원래 알을 낳을 정도로 성숙하는 데 3~4년이 걸리지만, 연구팀이 키운 명태는 약 1년 8개월 만에 성숙해 2016년에 알을 낳았다. 명태의 완전 양식을 하는 데 세계 최초로 성공한 것이다.

본문 4 | 다양한 연구와 개발을 통한 명태 완전 양식 성공

날개 확인 문제

21 명태 완전 양식을 위해 연구팀이 연구했던 대상이 아닌 것은?

① 실내 수조의 병원체
② 고도 불포화 지방산의 종류
③ 저온성 먹이생물 배양 장치
④ 고에너지 명태 전용 배합 사료
⑤ 명태가 살기에 가장 적절한 수온

핵심

22 이 글에 제시된 로티퍼 사진에 대한 평가로 적절한 것은?

① 주제와 긴밀히 연관되는 자료이다.
② 글 내용을 이해하기 위해 꼭 필요한 자료는 아니다.
③ 글의 내용과는 전혀 관련이 없는 불필요한 자료이다.
④ 출처를 알 수 없지만 신뢰성이 떨어지는 자료는 아니다.
⑤ 글의 내용 전체를 한눈에 볼 수 있게 해 주는 자료이다.

23 ㉠의 역할로 가장 적절한 것은?

① 글의 중심 내용을 드러낸다.
② 앞에 전개된 내용을 정리한다.
③ 글에 대한 궁금증을 자극한다.
④ 글쓴이의 개인적 견해를 드러낸다.
⑤ 글쓴이가 독자와 교감할 수 있게 한다.

서술형

24 (파)를 참고할 때, ㉡의 역할이 무엇인지 한 문장으로 서술하시오.

핵심 확인

명태 완전 양식을 위해 연구팀이 연구한 내용

- 명태가 살기에 가장 적절한 수온
- 실내 수조의 병원체
- 저온성 먹이생물 배양 장치
- 고에너지 명태 전용 배합 사료

매체 자료에 대한 평가

'로티퍼' 사진	글의 내용과 관련은 있으나 내용을 이해하는 데 꼭 필요한 자료는 아님.

이것이 핵심! ✓ 인공 명태를 방류한 이유 ✓ 전문가 인터뷰를 실은 이유

명태의 오늘과 내일

해설 (하) 2017년 1월 23일, 해양수산부는 2016년 동해에서 잡힌 명태 가운데 예순일곱 마리의 유전 정보를 분석해 봤더니 그중 두 마리의 유전 정보가 2015년에 방류한 인공 1세대의 것과 일치했다고 밝혔다. 인공적으로 키워 방류한 명태가 자연에 잘 적응해 살고 있다는 뜻이다.

(거) 이제부터는 명태를 대량으로 생산할 방법을 찾아야 한다. 국립수산과학원 동해수산연구소 변순규 박사는 "유전적 다양성을 위해 자연산 명태 어미 고기를 계속 확보하고, 1세대 어미를 관리해 질 좋은 수정란을 얻는 기술을 발전시킬 계획"이라고 말했다. 또 "질병을 예방하기 위해 계속 관찰하면서 우수한 종자를 만들 수 있는 기술을 개발할 것"이라고 밝혔다.

(너) 그렇다면 이렇게 키운 명태를 언제쯤 맛볼 수 있을까? 이제 막 인공 양식 기술을 개발한 수준이므로 양식 명태가 당장 식탁에 오르기는 어렵다. 변 박사는 "어업인들에게 수정란을 분양하고 기술 지도를 하고 있다."라고 말했다. 국립수산과학원에서는 대량 생산이 되면 육지에서는 수조 양식으로, 바다에서는 가두리 양식으로 동시에 명태를 키워 낼 계획도 하고 있다. 이대로라면 머지않아 우리 식탁에 국산 양식 명태가 올라오지 않을까 기대한다.

가두리 양식: 그물을 물에 쳐서 구획을 지어, 그 안에서 여러 가지 물고기를 기르고 번식시키는 일

해설 | 자연에 잘 적응한 인공 명태와, 앞으로의 명태 양식 계획

핵심 확인 인공 명태를 방류한 이유

인공 명태가 자연에 잘 적응해 살 수 있는지 확인하기 위해서임.

인터뷰의 역할

전문가의 의견을 인용하여 독자에게 신뢰성을 줌.

날개 확인 문제

25 (하)를 참고할 때, 인공 명태를 바다에 방류한 이유로 적절한 것은?

① 인공 명태의 적응력을 시험하려고
② 인공 명태를 대량으로 번식시키려고
③ 국산 명태 양식이 이미 성공했으므로
④ 인공 명태를 계속 키울 수 없는 상황이어서
⑤ 인공 명태를 더 이상 연구할 가치가 없어서

핵심

26 (거), (너)에서 글쓴이가 독자들에게 신뢰성을 주기 위해서 활용한 방법으로 적절한 것은?

① 구체적인 수치 자료를 제시한다.
② 전문가의 인터뷰 내용을 제시한다.
③ 자신의 의견을 논리적으로 제시한다.
④ 과거의 사례와의 유사성을 비교한다.
⑤ 내용을 뒷받침하는 매체 자료를 제시한다.

서술형

27 (너)에서 국산 양식 명태를 식탁에 올린다는 것이 의미하는 바를 본문을 참고하여 4어절로 쓰시오.

학습 활동

• 정답과 해설 p.35

이해 활동

1. 소제목과 제시된 사진을 바탕으로 이 글의 내용을 정리해 봅시다. 예시 답

'국민 생선' 명태

- 다양한 이름을 가진 명태는 여러 종류의 음식 재료로 사용된다.
- 한국인의 입맛에 맞는 명태는 한 해에 25만 톤이나 소비된다.

국산 명태가 사라졌다

- 오늘날 우리가 소비하는 명태는 대부분 수입된 것이다.
- 어린 명태까지 마구잡이로 잡히고, 기후 변화로 동해의 표층 수온이 상승해 국산 명태가 사라졌다.

집 나간 명태를 찾습니다

- 명태의 완전 양식을 위해 '명태 살리기 프로젝트'가 시작되었다.
- 힘들게 구한 자연산 명태에서 수정란을 얻어 인공 부화에 성공했다.

명태 완전 양식, 세계 최초로 성공하다

- 적절한 수온과 병원체에 관한 연구를 바탕으로 어린 명태의 초기 생존율을 높였다.
- 어린 명태를 위한 저온성 먹이생물과 전용 배합 사료를 개발하여 영양분을 공급하였다.

명태의 오늘과 내일

- 인공적으로 키워 방류한 명태가 자연에 성공적으로 적응하고 있다.
- 국립수산과학원에서는 명태를 대량으로 키우고 생산해 낼 계획을 세우고 있다.

이해 다지기 문제

1 이 글의 내용과 일치하지 않는 것은?

① 여러 종의 명태에서 수정란을 얻는 데 성공했다.
② 어린 명태를 위해 저온성 먹이생물을 개발하였다.
③ 인공 명태가 자연에 성공적으로 적응했음을 확인했다.
④ 명태는 한 해에 25만톤 이상 소비되는 '국민 생선'이다.
⑤ 어린 명태를 마구잡이로 잡고 기후의 변화로 수온이 올라가면서 우리 바다에서 명태가 사라지고 말았다.

목표 활동

1. 이 글에 제시된 매체 자료와 그 효과를 연결해 보고, 매체 자료의 명칭을 적어 봅시다.

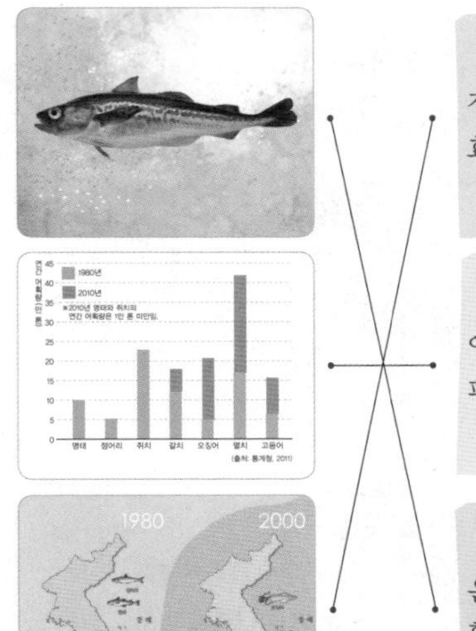

- 실물이나 상황에 대한 특징을 묘사함으로써 내용을 효과적으로 이해할 수 있다. — 그림
- 구체적인 수치와 그 변화 양상에 대한 정보를 한눈에 파악할 수 있다. — 도표
- 글만으로는 이해하기 어려운 대상의 사실적인 모습을 확인할 수 있다. — 사진

목표 다지기 문제

1 다음과 같은 자료의 특징으로 적절한 것은?

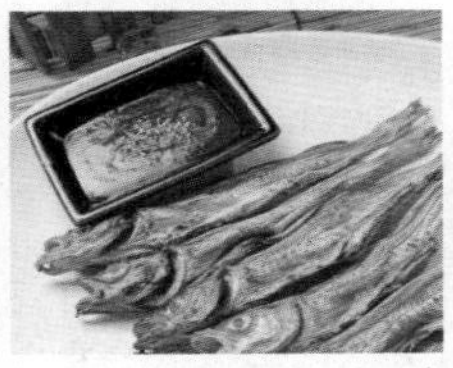

① 대상 간의 관계를 드러낸다.
② 글의 내용을 구체적으로 보여 준다.
③ 대상을 과장되고 익살스럽게 표현한다.
④ 글로 설명한 내용을 간략하게 정리해 준다.
⑤ 실제 상황을 표현하기 어려울 때 활용한다.

효과적인 이해를 돕는, 매체 자료

매체 자료는 사진, 그림, 도표 등의 시각 자료, 소리, 음악 등의 청각 자료, 동영상, 애니메이션 등의 시청각 자료 등으로 나뉩니다. 내용과 어울리는 매체 자료를 사용하면 내용을 효과적으로 전달할 수 있고, 글이나 매체를 읽는(보는) 이의 이해를 돕고 관심을 유발하여 신뢰성을 높일 수 있습니다.

2. 이 글에 제시된 매체 자료가 글의 이해에 얼마나 도움이 되었는지 평가해 봅시다.

예시 답

제시 자료	효과와 적절성 평가
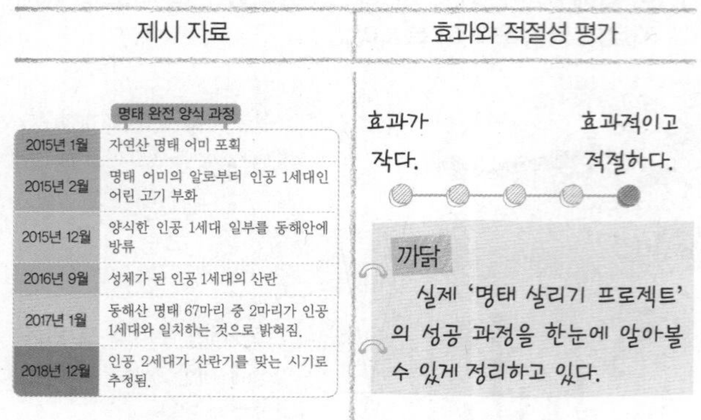	
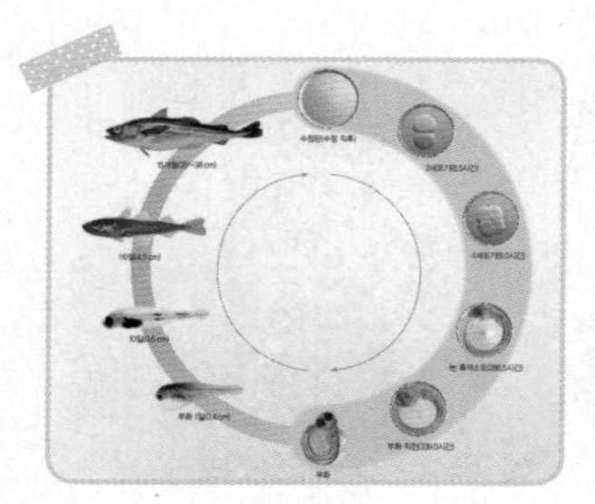	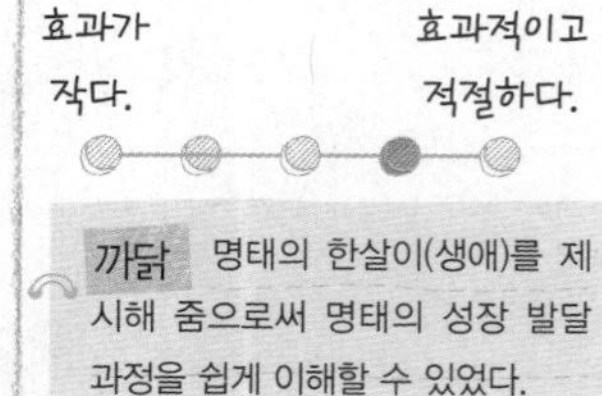
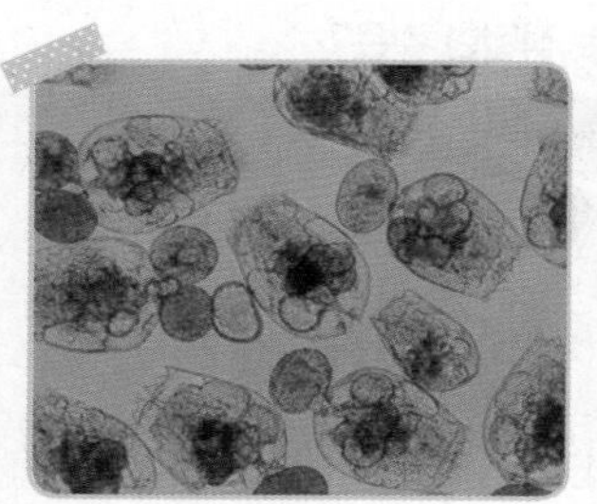	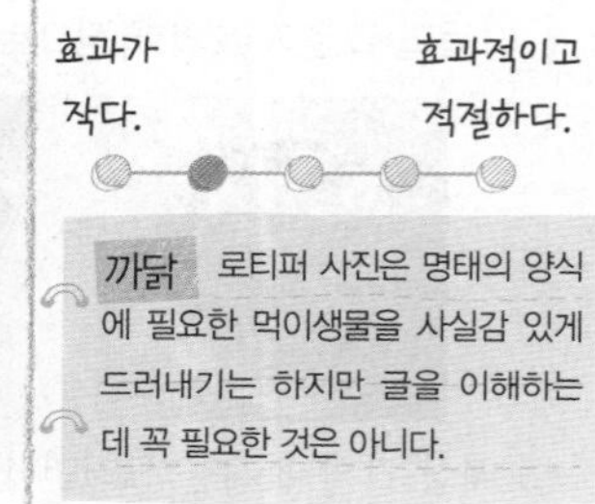

명태 완전 양식 과정

2015년 1월	자연산 명태 어미 포획
2015년 2월	명태 어미의 알로부터 인공 1세대인 어린 고기 부화
2015년 12월	양식한 인공 1세대 일부를 동해안에 방류
2016년 9월	성체가 된 인공 1세대의 산란
2017년 1월	동해산 명태 67마리 중 2마리가 인공 1세대와 일치하는 것으로 밝혀짐.
2018년 12월	인공 2세대가 산란기를 맞는 시기로 추정됨.

효과가 작다. — 효과적이고 적절하다.

까닭 실제 '명태 살리기 프로젝트'의 성공 과정을 한눈에 알아볼 수 있게 정리하고 있다.

효과가 작다. — 효과적이고 적절하다.

까닭 명태의 한살이(생애)를 제시해 줌으로써 명태의 성장 발달 과정을 쉽게 이해할 수 있었다.

효과가 작다. — 효과적이고 적절하다.

까닭 로티퍼 사진은 명태의 양식에 필요한 먹이생물을 사실감 있게 드러내기는 하지만 글을 이해하는 데 꼭 필요한 것은 아니다.

목표 다지기 문제

2 '명태 완전 양식 과정'이라는 자료의 장점으로 적절한 것은?

① 사실적인 느낌이나 현장감을 준다.
② 현실감을 극대화하여 관심을 집중시킨다
③ 글의 내용을 한눈에 알아볼 수 있게 정리하고 있다.
④ 대상 간의 크기 차이나 수량의 많고 적음을 효과적으로 표현한다.
⑤ 사진으로 보여 줄 수 없는 사건이나 상황을 효과적으로 전달해 준다.

3 글에 사용된 자료의 적절성을 판단하기 위한 질문으로 적절하지 않은 것은?

① 독자의 수준을 고려하여 적합하게 제시되었는가?
② 독자의 이해를 돕도록 적절한 위치에 제시되었는가?
③ 글 내용을 이해하는 데 필요한 형태로 제시되었는가?
④ 글의 내용을 포함하여 더 많은 정보를 제시하고 있는가?
⑤ 자료의 내용이 정확하고 객관적이며 출처는 믿을 만한가?

3. 이 글의 이해를 돕기 위해 ㉮~㉰를 추가하려고 할 때, 적절한 부분을 찾고 그렇게 생각한 까닭을 적어 봅시다.

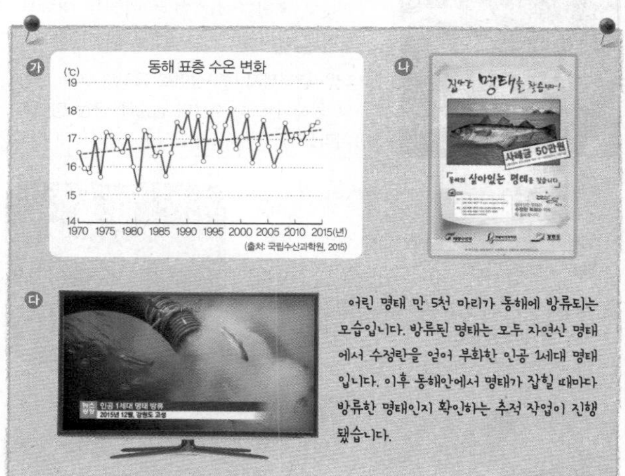

예시 답

자료	자료를 추가할 부분	까닭
㉮	국립수산과학원에 따르면 동해의 연평균 표층 수온은 1970년부터 2016년까지 47년간 섭씨 0.93도(℃)가량 올랐다.	시간의 흐름에 따른 표층 수온 변화 양상의 구체적인 수치를 제시하여 글의 내용을 뒷받침할 수 있기 때문이다.
㉯	결국, 연구팀은 한 마리에 50만 원씩 현상금을 걸고 '살아 있는 명태 어미 고기'를 찾아 나섰다.	'살아 있는 명태 어미 고기'를 찾기 위한 연구팀의 노력을 더욱 효과적으로 이해할 수 있다.
㉰	2017년 1월 23일, 해양수산부는 2016년 동해에서 잡힌 명태 가운데 예순일곱 마리의 유전 정보를 분석해 봤더니 그중 두 마리의 유전 정보가 2015년에 방류한 인공 1세대의 것과 일치했다고 밝혔다.	양식하여 방류한 명태가 자연 상태에 적응하여 살아남았다는 중심 화제를 뒷받침하는 구체적인 장면이면서 추적 관찰의 사실을 증명해 주는 자료로서 효과적이다.

목표 다지기 문제

4 (가)에 대한 설명으로 적절하지 않은 것은?

① 구체적인 수치를 제시하고 있다.
② 출처가 분명한 신뢰성 있는 자료이다.
③ 동해 표층 수온의 변화를 나타내 준다.
④ 대상을 생생하고 실감 나게 보여 준다.
⑤ 시간의 흐름에 따른 대상의 변화를 알 수 있다.

5 자료 (나)를 추가하기에 가장 알맞은 부분의 중심 내용은?

① '국민 생선' 명태
② 국산 명태의 실종
③ 명태 살리기 프로젝트
④ 명태 완전 양식의 성공
⑤ 명태의 오늘과 내일

6 (다)와 같은 매체 자료의 특징으로 적절하지 않은 것은?

① 짧은 시간에 많은 정보를 전달할 수 있다.
② 인쇄 매체보다 신속하게 내용을 전달한다.
③ 주로 언어적인 정보가 많이 포함되어 있다.
④ 시각과 청각을 모두 사용하여 내용을 전달한다.
⑤ 문자, 소리, 영상 등을 활용하여 복합적 정보를 제시한다.

보충 자료

기사문의 구성과 특징

표제	내용 전체를 간결하게 나타내는 제목
부제	내용을 구체적으로 알리는 작은 제목
전문	기사 내용을 육하원칙에 따라 요약한 부분
본문	기사의 구체적인 내용을 서술한 부분
해설	기사에 대한 참고 사항이나 설명을 덧붙이는 부분

↓

특징

- 육하원칙(누가, 언제, 어디서, 무엇을, 어떻게, 왜)에 따라 씀.
- 취재 대상을 정하고 자료를 수집하고 취재한 후, 이를 토대로 작성함.
- 정확성과 신속성을 중시함.
- 대중을 독자로 함.
- 다양한 매체 자료가 첨부되기도 함.

창의·융합 활동

혼자 하기 

1. 다음은 중학교 『음악』 교과서 일부입니다. 이어지는 활동을 통해 교과서에 제시된 매체 자료와 그 효과에 대해 생각해 봅시다.

장구

장구는 채를 들고 친다는 뜻으로 '장고(杖鼓)', 통의 모양이 허리가 가늘다 하여 '세요고(細腰鼓)'라고도 한다. 우리나라의 대표적인 타악기로, 궁중 음악을 비롯하여 정악과 민속 음악 전반에 널리 쓰인다. 장구의 통으로는 오동나무가 쓰이며, 북편은 소가죽, 채편은 주로 말가죽이 쓰인다.

악기 구조

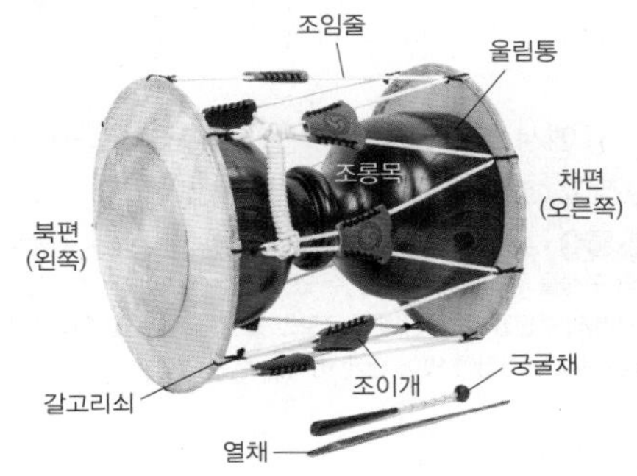

연주 자세

장구의 북편이 왼쪽, 채편이 오른쪽으로 가도록 하고, 몸의 중앙에 장구를 둔다. 허리를 곧게 펴고 다리는 책상다리로 앉아 오른발로 장구를 고정한다.

① **채편:** 채를 잡을 때는 대나무의 겉이 손등과 같은 방향이 되도록 하며, 엄지손가락과 집게손가락으로 채를 누르듯이 손바닥에 잡는다. 채 끝이 채편 중앙에 오도록 하며, 45°로 기울게 잡고 연주한다.

② **북편:** 북편 테두리 위쪽 변죽에 엄지손가락을 가볍게 대고 손가락을 모아 북편 가운데를 쳐서 연주한다. 사물이나 설장구를 연주할 때는 궁굴채를 사용한다.

채 쥔 모습 / 채편 치는 모습 / 변죽 치는 모습 / 궁굴채 치는 모습 / 북편 치는 모습

장구의 부호

부호	이름	구음	연주법
⦶	합장단	덩	북편과 채편을 동시에 친다.
○	북편	쿵	왼손 또는 궁굴채로 북편을 친다.
ㅣ	채편	덕	채로 채편을 친다.
¦	겹채	기덕	채로 채편을 연이어 친다.
⋮	굴림채	더러러러	채로 채편을 굴려서 친다.
•	찍음채	더	채로 채편을 약하게 한 번 친다.

활동 ① 장구 부호를 입소리로 읽으면서 연주법을 익혀 보자.

⦶			⦶			⦶		ㅣ	○		

활동 ② 장구 부호를 입소리로 읽으면서 '기덕'과 '더러러러' 연주법을 익혀 보자.

¦	⋮		¦	⋮		¦	⋮		¦	⋮	

1 이 글에서 장구를 이해하는 데 가장 도움이 된 자료를 고르고, 그 까닭을 이야기해 봅시다.

예시 답 • 장구의 모양을 대충 알고 있었는데 장구의 사진을 보며 장구의 구성을 정확하게 이해할 수 있었다.
• 채편과 북편을 쥐는 방법을 글로만 보았을 때는 잘 이해가 되지 않았는데, 아래에 사진이 있어 쉽게 이해할 수 있었다.

2 장구를 더 효과적으로 이해하기 위해 어떠한 매체 자료가 더 필요할지 생각해 봅시다.

예시 답 • '연주 자세'에서 장구를 어떻게 다루는지를 보여 주는 전신 사진
• '장구의 부호'에서 부호에 따라 장구를 연주했을 때의 악기 소리를 들려주는 음원 자료

함께하기 

2. 1의 교과서를 참고하여, 나만의 『음악』 교과서를 만들어 봅시다.

1 자신이 다룰 수 있거나 관심 있는 악기를 선택해 봅시다. 예시 답 기타

2 선택한 악기를 효과적으로 표현할 수 있는 다양한 자료를 찾아 정리해 봅시다.

예시 답 기타의 구성 사진, 기타 연주 방법 도표, 기타의 종류별 사진, 기타 연주 영상, 기타 소리 음원

3 **2**에서 정리한 자료를 바탕으로 나만의 교과서를 만들고, 친구들에게 소개해 봅시다.

예시 답 기타
1. 기타의 구성
기타는 현악기의 하나로, 앞뒤가 편평한 표주박 모양의 공명통에 자루를 달고 여섯 개의 줄이 매어 있다. 앞판 안쪽의 받침목은 제작자들의 연구에 따라 변형 제작되어 음색에 변화를 주고 있다.
2. 기타의 연주법
일반적으로 왼손 손가락으로 줄을 눌러 음정을 고르고, 오른손 손가락이나 손톱으로 줄을 튕겨 연주한다. 손톱 대신에 '피크'라는 도구를 이용해 줄을 튕겨 연주하기도 한다. 앉은 자세나 일어선 상태로 모두 연주 가능하다.

수행 평가 대비 활동

| 수행 평가 TIP | 예시로 제시된 『음악』 교과서를 바탕으로 '나만의 교과서'를 제작하는 활동입니다. 먼저 자신이 소개할 악기를 선택한 후 도서관이나 인터넷을 활용하여 능동적으로 자료를 찾습니다. 자신이 탐색한 다양한 형태의 자료를 바탕으로 효과적으로 정보를 전달할 수 있는 교과서를 제작해 봅시다.

1 평가 내용 확인하기

• 다양한 매체 자료의 효과와 적절성 판단하기
• 매체 자료를 활용하여 효과적으로 내용 표현하기

2 평가 기준 확인하기

• 교과서에 제시된 다양한 매체 자료의 효과와 적절성을 판단할 수 있는가?

음악 교과서에서 장구를 설명하기 위해 사용한 매체 자료가 무엇인지 먼저 파악해 보아요. 장구와 그 연주법을 보여 주는 시각 자료인 사진이 내용을 이해하는 데 도움을 주었음을 상기하며 장구를 더 효과적으로 이해하려면 어떠한 자료가 더 필요한지 생각해 봅시다.

• 매체 자료를 활용하여 효과적으로 내용을 표현할 수 있는가?

나만의 음악 교과서를 만들기 위해 관심 있는 악기를 먼저 선택해 보아요. 선택한 악기를 효과적으로 드러내기 위해 어떤 부분을 중점적으로 소개할지 먼저 그 내용을 구상해 보아야 합니다. 구상한 내용을 효과적으로 표현하기 위해 활용할 다양한 매체 자료를 인터넷이나 도서관을 통해 찾아보고 적절한 자료를 선택하여 내용에 어울리도록 구성해 봅시다.

수행 평가 ⊕

1. 신문 기사 중에서 친구들의 흥미를 끌 만한 기사를 선택해 봅시다.

도와줄게 신문 기사 중에서 내용을 이해하는 데 어려움이 있어 인터넷에서 관련된 자료를 찾아보아야 하는 기사가 적합합니다. 아니면 글쓴이의 견해가 담겨 있는 칼럼을 선택하는 것도 좋습니다.

2. 1의 기사에 다양한 매체 자료를 추가하여 다시 써 봅시다.

도와줄게 기사의 내용 중에서 사진을 추가하면 좋은 부분이나 도표, 그림을 추가하면 좋은 부분에 적절한 자료를 넣습니다. 인터넷이나 도서관에서 관련된 자료를 수집하여 활용합니다.

소단원 제재 정리

갈래: 기사문
성격: 정보 전달적, 객관적
주제: 사라진 '국민 생선' 명태의 성공적인 복원 과정 소개
특징: ① 그림, 사진, 도표 등의 다양한 자료를 활용하여 글의 내용을 효과적으로 설명함.
② 소제목을 제시하여 글을 읽는 이의 이해를 도움.

제재 한눈에 보기

표제 및 부제	명태의 귀환 – 집 나간 국민 생선이 돌아왔다!
전문	'국민 생선'이었지만 사라졌던 명태의 양식 성공
본문	• '국민 생선' 명태 • 국산 명태가 사라졌다 • 집 나간 명태를 찾습니다 • 명태 완전 양식, 세계 최초로 성공하다
해설	명태의 오늘과 내일

핵심 원리

(❶)에 담긴 글의 정보

사진, 그림, 도표와 같은 매체 자료에는 매체 자료의 특징을 통해 그 내용이 잘 살아나는 정보가 담겨 있음.

↓

매체 자료를 활용하여 글만으로는 이해하기 어려운 내용을 시각적으로 확인하거나 일목요연하게 정리할 수 있음.

매체 활용의 적절성
- 매체가 글의 내용을 이해하는 데 도움이 되어야 함.
- 매체가 적절한 형태로, 적절한 위치에 제시되어야 함.
- 매체가 정확하고 객관적이며 (❷)가 분명해야 함.

핵심 내용

(1) 명태 완전 양식의 성공 과정

자연산 명태 어미 포획

↓

명태 어미의 알로부터 인공 1세대인 어린 고기 부화

↓

양식한 인공 1세대 일부를 동해안에 (❸)

↓

성체가 된 인공 1세대의 산란

↓

동해안 명태 67마리 중 2마리가 인공 1세대와 일치하는 것으로 밝혀짐.

(2) 명태를 '국민 생선'이라고 하는 이유와 명태가 사라진 원인

명태를 '국민 생선'이라고 하는 이유

우리 식단에 가장 자주 등장하는 인기 생선으로 한 해에 25만 톤이나 소비되기 때문에

↓

명태가 사라진 원인

① 어린 명태까지 마구잡이로 잡아들임.
② 기후 변화로 동해의 (❹)이 올라가 명태가 살 수 없는 환경이 됨.

(3) 매체 자료의 내용, 효과, 적절성

매체 자료	효과	글 속의 매체 자료	적절성 판단
사진	글의 내용을 사실적, 구체적으로 보여 주어 사실감, 현장감을 줌.	코다리찜 사진, 노가리 사진	○
		명태 치어 사진	○
		로티퍼 사진	(❺)
(❻)	글의 요소를 한눈에 볼 수 있게 만든 자료로 복잡한 수치를 간단하게 제시하는 데 효과적임.	우리나라 주요 어종의 어획량 변화	○
그림	영상이나 사진으로 보여 줄 수 없는 사건이나 상황을 전달하는 데 효과적임.	우리나라 주요 어종의 변화	○
		명태의 난 발생 및 성장 발달 과정	○

정답 ❶ 매체 ❷ 출처 ❸ 방류 ❹ 수온 ❺ △ ❻ 도표

소단원 핵심 문제

• 정답과 해설 p.35

[01~04] 다음 글을 읽고 물음에 답하시오.

(가) 명태의 귀환 / – 집 나간 국민 생선이 돌아왔다!

따끈한 생태탕, 푸짐한 코다리찜, 짭짤한 명란젓……. 이름은 다 달라도 모두 명태 요리이다. '국민 생선'이라고 불릴 만큼 사랑받는 생선 명태. 그런 명태가 안타깝게도 2008년 이후로 우리 바다에서 사라졌다. 그런데 최근 명태 양식에 성공했다는 소식이 들린다. 우리 식탁에 국산 명태가 오르는 날이 다시 찾아올까.

(나) 명태만큼 여러 이름으로 불리는 생선이 있을까? 예로부터 우리나라에서는 잡은 지 얼마 안 된 싱싱한 '생태'로, 또는 꽁꽁 얼린 '동태'로 얼큰하게 탕을 끓여 먹고 매콤하게 찜을 해 먹었다. 꾸덕꾸덕하게 말려 찜 요리에 적당한 '코다리', 노릇노릇하게 구워 먹는 '노가리', 통통한 주머니 안에 작은 알들이 가득한 '명란젓', 꼬들꼬들한 식감을 자랑하는 '창난젓'까지 모두 명태로 만든 것이다. 눈과 비, 바람을 맞히며 오랫동안 말린 '황태'나 바싹 말린 '북어'로 육수를 우려내 요리의 기본 재료로 쓰기도 한다. 많은 이름에서도 알 수 있듯, 우리 식단에 가장 많이 등장하는 생선이 명태다.

(다) 전문가들은 국산 명태가 사라진 원인 중 하나로, 어린 명태까지 마구잡이로 잡은 것을 든다. 기후가 변하면서 동해의 표층 수온이 변한 것도 원인으로 추정한다. 명태는 차가운 물을 좋아하는 냉수성 어류인데, 수온이 올라가는 바람에 동해가 이제는 명태가 살기 어려운 환경이 되었다는 것이다. 국립수산과학원에 따르면 동해의 연평균 표층 수온은 1970년부터 2016년까지 47년간 섭씨 0.93도(℃)가량 올랐다. 이렇게 바닷물이 따뜻해지면서, 1970년대와 1980년대에 많이 잡히던 명태와 정어리, 갈치, 쥐치의 수가 줄어들었다. 특히 명태와 정어리는 2000년대 이후 찾기가 힘들다. 대신에 1990년대부터 오징어, 멸치, 고등어 등이 늘어났으며 예전에는 우리 바다에 거의 없었던 온대성, 아열대성 물고기들이 많이 나타났다.

출제 예감 80%

01 이 글에 대한 설명으로 적절하지 않은 것은?

① 우리나라 대표 생선을 소재로 하고 있다.
② 객관적이고 사실적인 성격을 드러내고 있다.
③ 글쓴이의 개인적인 견해가 중심을 이루고 있다.
④ 정확한 수치를 바탕으로 과학적으로 접근하고 있다.
⑤ '제목–부제–전문–본문–해설'의 구조를 보이는 글이다.

출제 예감 90%

02 (가)를 통해 알 수 있는 내용이 아닌 것은?

① 기사의 제목
② 기사를 쓴 목적
③ 기사의 중심 내용
④ 다른 기사와의 관련성
⑤ 기사의 제목이 가진 의미

출제 예감 95%

03 (나)를 참고할 때, 명태의 이름이 다양한 이유로 적절한 것은?

① 명태의 맛이 독특해서
② 명태의 종류가 다양해서
③ 명태의 쓰임새가 많아서
④ 우리나라 고유의 어종이어서
⑤ 지역에 따라 명태를 부르는 이름이 달라서

출제 예감 90% 서술형

04 (다)의 내용을 보충하기에 알맞은 매체 자료를 〈조건〉에 맞게 서술하시오.

조건

'~에 따른 ~의 변화를 나타내는 도표가 필요하다.'의 문장 형식을 활용할 것

[05~09] 다음 글을 읽고 물음에 답하시오.

(가) 명태는 이대로 국민 생선의 명성을 잃고 마는 것일까. 해양수산부는 국산 명태를 복원할 필요성을 인식하고 2014년 ㉠'명태 살리기 프로젝트'를 시작했다.

(나) 완전 양식은 명태를 인공적으로 키워 종자를 생산하는 기술이다. 먼저 동해에서 살아 있는 명태를 잡아 수정란을 얻은 다음 인공적으로 부화하게 한다. 이렇게 부화한 어린 고기를 건강한 성체로 잘 사육해서 다시 수정란을 얻는다.

(다) 그런데 명태를 완전 양식 하려니 걸림돌이 있었다. 우선 동해에서 명태를 찾기가 쉽지 않았다. 어쩌다 명태를 잡더라도 수정란을 얻을 수 있을 만큼 성숙하지 않거나 건강하지 않았다. 명태를 잡아 올리는 과정도 문제였다. 명태는 깊은 바닷속에서 살기 때문에 자망을 이용해서 잡는다. 자망의 그물코는 물고기보다 작아서, 지나가던 물고기들이 그 그물코에 걸려 낚인다. 그물에 걸릴 때 상처가 나거나 스트레스를 받기 때문에, 이렇게 잡힌 명태는 2~3일 안에 죽기 일쑤였다. 결국, 연구팀은 한 마리에 50만 원씩 현상금을 걸고 '살아 있는 명태 어미 고기'를 찾아 나섰다.

(라) 몸값까지 걸며 간절히 찾은 덕분일까. 명태 살리기 프로젝트를 시작한 이듬해인 2015년 1월, 건강한 자연산 명태 어미 한 마리를 구할 수 있었다. 그리고 그해 2월, 실내 수조에서 질 좋은 수정란 53만 개를 얻어 인공 부화하였다.

(마) **명태 완전 양식 과정**

2015년 1월	자연산 명태 어미 포획
2015년 2월	명태 어미의 알로부터 인공 1세대인 어린 고기 부화
2015년 12월	양식한 인공 1세대 일부를 동해안에 방류
2016년 9월	성체가 된 인공 1세대의 산란
2017년 1월	동해산 명태 67마리 중 2마리가 인공 1세대와 일치하는 것으로 밝혀짐.
2018년 12월	인공 2세대가 산란기를 맞는 시기로 추정됨.

출제 예감 95% (학습 활동 응용)

05 이와 같은 글에 매체 자료를 추가하려고 할 때 유의할 점이 아닌 것은?

① 출처가 분명한 매체 자료를 활용한다.
② 내용과 관련성이 깊은 자료를 사용한다.
③ 되도록 다양한 형태의 매체 자료를 제시한다.
④ 독자가 쉽게 이해할 수 있는 자료를 이용한다.
⑤ 구체적이고 유용한 정보를 담은 자료를 활용한다.

출제 예감 80% (학습 활동 응용)

06 (나)~(라)에 추가할 매체 자료로 적절하지 않은 것은?

① 자연산 명태 어미 사진
② 명태 알의 부화 과정 그림
③ 살아 있는 명태를 구한다는 광고문
④ 연구소에서 양식되고 있는 명태 치어 사진
⑤ 동해 표층 수온 변화를 나타내는 꺾은선 그래프

출제 예감 85% (서술형)

07 (다)를 참고하여 '명태 완전 양식 과정'의 가장 큰 걸림돌과 이를 해결하기 위한 노력을 한 문장으로 서술하시오.

출제 예감 90%

08 (마)에 대한 평가로 적절하지 않은 것은?

① 시간 경과에 따라 정리된 자료로군.
② 앞에 제시된 글의 내용을 잘 파악할 수 있게 해.
③ 명태의 양식 과정이 현장감 있게 전달되고 있어.
④ 명태 완전 양식 사업의 과정을 기억하기 쉽게 해 주네.
⑤ 명태 완전 양식 사업의 과정을 일목요연하게 나타내 주네.

출제 예감 75%

09 ㉠과 관련된 설명으로 적절하지 않은 것은?

① 국산 명태를 복원하려는 노력이다.
② 명태를 완전 양식 하기 위한 프로젝트이다.
③ 인공적으로 종자를 생산하는 기술을 활용한 것이다.
④ 건강한 명태 어미를 잡아 수정란을 얻는 것이 첫 번째 과제이다.
⑤ 부화한 어린 고기를 방류하여 성장시킨 후 다시 잡기 위한 것이다.

소단원 핵심 문제

[10~12] 다음 글을 읽고 물음에 답하시오.

(가) '명태 살리기 프로젝트' 연구팀은 명태가 살기에 가장 적절한 수온을 찾기 시작했다. 그 결과 섭씨 7~12도(℃)에서 잘 자란다는 사실을 알아냈다. 그리고 명태를 키우는 실내 수조에 병원체가 얼마나 있는지, 이것이 어린 고기에게 어떤 영향을 미치는지도 연구했다. 어린 고기가 질병에 걸리는 일을 예방해 초기 생존율을 높이기 위해서였다.

(나) 연구팀은 '저온성 먹이생물 배양 장치'를 개발해, 로티퍼가 자라는 수조의 온도를 단계적으로 낮췄다. 그런 다음 차가운 물에서도 활기를 띠는 로티퍼만 고른 뒤 따로 배양했다. 이렇게 배양한 로티퍼는 약 섭씨 10도(℃)의 물에서 10퍼센트(%) 이상 증식했다. 저온성 로티퍼는 명태뿐 아니라 대구 등 다른 냉수성 어류를 사육하는 데에도 큰 역할을 하리라 본다.

(다) 연구팀은 고도 불포화 지방산(EPA, DHA) 같은 영양 성분이 든 고에너지 명태 전용 배합 사료도 개발했다. 명태가 잘 성장하고 성숙하는 데 필요한 영양 성분을 이 사료로 공급했다. 그 결과, 연구팀이 사육하는 명태는 자연 상태에서보다 훨씬 빨리 자랐다. 명태는 원래 알을 낳을 정도로 성숙하는 데 3~4년이 걸리지만, 연구팀이 키운 명태는 약 1년 8개월 만에 성숙해 2016년에 알을 낳았다. 명태의 완전 양식을 하는 데 세계 최초로 성공한 것이다.

(라) 2017년 1월 23일, 해양수산부는 2016년 동해에서 잡힌 명태 가운데 예순일곱 마리의 유전 정보를 분석해 봤더니 그중 두 마리의 유전 정보가 2015년에 방류한 인공 1세대의 것과 일치했다고 밝혔다. 인공적으로 키워 방류한 명태가 자연에 잘 적응해 살고 있다는 뜻이다.

(마) 그렇다면 이렇게 키운 명태를 언제쯤 맛볼 수 있을까? 이제 막 인공 양식 기술을 개발한 수준이므로 양식 명태가 당장 식탁에 오르기는 어렵다. 변 박사는 "어업인들에게 수정란을 분양하고 기술 지도를 하고 있다."라고 말했다. 국립수산과학원에서는 대량 생산이 되면 육지에서는 수조 양식으로, 바다에서는 가두리 양식으로 동시에 명태를 키워 낼 계획도 하고 있다. 이대로라면 머지않아 우리 식탁에 국산 양식 명태가 올라오지 않을까 기대한다.

출제 예감 85%

10 (가)~(마)에 대한 설명으로 적절하지 않은 것은?

① (가): '명태 살리기 프로젝트' 연구팀의 어려움이 잘 드러난다.
② (나): 명태 양식에 필요한 먹이 배양에 대해 설명하고 있다.
③ (다): 양식 명태의 성장 속도가 빠른 이유를 알 수 있다.
④ (라): 객관적인 서술 태도를 드러내고 있다.
⑤ (마): 직접 인용을 통해 내용의 신뢰성을 높이고 있다.

출제 예감 95% 학습 활동 응용

11 (가)~(마) 중 〈보기〉의 매체 자료를 덧붙일 부분으로 적절한 것은?

보기

어린 명태 만 5천 마리가 동해에 방류되는 모습입니다. 방류된 명태는 모두 자연산 명태에서 수정란을 얻어 부화한 인공 1세대 명태입니다. 이후 동해안에서 명태가 잡힐 때마다 방류한 명태인지 확인하는 추적 작업이 진행됐습니다.

① (가) ② (나) ③ (다) ④ (라) ⑤ (마)

출제 예감 80% 사고력 확장 문제

12 〈보기〉는 국산 명태 복원과 관련된 글이다. 이 글과 〈보기〉의 글쓰기의 목적이 어떻게 다른지 서술하시오.

보기

무엇보다 중요한 것은 국산 명태 양식 기술을 지속적으로 개발해서 대량 생산 체제를 갖추어 산업화하는 것이다. 그러려면 육지의 양식장과 바다 가두리 시설 등 체계적인 양식 시스템을 갖춰야 한다.

이런 시설을 갖추려면 예산이 수반돼야 하는데 명태를 우리 식탁에 올릴 수 있는 길이 열렸음에도 예산 확보가 안 되거나 지원이 늦어져 국산 명태를 맛볼 기회를 놓치게 되어서는 안된다. 정부는 국산 명태 양식의 성공을 위해 적극적인 지원을 아끼지 말아야 하며 국민들은 국산 명태 양식이 성공할 수 있도록 관심을 가지고 지켜보아야 할 것이다.

[13~17] 다음 글을 읽고 물음에 답하시오.

(가)

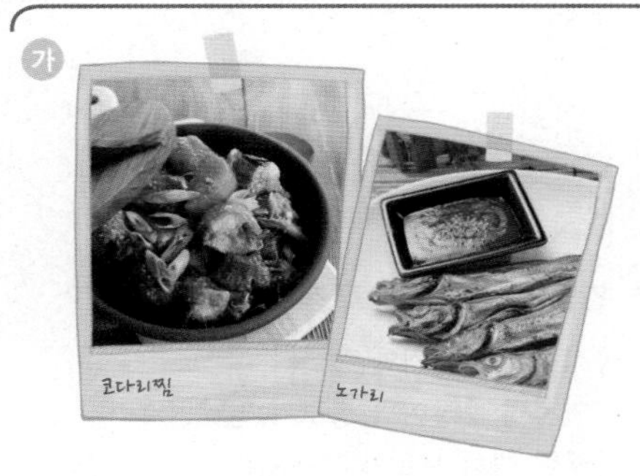

(나)

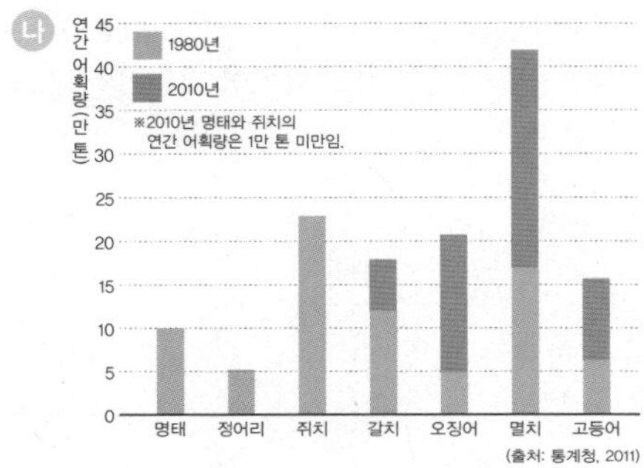

▲ 우리나라 주요 어종의 어획량 변화

(다)

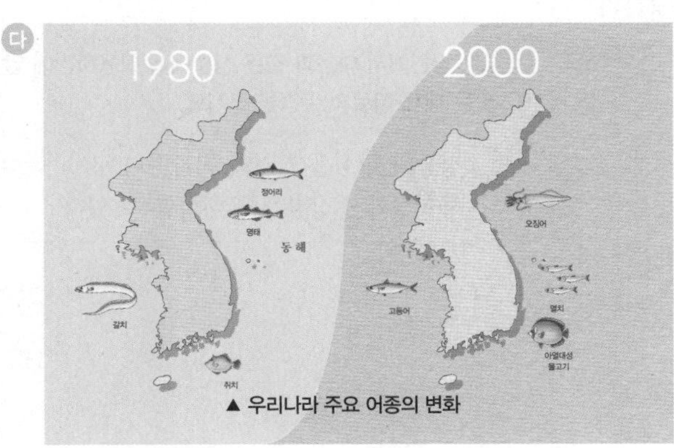

▲ 우리나라 주요 어종의 변화

(라)

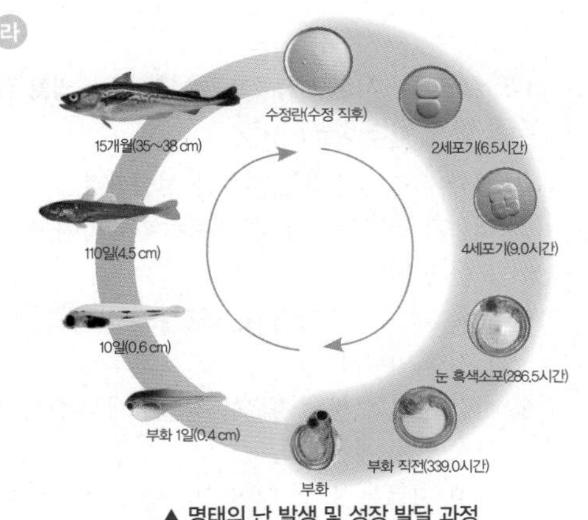

▲ 명태의 난 발생 및 성장 발달 과정

출제 예감 75%

13 (가)~(라)와 같은 매체 자료가 갖추어야 할 조건을 〈보기〉에서 모두 골라 묶은 것은?

보기
㉠ 관련성 ㉡ 정보성 ㉢ 신뢰성 ㉣ 효과성 ㉤ 희소성

① ㉠ ② ㉠, ㉡ ③ ㉠, ㉡, ㉢
④ ㉠, ㉡, ㉢, ㉣ ⑤ ㉠, ㉡, ㉢, ㉣, ㉤

출제 예감 95%

14 (가)의 자료를 추가하기에 적절한 내용은?

① 명태를 완전 양식 하려면 많은 걸림돌이 있다.
② 기후 변화에 따라 잡히는 물고기들이 변하였다.
③ 명태는 우리 식단에 가장 많이 등장하는 생선이다.
④ 명태는 1970년대만 해도 흔하게 잡히는 생선이었다.
⑤ 이제는 명태를 대량으로 생산할 방법을 찾아야 한다.

출제 예감 95% 학습 활동 응용

15 (나)와 같은 매체 자료의 특징으로 적절한 것은?

① 실물이나 상황의 특징을 묘사한다.
② 사물의 형상을 선과 색으로 나타내고 있다.
③ 구체적인 수치와 그 변화 양상을 잘 보여 준다.
④ 복잡한 내용을 간략하게 문자로 정리하여 보여 준다.
⑤ 글만으로는 이해하기 어려운 대상의 사실적인 모습을 확인할 수 있다.

출제 예감 90%

16 (다)에서 전달하고자 하는 주된 정보로 가장 적절한 것은?

① 명태가 포획되는 장소의 변화
② 아열대성 물고기의 종류 변화
③ 연도에 따른 명태의 포획량 변화
④ 우리나라에서 잡히는 다양한 어종
⑤ 우리 바다에서 잡히는 물고기 종류의 변화

출제 예감 75% 학습 활동 응용

17 (라)의 자료가 가진 특징을 설명한 것이다. 빈칸에 적절한 내용을 서술하시오.

- 자료의 내용: 명태가 수정란에서부터 성체가 되는 과정
- 자료의 효과: (   )

내가 보는 세상은 진짜일까

• 생각 열기 다음 연설 장면을 바탕으로, 말하기에 사용된 다양한 자료의 효과를 생각해 봅시다.

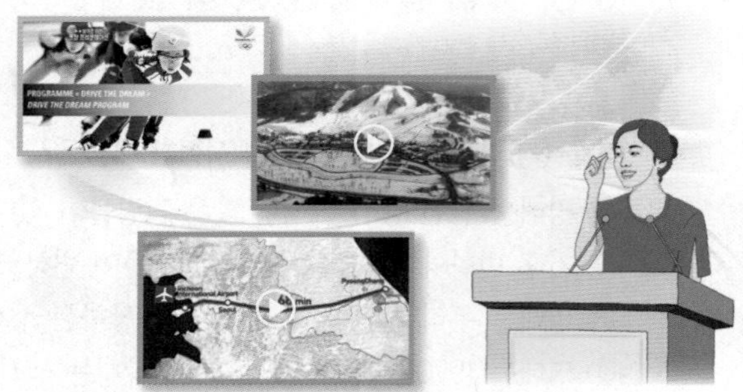

동계 올림픽 유치를 위한 말하기에서 이와 같은 자료를 사용한 까닭은 무엇인가요? 예시 답 동계 올림픽과 관련된 다양한 자료를 활용하여 전달하고자 하는 바를 효과적으로 표현하기 위해서이다.

자료의 종류에 따른 효과를 생각하며, 동계 올림픽 유치를 위한 말하기를 들어 봅시다. 예시 답 실물이나 상황에 대한 묘사 및 구체적인 수치가 드러난 시각 자료를 통해 말하는 이가 전달하고자 하는 내용을 더 쉽게 이해할 수 있다.

• 학습 목표로 내용 엿보기

"정보 전달에 활용되는 매체 자료는 우리 일상의 의사소통 과정에서도 쉽게 접할 수 있어. 이러한 매체 자료의 효과를 판단하며 들으면, 상대방이 말하고자 하는 내용을 더욱 잘 이해할 수 있겠지?"

핵심 1 강연을 듣고 매체 자료를 활용한 의도 파악하기

핵심 2 강연을 듣고 사용된 매체 자료의 효과 평가하기

핵심 원리 이해하기 매체 자료의 적절성 판단

강연자가 자신이 전달하고자 하는 바를 청중에게 정확하게 전달하는 것을 목적으로 하는 말하기

강연에 사용된 자료의 적절성 판단하기

적절성 평가 기준
• 내용에 알맞은 자료인가? • 말하는 이의 의도를 잘 살려 주는 자료인가? • 듣는 이와 매체의 특성을 고려하여 사용한 자료인가? • 자료의 형태, 제시 방법, 제시 순서가 적절한가?

개념 확인 콕콕 • 정답과 해설 p.36

01 강연에 대한 설명으로 적절하지 않은 것은?

① 공식적인 말하기에 속한다.
② 강연자의 주장이나 정보가 전달된다.
③ 다양한 매체 자료가 활용되는 경향이 있다.
④ 강연자의 준언어, 비언어적 표현이 활용된다.
⑤ 강연자와 청중의 상호 작용이 거의 일어나지 않는다.

02 강연에서 다음과 같은 상황에서 활용하기에 알맞은 매체 자료의 유형을 쓰시오.

• 청중의 관심을 끌기에 적합하다.
• 사실성과 현장감을 극대화할 수 있다.

03 강연에서 시청각 자료를 활용할 때 유의할 점으로 볼 수 없는 것은?

① 청중의 수준에 맞는 자료를 선별한다.
② 내용과 관련된 동영상 자료를 활용하여 집중도를 높인다.
③ 자료 내용이 정확한지, 불필요한 요소는 없는지 확인한다.
④ 시각 자료와 청각 자료를 적절하게 혼합하여 균형 있게 제시한다.
⑤ 통계 자료는 음성 언어보다 먼저 제시하고 청중이 충분히 해석할 시간을 준다.

활동 안내

이 소단원은 다양한 매체 자료에 대한 이해를 바탕으로 말하는 이가 전달하고자 하는 내용을 효과적으로 이해하고 더 나아가 매체 자료의 효과를 판단하는 능력을 기르기 위한 단원이다. '내가 보는 세상은 진짜일까'는 인지 심리학자인 강연자가 시각 매체 자료를 활용하여 착시 현상에 대한 정보를 전달하는 강연이다. 강연에 제시된 매체 자료의 효과를 살펴보고, 강연 내용의 효과적인 이해에 도움이 되는 다양한 매체 자료를 탐색하는 활동을 통해 상대방이 전달하고자 하는 바를 더욱 쉽게 이해하는 능력을 키우고 효율적인 의사소통 능력을 기를 수 있다.

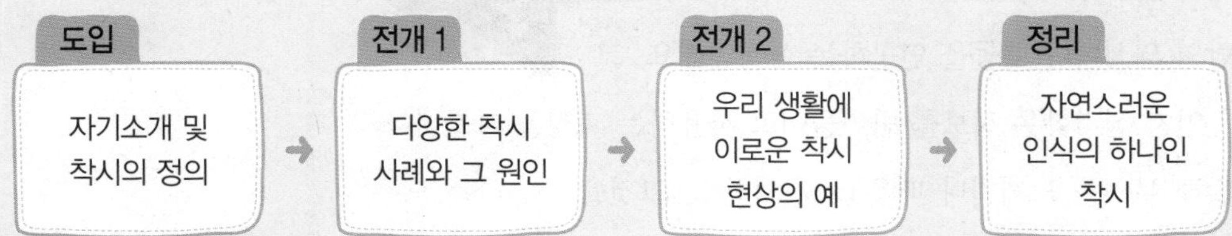

본문 개관

★ 강연자 소개 김경일

심리학과 교수. 인지 심리학 분야 중 인간의 판단, 의사 결정, 문제 해결 그리고 창의성에 관해 연구했다. 현재 심리학과 관련하여 강연과 자문 활동을 왕성하게 펼치고 있다. 주요 저서 및 공저로는 『지혜의 심리학』, 『혁신의 도구』, 『이끌지 말고 따르게 하라』 등이 있다.

★ 갈래 강연

이 글은 인지 심리학자인 강연자가 착시 현상에 대한 정보를 전달하는 강연을 정리한 글이다.

★ 성격 정보 전달적, 해설적, 논리적

강연자는 다양한 시각 매체 자료를 활용하여 청중에게 인지 심리학, 착시 현상에 관한 정보를 전달하고 있다. 또한, 강연 중에 청중에게 질문을 던지기도 하면서 청중이 강연 내용에 집중하며 필요한 정보를 얻을 수 있도록 배려하고 있으며, 정보를 신뢰성 있게 전달하기 위해 적절한 예를 제시하는 논리적인 태도를 가지고 있다.

★ 제재 다양한 착시 현상의 사례와 원인

이 강연에는 동전의 크기에 관한 착시 사례와 원인, 철길 위의 막대 길이에 관한 착시 사례와 원인, 판자 위 네모 칸의 밝기에 관한 착시 사례와 원인, 도로 바닥의 글자와 관련한 착시 사례와 원인을 제시하고 있다.

★ 주제 착시 현상을 통해 세상을 보는 인간

강연자는 착시 현상이 일어나는 사례와 원인을 통해 착시 현상이 자연스럽게 일어나는 인식의 하나임을 알고 이를 생활에 도움이 되도록 이용하는 것이 바람직하다고 말하고 있다.

내가 보는 세상은 진짜일까

이것이 핵심! ✓ 강연의 중심 소재와 강연자 ✓ 착시의 뜻

도입 가 안녕하세요? 저는 인지 심리학자 김경일입니다. 인지 심리학이라는 말이 조금 낯설지요? 아마 심리학이란 말은 들어 보았을 겁니다. 심리학은 사람의 의식이나 행동을 연구하는 학문인데요, 그 중에서 인지 심리학은 정보를 받아들이고 사용하는 과정을 다룹니다. 다시 말해 무엇을 느끼거나 배우고, 기억하고, 그것을 활용하는 모든 과정을 다루는 학문이 인지 심리학이지요.

나 오늘은 제가 연구하는 '착시'에 관해 얘기해 보겠습니다. 착시는 우리가 어떤 대상을 볼 때, 필요 없거나 잘못된 배경지식을 사용하는 바람에 실제와 다르게 해석하는 것을 말합니다. 간단히 말하자면, '그렇게 보았다고 착각하는' 현상이 바로 착시이지요.

도입 | 자기소개 및 착시의 정의

핵심 확인

강연의 중심 소재와 강연자

중심 소재	착시 현상	+	강연자	인지 심리학자로 '착시' 현상을 연구함.

착시의 뜻

어떤 대상을 볼 때, 필요 없거나 잘못된 배경지식을 사용하는 바람에 실제와 다르게 해석하는 것	+	'그렇게 보았다고 착각하는' 현상

이것이 핵심! ✓ 매체 자료의 효과 ✓ 착시 현상이 생기는 까닭

전개 1 다 착시의 예로는 독특하고 흥미로운 것들이 많습니다. 그림으로 확인해 볼까요? 불을 잠깐 꺼 주시겠어요? 자, 이제 한쪽 눈을 손으로 가리세요. 그리고 다른 한쪽 눈으로 여기 동전 세 개를 집중해서 바라봅시다.

확인 문제

• 정답과 해설 p.36

01 이 강연에 대한 설명으로 적절하지 않은 것은?

① 필요한 정보를 전달하고 있다.
② 착시 현상을 중심 소재로 하고 있다.
③ 매체 자료의 활용이 필요한 강연이다.
④ 강연자의 개인적인 견해를 되도록 배제하고 있다.
⑤ 청중의 참여를 통해 강연 내용이 보완되고 있다.

02 (가), (나)에 담긴 내용이 아닌 것은?

① 강연자의 직업
② 청중의 관심 분야
③ 강연의 중심 소재
④ 심리학의 연구 내용
⑤ 인지 심리학이 다루는 내용

서술형 핵심

03 (나)를 참고하여 착시의 원인이 무엇인지 한 문장으로 서술하시오.

낱개 확인 문제

04 (다)에서 착시 현상의 예를 효과적으로 보여 주기 위해 강연자가 한 일이 아닌 것은?

① 그림을 제시하였다.
② 실내를 어둡게 하였다.
③ 착시 현상이 중요하다고 말하였다.
④ 그림 속 동전에 집중하도록 하였다.
⑤ 청중의 한쪽 눈을 가리도록 하였다.

라 어떤 동전이 가장 가까이 있는 것 같나요? 또 어떤 동전이 가장 멀어 보이나요?

정상적으로 착시가 일어났다면 500원 동전이 제일 멀리 떨어져 있는 거로 보일 거예요.

마 이제 눈을 가렸던 손을 치우고, 동전들을 다시 보시죠. 사실 이 그림에서 동전 세 개는 같은 크기로, 같은 평면에 나란히 배치되어 있습니다. 그런데 왜 한쪽 눈을 가리고 집중해 보았을 때, 동전 셋이 서로 다른 거리에 있는 것처럼 보였을까요? 배경은 어둡고, 우리는 한쪽 눈마저 가렸기 때문에 거리가 얼마나 떨어져 있는지 정확히 알기가 어려웠습니다. 그래서 우리의 뇌는 이미 아는 정보, 즉 배경지식을 활용하여 거리를 판단했던 겁니다. 500원 동전이 100원 동전보다 크고, 100원 동전은 50원 동전보다 크다는 걸 우리는 이미 알고 있지요. 멀리 있는 것은 작게, 가까이 있는 것은 크게 보인다는 사실도요. 이 동전들이 원래 크기 그대로 같은 거리에 나란히 있었다면 500원 동전이 제일 크게, 50원 동전이 제일 작게 보이겠죠? 그런데 이 그림에서는 동전 크기가 셋 다 같아 보이니, 우리 뇌가 어떻게 판단했겠어요? '아, 500원짜리 동전이 가장 멀리 떨어져 있구나.' 하고 판단한 것이죠. 그러니까 뇌가 배경지식의 영향을 받아, 실제로 보고 인식한 사실과 전혀 다르게 판단한 겁니다. 이런 현상이 바로 착시입니다.

[참고 자료] **매체 자료를 활용하여 발표하기**

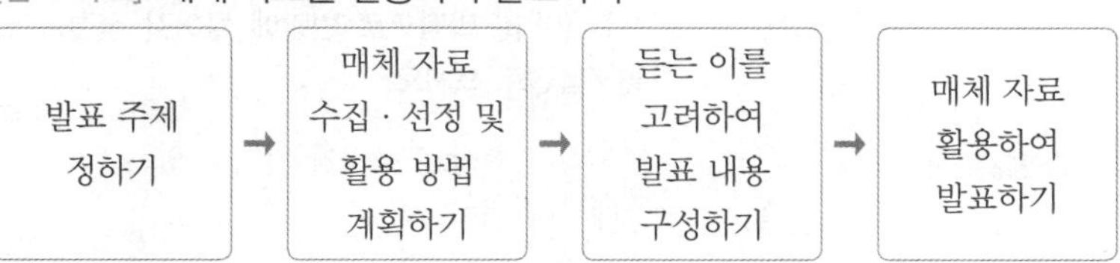

발표 주제 정하기 → 매체 자료 수집 · 선정 및 활용 방법 계획하기 → 듣는 이를 고려하여 발표 내용 구성하기 → 매체 자료 활용하여 발표하기

핵심

05 (라)의 매체 자료에 대한 설명으로 적절한 것은?

① 착시 현상을 설명하기 위해 필요한 시각 자료이다.
② 착시 현상을 일목요연하게 정리한 도표 자료이다.
③ 착시 현상을 구체적으로 보여 주는 동영상 자료이다.
④ 착시 현상이 일어나는 과정을 그림으로 정리한 자료이다.
⑤ 착시 현상과 관련된 강연자의 경험을 보여 주는 시각 자료이다.

06 (마)를 참고할 때, 동전이 서로 다른 거리에 있다고 착각한 주된 이유는?

① 동전의 색깔이 유사했기 때문에
② 동전의 위치가 서로 달랐기 때문에
③ 제시된 동전의 크기가 다르기 때문에
④ 동전에 대한 사전 지식이 부족했기 때문에
⑤ 동전의 크기에 대한 배경지식이 작용했기 때문에

서술형

07 다음은 (마)에 제시된 착시의 과정을 정리한 것이다. 빈칸에 들어갈 알맞은 내용을 20자 내외로 쓰시오.

500원 동전이 100원 동전보다 크고 100원 동전은 50원 동전보다 큼.

\+

(　　　　　　　　　　　　)

\+

동전들의 크기가 셋 다 같아 보임.

↓

500원짜리 동전이 가장 멀리 떨어져 있다고 판단함.

바 또 다른 예를 살펴볼까요?

철길 위에 노란 막대가 두 개 보이지요? 두 막대 중 어떤 게 더 길어 보이나요? 이제, 실제 길이가 어떤지 확인해 볼까요?

두 막대의 실제 길이는 같습니다. 위에 있는 막대가 더 길다고 생각한 분들이 꽤 있을 거예요. 이것 역시 멀리 있는 사물은 작게 보이고 가까운 사물은 크게 보인다는 배경지식 때문에 일어난 착시입니다. 그 과정을 살펴볼까요? 사람들은 사진의 배경인 철길을 참고해 위 막대는 멀리 있고 아래 막대는 가깝게 있다고 여깁니다. 그러고는 실제로 길이가 같은 두 막대를 보면서, 멀리 있는 위 막대가 가까이 있는 아래 막대보다 원래는 더 길 거라고 판단하는 거죠.

사 착시 현상의 예를 더 보겠습니다.

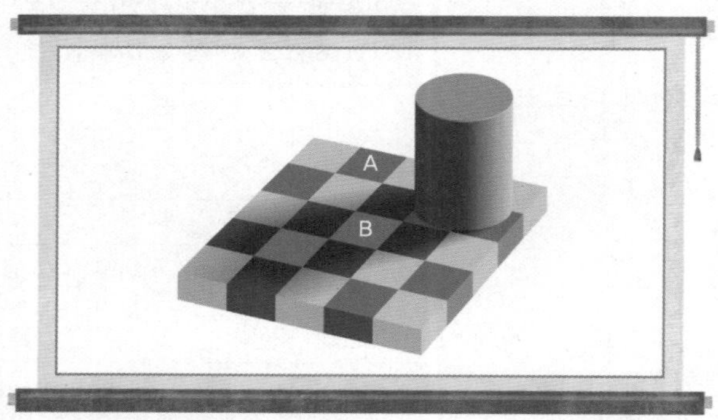

08 이 강연을 통해 청중이 착시 현상에 대해 이해하기 쉬웠다면 그 이유로 적절한 것은?

① 착시 현상의 예를 반복하여 제시해서
② 착시 현상의 개념을 자세하게 설명해서
③ 착시 현상에 대한 비판적 태도를 보여 주어서
④ 착시 현상과 관련된 강연자의 경험을 제시해서
⑤ 착시 현상과 다른 시각 현상을 대조하여 제시해서

핵심

09 이와 같은 강연에서 시각 자료를 활용할 때의 유의 사항으로 적절하지 <u>않은</u> 것은?

① 자료의 내용이 정확한지 미리 확인한다.
② 청중이 잘 볼 수 있도록 크기를 조정한다.
③ 청중의 관심을 유도할 수 있도록 색채를 활용한다.
④ 강연의 내용을 이해하는 데 도움이 되는지 검토한다.
⑤ 자료의 내용을 설명할 때에는 청중이 집중하도록 자료만 쳐다보고 설명한다.

10 철길 위의 노란 막대 중 위의 막대가 더 길어 보이는 이유로 적절한 것은?

① 평면에서는 위가 아래보다 길어 보여서
② 철길 때문에 위의 막대가 더 얇게 느껴져서
③ 철길 때문에 위의 막대가 멀리 있다고 생각돼서
④ 철길 때문에 아래 막대가 더 멀리 있다고 느껴져서
⑤ 철길 때문에 아래 막대가 위의 막대보다 더 진하게 보여서

서술형

11 (바)을 바탕으로 빈칸에 들어갈 적절한 말을 4음절로 쓰시오.

착시 현상은 우리가 가지고 있는 (　　) 때문에 일어난다.

자, 그림 속 판자 위의 네모 칸 중 A와 B가 각각 적힌 칸의 밝기를 비교해 보세요. 어떤 칸이 더 밝아 보이나요? 아마 많은 분이 B라고 생각할 겁니다. 그럼 실제로 A와 B 두 칸을 이어 붙여서, 밝기를 비교해 보겠습니다.

어떤가요? 두 칸의 밝기가 같죠? 이때 우리의 뇌가 사용한 배경지식은 '그림자가 드리우면 어두워진다.'라는 것입니다. 위 그림에서 원통의 그림자는 B가 있는 쪽으로 드리워 있습니다. 그림자가 있는 곳은 그림자가 없는 곳에 비해서 어둡겠죠? 우리는 이미 그렇게 알고 있습니다. 그래서 그림자 안에 있는 B는 그림자 때문에 어두워진 결과이고, 원래 B는 보이는 것보다 더 밝았을 거라고 우리 뇌가 판단한 것이죠. 하지만 뇌의 판단과는 달리, 실제 A와 B, 두 칸의 밝기는 같았습니다. 이 역시 사물을 볼 때 배경지식이 영향을 미쳐, 실제와 다른 것을 자기는 맞게 보았다고 착각한 경우입니다.

아 결국, 우리는 ㉠사물을 두 번 본다고 할 수 있습니다. 한 번은 감각 그대로, 망막에 맺힌 상을 인식하는 것이고, 두 번째는 그 감각에 배경지식을 적용한 결과대로, 즉 착시대로 보는 것이죠. 이 둘은 일치하지 않을 때가 많은데, 우리는 착시가 일어난 것을 깨닫지도 못한 채 사물을 보곤 합니다. 착시는 옳다, 그르다 하고 판단할 문제는 아닙니다.

전개 1 | 다양한 착시 사례와 그 원인

12 (사)에서 시각 매체 자료를 제시하지 않았을 때 생길 수 있는 문제점으로 볼 수 없는 것은?

① 청중의 관심을 끌기 어렵다.
② 대상을 명확하게 설명하기 어렵다.
③ 강연이 지루하고 어렵게 느껴질 수 있다.
④ 대상을 설명하기 위해 말을 길게 해야 한다.
⑤ 설명하고자 하는 주제를 아예 전달할 수 없다.

핵심

13 (사)에서 강연자가 청중에게 던진 질문의 효과로 가장 적절한 것은?

① 청중의 관심을 집중시킨다.
② 청중에게 강연의 주제를 강조한다.
③ 새로운 설명 대상을 쉽게 소개한다.
④ 청중이 궁금해 하는 부분을 알려 준다.
⑤ 청중이 강연 내용을 어느 정도 이해했는지 알게 된다.

14 (사)의 매체 자료에 대한 설명으로 적절한 것은?

① 실제로 A는 B보다 더 밝다.
② 실제로 B는 A보다 더 밝다.
③ 실제로 A와 B의 밝기가 다르다.
④ 그림자 때문에 B가 A보다 더 밝아 보인다.
⑤ 그림자가 드리운 A쪽이 더 어두워 보인다.

서술형

15 (아)를 참고하여 ㉠의 의미를 정리하여 쓰시오.

핵심 확인

매체 자료의 효과

매체 자료 – 사진		매체 자료의 효과
• 동전 크기와 관련된 착시 자료 • 철길과 막대의 길이와 관련된 착시 자료 • 그림자와 네모 칸의 밝기와 관련된 착시 자료	→	• 착시의 예를 직접 보여 주어 착시 현상을 쉽게 이해할 수 있게 도움. • 청중의 관심과 흥미를 끎.

착시 현상이 생기는 까닭

감각을 왜곡시키는 배경지식 때문에

이것이 핵심! ✓ 강연자의 중심 생각 ✓ 착시 현상의 활용

전개 2 (자) 그런데 착시 현상을 우리 생활에 이롭게 이용할 수는 있습니다. 다음 사진을 한번 보시죠.

〈사진 1〉 〈그림 1〉
〈사진 2〉 〈그림 2〉

이 두 사진을 보면, 도로에 어린이 보호 구역을 알리는 표시가 있습니다. 차의 속도를 늦추고 조심해서 운전하도록 안내하는 글자이지요. 사진 옆에 있는 그림은 '어린이 보호 구역'이라는 글자가 실제로 바닥에 어떻게 그려져 있는지 나타냅니다. 〈사진 1〉은 흔히 볼 수 있는 표시인데 운전자의 눈높이에서는 잘 보이지 않습니다. 이에 비해 〈사진 2〉는 글자가 마치 서 있는 것처럼 잘 보이네요. 도대체 어떻게 했기에 이렇게 보이는 걸까요? 그 해답은 〈그림 1〉과 〈그림 2〉를 비교해 보면 알 수 있습니다. 〈그림 2〉와 같이 글자 윗부분을 아랫부분보다 두껍고 크게 하여 윗부분이 더 가까워 보이도록 했기 때문이지요. 앞에서 보았듯 우리는 '멀리 있는 것은 작게, 가까이 있는 것은 크게 보인다.'라

16 (자)에 제시된 매체 자료의 특징으로 적절한 것은?

① 현장감이 높은 동영상 자료이다.
② 서로 대비가 되는 시각 매체 자료이다.
③ 대상의 변화를 나타내는 도표 자료이다.
④ 문자 언어를 바탕으로 하는 언어 자료이다.
⑤ 현상의 변화 과정을 잘 드러내는 그림 자료이다.

17 (자)의 매체 자료에 대해 나눈 대화로 적절하지 않은 것은?

① "내용을 시각적으로 보여 주네."
② "실제 사례를 바탕으로 한 자료 같아."
③ "청중이 강연 내용을 들으면서 참고할 자료인가 봐."
④ "문자 언어의 내용을 중심적으로 살펴봐야 할 자료네."
⑤ "글자가 서 있는 것처럼 보이는 착시를 다룬 자료로구나."

18 (자)를 통해 전달하고자 하는 강연자의 중심 생각은?

① 착시 현상의 뜻
② 착시 현상의 기본 원리
③ 착시 현상의 부정적 측면
④ 착시 현상의 긍정적 활용
⑤ 우리 생활 속의 착시 현상

서술형

19 (자)의 〈사진 2〉에서 착시 현상을 일으키는 데 작용한 배경지식이 무엇인지 서술하시오.

고 알고 있잖아요? 그 지식을 바탕으로 우리의 뇌는 〈그림 2〉의 글자 모양이 아닌, 〈사진 2〉의 모양으로 인식하는 것이죠. 그러고는 다음과 같이 도로에 세워진 글자를 보게 되는 것입니다.

㉠
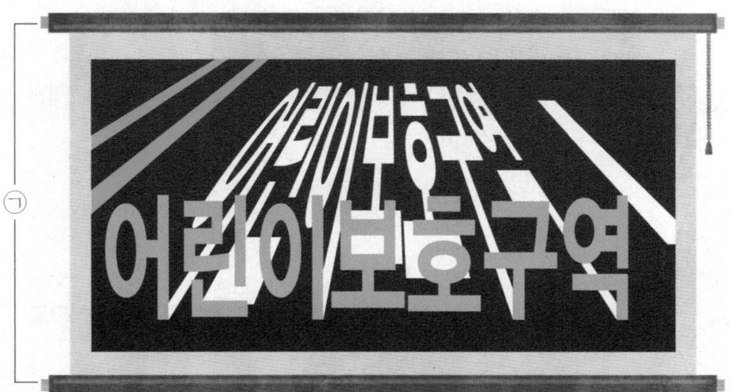

전개 2 | 우리 생활에 이로운 착시 현상의 예

핵심 확인

강연자의 중심 생각
착시 현상을 우리 생활에 이롭게 이용해야 한다.

착시 현상의 활용

'어린이 보호 구역'이라는 글자가 서 있는 것처럼 보이는 착시 현상	→	운전자들의 경각심을 불러일으킴.

이것이 핵심! ✔ 착시에 대한 올바른 태도

정리 ㉿ 자, 지금까지 착시에 관해 살펴봤는데 어땠나요? 우리가 원래 알고 있던 지식 때문에 착시가 일어난다는 점이 재미있기도 하고, 신기하기도 하지요? 다시 말하지만, 착시는 옳고 그름을 판단할 수 없는 현상입니다. 그러니 자연스럽게 일어나는 인식의 하나로 받아들이고, 생활에 도움이 되도록 이용해 보는 게 바람직하겠죠. 앞에서 보았던 '어린이 보호 구역' 표시처럼, 착시 현상을 멋지게 활용할 방법을 한번 찾아보면 어떨까요? 그럼, 여기서 강연을 마치겠습니다.

정리 | 자연스러운 인식의 하나인 착시

핵심 확인 착시에 대한 올바른 태도

착시	• 재미있기도 하고 신기하기도 함. • 옳고 그름을 판단할 수 없음.	→	• 자연스럽게 일어나는 인식의 하나로 받아들임. • 생활에 도움이 되도록 이용하는 게 바람직함.

20 (자)의 '어린이 보호 구역' 착시 현상을 통해 얻을 수 있는 효과로 적절한 것은?

① 운전자들이 경각심을 느끼게 한다.
② 운전자들의 잠을 깰 수 있게 해 준다.
③ 운전자들이 편안하게 운전하도록 해 준다.
④ 운전자들을 일정한 방향으로 인도해 준다.
⑤ 운전자들이 빠르게 해당 지역을 통과하게 해 준다.

핵심

21 (차)를 통해 착시 현상에 대한 강연자의 태도를 살펴볼 때 적절한 것은?

① 부정적이다.
② 무조건적으로 호의적이다.
③ 객관적으로 접근하고 있다.
④ 비판적으로 수용하고 있다.
⑤ 일부는 부정적이고 일부는 긍정적이다.

22 (차)에 대한 설명으로 적절하지 않은 것은?

① 강연을 마무리하고 있다.
② 강연자의 제안이 담겨 있다.
③ 강연자의 의견이 드러나고 있다.
④ 강연자가 청중과의 교감을 시도하고 있다.
⑤ 강연 내용과 관련된 새로운 문제를 제기하고 있다.

서술형

23 ㉠이 강연에서 사용되기에 적절했는지 그 이유와 함께 한 문장으로 평가하여 쓰시오.

학습 활동

• 정답과 해설 p.38

이해 활동

1. 이 강연을 듣고, 강연의 순서에 따라 주요 내용을 정리해 봅시다.

예시 답

	착시의 내용	착시의 원인이 된 배경지식
	500원 동전이 100원 동전보다, 100원 동전이 50원 동전보다 멀리 있는 것처럼 보인다.	• 멀리 있는 것은 작게, 가까이 있는 것은 크게 보인다. • 500원 동전은 100원 동전보다 크고 100원 동전은 50원 동전보다 크다.
	철길 사진 위에 놓인 두 노란 막대 중 위의 것이 아래의 것보다 길어 보인다.	멀리 있는 것은 작게, 가까이 있는 것은 크게 보인다.
	A보다 B가 밝아 보인다.	그림자가 드리우면 어두워진다.

착시는 우리가 대상을 인식할 때 필요 없는 배경지식을 사용하면서, 실제와 다르게 해석하는 것이다.

예시 답

	착시의 내용	착시의 원인이 된 배경지식
	굵기가 일정한 글자가 도로에 서 있는 것처럼 보인다.	멀리 있는 것은 작게, 가까이 있는 것은 크게 보인다.

착시는 우리의 생활에 도움이 되도록 활용하는 것이 바람직하다.

이해 다지기 문제

1 착시 현상의 뜻으로 적절한 것은?

① 대상과 관련된 허상을 보는 것이다.
② 대상에서 보고 싶은 것만 보는 것이다.
③ 대상을 다양한 관점에서 바라보는 것이다.
④ 대상을 감각 그대로 바라보고 해석하는 것이다.
⑤ 대상에 대해 배경지식을 사용해 실제와 다르게 해석하는 것이다.

2 〈보기〉의 착시 현상에 공통적으로 적용된 배경지식으로 적절한 것은?

보기

가. 같은 크기의 세 동전이 나란히 있을 때 500원 동전이 100원 동전보다, 100원 동전이 50원 동전보다 멀리 있는 것처럼 보인다.
나. 철길 위에 놓인 두 노란 막대 중에서 위의 것이 아래의 것보다 길어 보인다.

① 그림자가 드리우면 밝아진다.
② 그림자가 드리우면 어두워진다.
③ 밝은 곳에서는 크게, 어두운 곳에서는 작게 보인다.
④ 멀리 있는 것은 크게, 가까이 있는 것은 작게 보인다.
⑤ 멀리 있는 것은 작게, 가까이 있는 것은 크게 보인다.

3 다음 착시 현상 중에서 〈보기〉의 사례가 될 수 있는 것은?

보기

착시는 그 자체로 옳고 그름을 판단할 수 없는 객관적 현상으로, 생활에 도움이 되도록 이용하는 것이 바람직하다.

① 주변의 사선 때문에 평행선이 평행으로 보이지 않는다.
② '어린이 보호 구역' 글자가 도로에 서 있는 것처럼 보인다.
③ 그림자 밖보다 그림자가 드리운 쪽 네모 칸이 더 밝아 보인다.
④ 철길 위에 있는 두 막대 중에서 위의 것이 아래의 것보다 길어 보인다.
⑤ 같은 크기로 나란히 놓인 동전 사진 중에서 500원 동전이 100원 동전보다 멀리 있는 것처럼 보인다.

목표 활동

1. 다음은 이 강연에 사용된 매체 자료입니다. 이어지는 활동을 통해 강연에 사용된 자료의 효과를 생각해 봅시다.

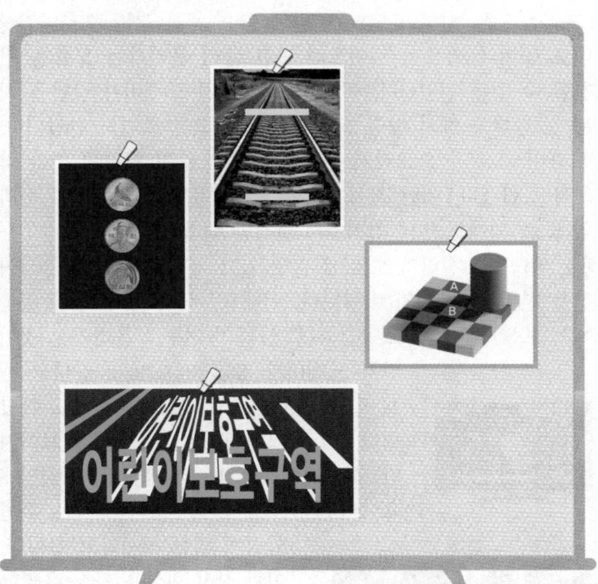

1 강연에 사용된 매체 자료 중에서 가장 인상 깊었던 것을 골라 보고, 그 까닭을 이야기해 봅시다.

예시 답

자신이 고른 자료

세 번째 자료(원통형의 그림자 착시 자료)

까닭

길이나 거리에 관한 착시는 비교적 많이 접했던 데 비해 그림자에 관한 착시는 신선하여 재미있었다.

2 강연자가 사진 자료를 주로 제시한 까닭을 생각해 봅시다.

예시 답 어떤 대상을 볼 때 발생하는 현상의 하나인 '착시'의 예를 장면을 통해 직접 보여 줄 수 있기 때문이다.

따지고 보고 듣는, 자료의 효과 판단

매체 자료는 그 효과와 적절성을 판단하며 보고 들어야 합니다. 자료의 효과와 적절성을 평가할 때에는 말하는 이의 의도를 잘 살려 주는 자료인지, 내용에 알맞은 자료인지, 듣는 이와 매체의 특성을 고려하여 사용한 자료인지 판단해야 하며, 자료의 형태, 제시 방법, 제시 순서가 적절한지 평가합니다.

목표 다지기 문제

1 이 강연에 사용된 매체 자료의 공통점으로 적절한 것은?

① 설명 대상과 관련된 인쇄 자료이다.
② 현장감과 사실감이 뛰어난 동영상 자료이다.
③ 대상의 변화를 잘 보여 주는 그래프 자료이다.
④ 설명 대상을 일목요연하게 보여 주는 도표 자료이다.
⑤ 설명 대상을 시각적으로 보여 주는 사진, 그림 자료이다.

2 이 강연에서 강연자가 매체 자료를 제시한 주된 이유로 적절한 것은?

① 강연 내용을 정리하기 위해서
② 강연 내용을 돋보이게 하기 위해서
③ 강연 내용의 적절한 예를 제시하기 위해서
④ 강연 중에 청중의 호응을 이끌어 내기 위해서
⑤ 강연 중에 청중과 소통하는 계기를 만들기 위해서

3 강연에 사용된 매체 자료의 효과를 판단할 때 던질 수 있는 질문으로 적절하지 <u>않은</u> 것은?

① 매체의 특성을 고려한 자료인가?
② 말하는 내용에 알맞은 자료인가?
③ 자료의 형태를 한 가지로 통일했는가?
④ 듣는 이의 수준과 관심을 고려한 자료인가?
⑤ 말하는 사람의 의도를 잘 살려 주는 자료인가?

2. 강연을 들은 학생들의 대화를 바탕으로 강연의 내용과 관련된 다양한 매체 자료를 찾아보고, 그 효과를 평가해 봅시다.

동명 이 강연에서 착시 현상을 담은 사진들 정말 신기하지 않았어?
성혜 응, 신기하더라. 그래서 나는 착시 현상이 나타나는 다른 사진이나 영상들을 좀 더 찾아보려고.
영현 나는 일상생활 속에서 접할 수 있는 착시 현상들이 궁금해졌어. 착시 현상이 활용된 다양한 일상생활 속의 사례들을 조사해 봐야겠어.

1 찾은 자료를 종류별로 정리해 보고, 착시 현상을 이해하는 데 가장 효과적인 자료를 선정하여 친구들에게 소개해 봅시다.

예시 답

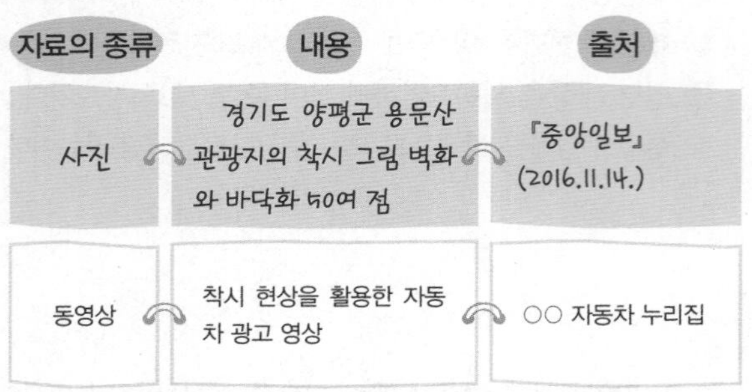

자료의 종류	내용	출처
사진	경기도 양평군 용문산 관광지의 착시 그림 벽화와 바닥화 50여 점	『중앙일보』 (2016.11.14.)
동영상	착시 현상을 활용한 자동차 광고 영상	○○ 자동차 누리집

2 친구들이 소개한 매체 자료를 다음 점검표를 활용하여 평가해 봅시다.

평가 기준	평가
착시 현상을 이해하는 데 도움이 되는 매체 자료를 선정하였는가?	☆☆☆☆☆
친구들의 관심과 흥미를 끌 만한 매체 자료를 소개하였는가?	☆☆☆☆☆
소개한 매체 자료의 출처를 명확히 제시하였는가?	☆☆☆☆☆

예시 답 생략

목표 다지기 문제

4 이 강연에 다른 매체 자료를 추가하려고 할 때 필요성이 가장 떨어지는 것은?

① 착시 그림 벽화와 바닥화 사진
② 착시 현상을 활용한 자동차 광고 영상
③ 제주도 도깨비 도로의 착시 현상 영상
④ 착시 현상에 대한 학생들의 생각을 담은 인터뷰 영상
⑤ '어린이 보호 지역' 착시 현상 활용 전후를 비교한 교통사고율 그래프

[참고 자료] 자료 선정의 기준

① 중심 내용을 청중이 쉽게 이해하고 기억할 수 있도록 중심 내용을 뒷받침하는 자료를 선정한다.
예 구체적 사실, 통계 자료, 실제 사례, 유명인의 말, 속담 등
② 청중의 흥미와 시선을 끌 수 있는 것들을 수집, 선정한다.
예 새로운 사례, 신기한 경험 등

3. 다음은 학생들이 일상 속의 착시 현상을 조사해 발표한 내용입니다. 각각의 발표를 들으면서 매체 자료의 효과를 생각해 봅시다.

가 여러분, '신비의 도로'에 관해 알고 계십니까? 오르막길인데도 공이나 깡통을 떨어뜨려 보면 굴러 올라가는 모습을 관찰할 수 있는 길입니다. 이런 모습이 마치 도깨비가 장난을 치는 것 같다고 해서 일명 '도깨비 도로'라고 부르기도 한답니다. '도깨비 도로'가 오르막처럼 보이는 것은 주변 환경에 의한 착시라고 합니다. 이런 착시 현상은 가장 유명한 제주도의 '신비의 도로' 외에도 전국 각지에서 발견할 수 있습니다.

나 여러분, '신비의 도로'에 관해 알고 계십니까? 우선 이 영상을 한번 봐 주시기 바랍니다. 어때요? 신기하죠? 방금 영상에서 보신 것처럼 오르막길 위로 사물이 거꾸로 올라가는 것이 마치 도깨비가 장난을 치는 것 같다고 해서 일명 '도깨비 도로'라고 부르기도 한답니다. 이 사진의 길은 오르막처럼 보이지만, 사실은 경사 3도 정도의 내리막길인데요, 이렇게 오르막처럼 보이는 것은 주변 환경에 의한 착시라고 합니다. 이런 착시 현상은 가장 유명한 제주도의 '신비의 도로' 외에도 전국 각지에서 발견할 수 있습니다.

1 가, 나 중에서 더 효과적으로 내용을 이해할 수 있었던 것을 고르고, 그 까닭을 이야기해 봅시다.

예시 답 동영상과 사진 자료를 활용한 (나)의 말하기가 더 효과적으로 내용을 이해할 수 있게 해 준다. 말로 하는 설명만으로는 잘 이해되지 않았던 '오르막처럼 보이는 내리막길'을 눈으로 확인할 수 있기 때문이다.

2 말하는 이가 다양한 매체 자료를 활용하여 발표했을 때와 활용하지 않고 발표했을 때 어떠한 차이점이 있는지 생각해 봅시다.

예시 답 다양한 매체 자료를 제시하면 말로만 전달했을 때보다 효과적으로 듣는 이의 관심과 흥미를 끌 수 있으며, 구체적인 내용을 좀 더 쉽고 명확하게 설명할 수 있다.

목표 다지기 문제

5 (가)에 비해 (나)가 더 이해하기 쉬웠다면, 그 이유로 적절하지 않은 것은?

① 매체 자료를 통해 내용을 더욱 명확하게 설명해 주었다.
② 동영상이 있어서 더 관심을 갖고 발표를 들을 수 있었다.
③ 사진과 그림으로 설명 대상을 구체화해 제시해 주었다.
④ 매체 자료를 매개로 청중과 교감하면서 흥미를 유발했다.
⑤ 말로는 잘 이해되지 않은 부분을 영상으로 확인할 수 있었다.

창의·융합 활동

다음 라디오 광고를 듣고, 이어지는 활동을 해 봅시다.

당신의 아이가 피아노를 배울 때, 배고픔을 참는 법을 배우는 아이들이 있습니다.

일주일 중 6일을 굶어야 하는 이 아이들에게 사랑을 보내주세요.

희망을 전하겠습니다.

사람이 간다. 희망이 온다. 기아 대책.

총성도 포탄도 울리지 않지만, 이것은 전쟁입니다.

5초에 한 명씩 아이들을 죽이는 적의 이름은 기아.

이 전쟁을 끝내게 해 주십시오.

당신이 허락한다면 저희가 가겠습니다.

사람이 간다. 희망이 온다. 기아 대책.

– 기아 대책 라디오 광고 (http://www.kfhi.or.kr)

1. 라디오 광고의 내용을 더 효과적으로 표현할 수 있게 할 청각 자료를 찾아봅시다. 예시 답

자료를 사용할 부분	자료의 내용
당신의 아이가 피아노를 배울 때, 배고픔을 참는 법을 배우는 아이들이 있습니다.	배경 음악으로 잔잔한 피아노 연주곡을 사용한다. 예 김광민, 「지구에서 온 편지」, 「지금은 우리가 멀리 있을지라도」 등
총성도 포탄도 울리지 않지만, 이것은 전쟁입니다.	멀리서 들리는 총성과 포탄 소리의 효과음을 넣어 준다.

2. 다양한 매체 자료를 활용하여 라디오 광고를 영상 광고로 바꾸어 봅시다.

1 라디오 광고와 영상 광고에서 자료의 사용이 어떻게 달라질지 친구들과 이야기해 봅시다.

예시 답 라디오 광고에서는 청각 자료만 사용되지만, 영상 광고에서는 청각 자료뿐만 아니라 자막, 그래프, 그림, 사진 등의 시각 자료와 애니메이션, 동영상 등의 시청각 자료 등을 모두 사용할 수 있다.

2 이 라디오 광고를 영상 광고로 바꾸기 위해 추가할 매체 자료를 찾거나 만들어 봅시다. 예시 답

매체 자료를 사용할 부분	매체 자료의 종류와 내용	출처
당신의 아이가 피아노를 배울 때, 배고픔을 참는 법을 배우는 아이들이 있습니다.	동영상 자료 - 피아노를 배우는 아이의 모습과 배고픔에 괴로워하는 아이의 모습	제작
총성도 포탄도 울리지 않지만, 이것은 전쟁입니다. 5초에 한 명씩 아이들을 죽이는 적의 이름은 기아.	기아 사망률을 나타낸 그래프	유니세프 한국 위원회 (www.unicef.or.kr)

수행 평가 대비 활동

| 수행 평가 TIP | 라디오 광고의 주제를 잘 살리면서 이를 영상으로 표현하기 위해서 어떤 장면을 구상할지 생각해 봅시다. 그리고 자막, 그림, 사진, 동영상, 도표 등의 다양한 매체를 활용하여 표현해 보도록 합니다.

1 평가 내용 확인하기

- 영상 광고의 표현 방법 활용하기
- 개성적으로 영상 광고 만들기

2 평가 기준 확인하기

- 내용을 효과적으로 표현할 수 있는 매체 자료를 찾고, 적절하게 사용할 수 있는가?

매체가 달라지면 활용할 수 있는 매체 자료가 달라질 수 있다는 것을 먼저 염두에 두어야 해요. 라디오 광고를 영상 광고로 바꾸려고 할 때, 효과적인 전달을 위해 추가해야 할 매체 자료는 시각 자료입니다.

- 매체 자료를 바탕으로 상대방이 전하려는 내용을 효과적으로 이해할수 있는가?

친구들이 만든 영상 광고의 내용을 이해하는 데 매체 자료가 어떤 도움을 주었는지 친구들과 의견을 나누어 보아요.

수행 평가 +

1. 자신이 좋아하는 물건에 관한 라디오 광고를 만들어 봅시다.

도와줄게 자신이 좋아하는 물건을 골라 그 물건을 소개하고 소비자가 구매할 수 있도록 라디오 광고를 만들어 봅니다. 라디오 광고에는 청각 자료만 이용할 수 있습니다.

2. 1의 내용을 바탕으로 영상 광고를 만들어 봅시다.

도와줄게 라디오 광고에 비해 영상 광고는 다양한 매체를 활용할 수 있어요. 여기서 기본이 되는 매체는 동영상이므로 영상을 중심으로 자막이나 배경 음악을 적절히 활용하면서 영상 광고를 만들어 봅시다.

핵심 콕 마무리

소단원 제재 정리

갈래: 강연
성격: 정보 전달적, 해설적, 논리적
주제: 착시 현상을 통해 세상을 보는 인간
특징: ① 다양한 사례를 바탕으로 착시의 원인을 효과적으로 설명함.
② 청중의 이해를 돕기 위해 적절한 시각 자료를 사용함.
③ 공식적인 상황의 말하기에 알맞은 격식 있는 표현을 사용함.

제재 한눈에 보기

도입	자기소개 및 착시의 정의
전개 1	다양한 착시 사례와 그 원인
전개 2	우리 생활에 이로운 착시 현상의 예
정리	자연스러운 인식의 하나인 착시

핵심 원리

강연에서 매체 자료를 활용하는 이유

말로만 설명하지 않고 매체 자료를 활용하면 대상을 직접 보여 주거나 일목요연하게 정리할 수 있으므로 청중이 대상을 (❶)하는 데 많은 도움을 받게 된다.

강연에 사용된 매체 자료의 적절성 판단하기

- 내용에 알맞은 자료인가?
- 강연자의 의도를 잘 살려 주는 자료인가?
- (❷)의 특성을 고려한 자료인가?
- 매체의 특성을 고려한 자료인가?
- 자료의 형태, 제시 방법, 제시 순서가 적절한가?

핵심 내용

(1) 착시 현상의 예

착시 현상	작용한 배경지식	
같은 크기로, 같은 거리에 있는 동전들에 대해 거리가 다르다고 느낌.	• 가까이 있는 것은 크게, 멀리 있는 것은 작게 보인다. • 500원 동전은 100원 동전보다 크고, 100원 동전은 50원 동전보다 크다.	착시는 우리가 대상을 인식할 때 필요 없는 배경지식을 사용하면서, 실제와 다르게 해석하는 것
철길 위에 놓인 같은 길이의 막대 길이가 다르다고 느낌.	가까이 있는 것은 크게, 멀리 있는 것은 작게 보인다.	
그림자가 드리운 곳의 네모 칸이 더 밝아 보임.	그림자가 드리우면 어두워진다.	
어린이 보호 구역 글자가 도로에 서 있는 것처럼 보임.	가까이 있는 것은 크게, 멀리 있는 것은 작게 보인다.	우리 생활에 도움이 되도록 한 착시

(2) 착시의 뜻

어떤 대상을 볼 때, 필요 없거나 잘못된 (❸)을 사용하는 바람에 실제와 다르게 해석하는 것

↓

그렇게 보았다고 착각하는 현상

(3) 착시를 대하는 올바른 태도

- 재미있고 신기함.
- 옳고 그름을 판단할 수 없음.

↓

올바른 태도

- 착시 현상을 자연스럽게 일어나는 (❹)의 하나로 생각함.
- 생활에 도움이 되도록 이용하는 게 바람직함.

(4) 강연자가 사진이나 그림 자료를 주로 제시한 이유

착시 현상의 예를 (❺)이나 사진을 통해 직접 보여 줄 수 있음.

↓

매체 자료의 효과

- 착시 현상을 더욱 쉽고 명확하게 이해할 수 있음.
- 청중의 (❻)과 흥미를 끌 수 있음.

정답 ❶ 이해 ❷ 청중 ❸ 배경지식 ❹ 인식 ❺ 그림 ❻ 관심

소단원 핵심 문제

• 정답과 해설 p.38

[01~04] 다음 글을 읽고 물음에 답하시오.

㉮ 오늘은 제가 연구하는 '착시'에 관해 얘기해 보겠습니다. 착시는 우리가 어떤 대상을 볼 때, 필요 없거나 잘못된 배경지식을 사용하는 바람에 실제와 다르게 해석하는 것을 말합니다. 간단히 말하자면, '그렇게 보았다고 착각하는' 현상이 바로 착시이지요.

㉯ 착시의 예로는 독특하고 흥미로운 것들이 많습니다. 그림으로 확인해 볼까요? ㉠불을 잠깐 꺼 주시겠어요? 자, 이제 한쪽 눈을 손으로 가리세요. 그리고 다른 한쪽 눈으로 여기 동전 세 개를 집중해서 바라봅시다.

㉰ 정상적으로 착시가 일어났다면 500원 동전이 제일 멀리 떨어져 있는 거로 보일 거예요.

이제 눈을 가렸던 손을 치우고, 동전들을 다시 보시죠. 사실 이 그림에서 동전 세 개는 같은 크기로, 같은 평면에 나란히 배치되어 있습니다. 그런데 왜 한쪽 눈을 가리고 집중해 보았을 때, 동전 셋이 서로 다른 거리에 있는 것처럼 보였을까요? 배경은 어둡고, 우리는 한쪽 눈마저 가렸기 때문에 거리가 얼마나 떨어져 있는지 정확히 알기가 어려웠습니다. 그래서 우리의 뇌는 이미 아는 정보, 즉 배경지식을 활용하여 거리를 판단했던 겁니다. 500원 동전이 100원 동전보다 크고, 100원 동전은 50원 동전보다 크다는 걸 우리는 이미 알고 있지요. 멀리 있는 것은 작게, 가까이 있는 것은 크게 보인다는 사실도요. 이 동전들이 원래 크기 그대로 같은 거리에 나란히 있었다면 500원 동전이 제일 크게, 50원 동전이 제일 작게 보이겠죠? 그런데 이 그림에서는 동전 크기가 셋 다 같아 보이니, 우리 뇌가 어떻게 판단했겠어요? '아, 500원짜리 동전이 가장 멀리 떨어져 있구나.' 하고 판단한 것이죠. 그러니까 뇌가 배경지식의 영향을 받아, 실제로 보고 인식한 사실과 전혀 다르게 판단한 겁니다. 이런 현상이 바로 착시입니다.

출제 예감 70%

01 이와 같은 말하기를 듣는 태도로 적절하지 않은 것은?

① 필요한 정보를 정리하며 듣는다.
② 다른 청중의 반응에 유의하며 듣는다.
③ 앞으로 전개될 내용을 예측하며 듣는다.
④ 매체 자료를 활용하여 내용을 이해하며 듣는다.
⑤ 강연자의 준언어와 비언어적 표현에도 관심을 둔다.

출제 예감 80%

02 (가)를 바탕으로 착시를 이해한 내용으로 적절하지 않은 것은?

① 실제와 다르게 해석하는 것이다.
② 그렇게 보았다고 착각하는 것이다.
③ 대상이 있어야만 생기는 현상이다.
④ 부정적인 영향을 끼칠 수 있는 현상이다.
⑤ 필요 없거나 잘못된 배경지식이 작용한 것이다.

출제 예감 95% 학습 활동 응용

03 (다)의 내용과 일치하지 않는 것은?

① 500원 동전이 제일 크다는 배경지식이 착시를 일으켰다.
② 세 동전 사진은 모두 같은 크기이고 같은 거리에 위치하고 있다.
③ 500원 동전이 가장 멀리 떨어져 있는 것처럼 보이는 것은 착시이다.
④ 가까운 것은 크게, 먼 것은 작게 보인다는 배경지식이 착시에 작용했다.
⑤ 착시가 일어나지 않은 경우 그 이유는 착시에 대한 청중의 인식이 부족하기 때문이다.

출제 예감 80% 서술형

04 (다)의 내용을 바탕으로 할 때, 강연자가 ㉠과 같이 말한 이유가 무엇인지 한 문장으로 서술하시오.

소단원 핵심 문제

[05~08] 다음 글을 읽고 물음에 답하시오.

(가) 철길 위에 노란 막대가 두 개 보이지요? 두 막대 중 어떤 게 더 길어 보이나요? 이제, 실제 길이가 어떤지 확인해 볼까요?

두 막대의 실제 길이는 같습니다. ㉠위에 있는 막대가 더 길다고 생각한 분들이 꽤 있을 거예요. 이것 역시 멀리 있는 사물은 작게 보이고 가까운 사물은 크게 보인다는 배경지식 때문에 일어난 착시입니다. 그 과정을 살펴볼까요? 사람들은 사진의 배경인 철길을 참고해 위 막대는 멀리 있고 아래 막대는 가깝게 있다고 여깁니다. 그러고는 실제로 길이가 같은 두 막대를 보면서, 멀리 있는 위 막대가 가까이 있는 아래 막대보다 원래는 더 길 거라고 판단하는 거죠.

(나)

자, 그림 속 판자 위의 네모 칸 중 A와 B가 각각 적힌 칸의 밝기를 비교해 보세요. 어떤 칸이 더 밝아 보이나요? 아마 많은 분이 B라고 생각할 겁니다. 그럼 실제로 A와 B 두 칸을 이어 붙여서, 밝기를 비교해 보겠습니다.

어떤가요? 두 칸의 밝기가 같죠? 이때 우리의 뇌가 사용한 배경지식은 '그림자가 드리우면 어두워진다.'라는 것입니다. 위 그림에서 원통의 그림자는 B가 있는 쪽으로 드리워 있습니다. 그림자가 있는 곳은 그림자가 없는 곳에 비해서 어둡겠죠? 우리는 이미 그렇게 알고 있습니다. 그래서 그림자 안에 있는 B는 그림자 때문에 어두워진 결과이고, 원래 B는 보이는 것보다 더 밝았을 거라고 우리 뇌가 판단한 것이죠. 하지만 뇌의 판단과는 달리, 실제 A와 B, 두 칸의 밝기는 같았습니다. 이 역시 사물을 볼 때 배경지식이 영향을 미쳐, 실제와 다른 것을 자기는 맞게 보았다고 착각한 경우입니다.

(다) 결국, 우리는 사물을 두 번 본다고 할 수 있습니다. 한 번은 감각 그대로, 망막에 맺힌 상을 인식하는 것이고, 두 번째는 그 감각에 배경지식을 적용한 결과대로, 즉 착시대로 보는 것이죠. 이 둘은 일치하지 않을 때가 많은데, 우리는 착시가 일어난 것을 깨닫지도 못한 채 사물을 보곤 합니다. ㉡착시는 옳다, 그르다 하고 판단할 문제는 아닙니다.

출제 예감 75%

05 (가)~(다)에 대한 설명으로 적절하지 않은 것은?

① (가): 질문을 통해 청중과 교감하고 있다.
② (가): 내용과 관련된 시각 매체 자료가 필요한 설명이다.
③ (나): 시각 매체 자료를 통해 청중의 관심을 끌고 있다.
④ (나): 다른 사람의 말을 인용해 청중의 이해를 돕고 있다.
⑤ (다): (가)와 (나)의 예를 바탕으로 한 설명이다.

출제 예감 90% 학습 활동 응용

06 (가)를 바탕으로 할 때, ㉠과 같은 착시를 일으킨 배경지식으로 적절한 것은?

① 철길에 있는 막대의 길이는 다르다.
② 철길에서는 사물의 길이를 측정하기 어렵다.
③ 두 막대 사이의 거리가 가까우면 길이가 달라 보인다.
④ 철길에서 막대의 길이는 가까운 것이 더 길게 보인다.
⑤ 멀리 있는 사물은 작게, 가까이 있는 사물은 크게 보인다.

출제 예감 90% 학습 활동 응용

07 (나)의 착시 현상에 대한 설명으로 적절하지 않은 것은?

① 그림자로 인한 착시 현상이다.
② B는 진한 옆 네모 칸 때문에 A보다 밝아 보인다.
③ 감각과 뇌의 판단이 일치하지 않아 생기는 현상이다.
④ 같은 밝기의 네모 칸이 실제와 다르게 보이는 현상이다.
⑤ '그림자가 드리우면 어두워진다.'라는 배경지식이 작용했다.

출제 예감 90% 서술형 논술 대비

08 강연자가 ㉡과 같이 말한 이유를 추측하여 서술하시오.

[09~12] 다음 글을 읽고 물음에 답하시오.

가

이 두 사진을 보면, 도로에 어린이 보호 구역을 알리는 표시가 있습니다. 차의 속도를 늦추고 조심해서 운전하도록 안내하는 글자이지요. 사진 옆에 있는 그림은 '어린이 보호 구역'이라는 글자가 실제로 바닥에 어떻게 그려져 있는지 나타냅니다. 〈사진 1〉은 흔히 볼 수 있는 표시인데 운전자의 눈높이에서는 잘 보이지 않습니다. 이에 비해 〈사진 2〉는 글자가 마치 서 있는 것처럼 잘 보이네요. 도대체 어떻게 했기에 이렇게 보이는 걸까요? 그 해답은 〈그림 1〉과 〈그림 2〉를 비교해 보면 알 수 있습니다. 〈그림 2〉와 같이 글자 윗부분을 아랫부분보다 두껍고 크게 하여 윗부분이 더 가까워 보이도록 했기 때문이지요. 앞에서 보았듯 우리는 '멀리 있는 것은 작게, 가까이 있는 것은 크게 보인다.'라고 알고 있잖아요? 그 지식을 바탕으로 우리의 뇌는 〈그림 2〉의 글자 모양이 아닌, 〈사진 2〉의 모양으로 인식하는 것이죠.

나 자, 지금까지 착시에 관해 살펴봤는데 어땠나요? 우리가 원래 알고 있던 지식 때문에 착시가 일어난다는 점이 재미있기도 하고, 신기하기도 하지요? 다시 말하지만, 착시는 옳고 그름을 판단할 수 없는 현상입니다. 그러니 자연스럽게 일어나는 인식의 하나로 받아들이고, 생활에 도움이 되도록 이용해 보는 게 바람직하겠죠. 앞에서 보았던 '어린이 보호 구역' 표시처럼, 착시 현상을 멋지게 활용할 방법을 한번 찾아보면 어떨까요? 그럼, 여기서 강연을 마치겠습니다.

출제 예감 90% 학습 활동 응용

09 이 강연에 제시된 시각 자료의 역할로 적절하지 않은 것은?

① 청중의 주의를 집중시킨다.
② 강연의 중심 내용을 정리해 준다.
③ 강연자가 설명을 쉽게 하도록 만든다.
④ 설명을 보완해서 청중의 이해를 돕는다.
⑤ 강연자가 청중에게 던진 질문에 대한 해답을 담고 있다.

출제 예감 95% 학습 활동 응용

10 (가)에 대한 청중의 반응으로 적절하지 않은 것은?

① 동영상 자료를 제시했으면 더 관심을 끌었겠군.
② 착시 현상의 긍정적인 면와 부정적 면을 모두 다루었군.
③ 〈사진 2〉는 착시를 통해 '어린이 보호 구역'을 강조하는 효과가 있어.
④ 〈사진 2〉에는 '멀리 있는 것일수록 작게 보인다.'라는 배경지식이 작용하고 있어.
⑤ 〈사진 2〉는 운전자들이 보다 주의를 기울여 운전하도록 유도하는 역할을 하고 있어.

출제 예감 90% 학습 활동 응용

11 (나)를 참고로 착시를 대하는 올바른 태도를 쓰시오.

출제 예감 80% 사고력 확장 문제

12 〈보기〉는 다른 강연에 사용된 매체 자료이다. (가)의 매체 자료와의 공통점과 차이점을 각각 한 문장으로 서술하시오.

보기

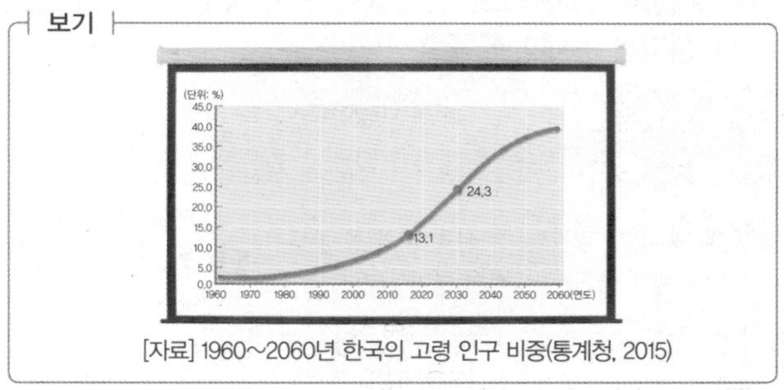

[자료] 1960~2060년 한국의 고령 인구 비중(통계청, 2015)

조건

차이점은 역할의 차이를 서술할 것

활동 순서 기억에 남는 사건 선정 → 사건 내용을 효과적으로 전달할 수 있는 매체 선정 → 매체 자료를 활용하여 신문 기사 작성하기

활동 길잡이
모둠별 토의를 바탕으로 가장 인상적인 사건을 선정한다. 이때 선정한 까닭을 구체적으로 제시하여, 모둠원들끼리 적절성을 판단한 뒤 선정하는 과정을 거친다.

1 모둠별로 우리 반에서 있었던 일 중 기억에 남는 사건을 선정해 봅시다. 예시 답

순서	사건	선정한 까닭
	예 우리 반이 체육 대회에서 응원상을 받은 일	개인의 노력이 아니라, 반 친구들 모두의 노력이 뒷받침된 일이기 때문이다.
	강원도 ○○로 떠난 수학여행	학교에서 벗어나 다양한 장소에서 친구들과의 추억을 만들 수 있었기 때문이다.

활동 길잡이
앞서 학습한 매체의 다양한 표현 방식, 매체 자료의 특성과 효과를 떠올려 보자. 그리고 모둠에서 선정한 사건과 잘 맞는 매체 자료의 종류를 생각해 본다.

2 1에서 선정한 사건을 하나 골라 기사를 쓸 때, 사건의 내용을 효과적으로 전달할 수 있는 적절한 매체 자료를 생각해 봅시다. 예시 답

기사 제목	매체 자료의 종류와 내용	자료 선정의 이유
예 '나'보다 '우리'가 더욱 빛난 날	체육 대회 응원 모습이 담긴 사진	사진을 통해 실제 응원 모습을 효과적으로 전달함.
자연과 함께 만든 추억	강원도 설악산을 풍경으로 한 우리 반 단체 사진	우리 반 모든 친구들이 자연 안에 있는 모습을 담아낼 수 있음.

활동 길잡이
기사문의 형식과 그 특성을 떠올려 효과적으로 기사문을 작성한다.

3 2에서 선정한 자료를 활용하여 신문 기사를 작성해 봅시다.

예시

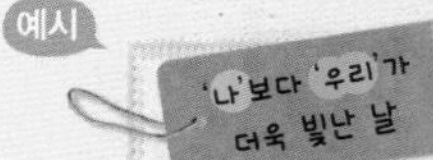

올해 교내 체육 대회에서 우리 반은 50미터(m) 달리기, 400미터(m) 이어달리기, 이인삼각, 서바이벌 깃발 잡기, 단체 8자 줄넘기, 림보 등의 여섯 경기에 출전하였다. 경기마다 3위까지 시상을 했으나 우리 반은 아무것도 받지 못했다. 그러나 응원을 할 때의 아이디어가 좋았고, 협동심이 뛰어났다며 교장 선생님께서 특별히 응원상을 시상하셨다. 담임 선생님께서는 이 상을 받은 것이 어떤 경기 종목에서의 수상보다 의의가 있는 것이라며 우리를 자랑스러워하셨다.

예시 답
자연과 함께 만든 추억
올해 우리 반의 수학여행 장소는 강원도였다. 우리 반은 강원도에서 2박 3일 동안 환선동굴, 낙산사, 설악산, 그리고 오죽헌과 경포 생태 습지를 구경했다.
평소에는 보지 못했던 아름다운 자연을 경험할 수 있어 우리 반 친구들 모두 만족도가 높은 수학여행이었다. 자연을 배경으로 사진도 많이 찍고, 밤에는 모닥불 앞에서 함께 별을 구경하면서 우리의 우정도 더욱 깊어질 수 있었다.

활동 길잡이
모둠별로 완성한 기사를 공유하는 활동이다. 작성한 기사를 친구들에게 효과적으로 소개하기 위해 비언어 · 준언어적인 표현을 적극적으로 활용할 수 있다.

4 모둠별로 완성한 기사를 친구들에게 소개해 봅시다.

예시 답 생략

활동 길잡이
듣는 이의 관점에서 기사에 사용된 매체 자료의 적절성을 평가하는 활동이다. 평가의 근거를 명확히 제시하여, 이를 바탕으로 적극적인 피드백이 이루어질 수 있도록 한다.

5 매체 자료의 효과와 적절성을 중심으로 다른 모둠의 발표를 듣고 평가해 봅시다.

예시 답 생략

• 정답과 해설 p.39

대단원 확인 문제

[01~04] 다음 글을 읽고 물음에 답하시오.

(가) **명태의 귀환 / – 집 나간 국민 생선이 돌아왔다!**

따끈한 생태탕, 푸짐한 코다리찜, 짭짤한 명란젓……. 이름은 다 달라도 모두 명태 요리이다. '국민 생선'이라고 불릴 만큼 사랑받는 생선 명태. 그런 명태가 안타깝게도 2008년 이후로 우리 바다에서 사라졌다. 그런데 최근 명태 양식에 성공했다는 소식이 들린다. 우리 식탁에 국산 명태가 오르는 날이 다시 찾아올까.

(나) 하지만 명태는 다른 나라에서는 그렇게 인기 있는 생선이 아니다. 살코기 자체에 별다른 맛이나 식감이 없어, 불에 직접 구워 먹기를 좋아하는 식문화에는 어울리지 않기 때문이다. 그래서 외국에서는 다른 생선과 함께 잘게 다져서 어묵을 만들거나, 튀김옷을 입혀 바삭하게 튀겨서 소스를 묻혀 먹는다. 하지만 얼큰한 국물을 좋아하는 한국인의 입맛에는 딱 맞는 '국민 생선'이라 해도 손색이 없다. 우리나라에서는 명태를 한 해에 25만 톤(t)이나 소비한다.

(다) 명태는 1970년대만 해도 동해에서 매년 7만 톤(t) 안팎으로 잡힐 만큼 흔했다. 알을 밴 고기일수록 맛이 좋고 어린 고기까지 술안주로 인기 있었던 탓일까. 결국, 우리 바다에서 명태의 씨가 말라 버렸다. 2008년 이후 매년 우리나라 가까운 바다에서 잡히는 명태는 1톤(t) 안팎이다. 지금 우리 식탁에 올라오는 명태는 거의 다 수입한 것으로, 러시아산이 대부분이다.

(라) 전문가들은 국산 명태가 사라진 원인 중 하나로, 어린 명태까지 마구잡이로 잡은 것을 든다. 기후가 변하면서 동해의 표층 수온이 변한 것도 원인으로 추정한다. 명태는 차가운 물을 좋아하는 냉수성 어류인데, 수온이 올라가는 바람에 동해가 이제는 명태가 살기 어려운 환경이 되었다는 것이다. 국립수산과학원에 따르면 동해의 연평균 표층 수온은 1970년부터 2016년까지 47년간 섭씨 0.93도(℃)가량 올랐다. 이렇게 바닷물이 따뜻해지면서, 1970년대와 1980년대에 많이 잡히던 명태와 정어리, 갈치, 쥐치의 수가 줄어들었다. 특히 명태와 정어리는 2000년대 이후 찾기가 힘들다. 대신에 1990년대부터 오징어, 멸치, 고등어 등이 늘어났으며 예전에는 우리 바다에 거의 없었던 온대성, 아열대성 물고기들이 많이 나타났다. 모두 기후 변화에 따른 현상이다.

01 이와 같은 글의 특징으로 적절하지 않은 것은?

① 특정한 독자가 정해져 있지 않다.
② 여론을 조성할 것을 목적으로 한다.
③ 정확성과 신속성을 중시하며 서술된다.
④ 일반적으로 육하원칙에 따라 서술된다.
⑤ 사실적이고 객관적인 자료를 근거로 서술된다.

02 (가)에 대한 독자의 반응으로 적절한 것은?

① 매체 자료가 반드시 필요한 부분이군.
② 기사의 전반적 내용을 파악할 수 있군.
③ 글쓴이의 주장이 강하게 드러난 부분이군.
④ 사회 비판적인 성격이 강하게 드러나 있군.
⑤ 기사의 구체적인 내용이 상세히 서술되어 있군.

서술형

03 다음은 (다)의 내용을 표로 정리한 것이다. 빈칸에 들어갈 내용을 한 문장으로 서술하시오.

1970년대	명태의 어획량 →	2008년 이후
매년 7만 톤		매년 1톤

⇧

이유: (　　　　　　　　　　　　　　　　)

04 (라)의 내용을 정리하면서 추가할 매체 자료로 적절한 것은?

① 명태, 정어리, 갈치 사진
② 명태 완전 양식 과정을 담은 도표
③ 명태를 잡는 어선의 모습을 담은 사진
④ 우리나라 주요 어종의 어획량 변화 그래프
⑤ 온대성 물고기와 아열대성 물고기를 비교한 도표

[05~08] 다음 글을 읽고 물음에 답하시오.

(가) 그런데 명태를 완전 양식 하려니 걸림돌이 있었다. 우선 동해에서 명태를 찾기가 쉽지 않았다. 어쩌다 명태를 잡더라도 수정란을 얻을 수 있을 만큼 성숙하지 않거나 건강하지 않았다. 명태를 잡아 올리는 과정도 문제였다. 명태는 깊은 바닷속에서 살기 때문에 자망을 이용해서 잡는다. 자망의 그물코는 물고기보다 작아서, 지나가던 물고기들이 그 그물코에 걸려 낚인다. 그물에 걸릴 때 상처가 나거나 스트레스를 받기 때문에, 이렇게 잡힌 명태는 2~3일 안에 죽기 일쑤였다. 결국, 연구팀은 한 마리에 50만 원씩 현상금을 걸고 '살아 있는 명태 어미 고기'를 찾아 나섰다.

(나) '명태 살리기 프로젝트' 연구팀은 명태가 살기에 가장 적절한 수온을 찾기 시작했다. 그 결과 섭씨 7~12도(℃)에서 잘 자란다는 사실을 알아냈다. 그리고 명태를 키우는 실내 수조에 병원체가 얼마나 있는지, 이것이 어린 고기에게 어떤 영향을 미치는지도 연구했다. 어린 고기가 질병에 걸리는 일을 예방해 초기 생존율을 높이기 위해서였다.

(다) 또 하나 특별하게 고려한 것은 먹이였다. 알에서 부화한 새끼 명태에게 적합한 저온성 먹이생물이 당장 없었기 때문이다. 보통은 어류 종자를 생산할 때 동물성 플랑크톤인 로티퍼를 먹이로 쓴다. 그래서 명태가 사는 차가운 물에 로티퍼를 넣었더니, 로티퍼는 활력을 잃고 수조 바닥으로 가라앉아 버렸다. 로티퍼는 섭씨 25도(℃) 이상의 환경에서 잘 자라기 때문에, 명태에게 맞는 온도가 로티퍼에게는 너무 낮았던 것이다. 그렇게 가라앉은 로티퍼는 심지어 수질을 악화시키기까지 했다.

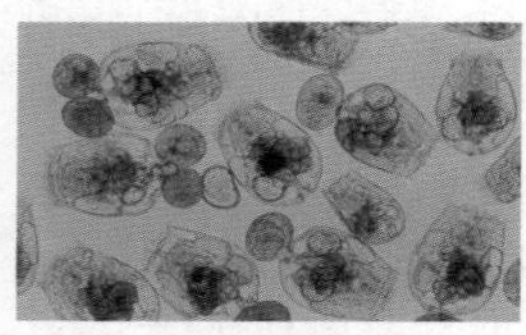
▲ 로티퍼

(라) 연구팀은 '저온성 먹이생물 배양 장치'를 개발해, 로티퍼가 자라는 수조의 온도를 단계적으로 낮췄다. 그런 다음 차가운 물에서도 활기를 띠는 로티퍼만 고른 뒤 따로 배양했다. 이렇게 배양한 로티퍼는 약 섭씨 10도(℃)의 물에서 10퍼센트(%) 이상 증식했다. 저온성 로티퍼는 명태뿐 아니라 대구 등 다른 냉수성 어류를 사육하는 데에도 큰 역할을 하리라 본다.

05 이 글에 대한 설명으로 적절하지 <u>않은</u> 것은?

① 정보 전달을 목적으로 하는 글이다.
② 연구의 과정이 드러나도록 서술하고 있다.
③ 과학적인 자료를 바탕으로 서술하고 있다.
④ 명태 완전 양식에 관한 내용을 다루고 있다.
⑤ 글쓴이의 개인적 경험을 통해 설득력을 높이고 있다.

06 (가)에서 연구팀이 겪은 어려움으로 적절한 것은?

① 명태를 양식하는 시설이 부족했다.
② 명태에 대한 연구 경쟁이 매우 치열했다.
③ 건강한 국산 명태 어미를 구하기 어려웠다.
④ 연구팀에서 자체적으로 마련해야 할 비용이 많았다.
⑤ 명태에서 수정란을 얻는 데 고도의 기술이 필요했다.

서술형

07 〈보기〉의 고쳐쓰기 과정을 통해 (나)에 제시하기에 적절한 자료가 무엇인지 서술하시오.

보기

명태 양식에 적절한 수온을 찾는 연구팀의 연구 과정을 한눈에 보여 줄 수 있는 자료를 삽입하는 건 어떨까?

08 (다)의 매체 자료에 대한 평가로 적절한 것은?

① 글의 내용과 관련성이 없는 불필요한 자료이다.
② 연구 과정을 이해하는 데 필수적인 매체 자료이다.
③ 새끼 명태에 알맞은 로티퍼를 찾는 과정을 한눈에 보여 준다.
④ 상상 속에만 있던 로티퍼의 모습을 그림으로 제시하여 효과가 높다.
⑤ 로티퍼를 사실적으로 드러내고 있지만 글을 이해하는 데 꼭 필요하지는 않다.

[09~12] 다음 글을 읽고 물음에 답하시오.

(가) 안녕하세요? 저는 인지 심리학자 김경일입니다. 인지 심리학이라는 말이 조금 낯설지요? 아마 심리학이란 말은 들어 보았을 겁니다. 심리학은 사람의 의식이나 행동을 연구하는 학문인데요, 그중에서 인지 심리학은 정보를 받아들이고 사용하는 과정을 다룹니다. 다시 말해 무엇을 느끼거나 배우고, 기억하고, 그것을 활용하는 모든 과정을 다루는 학문이 인지 심리학이지요.

오늘은 제가 연구하는 '착시'에 관해 얘기해 보겠습니다. 착시는 우리가 어떤 대상을 볼 때, 필요 없거나 잘못된 배경지식을 사용하는 바람에 실제와 다르게 해석하는 것을 말합니다. 간단히 말하자면, '그렇게 보았다고 착각하는' 현상이 바로 착시이지요.

(나) 착시의 예로는 독특하고 흥미로운 것들이 많습니다. 그림으로 확인해 볼까요? 불을 잠깐 꺼 주시겠어요? 자, 이제 한쪽 눈을 손으로 가리세요. 그리고 다른 한쪽 눈으로 여기 동전 세 개를 집중해서 바라봅시다.

어떤 동전이 가장 가까이 있는 것 같나요? 또 어떤 동전이 가장 멀어 보이나요?

정상적으로 착시가 일어났다면 500원 동전이 제일 멀리 떨어져 있는 거로 보일 거예요.

이제 눈을 가렸던 손을 치우고, 동전들을 다시 보시죠. 사실 이 그림에서 동전 세 개는 같은 크기로, 같은 평면에 나란히 배치되어 있습니다. 그런데 왜 한쪽 눈을 가리고 집중해 보았을 때, 동전 셋이 서로 다른 거리에 있는 것처럼 보였을까요? 배경은 어둡고, 우리는 한쪽 눈마저 가렸기 때문에 거리가 얼마나 떨어져 있는지 정확히 알기가 어려웠습니다. 그래서 우리의 뇌는 이미 아는 정보, 즉 배경지식을 활용하여 거리를 판단했던 겁니다. 500원 동전이 100원 동전보다 크고, 100원 동전은 50원 동전보다 크다는 걸 우리는 이미 알고 있지요. 멀리 있는 것은 작게, 가까이 있는 것은 크게 보인다는 사실도요. 이 동전들이 원래 크기 그대로 같은 거리에 나란히 있었다면 500원 동전이 제일 크게, 50원 동전이 제일 작게 보이겠죠? 그런데 이 그림에서는 동전 크기가 셋 다 같아 보이니, 우리 뇌가 어떻게 판단했겠어요? '아, 500원짜리 동전이 가장 멀리 떨어져 있구나.' 하고 판단한 것이죠.

09 이 강연에 대한 설명으로 적절하지 <u>않은</u> 것은?

① 예시를 들어 대상을 효과적으로 설명하고 있다.
② 청중에게 질문을 하여 상호 작용을 시도하고 있다.
③ 청중의 이해를 돕는 시각 자료가 필요한 강연이다.
④ 언어적 표현보다 준언어와 비언어적 표현이 더 중요한 말하기이다.
⑤ 공식적인 말하기 상황에 알맞은 격식 있는 표현을 사용하고 있다.

10 이 강연의 내용과 일치하지 <u>않는</u> 것은?

① 착시는 독특하고 흥미로운 현상이다.
② 착시는 실제와 다르게 해석하는 현상이다.
③ 착시는 환경을 조성해야만 보이는 현상이다.
④ 착시는 그렇게 보았다고 착각하는 현상이다.
⑤ 착시는 불필요한 배경지식 때문에 생기기도 한다.

11 강연 과정 중 (가)의 단계에서 이루어지는 일이 <u>아닌</u> 것은?

① 청중에 대한 인사
② 강연자의 자기소개
③ 강연 주제에 대한 소개
④ 강연 내용에 대한 자세한 설명
⑤ 청중의 긴장을 풀어 주는 말이나 행동

서술형

12 (나)의 내용을 보고서의 형태로 정리한 것이다. 빈칸에 알맞은 내용을 서술하시오.

실험 제목	동전 크기에 관한 착시 현상
실험 과정	• 방을 어둡게 한 후 한쪽 눈을 가리고 동전을 봄. • 준비된 사진(같은 크기로 된 500원, 100원, 50원 동전이 나란히 있는 사진)을 관찰함.
실험 결과	• 결과: 500원 동전이 가장 멀리 있는 것처럼 보임. • 이유: ( )

대단원 확인 문제

[13~16] 다음 글을 읽고 물음에 답하시오.

(가) 두 막대의 실제 길이는 같습니다. 위에 있는 막대가 더 길다고 생각한 분들이 꽤 있을 거예요. 이것 역시 멀리 있는 사물은 작게 보이고 가까운 사물은 크게 보인다는 배경지식 때문에 일어난 착시입니다. 그 과정을 살펴볼까요? 사람들은 사진의 배경인 철길을 참고해 위 막대는 멀리 있고 아래 막대는 가깝게 있다고 여깁니다. 그러고는 실제로 길이가 같은 두 막대를 보면서, 멀리 있는 위 막대가 가까이 있는 아래 막대보다 원래는 더 길 거라고 판단하는 거죠.

(나) 어떤가요? 두 칸의 밝기가 같죠? 이때 우리의 뇌가 사용한 배경지식은 '그림자가 드리우면 어두워진다.'라는 것입니다. 위 그림에서 원통의 그림자는 B가 있는 쪽으로 드리워 있습니다. 그림자가 있는 곳은 그림자가 없는 곳에 비해서 어둡겠죠? 우리는 이미 그렇게 알고 있습니다. 그래서 그림자 안에 있는 B는 그림자 때문에 어두워진 결과이고, 원래 B는 보이는 것보다 더 밝았을 거라고 우리 뇌가 판단한 것이죠. 하지만 뇌의 판단과는 달리, 실제 A와 B, 두 칸의 밝기는 같았습니다. 이 역시 사물을 볼 때 배경지식이 영향을 미쳐, 실제와 다른 것을 자기는 맞게 보았다고 착각한 경우입니다.

(다) 결국, 우리는 사물을 두 번 본다고 할 수 있습니다. 한 번은 감각 그대로, 망막에 맺힌 상을 인식하는 것이고, 두 번째는 그 감각에 배경지식을 적용한 결과대로, 즉 착시대로 보는 것이죠. 이 둘은 일치하지 않을 때가 많은데, 우리는 착시가 일어난 것을 깨닫지도 못한 채 사물을 보곤 합니다. 착시는 옳다, 그르다 하고 판단할 문제는 아닙니다. 그런데 착시 현상을 우리 생활에 이롭게 이용할 수는 있습니다. 다음 사진을 한번 보시죠.

〈사진 1〉 〈그림 1〉

〈사진 2〉 〈그림 2〉

13 이와 같이 강연에서 매체 자료를 활용하려고 할 때, 유의할 점이 아닌 것은?

① 자료의 매체 특성을 잘 알고 있어야 한다.
② 강연 내용과 연관성이 있는지 잘 살펴본다.
③ 자료의 내용에 대해 정확하게 이해하고 있어야 한다.
④ 청중의 관심이나 특성에 맞는 자료를 선택해야 한다.
⑤ 하나의 자료에 되도록 많은 내용을 담아 통일성 있게 제시한다.

14 (나)의 착시 현상에 대한 설명으로 적절한 것은?

① 착시 현상의 긍정적인 면을 잘 드러낸다.
② 빛의 굴절이라는 과학 현상과 관련이 깊다.
③ 착시로 인해 부정적인 결과를 경고하고 있다.
④ 뇌의 판단과 실제 감각의 차이를 잘 보여 준다.
⑤ 멀리 있는 것은 작게, 가까이 있는 것은 크게 보인다는 배경지식이 적용되었다.

15 (다)의 내용과 일치하지 않는 것은?

① 우리는 사물을 두 번 본다고 할 수 있다.
② 사물을 정확하게 보려는 노력이 필요하다.
③ 착시는 깨닫지 못하는 사이에 이루어진다.
④ 착시는 옳고 그름을 판단할 문제가 아니다.
⑤ 감각에 배경지식을 적용하면 착시가 발생한다.

16 (다)의 매체 자료의 역할로 적절한 것은?

① 설명의 예로 제시되어 이해를 돕는다.
② 강연자의 주장에 대한 반론의 근거가 된다.
③ 설명한 내용과 관련된 다른 정보를 제공한다.
④ 설명한 내용을 한눈에 알아볼 수 있게 정리한다.
⑤ 설명 내용과 관련 없이 청중의 관심을 유도한다.

[17~20] 다음 글을 읽고 물음에 답하시오.

가

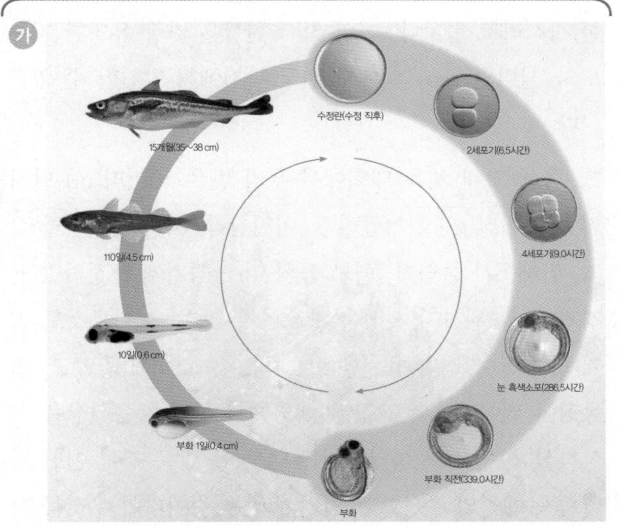

나 이제부터는 명태를 대량으로 생산할 방법을 찾아야 한다. 국립수산과학원 동해수산연구소 변순규 박사는 "유전적 다양성을 위해 자연산 명태 어미 고기를 계속 확보하고, 1세대 어미를 관리해 질 좋은 수정란을 얻는 기술을 발전시킬 계획"이라고 말했다. 또 "질병을 예방하기 위해 계속 관찰하면서 우수한 종자를 만들 수 있는 기술을 개발할 것"이라고 밝혔다.

다 이 두 사진을 보면, 도로에 어린이 보호 구역을 알리는 표시가 있습니다. 차의 속도를 늦추고 조심해서 운전하도록 안내하는 글자이지요. 사진 옆에 있는 그림은 '어린이 보호 구역'이라는 글자가 실제로 바닥에 어떻게 그려져 있는지 나타냅니다. 〈사진 1〉은 흔히 볼 수 있는 표시인데 운전자의 눈높이에서는 잘 보이지 않습니다. 이에 비해 〈사진 2〉는 글자가 마치 서 있는 것처럼 잘 보이네요. 도대체 어떻게 했기에 이렇게 보이는 걸까요? 그 해답은 〈그림 1〉과 〈그림 2〉를 비교해 보면 알 수 있습니다. 〈그림 2〉와 같이 글자 윗부분을 아랫부분보다 두껍고 크게 하여 윗부분이 더 가까워 보이도록 했기 때문이지요. 앞에서 보았듯 우리는 '멀리 있는 것은 작게, 가까이 있는 것은 크게 보인다.'라고 알고 있잖아요? 그 지식을 바탕으로 우리의 뇌는 〈그림 2〉의 글자 모양이 아닌, 〈사진 2〉의 모양으로 인식하는 것이죠. 그러고는 다음과 같이 도로에 세워진 글자를 보게 되는 것입니다.

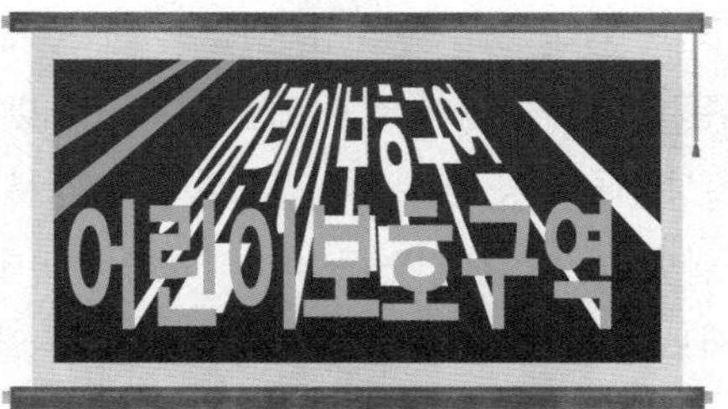

17 (가)~(다)에 대한 설명으로 적절하지 않은 것은?

① (가), (다)에는 시각 매체 자료가 제시되어 있다.
② (가)는 과정을 설명하기에 적합한 매체 자료이다.
③ (나)에는 글쓴이의 의견이 제시되어 있다.
④ (다)는 묻고 답하는 형식을 취하고 있다.
⑤ (다)는 착시의 긍정적 활용을 제시하고 있다.

18 (가)와 함께 제시할 설명으로 적절한 것은?

① 어린 명태를 마구잡이로 잡아 국산 명태가 사라졌다.
② 우리나라에서는 명태를 한 해에 25만 톤씩 소비한다.
③ 명태가 살기에 가장 적절한 수온은 섭씨 7~12도이다.
④ 완전 양식은 명태를 인공적으로 키워 종자를 생산하는 기술이다.
⑤ 연구팀은 한 마리에 50만 원씩 현상금을 걸고 명태 어미 고기를 찾아 나섰다.

19 (나)로 볼 때, 명태를 대량 생산하기 위해 필요한 것이 아닌 것은?

① 명태의 질병 예방을 위한 관찰
② 자연산 명태 어미 고기의 확보
③ 질 좋은 수정란을 얻는 기술의 발전
④ 우수한 종자를 만들 수 있는 기술 개발
⑤ 명태를 대량 생산할 수 있는 양식장 설치

서술형

20 (다)에서 제시한 착시 현상을 통해 얻을 수 있는 현실적인 효과가 무엇인지 한 문장으로 서술하시오.

대단원 확인 문제

[21~23] 다음 글을 읽고 물음에 답하시오.

(가) 연구팀은 고도 불포화 지방산(EPA, DHA) 같은 영양 성분이 든 고에너지 명태 전용 배합 사료도 개발했다. 명태가 잘 성장하고 성숙하는 데 필요한 영양 성분을 이 사료로 공급했다. 그 결과, 연구팀이 사육하는 명태는 자연 상태에서보다 훨씬 빨리 자랐다. 명태는 원래 알을 낳을 정도로 성숙하는 데 3~4년이 걸리지만, 연구팀이 키운 명태는 약 1년 8개월 만에 성숙해 2016년에 알을 낳았다. 명태의 완전 양식을 하는 데 세계 최초로 성공한 것이다.

(나) 그렇다면 이렇게 키운 명태를 언제쯤 맛볼 수 있을까? 이제 막 인공 양식 기술을 개발한 수준이므로 양식 명태가 당장 식탁에 오르기는 어렵다. 변 박사는 "어업인들에게 수정란을 분양하고 기술 지도를 하고 있다."라고 말했다. 국립수산과학원에서는 대량 생산이 되면 육지에서는 수조 양식으로, 바다에서는 가두리 양식으로 동시에 명태를 키워 낼 계획도 하고 있다. 이대로라면 머지않아 우리 식탁에 국산 양식 명태가 올라오지 않을까 기대한다.

(다) 자, 지금까지 착시에 관해 살펴봤는데 어땠나요? 우리가 원래 알고 있던 지식 때문에 착시가 일어난다는 점이 재미있기도 하고, 신기하기도 하지요? 다시 말하지만, 착시는 옳고 그름을 판단할 수 없는 현상입니다. 그러니 자연스럽게 일어나는 인식의 하나로 받아들이고, 생활에 도움이 되도록 이용해 보는 게 바람직하겠죠. 앞에서 보았던 '어린이 보호 구역' 표시처럼, 착시 현상을 멋지게 활용할 방법을 한번 찾아보면 어떨까요?

(라) 여러분, '신비의 도로'에 관해 알고 계십니까? 우선 이 영상을 한번 봐 주시기 바랍니다. 어때요? 신기하죠? 방금 영상에서 보신 것처럼 오르막길 위로 사물이 거꾸로 올라가는 것이 마치 도깨비가 장난을 치는 것 같다고 해서 일명 '도깨비 도로'라고 부르기도 한답니다. 이 사진의 길은 오르막처럼 보이지만, 사실은 경사 3도 정도의 내리막길인데요, 이렇게 오르막처럼 보이는 것은 주변 환경에 의한 착시라고 합니다. 이런 착시 현상은 가장 유명한 제주도의 '신비의 도로' 외에도 전국 각지에서 발견할 수 있습니다.

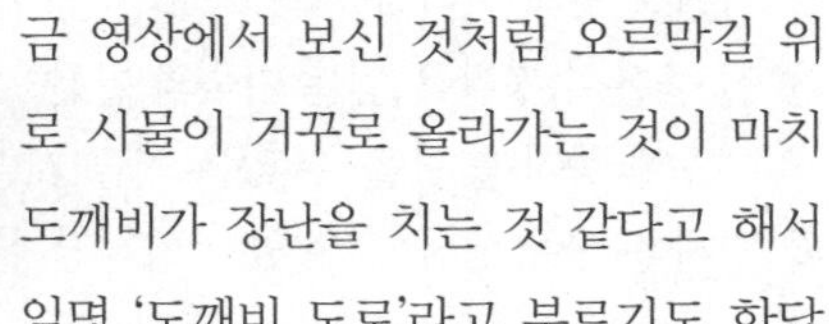

(마) 올해 교내 체육 대회에서 우리 반은 50미터(m) 달리기, 400미터(m) 이어달리기, 이인삼각, 서바이벌 깃발 잡기, 단체 8자 줄넘기, 림보 등의 여섯 경기에 출전하였다. 경기마다 3위까지 시상을 했으나 우리 반은 아무것도 받지 못했다. 그러나 응원을 할 때의 아이디어가 좋았고, 협동심이 뛰어났다며 교장 선생님께서 특별히 응원상을 시상하셨다. 담임 선생님께서는 이 상을 받은 것이 어떤 경기 종목에서의 수상보다 의의가 있는 것이라며 우리를 자랑스러워하셨다.

21 (가)~(마)에 대한 반응으로 적절하지 않은 것은?

① (가): 사료 사진이 있어야 내용을 이해할 수 있겠어.
② (나): 전문가의 인터뷰 내용은 신뢰감을 높여 주는군.
③ (다): 질문을 통해 청중의 관심을 유도하고 있어.
④ (라): 주변 환경으로 인한 착시 현상을 설명하고 있어.
⑤ (마): 일상생활에서 소재를 찾아 글을 쓰고 있어.

서술형

22 (나)에서 글쓴이가 기대하고 있는 내용을 조건에 맞게 한 문장으로 서술하시오.

조건
기대하는 바가 이루어지는 조건을 포함하여 서술할 것

23 (라)에서 동영상 자료를 제시한 이유로 적절한 것은?

① 대상의 변화를 한눈에 보여 준다.
② 설명한 내용을 일목요연하게 정리해 준다.
③ 설명 대상을 사실적으로 현장감 있게 제시한다.
④ 사진으로 보여 줄 수 없는 내용을 상상해 표현해 준다.
⑤ 설명 대상의 진행 과정을 순서대로 정리하여 보여 준다.

정답과 해설

중학교 국어 2-1

1 개성과 표현

• 본문 p.007

확인 문제 **01.** (1) ○ (2) × **02.** (1) ㉠ (2) ㉢ (3) ㉡ **03.** 관용, 속담

01. 운율은 규칙적인 반복에 의해 형성된다. 함축적 의미를 지닌 언어를 사용한다고 해서 운율이 형성되는 것은 아니다.

02. '반어'는 실제와 반대로 말하는 것, '역설'은 모순된 표현 속에 진리를 담고 있는 것, '풍자'는 부정적인 대상을 빗대어 비웃으면서 비판하는 것을 말한다.

03. 관용 표현은 많은 사람이 습관적으로 사용하여 굳어진 표현으로, 관용어, 속담, 명언, 격언 등이 이에 해당한다.

1 진달래꽃

개념 확인 톡톡 • 본문 p.008

01. 운율 **02.** ③ **03.** ② **04.** ③

01. 시를 읽을 때 느껴지는 말의 가락을 운율이라고 한다.

02. 같은 표현 방법을 반복한다고 해서 운율이 형성되는 것은 아니다.

03. 반어는 실제로 말하고자 하는 내용을 그와 반대로 표현하는 것을 말한다.

오답 해설

①은 직유, ③은 과장, ④는 대조, ⑤는 역설에 대한 설명이다.

04. ③에서는 '잊었노라'라고 표현하고 있지만 실제로는 '잊을 수 없다.'라는 마음을 드러내고 있으므로 반어의 표현 방법이 쓰였다고 할 수 있다.

오답 해설

① '내 마음'을 '호수'에 빗대어 표현하고 있으므로, '비유(은유)'의 표현 방법이 쓰였다고 할 수 있다.
② '풀'과 '바람'의 유사점을 찾아 둘을 견주어 표현하고 있으므로, '비교'의 표현 방법이 쓰였다고 할 수 있다.
④ '~같이'라는 연결어를 사용하여 '햇발'과 '샘물'에 빗대어 표현하고 있으므로, '비유(직유)'의 표현 방법이 쓰였다고 할 수 있다.
⑤ '강철'의 강인한 이미지와 '무지개'의 화려하고 부드러운 이미지가 결합되어 논리적으로는 모순인 것 같으나 그 속에 깊은 진리가 내포되어 있으므로, '역설'의 표현 방법이 쓰였다고 할 수 있다.

• 확인 문제 • • 본문 p.010

01. ⑤ **02.** ③ **03.** ③ **04.** 눈물을 많이 흘릴 것입니다.

01. '영변에 약산 / 진달래꽃'에서 '영변'은 평안북도에 있는 실제 지명으로, 영변의 약산에 피는 진달래꽃을 들어 향토적 정감을 불러일으키고 있다.

오답 해설

① 이 시는 3음보의 민요조 율격을 바탕으로 하고 있지만, 정형시가 아닌 자유시이다.
② 이 시는 미래에 있을지도 모르는 이별의 상황을 가정하여 시상을 전개하고 있을 뿐, 시간의 흐름은 드러나 있지 않다.
③ 이 시에서 화자는 자신의 분신과도 같은 '진달래꽃'을 통해 임에 대한 헌신과 사랑의 감정을 간접적으로 드러내고 있다.
④ 이 시는 애절한 여성적 어조로 이별의 슬픔을 노래하고 있다.

02. 이 시에서 화자는 이별의 상황 속에서 체념의 정서를 보인다. 그러다 곧 진달래꽃을 뿌려 임에 대한 축복과 희생적 사랑을 보이면서 인고의 의지로 이별의 슬픔을 극복하고 있다.

03. 이 시에서 대조적인 의미나 이미지를 지닌 시어는 찾아볼 수 없다.

04. ㉠에는 실제와 반대되는 뜻의 말을 하는 '반어'의 표현 방식이 쓰였다.

학습 활동 다지기 • 본문 p.011

이해 다지기 문제 **1.** ① **2.** ②
목표 다지기 문제 **1.** ③ **2.** ③ **3.** ①

이해 **1.** 이 시에서 화자는 임과 이별하는 상황을 가정하고 있을 뿐, 현재 임과 이별하고 있는 것은 아니다.

2. '진달래꽃'은 화자의 분신과 같은 존재로, 임에 대한 화자의 사랑과 축복, 정성과 순종 등의 의미가 담겨 있다고 볼 수 있다. 이 시에서 임을 잊겠다는 화자의 의지는 찾아볼 수 없다.

목표 **1.** 이 시는 7 · 5조의 3음보 율격을 바탕으로, 동일한 종결어미('-우리다')와 시구('나 보기가 역겨워 / 가실 때에는')의 반복 및 첫 연과 끝 연의 형태가 유사한 수미상관의 구조를 통해 운율을 형성하고 있다.

2. 이 시에서 반복되고 있는 말은 '싸악싹'이라는 의성어이다. 모양을 나타내는 소리인 의태어는 사용되지 않았다.

오답 해설

① '싸악싹 / 새벽을 깨우는'과 같이 글자 수를 세 글자로 일정하게 맞추어 리듬감을 형성하고 있다.

② 글자 수를 세 글자로 맞추기 위해 '싹싹'을 시적 허용에 의해 '싸악싹'이라고 표현하고 있다.

④ '싸악싹 / ~을 ~는'이라는 문장 구조를 반복하여 음악적 효과를 내고 있다.

⑤ 이 시는 일정한 글자 수의 반복, 동일한 문장 구조의 반복 등을 통해 운율을 형성하고 있다. 이를 통해 운율은 반복에 의해 형성된다는 점을 알 수 있다.

3. '죽어도 아니 눈물 흘리우리다'는 애절하게 눈물을 흘리고 있는 화자 자신의 심정을 반어적으로 표현한 것이다. ①은 역설에 대한 설명으로 이 구절의 표현 방식과는 거리가 멀다.

소단원 핵심 문제 • 본문 p.015

01. ③ **02.** ② **03.** ④ **04.** ④ **05.** 시적 화자의 분신으로, 상대를 향한 사랑을 함축한다. **06.** ③ **07.** ④ **08.** ② **09.** ④ **10.** 사뿐히 즈려밟고 가시옵소서 **11.** ⑤ **12.** ③ **13.** 3연 **14.** ⑤ **15.** ② **16.** ① **17.** 3음보의 율격을 사용하여 이별의 정한을 노래하고 있다.

01. 이 시의 화자는 이별의 슬픔을 종교가 아닌 임에 대한 축원이라는 정서로 승화시키고 있다.

02. 이 시는 시의 처음과 마지막을 비슷하게 하여 시적 안정감을 얻는 수미상관의 방식으로 시상을 전개하고 있다.

03. 4연의 '죽어도 아니 눈물 흘리우리다'는 '눈물을 많이 흘릴 것이다'의 반어적 표현이다. ④의 '슬퍼도 좋다' 역시 '슬퍼서는 안 된다'의 반어적 표현으로 볼 수 있다.

오답 해설

① '사랑'을 위해서는 '이별'이 있어야 한다는 역설적 표현을 통해 이별의 아픔을 수용할 때 사랑이 더욱 커질 수 있음을 강조하고 있다.

② '꽃(이) 피네'라는 말을 반복적으로 사용하여 쉼 없이 생성, 순환되는 자연의 질서를 보여 주고 있다.

③ 대구의 표현 방법을 사용하여 떠돌이 삶을 살아갈 수밖에 없는 자신의 운명을 강조하고 있다.

⑤ 역설적, 설의적 표현을 통해 절대적 존재를 위한 희생의 의지를 강조하고 있다.

04. '사뿐히 즈려밟고'는 원망을 초극한 희생적 사랑을 보여 주는 표현이다.

05. 이 시의 '진달래꽃'과 〈보기〉의 '꽃'은 모두 상대에 대한 화자의 사랑이 담겨 있다고 볼 수 있다.

06. 시에서 작가는 자기 생각이나 느낌을 직접적으로 드러내기보다 시적 화자를 내세워 간접적으로 드러낸다.

07. '영변에 약산'과 같이 구체적 지명을 사용하고 있지만, 이는 향토적 분위기를 조성할 뿐, 음악성과는 거리가 멀다.

08. 이 시에서 화자는 이별의 슬픔을 인고의 의지로 극복하고자 하는 태도를 보여 주고 있다.

09. 이 시의 4연에서는 화자의 속마음을 반대로 표현함으로써 임이 떠나지 않기를 바라는 화자의 심정을 강조하고 있다.

10. 이 시의 3연에서는 '꽃잎이 짓밟히는 모습'을 통해 이별의 한을 숭고한 자기희생적 사랑으로 끌어올리는 화자의 모습을 형상화하고 있다.

11. ㉠은 임이 가시는 길에 꽃을 뿌려 가시는 길을 축복하겠다는 의미로, 불교의 '산화공덕(부처님 앞에 꽃을 뿌려 그 공덕을 비는 일)'을 떠올리게 한다.

오답 해설

① 쓴 것이 다하면 단 것이 온다는 뜻으로, 고생 끝에 즐거움이 옴을 이르는 말

② 떨어지는 꽃과 흐르는 물이라는 뜻으로, 가는 봄의 경치를 이르는 말

③ 같은 병을 앓는 사람끼리 서로 가엾게 여긴다는 뜻으로, 어려운 처지에 있는 사람끼리 서로 가엾게 여김을 이르는 말

④ 온갖 정과 회포를 뜻하는 말

12. ㉢에서는 반어의 표현 방식을 사용하여 임이 자신을 버리고 떠나면 몹시 슬퍼 한없이 울 것이라는 화자의 진심을 우회적으로 드러내면서 그 내면적 의미를 강조하고 있다.

13. 1연의 '말없이 고이 보내 드리'는 행위, 2연의 '아름 따다 가실 길에 뿌리'는 행위, 4연의 '죽어도 아니 눈물 흘리'는 행위의 주체는 모두 시적 화자이지만, 3연의 '사뿐히 즈려밟고 가'는 행위의 주체는 임이다.

14. '죽어도 아니 눈물 흘리우리다'라는 말 속에는 임이 떠난다면 너무나 슬퍼 한없이 울 것이라는 의미와 더불어 임을 보내고 싶지 않다는 화자의 진심이 담겨 있다.

15. 떠나는 사람을 축복하는 역설적인 행동과 죽어도 눈물을 흘리지 않겠다는 반어적 표현을 고려할 때 화자가 궁극적으로 소망하는 것은 사랑하는 임과 이별하고 싶지 않다는 것이다.

16. 이 시의 화자는 이별의 슬픔을 숭고한 자기희생적 사랑으로 승화시키고 있지만, 〈보기〉의 화자에게서는 그런 태도를 찾아볼 수 없다.

오답 해설

② 대상에 대한 연모와 축복은 이 시에 드러나 있다. 〈보기〉에는 대상에 대한 원망의 감정이 드러나 있다.
③ 〈보기〉에는 정중한 부탁이나 기원의 어조가 아니라 위협의 어조가 드러나 있다.
④ 이 시의 '사뿐히 즈려밟고'에 모순 형용이 쓰였다고 볼 수 있지만, 〈보기〉에는 모순 형용이 쓰이지 않았다.
⑤ 이 시는 '진달래꽃'이라는 상징적 시어를 통해 화자의 감정을 에둘러 표현하고 있지만, 〈보기〉에서는 그러한 표현을 찾을 수 없다.

17. 이 시와 〈보기〉 모두 3음보의 리듬으로 이별의 정한이라는 전통적 정서를 표현하고 있다.

2 열보다 큰 아홉

개념 확인 쿡쿡 • 본문 p.018

01. 관용 02. ④ 03. ⑤ 04. ①

01. 관용 표현은 많은 사람이 습관적으로 사용하여 특별한 뜻을 나타내는 표현을 말한다.

02. 관용 표현은 비유적, 함축적 표현을 통해 말하고자 하는 바를 간접적으로 전달한다.

03. 역설은 겉으로는 모순되어 앞뒤가 맞지 않으나, 그 속에 진리가 담긴 표현 방법을 말한다. ①은 중의, ②는 설의, ③은 풍자, ④는 반어에 대한 설명이다.

04. '눈물의 홍수'에는 은유법, 과장법이 쓰였다.

• 확인 문제 • • 본문 p.020

01. ③ 02. ① 03. ④ 04. '아홉'은 '열'보다 적거나 작은 수가 아니다. 05. ⑤ 06. ② 07. ④ 08. 이 세상에 완전한 것은 없다는 사실을 아주 오랜 옛날부터 익히 알고 있었기 때문에, '아홉'은 미래의 꿈과 그 가능성의 수이기 때문에 09. ② 10. ③ 11. ② 12. '아홉'은 미래의 꿈과 가능성을 담고 있는 수이기 때문에 '열'보다 더 클 수 있다.

01. 이 글은 글쓴이의 개인적 생각이 잘 드러나는 수필이다. 사실에 근거하여 객관적으로 써야 하는 글은 설명문이다.

02. (나)에서 '열'은 '이미 이룰 것을 이룩한 완전한 수이며, 성공을 한 수'라고 하였다.

오답 해설

② (나)에서 글쓴이는 '열에 얼마를 더 보태거나 빼거나 한다면 그것은 이미 열이 아닌 다른 수'가 된다고 하였다. 이것이 '열'이 얼마를 더 보태거나 뺄 수 없는 수라는 의미는 아니다.
③ (다)에서 '아홉'은 '두말할 필요도 없이 열보다 하나가 모자라는 수'라고 하였다.
④ '무엇을 하기에 그 이상 좋을 수 없'다는 것은 '십상 좋다'의 뜻으로, '아홉'과는 관련이 없다.
⑤ (다)에서 '아홉'은 '완전에 이를 수 없는 수'가 아니라 '완전에 거의 다다른 수, 거기에 하나만 보태면 완전에 이르게 되는 수'라고 하였다.

03. (다)와 (라)는 모두 시작 부분에 묻고 답하는 방식인 문답법을 사용하여 글쓴이의 생각을 효과적으로 드러내고 있다.

04. (라)에서 글쓴이는 '아홉은 정녕 열보다 적거나 작은 수'가 아니라고 말하면서 그와 관련한 예들을 들고 있다.

05. '십상 좋다'는 '열'이 이미 이룰 것을 이룩한 완전한 수이며, 성공을 한 수라는 것을 보여 주는 예이다.

06. (마)~(아)에서 비슷한 성질이나 모양을 가진 두 사물을 '같이, 같은, 처럼, 듯이, 양' 등의 말로 연결하여 직접 비유하는 표현 방법인 직유법이 쓰인 곳은 찾아볼 수 없다.

오답 해설

① (마)의 '~ 쇠어 왔겠습니까.', (바)의 '~ 뜻이 아니었을까요?'에서 확인할 수 있다.
③ (아)의 '열이란 수가 ~ 아주 끝나 버린 수'와 '아홉은 ~ 그 가능성의 수'에서 확인할 수 있다.
④ (아)의 '아홉은 열보다 많고, 열보다 크고 ~'에서 확인할 수 있다.
⑤ (바)의 '이 세상에 완전한 것은 ~ 익히 알고 있었다는 것입니다.'에서 확인할 수 있다.

07. ㉠은 관용 표현(격언)으로, 먼저 세워진 기록이 절대 불변의 것이라 생각하여 포기하지 말라는 내용을 함축적으로 간결하게 전달하고 있다.

08. 우리 조상들이 숫자 '열'과 '아홉'에 대해 어떻게 생각했는지를 찾아본다.

09. 이 글에서 글쓴이는 다양한 예를 들어 독자가 이해하기 쉽게 자신을 생각을 전달하고 있다.

10. 이 글에서 글쓴이는 꽉 차지 않은 가능성의 수인 '아홉'을 청소년에 대응시켜, 청소년도 아직 완벽하지는 않지만 미래를

향한 가능성이 있는 존재임을 말하고 있다.

11. ㉠에는 문장의 어순을 바꾸어 배치하는 표현 방법인 도치법이 쓰였다. ② 역시 '나라의 운명이 슬프도다.'라는 문장의 어 순을 바꾸어 표현하였다.

오답 해설

①에는 비교법, ③에는 반복법, ④에는 은유법, ⑤에는 직유법이 쓰였다.

12. 글쓴이는 제목의 역설적 표현을 통해 '아홉'은 '열'보다 더 클 수 있다는 자신의 생각을 더욱 강하게 전달하고 있다.

학습 활동 다지기 • 본문 p.023

이해 다지기 문제 **1.** ④ **2.** ㉠ 아홉, ㉡ 열, ㉢ 가능성

목표 다지기 문제 **1.** ③ **2.** ⑤ **3.** ③ **4.** ㉠ 속담, ㉡ 격언 **5.** ④ **6.** ② **7.** (1) ㉢, (2) ㉡, (3) ㉠, (4) ㉣, (5) ㉥, (6) ㉤

이해 **1.** 아쉬움을 느끼게 하는 수'는 '아홉'이다. 나머지는 모두 '열'을 가리킨다.

2. 글쓴이는 '아홉'과 '열'이라는 수가 지닌 뜻에 대해 이야기하면서, 꽉 차지 않은 가능성의 수인 '아홉'을 청소년에 대응시키고 있다.

목표 **1.** 이 글의 제목에는 '역설'의 표현 방법이 쓰였다. '역설'은 모순된 표현 속에 진리를 담고 있는 표현 방법으로(ㄹ), 일반적인 생각이나 상식을 벗어난 표현을 사용함으로써 (ㅁ) 독자에게 신선함을 주고 글쓴이의 생각을 강조하는 효과가 있다(ㄷ).

오답 해설

ㄱ. 실제 뜻과 반대로 표현하는 방법은 '반어'이다. '열보다 큰 아홉'에는 반어가 아니라 역설의 표현 방법이 쓰였다.

ㄴ. '열보다 큰 아홉'의 언어 표현은 논리적으로 모순된 표현이다.

2. 글쓴이가 주장하고 있는 것은 과거의 문화 속에서 우리의 미래를 찾자는 것이지 개발을 중단하고 과거로 돌아가자는 것은 아니다.

3. ③은 '갔지'만 '보내지 아니하였'다는 모순된 표현을 통해 떠나간 임과의 재회에 대한 믿음을 드러내고 있다.

오답 해설

①은 설의, ②는 활유, ④는 과장, ⑤는 반복의 표현 방법이 쓰였다.

4. 관용 표현에는 속담, 관용어, 격언, 명언 등이 있다.

5. 관용 표현은 주어진 상황을 비유적, 함축적으로 표현한다.

6. ②의 '귀를 막고'는 손으로 귀를 막는 행위를 가리키는 것으로, 관용 표현이라 볼 수 없다.

오답 해설

① '어떤 말이 그럴듯하게 여겨져 마음이 쏠리다.'라는 뜻을 지닌 관용 표현이다.

③ '어떤 말이 자기 생각과 맞지 않아 비위가 상하다.'라는 뜻을 지닌 관용 표현이다.

④ '말을 알아듣게 되다.'라는 뜻을 지닌 관용 표현이다.

⑤ '남의 말을 쉽게 받아들이다.'라는 뜻을 지닌 관용 표현이다.

7. ㉠, ㉡, ㉢, ㉣은 관용어 표현, ㉤, ㉥은 속담에 해당한다.

소단원 핵심 문제 • 본문 p.029

01. ④ **02.** ③ **03.** ③ **04.** ④ **05.** ② **06.** 설의법, 당연한 사실을 의문문의 형식으로 표현하여 그 의미를 강조하고 있다. **07.** ② **08.** ③ **09.** ④ **10.** ③ **11.** ② **12.** 역설 **13.** '아홉'은 미래의 꿈과 그 가능성을 담고 있는 수이기 때문에 '열'보다 더 클 수 있다.

01. (마)에 '아홉'이라는 수에 대해 우리 선조들이 가졌던 생각이 나타나 있지만, 서양의 경우와 비교하고 있지는 않다.

오답 해설

① 이 글에서는 꽉 차서 아주 끝나 버린 수인 '열'과 미래의 꿈과 그 가능성의 수인 '아홉'을 대조하여 '아홉'의 가치를 부각하고 있다.

② (다)에서 '구만리장천, 구곡간장, 구절양장' 등의 예를 들어 '아홉'이 '열'보다 적거나 작은 수가 아님을 밝히고 있다.

③ (마)에서 '열보다'라는 말을 되풀이하여 '아홉'이 '열'보다 의미 있는 수임을 강조하고 있다.

⑤ (나)와 (다)의 각 시작 부분에서 문답법을 사용하여 '아홉'이 지닌 의미를 효과적으로 전달하고 있다.

02. (다)에서, 아직 나이가 젊어서 앞으로 어떤 큰일이라도 해낼 수 있는 세월이 충분히 있음을 표현할 때 쓰는 말인 '앞길이 구만리 같다'라는 속담을 찾아볼 수 있다.

03. '아홉'은 '열'보다 하나가 모자라는 수이다. '넘치지도 않고 모자라지도 않는 수'는 '열'이다.

04. (라)에서 글쓴이는 '구만리장천, 구만리 같은 사람, 구곡간장, 구절양장, 구중궁궐, 구사일생, 구천, 구경, 구 층 탑'과 같은 예를 들어 '아홉'이 '열'보다 적거나 작은 수가 아님을 말하고 있다.

05. (마)에서 '아홉'은 '다음, 또 그다음, 그도 아니면 그 다음다음을 바라볼 수 있는, 미래의 꿈과 그 가능성의 수'였기 때문에 우리 선조들이 사랑하였다고 하였다.

06. ㉠은 누구나 쉽게 판단할 수 있는 사실을 의문문의 형식으로 표현한 것이다.

07. (가)를 보면, 아쉬움을 느끼게 하는 수는 '열'이 아니라 '아홉'이다.

오답 해설

① (가)에서 '아홉'은 '열보다 하나가 모자라는 수', 즉 '완전에 거의 다다른 수'라고 하였다.

③ (라)에서 '이 세상에 완전한 인간은 결코 어디에도 있을 수 없다'고 하였다.

④ (다)에서 우리의 조상들은 '모든 일에 완벽함을 기대하지 않았다'고 하였다.

⑤ (나)에서 동양에서는 '오랜 옛날부터 열보다 아홉을 더 사랑했'다고 하였다.

08. 이 글을 통해 '열'이라는 수가 지닌 의미는 알 수 있지만, '열'과 같은 존재가 되려면 어떤 노력을 기울여야 하는지는 알 수 없다.

09. (바)에서 글쓴이는 '행여 무엇이 남들보다 모자란 것이 아닌가 싶어서 스스로 괴로워하고 외로워하고 서글퍼해 온 학생'에게 '열'보다 '아홉'을 더 사랑해 보라고 권유하고 있다.

10. 다음 문단에 나오는 '모든 기록이 반드시 깨어지기 마련인 것은'을 통해 짐작할 수 있다.

11. ㉡에서는 반복법을 사용하여 '아홉'이 '열'보다 가치 있음을 강조하고 있다. ②에서도 시어나 시구의 반복을 통해 화자의 정서를 강조하고 있다.

오답 해설

①에는 의인법, 직유법, ③에는 반어법, 도치법, ④에는 설의법, ⑤에는 영탄법, 도치법이 쓰였다.

12. '오래된 미래'에는 표면상으로는 모순되지만 그 속에 진리가 담긴 표현 방식, 즉 역설의 표현 방식이 쓰였다.

13. '열보다 큰 아홉'의 표면적 진술과 내면에 함축된 의미를 생각해 본다.

3 양반전

개념 확인 콕콕 • 본문 p.032

01. 풍자 **02.** ② **03.** ②

01. 풍자란 어떤 대상이나 현상을 비꼬아서 부정적으로 표현하는 방법이다.

02. 풍자는 대상을 직접적으로 비판하는 것이 아니라 비웃음, 말장난, 시치미 떼기, 과장 등 간접적인 방법으로 돌려서 우스꽝스럽게 그려 비판하는 표현 방식이다.

03. 비생산적인 글 읽기만 좋아하고, 경제적으로 무능력한 양반의 모습을 비판하고 있다.

• 확인 문제 • • 본문 p.034

01. ② **02.** ④ **03.** ⑤ **04.** 양반, 것이구려 **05.** ① **06.** ③ **07.** ⑤ **08.** 벙거지를 쓰고 짧은 잠방이를 입고 길에 엎드려 '소인'이라고 지칭하며 군수를 감히 쳐다보지도 못하였다. **09.** ④ **10.** ④ **11.** ⑤ **12.** 부자는 오른편 높직한 자리에 서고, 양반은 공형의 아래에 섰다. **13.** ⑤ **14.** ⑤ **15.** ③ **16.** 하늘이 백성을 낳을 때 백성을 넷으로 구분하였다. **17.** ⑤ **18.** ③ **19.** ⑤ **20.** 나를 장차 도둑놈으로 만들 작정인가.

01. 이 글은 조선 후기 신분제가 동요되던 당시 몰락해 가던 양반의 무능한 모습을 잘 보여 주고 있는 소설이다.

오답 해설

①, ③ 이 글은 무능한 양반을 풍자하는 데 초점을 둔 글이다.

④ 이 글에서 풍자하고 있는 대상은 경제적으로 무능한 양반 계층이다.

⑤ 가난한 양반이 관아의 곡식을 타먹고 갚지 못하는 사건을 통해 시대 상황을 상당히 구체적으로 드러내고 있다.

02. 가난하여 관아의 곡식을 타다 먹은 것은 양반의 무능한 모습을 보여 주는 사건으로, 이 소설의 주된 풍자의 대상이 된다.

오답 해설

① 글 읽기가 실생활 문제 해결에 도움이 되지 않는다는 점에서 풍자의 대상이 될 수 있으나 글 읽기를 좋아한다는 것만으로 풍자의 대상이 되기 어렵다.

② 양반에 대해 군수가 예를 갖추는 모습이다.

⑤ 양반의 아내가 역정을 낸 것은 양반의 무능함을 비판한 것으로 풍자의 대상이 되지 않는다.

03. 양반의 아내는 양반의 무능함에 대해 비판적인 입장을 갖고 있다. 따라서 글 읽기보다는 현실적으로 먹고사는 문제가 더 중요하다는 말을 해 줄 수 있을 것이다. ⑤는 배가 불러야 체

면도 차릴 수 있다는 뜻으로, 먹는 것이 중요함을 비유적으로 이르는 말이다.

오답 해설

① 자기의 처지가 더 어려움을 이르는 말
② 아무리 살림이 어려워도 사람은 그럭저럭 살아갈 수 있다는 말
③ 조금 주고 그 대가로 몇 곱절이나 많이 받는 경우를 이르는 말
④ 강한 자들끼리 싸우는 통에 약한 자가 중간에 끼어 피해를 입게 됨을 이르는 말

04. 양반 아내의 마지막 말 속에 양반에 대한 풍자 의식이 직접적으로 잘 드러나 있다.

05. 부자가 가족들과 의논하며 하는 말로 볼 때 양반은 아무리 가난해도 늘 귀하게 대접받았음을 알 수 있다.

오답 해설

② ④ '나는 아무리 부자라도 항상 천하지 않느냐'라는 부자의 말을 통해 알 수 있다.
③ ⑤ 마을에 사는 부자가 양반 대신 관곡을 갚고 양반 신분을 산 것에서 알 수 있다.

06. 부자가 가족들과 의논하는 부분을 보면 신분이 미천하여 사람들로부터 천대와 수모를 받는 것 때문에 양반의 신분을 사고자 함을 알 수 있다.

07. (바)에 나타난 군수의 말을 보면 부자가 양반의 어려움을 도와준 것을 의롭고 어진 일로 평가한다는 것을 알 수 있다.

오답 해설

① 이 글의 작가는 양반을 비판하는 입장을 가지고 있는데 군수는 양반을 비판하고 있지는 않다.
② 부자를 칭송하고 있는 것은 맞지만, 양반을 비판하고 있지는 않다.
③ 군수는 양반 매매 증서를 몸소 나서서 작성하고 있는데, 이는 지조 있는 선비의 모습과는 거리가 멀다.
④ 어려움에 처한 양반을 도와주는 인물은 군수가 아니라 부자이다.

08. 양반이 관곡을 갚은 것을 놀랍게 생각한 군수가 양반을 찾아가자 양반은 평민들의 옷차림을 하고 군수를 감히 쳐다보지도 못하였는데, 이는 자신의 신분을 부자에게 팔았기 때문이다.

09. '매관매직'은 돈이나 재물을 받고 벼슬을 시키는 것을 뜻한다. 이 글에서 부자가 양반의 관곡을 대신 갚아주고 양반을 사는 것도 일종의 매관매직에 해당하는 행위라고 할 수 있다.

10. 증서의 '막걸리를 들이켠 다음 수염을 쭈욱 빨지 말고'라는 구절을 보면 막걸리를 멀리해야 하는 것은 아님을 알 수 있다.

오답 해설

① 증서를 작성하는 데 모든 계층의 사람들을 다 불러모았다는 뜻이다.
③ 양반은 여러 가지로 일컬어진다는 뜻이다.
④ 무관과 문관을 통칭하여 양반으로 일컫는다는 의미이다.
⑤ 양반이 지켜야 할 법도에 해당한다.

11. ⑤는 아무리 궁하거나 다급한 경우라도 체면을 깎는 짓은 하지 아니한다는 말로, 체면을 중시하는 양반의 모습을 나타낸다.

오답 해설

① 잘 먹은 체하며 이를 쑤신다는 뜻으로, 실속은 없으면서 무엇이 있는 체함을 이르는 말
② 아무리 재주가 뛰어나다 하더라도 그보다 더 뛰어난 사람이 있다는 뜻으로, 스스로 뽐내는 사람을 경계하여 이르는 말
③ 윗사람이 잘하면 아랫사람도 따라서 잘하게 된다는 말
④ 일에는 일정한 순서가 있고 때가 있는 것이므로, 아무리 급해도 순서를 밟아서 일해야 함을 비유적으로 이르는 말

12. 군수가 증서를 작성하기 위해 각계각층의 사람들을 모이게 한 부분을 보면 양반과 부자가 서 있는 위치가 서로 달라졌음을 알 수 있다.

13. 증서의 내용을 다 듣고 난 부자가 한 말 속에 그 이유가 들어 있다. 부자는 양반이 신선 같다고 들었는데 막상 증서의 내용에는 양반이 지켜야 할 법도와 규범만이 있을 뿐 자신에게 이익이 될 만한 내용이 없기 때문이다.

오답 해설

① 부자가 말한 '재미'의 뜻은 즐거운 삶의 의미가 아니라 실제 이익이 되는 삶이라는 뜻이 담겨 있다.
② 부자는 미천한 신분으로 인해 천대받는 것을 벗어나기 위해 양반을 산 것이지 자신의 명예를 지키기 위해 양반을 산 것은 아니다.
④ 부자는 양반이 자신에게 실제적 이익을 주기를 바라고 있다.
⑤ 증서와 관계없이 양반을 산 것 자체가 미천한 신분에서 벗어난 것이다.

14. ㉢과 ㉣은 양반이라는 지위를 이용하여 일반 백성들을 수탈하는 횡포에 해당한다.

15. 문과의 홍패가 그야말로 '돈 자루'라는 것은 문과에 급제하여 벼슬을 얻게 되면 그 벼슬을 이용하여 돈을 벌 수 있다는 뜻이다. 즉 '돈 자루'는 벼슬을 이용하여 이익을 얻을 수 있음

을 풍자적으로 표현한 말이다.

16. 두 번째 증서의 첫 문장에서 '백성을 넷으로 구분하였다.'의 '넷'에 해당하는 것이 '사농공상'이다.

17. 이 글은 조선 후기 양반 계층의 무능력과 위선적 태도를 풍자한 소설이다. 부자의 말을 통해 양반에 대한 부정적인 시각을 알 수 있으며(ⓒ), 돈으로 양반을 사는 것을 통해 신분 제도가 동요되었음을 알 수 있다(ⓓ).

오답 해설

ⓐ '반어'란 표현의 효과를 높이기 위하여 실제와 반대되는 뜻의 말을 하는 것으로 못난 사람을 보고 '잘났어.'라고 말하는 것 등이다.

ⓑ 이 글은 소설로 등장 인물은 작가의 상상력에 의해 창조된 인물이다.

18. 이 글에서 부자는 양반의 실체를 깨닫고 양반을 비판하며 양반 되기를 포기하고 있을 뿐, 신분 제도에 저항하고 있지는 않다.

오답 해설

① 부자는 돈으로 양반을 사서 신분 상승을 꾀하고자 하였다.

② 부자가 양반 되기를 포기한 이유는 증서를 통해 양반의 실체를 깨닫게 되었기 때문이다.

④ 부자가 양반 되기를 포기하며 한 말인 '도둑놈'이라는 말에는 양반의 횡포에 대한 직설적인 비판이 드러나 있다.

⑤ 마지막에 군수가 읽어주는 증서의 내용을 듣고 양반 되기를 포기하였다.

19. '도둑놈'은 증서에 나타난 양반의 모습에 대해 직설적으로 비판한 말이다.

20. 부자가 증서를 중지시키며 한 말 속에 양반에 대한 직설적인 비판이 담겨 있다.

학습 활동 다지기

• 본문 p.039

이해 다지기 문제 **1.** ㉡, ㉣ **2.** ⑤

목표 다지기 문제 **1.** ④ **2.** ① **3.** ④

이해 **1.** 부자는 신분을 사서 양반이 되려고 하였지만, 양반의 실상을 알게 되면서 양반 되기를 포기하게 되는 인물이다. 군수는 신분 거래를 조정하는 역할을 하고 있지만 결국에는 부자로 하여금 양반 되기를 포기하게 만들었으므로 부자의 신분 상승을 지원하고 있다고 볼 수는 없다.

2. 이 글에서 양반의 아내는 군수가 아니라 남편인 양반을 꾸짖고 있다.

오답 해설

① ② 양반이 갚을 능력도 없으면서 계속 관곡을 빌려 먹게 되자 그것을 갚기 위해 부자에게 양반 신분을 팔려고 한 것이므로 적절한 질문이다.

③ 군수는 부자가 첫 번째 증서를 마땅치 않게 생각하자 부자가 원하는 대로 증서를 다시 고쳐 쓰게 된 것이므로 질문의 내용으로 적절하다.

④ 부자는 돈이 많아도 신분이 미천하여 다른 사람들에게 무시를 당하고 괄시받는 것이 싫어서 양반 신분을 사려고 하는 것이므로 적절한 질문으로 볼 수 있다.

목표 **1.** 양반이 자신의 신분을 팔아 빚을 갚는다는 것은 기존 신분제의 질서를 그대로 수용한다는 의미이므로 양반이 신분제의 모순을 깨닫지 못하는 것이 비판의 대상이 될 수는 없다.

오답 해설

이 글에서 비판의 대상이 되는 양반의 모습은 첫 번째 증서와 두 번째 증서에 잘 드러나 있다. 첫 번째 증서에서는 양반의 허례허식, 체면과 형식을 중시하는 태도, 공허한 관념, 현실에 전혀 도움이 되지 않는 생활 태도를 비판하고 있다. 두 번째 증서에서는 양반의 부당한 특권, 서민층에 대한 비도덕적인 수탈, 위선적인 태도 등을 비판하고 있다.

2. 풍자를 통해 비판하면 힘 있는 양반을 우스꽝스럽게 그려 낼 수 있으며, 이를 통해 부정적인 대상과 사회 현실을 은근하게 폭로할 수 있게 되는데 이를 통해 읽는 이에게 쾌감을 줄 수 있다.

3. 이 그림은 식탁 위에서 모든 가족이 스마트 기기를 앞에 놓고 기도하는 모습을 통해 과도한 스마트 기기의 사용과 이에 따른 가족 간의 대화 부재를 풍자하고 있다.

오답 해설

① 가족 이기주의란 사회 구성원의 주된 관심사가 가족 집

단의 유지에 국한되어 모든 가치가 이를 중심으로 결정되는 것을 말하는데, 그림과는 직접적인 관련이 없다.
② 그림의 내용만으로 이를 물질만능주의와 관련짓기 어렵다.
③ 스마트 기기와 정보화 사회는 관련성이 있으나 비도덕적인 모습과 관련짓기는 힘들다.
⑤ 스마트 기기가 등장하기는 하나 부모와 자녀 간의 갈등 상황은 찾아보기 어렵다.

소단원 핵심 문제 • 본문 p.043

01. ⑤ **02.** ② **03.** 어질고 글 읽기를 좋아하며 **04.** ② **05.** ② **06.** 사사로이 팔고 사더라도 증서를 해 두지 않으면 소송의 꼬투리가 될 수 있기 때문이다. **07.** ③ **08.** ① **09.** ① **10.** ③ **11.** ⑤ **12.** ② **13.** ① **14.** ③ **15.** 양반이 되면 이익이 있을 줄 알았는데 증서의 내용을 듣고 양반은 도둑이나 다름없다면서 양반 되기를 포기하였다. **16.** ③

01. 이 글에 나타난 양반 신분의 매매는 신분제가 동요되던 조선 후기의 사회상을 보여 주는 사건이다.

오답 해설
① 부자가 아니라 양반을 통해 지배 계층의 특권을 보여 주고 있다.
② 양반 신분의 매매가 이루어지는 현실은 반영되어 있으나 양반 계층의 몰락 과정이 나타나 있지는 않다.
③ 신분 제도가 붕괴되던 시대적 현실이 나타나 있기는 하지만 당시의 신분 제도를 직접적으로 비판하고 있지는 않다.
④ 부자는 양반의 신분을 사려는 인물로 특별히 양반과 갈등 관계에 있는 인물은 아니다.

02. (가)에서 양반의 아내는 경제적으로 무능한 양반을 비판하고 있다.

오답 해설
① 양반이 해마다 관아의 곡식을 꾸어다 먹었다는 것은 경제적으로 무능한 양반의 모습을 나타내는 것이다.
③ 부자의 말에서 양반과 양반이 아닌 계층은 신분에 따라 차별을 받았다는 것을 알 수 있다.
④ 부자가 양반 대신 관곡을 갚아주고 양반 신분을 사는 것을 통해 신분 매매의 사회상을 알 수 있다.
⑤ 부자에게 양반의 신분을 팔고 난 후 벙거지를 쓰고 짧은 잠방이를 입은 것은 몰락한 양반의 모습을 드러내는 것이다.

03. 성품이 어질고 선비로서의 본분인 글 읽기를 좋아한다는 것은 양반에 대한 긍정적인 평가가 반영된 부분이라 할 수 있다.

04. 양반 아내는 양반의 경제적인 무능함을 '한 푼어치도 안 되는' 양반이라며 신랄하게 비판하고 있다.

오답 해설
① 경제적으로 무능한 양반의 모습을 나타내는 표현이다.
③ 신분 매매의 사회상이 반영된 구절이다.
④ ⑤ 신분을 팔고 난 양반의 초라한 행색을 나타낸다.

05. 부자는 아무리 돈이 많아도 멸시받고 천대받는 처지를 벗어나기 위해 돈으로 양반 신분을 사려고 하였다(ⓐ). 이에 대해 군수는 부자의 행동을 재물에 인색함이 없으니 의로운 일이며, 남의 어려움을 도와주니 어진 일이라며 칭송하고 있다(ⓓ).

오답 해설
ⓑ 양반이 자신의 신분을 판 것은 더 많은 재물을 얻기 위해서가 아니라 그 동안 꾸어다 먹은 관곡을 갚기 위해서이다.
ⓒ 군수가 양반 신분 매매와 관련하여 증서를 작성한 것은 맞지만 신분제 폐지를 주장한 것은 아니다.

06. 군수는 부자가 양반 신분을 사려는 것을 높이 칭송하면서 소송의 꼬투리가 되지 않도록 하기 위해 증서를 작성하려고 한다.

07. 배고픔을 참고 추위를 견딘 것은 양반으로서 지켜야 할 도리라고 할 수는 있지만, 백성들을 위한 행동이라고 하기는 어렵다.

오답 해설
① 글을 읽으면 선비라고 하였으므로 새벽에 일찍 일어나서 책을 읽는 것은 선비의 태도라고 볼 수 있다.

08. 군수는 부자가 양반을 산 행동을 높이 칭송하고 있다. '부자이면서 ~ 지혜로운 일이다.'에 부자를 칭송하는 이유가 잘 드러나 있다.

09. '온고지신'은 '옛것을 익혀 새것을 안다.'라는 뜻이다.

오답 해설
② 고생 끝에 낙이 온다는 의미
③ 많으면 많을수록 더 좋다는 의미
④ 남의 허물도 나에게 교훈이 된다는 의미
⑤ 말이 없어도 마음이 서로 통한다는 의미

10. ㉢은 돈벌이와 관련된 일을 천시하는 양반의 모습으로 풍자의 대상이 된다.

11. 이 글의 풍자 대상은 부자가 아니라 양반들의 공허한 관념과 비생산성, 특권 의식이다.

오답 해설

① 첫 번째 증서를 듣고 부자는 자신에게 실질적인 이익이 되도록 증서를 바꾸어 달라고 말하고 있는 것으로 볼 때 부자는 양반이 되면 실질적인 이익이 많을 거라고 생각했음을 알 수 있다.

②④ 바꾼 증서의 내용을 듣고 부자는 부자 되기를 포기하였다.

③ 증서의 내용을 보면 궁한 양반이 시골에 묻혀 있어도 이웃의 소를 끌어다 쓰는 등 특권을 누렸음을 알 수 있다.

12. (나)의 증서는 양반의 부당한 특권, 서민층에 행하는 비도덕적인 수탈, 위선적 태도 등을 비판하고 있다.

13. 부자는 양반이 신선 같다고 들었다고 하였는데, 이로 미루어 양반이 다른 사람들의 칭송을 받았다고 추측하는 것은 적절하지 않다.

오답 해설

②, ③ 문과의 홍패는 돈자루나 다름없다는 구절로 미루어 추측할 수 있다.

④ '양반의 이익은 막대하니~ '라는 구절로 미루어 추측해 볼 수 있다.

⑤ '궁한 양반이 시골에 묻혀 살아도~'라는 문장을 통해 추측할 수 있다.

14. '무위도식'은 아무것도 하지 않고 빈둥거리며 노는 모습으로 ㉠을 드러내기에 적절하다.

오답 해설

① 미리 준비가 되어 있으면 근심이 없다는 말

② 억지로 자기에게 이롭도록 꾀한다는 말

④ 크게 될 인물은 오랜 공적을 쌓아 늦게 이루어진다는 말

⑤ 화가 바뀌어 오히려 복이 된다는 말

15. 이 글에서 부자는 양반에 대한 기대감을 갖고 증서를 바꾸어 달라고 하였는데, 증서에 나타난 양반의 모습이 도둑이나 다름없자 양반 되기를 포기하고 있다.

16. 이 글과 〈보기〉는 모두 풍자의 방법으로 현실을 우회적으로 비판하고 있다. 연민과 동정을 불러일으켜 웃음을 유발하는 표현 방식은 해학이다.

대단원 확인 문제

• 본문 p.048

01. ③ **02.** ④ **03.** ③ **04.** 죽어도 아니 눈물 흘리우리다 / 속뜻 – 눈물을 많이 흘리겠습니다. **05.** ④ **06.** ④ **07.** ④ **08.** ② **09.** ④ **10.** 미래의 꿈과 그 가능성을 믿고 살아갑시다(살아가자). **11.** ⑤ **12.** ⑤ **13.** 양반은 밤낮 울기만 한 채 해결 방법을 찾지 못하다가 부자에게 양반을 팔아 관곡을 갚았다. **14.** ③, ④ **15.** ③ **16.** ③ **17.** ① **18.** ④ **19.** ⑤ **20.** ③ **21.** 부자가 양반 사는(되는) 것을 포기하게 만든다. **22.** ④ **23.** ④ **24.** 이 세상에 완전한 것은 없다는 사실을 알고 있었기 때문이다. **25.** ④ **26.** ④ **27.** 작가의 생각을 효과적으로 전달한다. **28.** ④ **29.** ① **30.** 아홉은 '열'보다 적거나 작은 수가 아니다. **31.** ① **32.** ④

01. 이 시는 임과의 이별을 가정한 상황에서 반어적 표현을 써서 임이 떠나지 않기를 바라는 소망을 표현하고 있다. 1연에서 화자는 이별의 상황을 가정하면서 체념하고 있으며, 2연에서는 떠나는 임에 대한 축복을, 3연에서는 원망을 뛰어넘는 희생적 사랑을 드러내 보이고 있다. 또한, 4연에서는 이별의 슬픔을 참아내는 모습을 드러내고 있다.

02. 이 시는 3음보의 민요적 율격이 나타난다.

오답 해설

①, ② 1연과 4연에서 '나보기가 역겨워/가실 때에는'이라는 시구가 반복되어 나타난다.

③ 1, 3, 4연은 각각 1행이 일곱 자, 2행이 다섯 자, 3행이 일곱 자, 다섯 자로 끊어 읽히며 전체적으로 7 · 5조의 음수율을 형성하지만, 2연은 1행이 다섯 자, 2행이 네 자, 3행이 여덟 자, 다섯 자로 끊어 읽히며 변형을 보인다. 2연에서 이러한 운율의 변조는 시의 리듬에 변화를 주면서 읽는 이의 주의를 환기하며 시의 정서를 심화시킨다.

⑤ '~우리다'라는 어미가 반복되어 나타나고 있다.

03. 이 시에서 '진달래꽃'은 임을 향한 말하는 이의 사랑과 애절한 마음을 드러내는 소재이다.

오답 해설

① ㉠은 이별의 상황을 가정하고 있는 표현이다.

② ㉡은 이별을 체념하고 수용하는 태도를 드러내는 표현이다.

④ ㉢은 임의 앞날을 축복하는 행위를 드러내는 표현이다.

⑤ ㉤은 자기희생을 의미하는 표현이다.

04. 〈보기〉는 반어의 뜻과 표현 효과에 대한 설명이다. 이 시에서 '죽어도 아니 눈물 흘리우리다.'라는 시구는, 속으로는 눈

물을 많이 흘리겠다는 반대의 의미가 들어 있는 반어적 표현에 해당한다.

05. 이 글은 숫자 '열'과 '아홉'을 비교, 대조하고 있으며, 다양한 예를 제시하여 독자의 이해를 돕고 있다.

06. 이 글에서 예시가 쓰인 곳은 (나), (라), (마), (바)이다. (나)에서는 숫자 '열'의 특징을 뒷받침하기 위해 '십상 좋다'라는 예를 들고 있으며, (라), (마), (바)에서는 '아홉'에 대한 글쓴이의 생각을 뒷받침하기 위해 예를 들고 있다.

07. ㉠, ㉡ 모두 자문자답의 형식으로 표현되어 있다.

08. 글쓴이는 청소년 시기를 숫자 '아홉'이 갖는 의미에 빗대어, 청소년 시기는 '아홉'이라는 수처럼 아직 완전하지는 않지만 미래를 향한 가능성이 있다고 말하고 있다.

09. 글쓴이는 (다)에서 '모든 기록을 깨어지기 위해서 있다.'라는 관용 표현(격언)을 활용하고 있으며, (나)에서는 '아홉'이 '열'보다 많고 큰 수라는 논리적 모순을 활용하고 있다.

10. (라)에서 글쓴이는 '아홉'은 미래의 꿈과 그 가능성의 수라고 말하면서, (마)에서는 청소년들에게 이제부터라도 '열'이란 수보다 '아홉'이라는 수를 더 사랑해 보라고 말하고 있다.

11. ㉠은 관용 표현으로 관용 표현의 의미를 제대로 알려면 표현이 사용된 맥락이나 상황을 함께 파악하는 것이 중요하다.

12. 양반이 어질고 글 읽기를 좋아한다는 것은 이 글의 내용과 일치하지만, 마을 사람들의 존경을 받았다는 것은 이 글에 나타나 있지 않다.

13. (나)에서 '양반 역시 밤낮 울기만 ~ 찾지 못하였다.'에는 현실 문제 해결에 무능한 양반의 모습이 잘 드러나 있고, (라)에는 부자에게 신분을 팔아 관곡을 갚은 행동이 나타나 있다.

14. 〈보기〉의 '장죽'은 양반의 신분을 나타내는 소재이이다. 이 글에서 '벙거지'와 짧은 '잠방이'는 양반이 자신의 신분을 팔고 난 후 신분이 낮아진 모습을 드러내는 소재들이다.

15. 군수가 양반 매매 증서를 써 주면서 사사로이 팔고 사더라도 증서를 해 두지 않으면 소송의 꼬투리가 될 수 있다고 한 말로 미루어 볼 때 ⓐ는 추측이 가능하다. ⓓ는 관곡을 타다 먹은 양반이 그것을 갚지 못해 양반 신분을 파는 모습을 통해 추측이 가능하다.

16. 야비한 일을 끊고 옛일을 본받고 뜻을 고상하게 한다는 것은 양반으로서 인품을 드높이는 일로 볼 수 있으므로 긍정적인 평가라고 할 수 있다.

17. 이 글에서 군수는 남의 어려움을 도와준 부자의 행동을 칭송하고 있다.

18. 부자는 증서에 나타난 양반의 부당한 특권, 서민층에 향하는 비도덕적인 수탈, 위선적 태도를 보고 양반 되기를 포기하고 있다.

19. 증서의 내용으로 인해 부자는 양반 되기를 포기하게 되지만, 신분 제도의 모순을 깨닫게 되는 것은 아니며 이로 인해 절망하게 되는 것도 아니다.

오답 해설

①, ② 부자는 1차 증서의 내용을 듣고 실망했기 때문에 군수에게 자신에게 이익이 되도록 증서 내용을 바꾸어 달라고 말하였다.
③ 2차 증서의 주된 내용은 양반의 무위도식, 백성들에 대한 수탈과 횡포이다.
④ '도둑놈'이라는 말에는 양반에 대한 직접적인 비판이 들어 있다.

20. ㉠에는 사람은 태어날 때부터 계층이 정해져 있다는 관점이 나타난다. 그런데 ③에 는 '왕후장상의 씨 없다'에 드러나듯이 모든 인간이 평등하다는 의식이 나타나 있다.

21. 군수는 겉으로는 무능한 양반을 대신하여 빚을 갚아 준 부자를 칭찬하고 양반 매매를 공식적으로 승인하는 자세를 취하는 듯하지만, 실제로는 부자가 양반이 되는 것을 은근히 방해하고 있다.

22. (가)의 '죽어도 아니 눈물 흘리우리다'와 (나)의 '다시 말하면, 이 세상에 ~ 익히 알고 있었다는 것입니다.'라는 부분에서 문장의 순서를 도치하여 그 의미를 강조하고 있다.

오답 해설

① (가)만 운율이 느껴지는 시이다.
② (나)만 역설의 표현이 사용되었다.
③ (가)에서는 임에 대한 영원한 사랑을 반어의 방법으로 강조하여 표현의 효과를 높이고 있다.
⑤ (다)는 부정적인 현실이나 대상을 넌지시 돌려 비판함으로써 웃음을 유발하고 있다.

23. 3음보가 일정하게 나타나기는 하지만, 정형시(원래 존재하는 형식적 틀에 맞추어 창작된 시)가 아니라 자유시이다.

오답 해설

① 1연과 4연이 같은 내용으로 이루어져 있다.

② 여성 화자를 내세워 애절한 감정을 강조하고 있다.

③ 각 연은 3행으로 이루어져 있는데, 각 행의 길이가 연마다 일정하다.

⑤ '이별의 정한'이라는 우리 민족의 전통적인 정서를 3음보 민요조 율격에 담아내고 있다.

24. '모든 일에 완벽함을 기대하지 않았다'는 문장에 담긴 의미를 풀이한 부분에서 답을 찾으면 된다.

25. ①, ②, ③, ⑤는 양반의 체면과 허례허식에 대한 풍자, ④는 백성을 괴롭히고 수탈하는 양반의 모습에 대한 풍자로 볼 수 있다.

26. ㉠은 증서의 내용으로 양반의 비생산성과 허례허식을 보여주는 행동이다. ④는 양반의 자식은 어려서부터 남과 달리 훌륭하게 자란다는 말로 ㉠을 드러내기에는 적절하지 않다.

오답 해설

① 양반은 위신을 지극히 생각한다는 말

② 양반은 체통을 차리느라고 없는 기색을 내지 아니한다는 말

③ 아무리 궁하거나 다급한 경우라도 체면을 깎는 짓은 하지 아니한다는 말

⑤ 아무리 위급한 때라도 체면을 유지하려고 노력한다는 말

27. 문학 작품에서는 작가의 의도를 효과적으로 드러내기 위해 다양한 표현 방식을 활용한다.

28. ④에는 이 시와 마찬가지로 반어적 표현이 사용되었다. 나에게 그대를 생각하는 일은 매우 중요한 일인데 이를 사소한 일이라고 반어적으로 표현하여 강조하고 있는 것이다.

오답 해설

① '갈대'를 사람처럼 표현한 의인법이 사용되었다.

② '구름'을 '장미'에 빗댄 은유법이 사용되었다.

③ '괴로웠던'과 '행복한'을 병치한 모순 형용이 사용되었다.

⑤ '생의 감각'이란 추상적 의미를 구체화한 표현이 사용되었다.

29. ①은 (다)처럼 탐관오리의 횡포와 농민들의 고초를 드러내고 있는 시이다.

오답 해설

② 고려의 충신 정몽주가 이방원의 〈하여가〉에 답하기 위해 쓴 시조로, 백골이 흙먼지가 되고 혼까지 없어진다 해도 고려의 신하된 도리를 다하겠다는 비장한 각오를 다진 시조이다.

③ 낙엽 위에 앉아 돋아오는 새달을 바라보면서, 박주산채를 벗삼아 이 밤을 유쾌히 보내리라는 내용의 시조이다.

④ 대나무를 의인화하여 고려 왕조에 대한 절개를 나타낸 시조이다.

⑤ 가을에 홀로 피는 국화를 지사(志士)의 절개에 비유하여 기린 노래이다.

30. 구만리장천, 구곡간장, 구절양장, 구중궁궐, 구사일생 등의 예를 통해 글쓴이는 '아홉'이라는 수가 결코 '열'보다 적거나 작은 수가 아니라는 말을 하고 있다.

31. '구사일생'은 아홉번 죽을 뻔하다 한 번 살아난다는 뜻으로, 여러 차례 죽을 고비를 겪고 간신히 목숨을 건짐을 이르는 말이다.

32. 이 글에서 부자가 현실 개혁 의지를 갖고 있다고 보기는 어렵다.

2 발음은 정확히, 글은 바르게

• 본문 p.057

확인 문제 **01.** 정확한 국어 생활을 할 수 있으며, 다른 사람과의 의사소통을 원활하게 할 수 있기 때문이다. **02.** ⑤ **03.** ②

01. 표준 발음법에 따른 정확한 발음은 정확한 국어 생활과 원활한 의사소통을 가능하게 한다.

02. 자신의 의도를 정확하게 전달하면서도 상대방의 말에 귀를 기울여야 한다.

03. 글을 완성하기 전에도 수시로 고쳐쓰기를 할 수 있다.

1 정확한 발음과 표기

개념 확인 콕콕 • 본문 p.058

01. 의사소통, 표준 발음법 **02.** ② **03.** ㉠ 솥 ㉡ 가르쳐 주신

02. 표준어를 정확하게 발음하고 표기하여 원활한 의사소통을 할 수 있다.

03. 지식이나 정보, 기술 등을 알게 하는 것은 '가르치다'이다.

• 확인 문제 • • 본문 p.060

01. ③ **02.** ⑤ **03.** 영지가 [대그로]로 발음해야 할 것을 [대구로]로 발음하여 '대구로' 간 것으로 민호가 오해했기 때문이다. **04.** ③ **05.** ③, ⑤ **06.** ④ **07.** ⑤ **08.** ② **09.** ⑤ **10.** ① **11.** ① **12.** ⑤ **13.** ① **14.** ⑤ **15.** [장:녜식짱], [예식짱], [예의/예이] **16.** ① **17.** ④ **18.** [지여게], [대설주의:보] / [대설주이:보] **19.** ③ **20.** ③ **21.** ⑤ **22.** ③ **23.** ③ **24.** ④ **25.** ⑤ **26.** ① **27.** ③ **28.** ㉠ [키윽], ㉡ [닥따], ㉢ [집], ㉣ [밷:따] **29.** ① **30.** ③ **31.** ⑤ **32.** ④ **33.** ④ **34.** ③ **35.** ㉠ 넓둥글다 ㉡ 밥:따 ㉢ 넙쭈카다 **36.** ② **37.** ⑤ **38.** ⑤ **39.** ① **40.** 달게게는 **41.** ⑤ **42.** ① **43.** ② **44.** ③ **45.** ⑤ **46.** ⑤ **47.** ④ **48.** ㉠ 쐐러 → 쐬러, ㉡ 되서 → 돼서, ㉢ 쫴면서 → 쬐면서 **49.** ④ **50.** ③ **51.** (1) 졸일 → 조릴, 조린다 → 졸인다 (2) 곱배기 → 곱빼기 (3) 제단해야 → 재단해야 **52.** ② **53.** ② **54.** ① **55.** 낳지 → 낫지. 문맥상 미선은 개의 병이 치유되지 않았다는 의미를 전달하려 했던 것이므로 '낳지'가 아니라 '낫지'로 표기해야 바른 표기가 되기 때문이다. **56.** ③ **57.** ㉠ 왠일 → 웬일 ㉡ 웬지 → 왠지

01. 표준어와 방언은 우열 관계에 있는 것이 아니라 동등한 지위를 갖고 있으며 각각 장단점을 지닌다.

오답 해설

④ 표준어는 교양 있는 사람들이 두루 쓰는 현대 서울말로 정함을 원칙으로 하므로 표준어를 사용하는 것은 교양을 갖추고 있음을 알려 주는 표지가 된다.

02. 〈보기〉의 사례는 잘못 발음하여 의사소통에 혼란이 일어난 예이다.

03. 영지의 잘못된 발음으로 의사소통에 문제가 생긴 상황이다.

04. '역사'에서 'ㄱ' 뒤에 오는 'ㅅ'은 된소리로 발음된다.

오답 해설

① 가시[가시], ② 소주[소주], ④ 주꾸미[주꾸미], ⑤ 공짜[공짜]가 옳은 발음이다.

05. '되어[되여], 피어[피여], 이오[이요], 아니오[아니요]'는 예외적으로 표준 발음으로 인정한다.

오답 해설

①, ④ '골짜기'와 '구겨진'은 어두 경음화가 허용된 단어가 아니므로 [꼴짜기], [꾸겨진]으로 발음하지 않는다.
② '기역'은 표기대로 발음하는 것이 옳다.

06. '거꾸로'는 어두 경음화가 표준 발음으로 인정되지 않는다.

오답 해설

① 불법[불법/불뻡], ② 교과서[교:과서/교:꽈서], ③ 효과[효:과/효:꽈], ⑤ 인기척[인기척/인끼척]은 복수 발음이 허용된 경음화의 예이다.

07. '례'는 [례]로 발음해야 한다.

08. '계산[계:산/게:산], 예절[예절], 개폐[개폐/개페], 은혜[은혜/은헤]'로 발음된다.

09. '의'로 쓰여 단어 첫 글자에 나오는 경우에는 [ㅢ]로 발음되므로, '의사'는 [의사]'로 발음해야 한다.

오답 해설

① 자음을 첫소리로 가지는 'ㅢ'는 [ㅣ]로 발음되므로 '꽃무늬'는 [꼰무니]로 발음해야 한다.
② 조사 '의'는 [ㅢ, ㅔ]로 발음되므로 '우리의'는 [우리의/우리에]로 발음해야 한다.
③ '의'로 쓰였으나 단어 첫글자로 나오지 않는 경우는 [ㅢ, ㅣ]로 발음되므로 '주의'는 [주의/주이]로 발음해야 한다.

④ 자음을 첫소리로 가지는 'ㅢ'는 'ㅣ'로 발음되므로, '희망'은 [히망]으로 발음해야 한다.

10. '의리'는 [의리]로만 발음된다.

11. 같은 대상을 서로 다르게 발음하는 등의 현상으로 의사소통에 문제가 생길 수 있다.

오답 해설

'개성 표현', '또래 문화 형성', '정서 표현', '집단의 결속력 고취' 등은 표준 발음의 기능으로 보기 어렵다.

12. 단어 첫 글자에 나오는 'ㅢ'는 [ㅢ]로만 발음한다.

13. '예'와 '례'의 'ㅖ'는 [ㅖ]로만 발음된다.

14. '예, 례'의 'ㅖ'는 [ㅖ]로 발음해야 하므로 '허례'는 [허례]로 발음해야 한다.

오답 해설

'예, 례' 이외의 'ㅖ'는 [ㅖ]로 발음하는 것이 원칙이지만 [ㅔ]로 발음하는 것도 허용되므로 ① 계산이[계:사니/게:사니], ② 폐지[폐:지/페:지], ③ 예산을[예:사늘], ④ 세계[세:계/세:게]로 발음해도 된다.

15. '예'와 '례'의 'ㅖ'는 표기대로 발음하여야 하며, 단어의 첫 글자 이외의 'ㅢ'는 [ㅣ]로도 발음할 수 있다.

16. '예, 례' 이외의 'ㅖ'는 [ㅖ]로 발음하는 것이 원칙이지만, [ㅔ]로 발음하는 것도 허용되므로 '계주'는 [게:주]로 읽을 수 있다.

17. '센바람'은 [센:바람]으로 발음해야 한다.

19. 받침소리로는 'ㄱ, ㄴ, ㄷ, ㄹ, ㅁ, ㅂ, ㅇ'의 7개 자음만 발음된다.

20. 음절의 끝소리로 발음되는 자음은 'ㄱ, ㄴ, ㄷ, ㄹ, ㅁ, ㅂ, ㅇ'이다.

21. 겹받침 'ㄳ'은 음절의 끝에서 'ㄱ'으로 발음되므로 '몫'은 받침소리가 [ㄱ]으로 발음된다.

오답 해설

'ㅌ, ㅊ, ㅈ, ㅅ'은 음절의 끝에서 받침소리가 'ㄷ'으로 발음된다. ① 솥[솓], ② 꽃[꼳], ③ 빚[빋], ④ 옷[옫]

22. '시옷'은 [시옫]으로 발음한다.

23. 숲 → [숩], 낮 → [낟]으로 발음되므로 표기와 발음이 같지 않다.

24. 'ㅆ, ㅈ'의 대표음은 [ㄷ]이다.

25. 쫓다[쫃따]. 'ㅊ'은 음절의 끝소리에서 [ㄷ]으로 발음된다.

26. '아빠'는 표기대로 발음된다.

오답 해설

'ㄱ, ㄴ, ㄷ, ㄹ, ㅁ, ㅂ, ㅇ' 이외의 받침들은 대표음으로 바뀌어 발음된다. ②는 꽃잎[꼳닙 → 꼰닙], ③은 먹고[먹꼬], ④는 무릎[무릅], ⑤는 시옷[시옫]으로 발음된다.

27. '잣'은 [잗]으로 발음한다.

28. 음절의 끝소리로 발음되는 자음은 'ㄱ, ㄴ, ㄷ, ㄹ, ㅁ, ㅂ, ㅇ'의 일곱 개로 'ㅋ, ㄲ은 [ㄱ], ㅍ은 [ㅂ], ㅌ은 [ㄷ]'으로 발음해야 한다.

29. 'ㄺ'은 뒤 자음이 소리나는 겹받침으로 '읽다'는 [익따]로 발음해야 한다.

30. 'ㄺ'은 일부 예외(용언이 활용할 때 'ㄱ' 앞에서 [ㄹ]로 발음)를 제외하고는 뒤 자음이 소리 나는 겹받침이므로 '맑다'는 [막따]로 발음된다.

오답 해설

'ㄼ', 'ㅀ', 'ㄶ', 'ㅄ'은 모두 앞 자음이 소리 나는 겹받침으로 짧다[짤따], 뚫다[뚤타], 끊다[끈타], 값지다[갑찌다]로 발음한다.

31. 'ㄿ'은 뒤 자음이 소리 나는 겹받침이므로 '읊고'는 [읖꼬] → [읍꼬]로 발음하는 것이 옳다.

오답 해설

①, ③ 'ㄼ'과 'ㄾ'은 앞 자음으로 소리 나는 겹받침이므로 떫다[떨:따]와 핥다[할따]로 발음하는 것이 옳다.
② 'ㄺ'은 일부 예외(용언이 활용할 때 'ㄱ' 앞에서 [ㄹ]로 발음)를 제외하고는 뒤 자음이 소리 나는 겹받침이므로 '늙지[늑찌]'로 발음하는 것이 옳다.
③ 'ㄾ'은 앞 자음이 발음되므로 핥다[할따]로 발음하는 것이 옳다.
④ 'ㄼ'은 '밟-' 뒤에서는 예외로 뒤 자음이 소리 나므로 '밟고[밥:꼬]'로 발음하는 것이 옳다.

32. 'ㄺ'은 용언으로 활용할 때 'ㄱ' 앞에서 [ㄹ]로 발음되므로 '맑고'는 [말꼬]로 발음해야 한다.

33. 받침 'ㄼ'은 본래 [ㄹ]로 발음하는 것이지만 '밟다'의 '밟-' 뒤에 자음이 오는 경우는 [ㅂ]으로 발음하여 [밥:따]가 된다.

34. '밝다'의 받침 'ㄺ' 뒤에 'ㄱ'이 아닌 'ㄷ' 자음이 오므로 [박따]로 발음된다.

36. '넓다[널따], 넓둥글다[넙뚱글다]'로 발음되므로, ㉠은 [ㄹ]로, ㉡은 [ㅂ]으로 소리 난다.

37. '을'과 '에'는 조사이므로 받침이 제 음가대로 뒤 음절 첫소리로 옮겨 발음된다. '앞'은 실질 형태소이므로 '닭'의 받침이 대표음으로 바뀌어서 뒤 음절 첫소리로 옮겨 발음된다.

38. 받침 있는 말 뒤에 실질적인 의미가 없는 모음으로 시작하는 말이 올 때에는 앞 받침을 뒷말의 첫소리로 발음한다. 따라서, '꽃이'는 [꼬치]로 발음된다.

오답 해설

'ㅌ, ㅅ(ㅆ), ㅈ'은 음절의 끝에서 [ㄷ]으로 소리 난다. ①은 긋다[귿따], ②는 갔다[갇따], ③은 맞다[맏따], ④는 밭도[받또]로 소리 난다.

39. '여덟을'은 [여덜블]로 발음해야 한다.

오답 해설

② 겹받침 뒤에 모음으로 시작되는 실질 형태소가 연결되는 경우에는 겹받침을 대표음으로 바꾸어서 뒤 음절 첫소리로 옮겨 발음한다.

③~⑤ 겹받침이 모음으로 시작되는 형식 형태소와 결합할 때에는 뒤엣것만을 뒤 음절 첫소리로 옮겨 발음한다.

40. '닭' 뒤에 실질적인 의미를 갖지 않는 모음이 오므로 겹받침 중 뒤의 'ㄱ'은 뒤 음절의 첫소리로 발음한다.

41. 홑받침이나 쌍받침이 모음으로 시작되는 말과 결합되면 원래의 소리대로 뒤 음절의 첫소리로 옮겨서 발음한다. 따라서 '햇볕을'은 [해뼈틀]로 발음해야 한다.

42. '밟-'은 자음 앞에서 [밥]으로 발음하므로 [밥:꼬]로 발음해야 한다.

43. ㉡은 '넓고 넓은[널꼬널븐]', ㉢은 '값을[갑쓸]', ㉣은 '몫 외에[모괴에]'로 발음해야 한다.

44. 겹받침 뒤에 모음으로 시작되는 실질 형태소가 연결되는 경우에는 겹받침을 대표음으로 바꾸어서 뒤 음절 첫소리로 옮겨 발음하므로 '닭 울음'은 [다구름]으로 발음해야 한다.

오답 해설

① 뒤에 오는 말이 의미를 안 지니므로 원래의 소리 그대로 이어져 '팥을[파틀]'로 발음해야 한다.

② 뒤에 오는 말이 실질적인 의미를 지니므로 받침이 대표음으로 바뀐 뒤(꽃 → 꼳) 이어져 '꽃 위에[꼬뒤에]'로 발음해야 한다.

④ 뒤에 오는 말이 실질적인 의미를 지니므로 받침이 대표음으로 바뀐 뒤(맛 → 맏/ 없는 → 업는 → 엄는) 이어져 맛없는[마덤는]으로 발음해야 한다.

⑤ 'ㅎ'은 모음으로 시작되는 어미가 오는 경우 'ㅎ' 소리가 탈락되므로 '쌓은[싸은]'으로 발음해야 한다.

45. 'ㅚ' 뒤에 '-어, -었-'이 어울려 'ㅙ, ㅙㅆ'으로 될 적에도 준 대로 적는다.

46. ⑤에서 '돼는'은 '되+는'이므로 '되는'으로 써야 옳다.

47. '뵈어요'를 준 대로 적으면 '봬요'가 된다.

48. ㉠ '쐬다'는 '쏘이다'의 준말이므로 '쐬러'로 표기해야 한다. ㉡ '되어서'의 준말은 '돼서'이므로 '되서'를 '돼서'로 고쳐야 한다. ㉢ '쬐다'는 '쪼이다'의 준말이므로 '쬐면서'로 표기해야 한다.

49. ① '차돌박이', ② '된장찌개', ③ '주꾸미', ⑤ '오이소박이'가 바른 표기이다.

50. '조림'과 '졸임'은 발음이 같아 표기를 혼동한 사례에 해당한다.

52. ②는 다른 사람의 말을 전달하는 표현이므로 적절하다.

오답 해설

'-데'는 과거에 직접 경험한 내용을 표현할 때 쓰고, '-대'는 남의 말이나 경험을 전달하는 표현이므로 ①은 '내린대', ③은 '떠난대', ④는 '매진이데', ⑤는 '보이데'로 바꾸어 써야 바른 표기가 된다.

53. ②는 다른 사람의 말을 전하는 것이므로 '온대?'로 표기해야 한다.

54. ①은 어떤 일이 이루어지기를 바라는 마음이 담겨 있다. 따라서 '바램'이 아니라 '바라다'의 명사형인 '바람'이 쓰이는 것이 옳다.

55. '낳지'는 문맥상 '낫지'를 잘못 표기한 것이다.

56. ①, ②는 '왜 그런지 모르게 또는 뚜렷한 이유도 없이'의 의미이므로 '왠지'로, ④는 '어찌 된 일'의 의미이므로 '웬일'로, ⑤는 '어떠한'의 의미이므로 '웬'으로 바꾸어 써야 한다.

57. ㉠ '어떠한 일'의 의미이므로 '왠일'을 '웬일'로 고쳐 쓰는 것이 맞다. ㉡ '왜 그런지 모르게'의 의미이므로 '웬지'를 '왠지'로 고쳐 쓰는 것이 맞다.

창의·융합 활동

• 본문 p.075

01. ③ **02.** ③ **03.** 꼬츠로도

01. 표기와 발음에 대한 글쓴이의 주장이 드러나 있지만 이를 상징적 언어로 제시하지는 않았다.

02. 표기는 누구나 쉽게 그 발음을 알 수 있도록 해야 함을 주장

하는 글이다. 따라서 글쓴이는 맞춤법에 어긋나게 표현하는 것을 긍정하고 있지 않다.

03. '꽃' 뒤에 모음으로 시작하는 조사가 오므로 받침소리를 연음하여 발음한다.

소단원 핵심 문제 • 본문 p.078

01. ⑤ 02. ④ 03. ① 04. ① 05. ① 06. ③ 07. ① 08. [포겸특뽀], [계:속 / 게:속], [비스타겐따] 09. ③ 10. ③ 11. ⑤ 12. ㉠ [마딛따 / 마싣따] ㉡ [마덥따], ㉢ [머딛따 / 머싣따] 13. ③ 14. ② 15. ③ 16. ① 17. ② 18. ③ 19. ① 20. ⑤ 21. ① 22. [말꼬 널꼬발근], [밥:꼬] 23. ④ 24. ⑤ 25. ② 26. ③ 27. ③ 28. ②

01. 'ㅢ'가 단어 첫 글자에 나오는 경우에는 항상 [ㅢ]로 발음해야 한다.

02. 표기는 조사의 의미가 명확히 드러나도록 써야 한다.

03. ①은 [기억]으로 발음해야 한다.

오답 해설

'피어[피여], 되어[되여], 이오[이요], 아니오[아니요]'는 예외적으로 표준 발음으로 인정한다.

04. ①은 '밭[받]'으로 발음해야 한다.

05. 'ㄱ, ㄷ, ㅂ' 소리 뒤에 오는 'ㄱ, ㄷ, ㅂ, ㅅ, ㅈ' 소리는 된소리로 발음된다. ㉡ 늦봄[늗뽐], ㉣ 공짜[공짜], ㉤ 돌솥밥[돌솓빱]

06. 자음을 첫소리로 가지는 'ㅢ'는 [ㅣ]로 발음하는 것이 원칙이므로, '희망'은 [히망]으로 발음해야 한다.

07. '예'와 '례'를 제외한 나머지 경우에 'ㅖ'가 나오면 [ㅔ]로 읽을 수 있다.

오답 해설

② '예'는 [예]로만 발음해야 한다.

③ '경신'은 표기대로 발음해야 한다.

④ 둘 이상의 실질 형태소가 결합하여 이루어진 합성어 중에서, [ㅎ] 음이 첨가되어 발음되는 단어는 소리 나는 대로 (뒤 단어의 첫소리를 거센소리로) 적도록 하였다. 따라서 '안팎'으로 표기해야 한다.

⑤ 모음 'ㅡ'를 원순모음으로 발음하지 않도록 주의해야 한다.

08. 받침소리는 다음 모음 소리 앞에서 연음된다(포겸특뽀). '예, 례' 이외의 'ㅖ'는 [ㅔ]로도 발음한다.(계:속 / 게:속). 받침소리 'ㄷ' 이 뒤 음절 첫소리 'ㅎ'과 결합되는 경우에는 [ㅌ]으로 발음된다.(비스타겐따)

09. 'ㅊ'의 대표음은 [ㄷ]이다.

10. ①은 [비츨], ②는 [나치], ④는 [바틀], ⑤는 [해뼈테/핻뼈테]로 발음해야 한다.

11. '옷'은 뒤에 자음이 오거나 단독으로 발음될 때, 또 뒤에 실질 형태소인 모음이 올 때에는 음절의 끝소리 규칙의 적용을 받으나 뒤에 형식 형태소인 모음이 올 때에는 음절의 끝소리 규칙의 적용을 받지 않는다.

12. 받침 뒤에 모음 'ㅏ, ㅓ, ㅗ, ㅜ, ㅟ' 들로 시작되는 실질 형태소가 연결되는 경우에는, 대표음으로 바꾸어서 뒤 음절 첫소리로 옮겨 발음한다. 다만, '맛있다, 멋있다'는 [마싣따], [머싣따]로도 발음할 수 있다.

13. '넓다[널따]'의 '넓-'은 [널]로 발음한다. 다만 '넓죽하다', '넓둥글다', '넓적다리'는 [넙쭈카다], [넙뚱글다], [넙쩍따리]로 발음한다.

14. ②는 '닭이[달기]'로 발음해야 한다.

15. 받침 뒤에 모음으로 시작되는 음절이 올 경우 그 모음이 조사나 어미 등의 형식 형태소일 경우에는 받침소리가 다음 음절의 첫소리로 발음된다. 그러나 뒤에 오는 음절이 실질 형태소일 경우에는 받침소리가 음절의 끝소리 규칙의 적용을 받은 후 다음 음절의 첫소리로 발음된다. 그러므로 '꽃이'는 [꼬치]로, '꽃 안에'는 [꼬다네]로 발음해야 한다.

16. '값을[갑쓸]'의 겹받침 'ㅄ' 중 'ㅂ'은 앞말의 끝소리로, 'ㅅ'은 뒷말의 첫소리로 발음해야 한다. 이 경우 'ㅅ'은 된소리로 발음한다.

17. '넓적한, 엊저녁, 깍두기, 적잖은'으로 써야 한다.

18. '맑다'의 경우 어간 말음인 'ㄺ'은 자음 'ㄷ' 앞에서 [ㄱ]으로 발음한다.

19. '맑고'는 [말꼬]로 앞의 자음 'ㄹ'이, '맑다'는 [막따]로 뒤의 자음 'ㄱ'이 발음된다.

20. '위', '아래'는 실질적인 의미를 가지므로 받침소리는 'ㄷ'으로 나고, '에'는 조사로 실질적인 의미를 가지지 않으므로 앞뒤 말을 이어서 'ㅌ' 그대로 발음된다.

21. 'ㅎ'이 'ㄱ, ㄷ, ㅈ'과 결합되는 예이다. '놓고[노코], 좋던[조:턴], 쌓지[싸치]'으로 발음된다.

22. 용언의 어간 말음 'ㄺ'은 'ㄱ' 앞에서 [ㄹ]로 발음한다. 겹받침 'ㄼ'은 어말 또는 자음 앞에서 [ㄹ]로 발음한다. 다만 '밟-'은 자음 앞에서 [밥:]으로 발음한다.

23. '죄었다'를 준 대로 적으면 '쬈다'가 된다.

24. '주꾸미'가 바른 표기이다.

25. 각각 ①은 '잘하던데', ③은 '춥더라', ④는 '가든지 오든지', ⑤는 '배든지 사과든지'로 바꾸어 써야 한다.

26. '낳다'는 '배 속의 아이, 새끼, 알을 몸 밖으로 내놓다.', '낫다'는 '병이나 상처 따위가 고쳐져 본래대로 되다.'의 의미이다.

27. ①은 '부쳤어', ②는 '나았어', ④는 '묻고', ⑤는 '바람'으로 고쳐 써야 옳은 표기가 된다.

28. ②는 '어찌 된'을 의미하는 '웬'으로 써야 한다.

2 쓴 글을 돌아보며

개념 확인 콕콕 • 본문 p.082

01. 이해 **02.** 흐름, 문장 **03.** ② **04.** ⑤

01. 고쳐쓰기를 할 때에는 독자의 수준이나 흥미도를 고려해야 한다.

03. 글을 완성하기 전에도 수시로 고쳐쓰기를 할 수 있다.

04. 글쓴이의 지식을 드러내는 것이 아니라 읽는 이가 쉽게 이해할 수 있도록 글을 써야 한다.

• 확인 문제 • • 본문 p.084

01. ⑤ **02.** ② **03.** ③ **04.** ④ **05.** ① **06.** ③ **07.** ④ **08.** 사람들이 현실적인 이익을 얻기 위해 공부하고 있다는 요지의 문단이므로 도덕적 성장을 위해 공부한다는 내용은 어울리지 않는다. **09.** 마지막 문장 → 그것은 지난번에 성적이 많이 올라 휴대 전화를 바꿀 수 있었고 더는 공부해야 하는 필요성을 느끼지 않게 되었기 때문이었다. **10.** ② **11.** ① **12.** 지금은 내가 장차 무엇이 될지, 무엇을 해야 할지 모른다. / 지금은 내가 장차 무엇이 될지, 무엇을 해야 할지 좀처럼 알지 못한다. **13.** ⑤ **14.** ② **15.** ⑤ **16.** ② **17.** ⑤ **18.** ② **19.** 스스로 미래에 대한 대비를 모두 할 수는 없다. **20.** ① **21.** ③ **22.** ② **23.** ⑤ **24.** ⑤ **25.** ④ **26.** ④ **27.** ② **28.** '비만이'를 '비만 인구가'로 고쳐야 한다. **29.** ④ **30.** ① **31.** ⑤ **32.** ④ **33.** ③ **34.** 제롬의 노력의 목표는 오로지 알리사의 덕에 견줄 만한 청년이 되는 것뿐이었고, 그러기 위해서 제롬은 속세의 온갖 즐거움을 내버리고 성서에서 가르치는 '좁은 문'으로 들어가는 괴로움을 따르지 않으면 안 되었다.

01. 독자의 이해를 돕기 위해 독자에 맞는 적절한 어휘를 사용해야 한다.

02. 글을 쓰는 중에도 계속해서 고쳐쓰기를 할 수 있다.

03. 주제는 글 전체를 아우를 수 있어야 한다.

04. 학생을 대상으로 공부해야 하는 까닭을 말하고 있는 글이다.

05. 읽는 이가 쉽게 이해할 수 있는 제목으로 정하는 것이 좋다.

06. 표기나 띄어쓰기가 잘못된 단어가 없는지 살펴보는 것은 문장 수준에서 고쳐 쓰는 방법이다.

07. 〈보기〉의 내용은 공부를 해야 하는 진정한 까닭에 해당하므로 (다)와 (라)의 사이에 넣어 결론을 이끌어 내는 근거로 삼는 것이 적절하다.

09. 공부에 대한 의욕이 떨어진 것은 더 이상 현실적인 이익이 없었기 때문이므로 마지막 문장은 그와 같은 취지가 담긴 문장으로 고쳐 써야 한다.

10. 한 문단에 하나의 중심 생각을 드러내기에 적절한 내용이 들어가 있는지 확인해야 한다.

11. '공부해서'와 '공부를 하는'이 중복되므로 둘 중 하나를 삭제하여 표현하는 것이 적절하다.

오답 해설
② 주어는 생략되어 있다.
③ 부적절한 단어가 쓰이지는 않았다.
④ 수식어와 피수식어의 관계는 자연스럽다.
⑤ 주어가 생략되어 있지만, 의미 파악이 어렵지 않다.

12. '좀처럼'은 '여간해서는'의 뜻을 갖는 부사로 부정문 형태의 서술어와 호응한다.

13. 문장 성분을 지나치게 생략하면 문장의 의미를 제대로 나타낼 수 없다.

14. 반드시 글을 완성한 후에 고쳐쓰기를 해야 하는 것은 아니다.

15. 동일한 내용이 반복될 경우 삭제한다.

16. 문단 내의 통일성을 점검하는 것은 문단 수준의 고쳐쓰기에 해당한다.

오답 해설
①, ③, ⑤ 글 전체 수준에서 고려할 점이다.
④ 문장 수준에서 고려할 점이다.

17. 학교 신문에 실을 글이니 공식적인 표현을 사용하는 것은 좋지만, 독자를 고려해 어려운 표현은 쉽게 고치는 것이 좋다.

18. 공부를 하면 얻을 수 있는 현실적 이익은 중요하지 않은 내용이므로 더 이상 자세하게 언급할 필요가 없다.

19. 마지막 문장은 공부를 하는 것이 미래를 위한 가장 좋은 대비가 된다고 말하고 있는 것이다. 즉 미래를 위한 대비 중 가장 좋은 것이란 뜻이다. 이와 같은 취지를 고려하여 문장을 변형하면 된다.

20. 대한비만학회와 국민건강보험공단의 조사 등을 근거로 청소년 운동 공간 확보의 필요성을 주장하고 있다.

오답 해설

② 핵심 용어의 개념을 풀이하고 있지는 않다.
③ 전문적 지식을 전달하는 것이 아닌 주장을 펼치는 글이다.
④ 현상의 원인을 다양한 관점에서 살피고 있지는 않다.
⑤ 경험을 바탕으로 한 사례는 나타나지 않는다.

21. 청소년 운동 공간 확보의 필요성을 주장하는 글로, 주장의 근거로 청소년 비만의 심각성 등을 언급하였다.

22. 성인 비만에 대한 내용은 주제에서 벗어난 것이므로 글에서 다룰 필요가 없다.

23. 청소년 비만의 주요 원인으로 운동 부족만을 꼽고 있다.

24. 청소년 비행 문제는 주제에서 벗어난 내용이므로 다루지 않는 것이 좋다.

25. 운동이 청소년 비만 해소에 효과가 있다는 내용을 다룰 필요가 있다.

오답 해설

① 성인 비만을 다루고 있지 않다.
② 비만과 학습 능률의 관계는 주제에서 벗어난 내용이다.
③ 비만 외의 건강을 해치는 생활 습관은 주제에서 벗어난 내용이다.
⑤ 비만 외의 각종 질병에 대한 내용은 글의 주제에서 벗어난다.

26. 글을 쓸 때에는 하나의 주제를 중심으로 한 편의 글을 작성하여야 한다.

27. 이 글은 글쓴이의 주장을 담은 논설문이므로 객관적인 근거를 바탕으로 글쓴이의 주장이 잘 드러나도록 써야 한다.

오답 해설

①은 식사문, ③은 문학 작품, ④는 설명문, ⑤는 기사문을 쓸 때 주의할 점이다.

28. 문장의 호응을 고려할 때, '급격히 늘고 있다'의 주어는 '비만 인구가'가 되어야 한다.

29. 발자크는 조판을 한 뒤에도 고쳐쓰기를 멈추지 않았다.

30. 이 글은 고쳐쓰기의 효과를 강조하고 있다.

31. 문학 작품은 누구나 아는 익숙한 표현보다는 참신하고 개성적인 표현으로 고치는 것이 좋다.

32. 고쳐쓰기를 한다고 글 쓰는 시간이 단축되는 것은 아니며, 글 내용을 단순화시키는 방향으로만 글을 고쳐 쓸 필요도 없다.

33. 고치기 전에는 주어 '나는'과 서술어 '감정이었다'가 서로 호응을 이루지 않았다.

오답 해설

① 고쳐쓰기 전에도 시제의 호응이 어색하지 않았다.
② 고쳐쓰기 전에도 높임법의 호응이 어색하지 않았다.
④ 목적어 '집을'과 서술어 '바라다본'의 호응은 자연스럽다.
⑤ 문장 도중에 주어가 바뀌지는 않았다.

34. 쉼표를 경계로 앞 절과 뒤 절의 주어가 바뀌고 있는데 바뀐 주어를 생략하면서 비문이 되었다. 뒤 절의 주어인 '제롬은'을 명시해 주어야 한다.

소단원 핵심 문제

• 본문 p.097

01. ③ **02.** 공부하는 까닭 **03.** 또는 공자나 맹자처럼 자기 수양을 위해 공부를 하기도 한다. **04.** ③ **05.** ④ **06.** ② **07.** ② **08.** ② **09.** ⑤ **10.** ②

01. 고쳐쓰기는 글을 쓰는 과정 중에서도 일어나는 활동이다.

02. 진희는 공부를 왜 하는지 모르겠다는 친구들을 대상으로 '공부하는 까닭'에 대한 글을 쓴 것이다.

03. 사람들이 현실적인 이익을 위해 공부한다는 내용의 문단이므로 도덕적 성장을 위해 공부한다는 내용은 어울리지 않는다.

04. '공부해서'와 '공부를 하는'이 중복되므로 고쳐 쓰는 것이 좋다.

05. '요새'는 '요사이'의 준말로 적절한 표현이다.

오답 해설

① '틀리다'는 '셈이나 사실 따위가 그르게 되거나 어긋나다.'라는 뜻이고, '다르다'는 '비교가 되는 두 대상이 서로 같지 아니하다.'라는 뜻이다.

② 사이시옷은 '순우리말로 된 합성어로서 앞말이 모음으로 끝난 경우', '순우리말과 한자어로 된 합성어로서 앞말이 모음으로 끝난 경우'에만 적용하므로, 한자어인 ⓑ '대가'에는 적용되지 않는다.

06. 이 글에서는 '이러한 청소년 비만이 왜 생기는 것일까?'라고 질문하며 독자의 관심을 유도하고 있다(ㄱ). 또한, 대한비만학회와 국민건강보험공단의 조사 결과를 들어 사태의 심각성을 드러내고 있다(ㄹ).

07. ⓒ은 비만과 관련 없는 질병에 대한 내용이므로 삭제해야 한다.

08. 친구들을 대상으로 한 글이므로 어려운 전문 용어를 많이 쓰는 것은 바람직하지 않다.

09. 청소년의 비만 문제를 해결하기 위해 청소년 운동 공간 확보의 필요성을 주장하는 글인데, ⑤는 오히려 운동장의 주차장 활용 가능성을 다룬 내용이므로 적절하지 않다.

10. 결론에서는 자신의 주장 및 앞에서 나온 내용 중 중요한 부분을 강조하는 것이 좋다.

오답 해설

ⓒ, ⓓ 이 글에서는 운동과 비만이 관련이 있음을 주장하고 있으므로 '식습관과 비만'과의 관계를 다루는 것은 통일성을 떨어뜨린다.

대단원 확인 문제 • 본문 p.100

01. ⑤	02. ⑤	03. ④	04. ⑤	05. ①	06. ③
07. ④	08. ③	09. ⑤	10. ⑤	11. ③	12. ④
13. ③	14. ④	15. ⑤	16. ③	17. ②	18. ②
19. ③	20. ①	21. ②	22. ④	23. ①	24. ④
25. ①	26. ④	27. ④	28. ⑤	29. ①	30. ④

31. ⑤ 32. ⑤ 33. 그 밖에도 청소년들은 척추옆굽음증이나 각종 전염병에도 취약한 상태이다. 34. 그리고 35. ④ 36. ③

01. '고깔모자'는 [고깔모자]로 발음해야 한다.

오답 해설

① , ② [김:밥], [교:과서]가 표준 발음이지만 [김:빱], [교:꽈서]도 추가로 표준 발음으로 허용하고 있다.

③ 받침 'ㄱ(ㄲ, ㅋ, ㄳ, ㄺ), ㄷ(ㅅ, ㅆ, ㅈ, ㅊ, ㅌ), ㅂ(ㅍ, ㄼ, ㄿ, ㅄ)' 뒤에 연결되는 'ㄱ, ㄷ, ㅂ, ㅅ, ㅈ'은 된소리로 발음하므로 '국밥'은 [국빱]으로 발음한다.

02. '피어'는 [피어]로 발음하는 것을 원칙으로 하되 [피여]로 발음하는 것도 허용한다.

03. '예술'은 [예:술]로만 발음된다.

04. 단어의 첫 글자인 '의'는 [의]로만 발음되므로, '의의'는 [이이]로 발음될 수 없다.

오답 해설

① '계'와 '의'는 표기대로 발음함이 원칙이다.

② '예'와 '례'를 제외한 'ㅖ'는 [ㅔ]로도 발음할 수 있으므로 '계'는 [게]로 발음할 수 있다.

③ '의'가 단어에서 첫 글자가 아닌 경우는 [ㅣ]로 발음할 수 있으므로 '계몽주의'는 [게몽주이]라고 발음할 수 있다.

④ 조사 '의'는 [에]로 발음할 수 있으므로 [게몽주이에]로 발음할 수 있다.

05. 자음을 첫소리로 가지고 있는 'ㅢ'는 [ㅣ]로 발음하고 [ㅢ]나 [ㅡ]로는 발음하지 않으므로, '희미한'은 [히미한]으로 발음해야 한다.

06. 'ㅢ' 앞에 자음이 오므로 '하늬바람'은 [하니바람]으로 발음해야 한다.

07. 겹받침 다음에 자음이 올 경우 겹받침 중 하나의 음운만이 발음된다.

08. 겹받침 'ㄺ'은 자음 앞에서 [ㄱ]으로 발음하므로 '늙다'는 [늑따]로 발음한다.

09. ① [파틀], ② [무르피], ③ [들:려케], ④ [여덜븐]이 바른 발음이다.

10. '도'와 같이 자음으로 시작하는 조사가 오면 음절의 끝소리 규칙으로 'ㅊ'이 'ㄷ'으로 바뀌어 발음된다.

11. '몫이[목씨]'에서 겹받침 'ㄳ'은 모음 'ㅣ'와 결합하여 뒤엣것인 'ㅅ'이 다음 음절 첫소리로 발음되되, 된소리로 발음된다.

오답 해설

①은 [가써], ②는 [닥꽈], ④는 [박따], ⑤는 [넉또]로 발음된다.

12. 겹받침 'ㄾ'은 어말에서 'ㄹ'로 발음하므로 '외곬'은 [외골]로 발음한다.

13. '용언의 'ㄺ'은 활용을 할 때 'ㄱ' 앞에서 [ㄹ]로 발음하므로 [물꼬]로 발음한다.

14. 받침 'ㄱ(ㄺ), ㄷ, ㅂ(ㄼ), ㅈ(ㄵ)'이 뒤 음절 첫소리 'ㅎ'과 결합되는 경우에도, 역시 두 음을 합쳐서 [ㅋ, ㅌ, ㅍ, ㅊ]으로 발음하므로, '좁히다'는 [조피다]로 발음해야 한다.

15. '위', '아래'는 실질적인 의미를 가지므로 받침 'ㅌ'은 [ㄷ]으로 소리 나고, '에'는 조사로 실질적인 의미를 가지지 않으므로 앞뒤 말을 이어서 'ㅌ' 그대로 발음된다.

16. ㉠은 [꼳빠틀], ㉡은 [흘글], ㉣은 [부어케서], ㉤은 [주얻따]로 발음해야 한다.

17. '육개장'이 바른 표기이다.

오답 해설

① '김치찌개'가 바른 표기이다.
③ '떡볶이'가 바른 표기이다.
④ '설렁탕'이 바른 표기이다.
⑤ '갈치조림'이 바른 표기이다.

18. '깍두기', '담그다', '주꾸미'가 바른 표기이며, '주꾸미'는 [주꾸미]로 발음한다.

19. ③은 '의외의 일'을 의미하는 '웬일'로 써야 한다.

20. ①은 상혁이의 말을 전달하는 표현이므로 '한대'로 적어야 한다.

21. 시간적 여유가 있으면 가능한 한 여러 번 많이 고쳐 쓰는 것이 좋다.

22. '맥락을 고려한 적절한 단어를 사용하였는가?'는 문장 수준에서 점검할 내용이다.

23. 학교 누리집은 공적인 기능을 하므로 이모티콘이나 준말 등을 사용하는 것은 바람직하지 않다.

24. 문단의 중심 내용이 하나인지 확인하는 것은 문단 수준에서의 고쳐쓰기에 해당한다.

25. 친구들을 대상으로 공부를 해야 하는 까닭에 대해 말하고 있는 글이다.

26. ㉣의 내용을 요약한 것은 공부가 미래를 위한 가장 좋은 대비라는 것이다. 나머지는 '처음'과 '중간'에 나온 내용이거나 이 글에 없는 내용이다.

오답 해설

① '중간' 부분에 나온 내용이다.
② 이 글에 나오지 않는 내용이다.
③ '처음' 부분에 나온 내용이다.
⑤ '중간' 부분에 나온 내용이다.

27. 공부를 해야 하는 진정한 까닭을 밝히고 있으므로 ㉡ 뒤에 이어 오는 것이 자연스럽다.

28. 문장과 문장이 자연스럽게 연결되지 않으므로 '그것은 지난번에 성적이 많이 올라 휴대 전화를 바꿀 수 있었고 더는 공부를 해야 할 필요성을 느끼지 않게 되었기 때문이었다.'처럼 앞의 문장과 직접적으로 연관되는 내용을 담도록 고쳐야 한다.

29. 생각이나 느낌 따위가 갑자기 떠오르는 모양을 나타내는 말은 '문득'으로 적고 [문득]으로 발음해야 한다.

30. 주장하는 글은 하나의 주장을 여러 근거를 들어 명쾌하게 펼치는 것이 좋다.

31. 이 글은 대한비만학회와 국민건강보험공단의 조사 결과를 바탕으로 청소년 비만의 문제점을 제시하고 있다.

오답 해설

① 비유적 표현은 쓰이지 않았다.
② 문제의 원인을 살피고 있을 뿐 해결책은 제시되고 있지 않다.
③ 전문가의 말을 인용하고 있지 않다.
④ 청소년 비만의 원인이 운동 부족이라는 자신의 생각을 드러내고 있다.

32. 청소년 운동 공간 확보의 필요성을 주장하는 글이므로 주제문에는 그러한 글쓴이의 주장이 담겨야 한다.

33. (가)의 마지막 문장은 글의 주제와 목적에 맞지 않는 내용이기 때문에 삭제하는 것이 적절하다.

34. 내용이 순접 관계로 자연스럽게 연결되므로 '순접'의 접속어를 쓰는 것이 적절하다.

35. ⓓ '과체중 혹은 비만'은 같은 의미가 아니므로 고칠 필요가 없다.

오답 해설

ⓐ '비만'은 문맥상 정확하지 않은 표현이므로 '비만 인구'로 고친다.
ⓑ '급격이'는 '급격히'로 고친다.
ⓒ '발생율'은 맞춤법에 어긋나므로 '발생률'로 고친다.
ⓔ 띄어쓰기를 고려하여 '얻을 수도'로 고친다.

36. 청소년 운동 공간 확보의 필요성을 주장하는 글로 이를 보강할 때 필요한 자료는 'ㄱ, ㄴ, ㄷ'이다.

4 함께 만드는 의미

• 본문 p.129

확인 문제 **01.** ④ **02.** 의미 **03.** ⑤

01. 듣기와 말하기는 말하는 이와 듣는 이가 서로 소통하여 함께 의미를 만들어 가는 과정이므로 어느 것 하나가 더 중요하다고 말할 수는 없다.

02. 듣기와 말하기는 듣는 이와 말하는 이 사이에서 이루어지는 의미 공유의 과정이다.

03. 원작 이야기의 흐름, 등장인물, 배경 등의 구성 요소가 재구성된 작품에 어떻게 변형되었는지 비교해 보면서 감상하도록 한다. 재구성 작가가 원작 작가와 개인적인 친밀도가 있는지 여부는 작품 감상에서 별로 중요하지 않다.

 듣고 말하며 나누기

개념 확인 • 본문 p.130

01. 판단 **02.** 생각, 대화 **03.** ③ **04.** ④

01. 여학생은 좋은 판단을 하기 위해 평소에 책을 많이 읽어야 한다고 생각하는 반면, 남학생은 생각을 많이 하는 것이 더 좋다고 말하고 있다.

02. 좋은 판단을 하기 위해 갖추어야 할 조건에 관한 생각이 서로 달랐지만 대화를 통해 서로의 생각을 조정해 나가고 있다.

03. 대화는 설득을 포함하여 친교, 해명, 사실 확인 등 다양한 목적으로 이루어질 수 있다. 또한 대화를 통해 자신의 생각, 감정 등을 드러내기도 한다.

04. 대화는 듣는 이와 말하는 이가 서로 소통하여 함께 의미를 만들어 가는 과정이므로 대화 참여자들은 서로 의미를 교섭해 가면서 의미를 새로이 구성해 나가야 한다.

확인 문제 • 본문 p.132

01. ③ **02.** ④ **03.** ① **04.** 이제 많이 어두워졌지? **05.** ② **06.** ⑤ **07.** 오랜 세월을 두고 우정을 쌓고 왕래한 집안 **08.** ④ **09.** ① **10.** 친구에게 배울 점을 찾으라. **11.** ① **12.** ⑤ **13.** ③ **14.** ③ **15.** 그리고, 넘어가고 **16.** ③ **17.** ② **18.** 기한이 아저씨의 전화를 받고 아버지가 나올 것인지의 여부 **19.** ④ **20.** ⑤ **21.** ③ **22.** ④ **23.** ① **24.** ⑤ **25.** ②, ④ **26.** ② **27.** 수준이 맞아야 된다. **28.** ①, ③ **29.** 의미, 내용(주제), 상황 **30.** ② **31.** 우정, 공유 **32.** 저 꼭대기에서부터 아빠와 우정에 관해 대화를 하며 걸어온 길 **33.** ①, ② **34.** ③ **35.** 미래의 모든 세대, 세계 전역의 굶주리는 아이들, 이 행성 위에서 죽어 가고 있는 수많은 동물들 **36.** ③ **37.** ② **38.** ① **39.** ④ **40.** ⑤ **41.** ② **42.** ③ **43.** 전쟁에 쓰이는 모든 돈이 빈곤을 해결하고, 환경 문제를 해결하는 데 쓰인다. **44.** ④ **45.** ⑤ **46.** ④ **47.** 제발, 주십시오 **48.** ② **49.** ⑤ **50.** ① **51.** 환경, 빈곤 **52.** ③ **53.** ③ **54.** ④ **55.** ②

01. 이 글 속의 대화는 아버지와 아들 사이에서 이루어지는 사적인 대화로서 친구를 화제로 대화가 이루어지고 있다.

오답 해설

② 아버지와 아들이 어두워지는 시간에 대관령 산길을 넘어가고 있다.

02. 아버지와 아들 사이에서 이루어지는 사적인 대화이므로 별다른 규칙이 나타나 있지 않다.

03. '죽마고우'는 '대나무 말을 타고 놀던 옛 친구'라는 뜻으로, 어릴 적부터 가까이 지내며 자란 친구를 이르는 말이다.

오답 해설

② 말로써 설명할 수 없는 심오한 뜻은 마음으로 깨닫는 수밖에 없다는 말

③ 반딧불과 눈빛으로 이룬 공이라는 뜻으로, 가난을 이겨내며 반딧불과 눈빛으로 글을 읽어 가며 고생 속에서 공부하여 이룬 공을 일컫는 말

④ 서재에 꼭 있어야 할 네 벗, 즉 종이, 붓, 벼루, 먹을 이르는 말

⑤ '쇠뿔을 바로 잡으려다 소를 죽인다'라는 뜻으로, 결점이나 흠을 고치려다 수단이 지나쳐 도리어 일을 그르침을 이르는 말

04. 아버지와 아들이 대관령 밤길을 넘어가면서 나누는 대화이다.

05. 이 대화에서 아버지는 아들이 궁금해하는 점을 자상하게 답하고 있으며, 아들 또한 아버지의 말에 적절한 반응을 보이는 성실한 듣기, 말하기 태도를 보여 주고 있다.

06. '백 년도 더 되는 아주 오랜 친구'라고 말한 까닭은 아저씨와 아빠가 아빠의 증조할아버지 때부터 4대에 걸친 친구이기 때문이다.

07. ㉡의 바로 뒷부분에 뜻이 풀이되어 있다.

08. 의문문 중에는 상대방이 이미 알고 있는 사항을 의문문의 형식으로 물어 확인하려는 목적으로 사용되는 것이 있는데 여기서 아빠의 질문이 바로 이 목적에 해당하는 의문문이다.

09. 아버지는 어떤 친구를 사귈 것인가에 대하여 옛날이야기 속 진정한 친구를 예로 들어 아들의 이해를 돕고 있다. 또한 아들의 질문에 자신의 생각을 비교적 상세하게 설명해 주고 있다.

10. ㉠의 질문 의도는 옛말에 '친구는 위로 보고 사귀라'라는 말에 대한 아버지의 생각이 무엇인지를 물어보는 것이다. 바로 뒤에 이어지는 아버지의 대답 '자기보다 나은 친구 ~ 찾으라는 이야기인 거야.'에서 핵심 구절은 '친구에게 배울 점을 찾으라.'는 것이다.

11. '근묵자흑'은 먹을 가까이 하면 검어진다는 뜻으로, 나쁜 사람을 가까이하면 그 버릇에 물들기 쉽다는 말이다.

오답 해설

② 마음이 맞아 서로 거스르는 일이 없는, 생사를 같이할 수 있는 친밀한 벗을 의미
③ 큰 그릇은 늦게 이루어진다는 뜻으로, 크게 될 인물은 오랜 공적을 쌓아 늦게 이루어짐을 의미
④ 준비가 있으면 근심이 없다는 뜻으로, 미리 준비가 되어 있으면 우환을 당하지 아니함을 의미
⑤ 외손뼉은 울릴 수 없다는 뜻으로, 혼자서는 어떤 일을 이룰 수 없다는 것을 의미

12. 아버지가 인용한 옛날이야기는 친구가 어려움에 처했을 때 도움을 줄 수 있는 친구가 진정한 친구라는 교훈을 담고 있다.

13. 아들은 아버지의 말을 들으며 적절한 반응을 보이면서 대화에 집중하고 있다. 〈보기〉의 ⓒ는 "성률이 아빠도 아빠한텐 참 좋은 친구예요. 그렇죠?"에서 확인할 수 있다.

14. 대화를 볼 때 성률이 아빠가 택시 영업을 한다는 것과 아버지와 성률이 아빠가 매우 친한 사이라는 것을 알 수 있다. 또한 아버지는 성률이 아빠가 영업하는 차가 그냥 허탕 치면 안 된다면서 택시비를 내려고 했으며, 성률이 아빠는 친구 사이에는 대가 없이도 친구를 위해 무엇인가를 해 줄 수 있다고 하며 택시비를 받지 않았음을 알 수 있다.

15. 눈이 많이 온 어느 설날에 할아버지 집에 가지 못하고 서울에 있던 아버지를 태우고 열네 시간 동안 할아버지 집을 왕래하였던 일을 가리킨다.

16. 의문문 형식이기는 하지만 모르는 사실을 질문하는 것이 아니라 상대방의 생각에 동의하면서 자신의 생각을 확인하려는 의도에서 한 질문이다.

17. 아버지는 친구를 위해 '몸으로 때워 주는 것만큼 힘든 일도 없고, 좋은 친구도 없는 거'라고 하였다. 몸으로 때운다는 것은 기한이 아저씨를 위해 자신의 일을 잠시 미루고 아저씨의 부탁을 들어준 것을 의미한다. 이는 자신의 시간을 친구를 위해 내어준 것과 같은 것이다.

18. 기한이 아저씨가 아버지를 불러냈을 때 올 것인가를 두고 내기를 한 것이다.

19. 기한이 아저씨는 아버지를 위해 언제나 몸으로 무엇인가를 해 주는 친구였지만 아버지는 기한이 아저씨를 위해 그런 적이 한번도 없었다. 그런 상황에서 아버지가 기한이 아저씨의 전화를 받고 그 자리에 나감으로써 비로소 친구를 위해 몸으로 무엇인가를 해 주는 경험을 하게 되었기 때문에 아버지가 내기에서 이겼다고 말한 것이다.

20. 아버지는 무얼 크게 도와주고 힘든 일을 해 주어야만 좋은 친구가 아니라 어떤 일로든 그 사람이 정말 내 친구구나 하는 걸 확인하게 될 때 마음속에 커다란 우정이 쌓인다고 말하고 있다.

21. 이 대화는 '친구'라는 주제로 아버지와 아들 사이에서 이루어지는 사적인 대화이다. 아들은 아버지의 말을 경청하면서 자신이 궁금하게 생각하는 점을 자유롭게 질문하고 있다.

22. 공적인 대화에서는 간혹 청중들이 있을 수 있지만 대부분의 사적인 대화에서는 청중의 존재 여부가 대화의 요소가 되지는 않는다.

23. 이 대화의 주제는 '우정'이다. ⓐ는 '단단하기가 황금과 같고 아름답기가 난초 향기와 같은 사귐'이라는 뜻으로, 아무리 어려운 일이라도 해 나갈 만큼 우정이 깊은 사귐을 이르는 말이다. ⓑ는 '간과 쓸개를 내놓고 서로에게 내보인다'라는 뜻으로, 서로 마음을 터놓고 친밀히 사귐을 이르는 말이다.

오답 해설

ⓒ 준비가 있으면 근심이 없다는 의미

ⓓ 낮에는 농사짓고 밤에는 공부한다는 의미

24. 아버지는 어떤 일로든 그 사람이 정말 내 친구구나 하는 걸 확인하게 될 때 마음속에 다시 커다란 우정이 쌓일 수 있다고 말하고 있다. 이는 서로가 친구라는 사실을 확인시켜 주고 서로를 자랑스럽게 생각할 수 있어야 진정한 친구라는 의미이다.

25. 말하는 이와 듣는 이는 서로를 배려하는 마음을 지녀야 하고, 듣고 말하는 모든 과정에 걸쳐 점검과 조정이 필요하다.

26. 이 대화에서 아버지는 질문을 통해 아들의 말의 구체적인 의미를 확인하는 성실한 듣기 · 말하기 태도를 보이고 있다.

27. '수준'의 의미를 묻는 아버지의 질문에서 알 수 있다.

28. 아버지의 말을 통해 상우는 아버지가 생각하는 우정에 관한 생각을 공유하게 된다. 아버지가 생각하는 우정은 친구임을 확인할 수 있는 계기를 통해 다시 커다랗게 쌓인다는 것, 친구를 가려 사귀되 차별하지 말아야 한다는 것, 그리고 우정이란 친구를 자랑스럽게 여기는 것이다.

29. 말하는 이와 듣는 이가 함께 의미를 만들어 가는 과정을 대화라고 하는데, 듣는 이, 말하는 이, 대화의 내용, 대화가 이루어지는 상황 등이 대화를 구성하는 요소이다.

30. 대화에서 듣는 태도는 말하는 것 못지않게 매우 중요하다. 상대방의 말을 온전하게 들으면서 적절하게 맞장구를 치는 등의 반응을 보이는 것은 대화를 부드럽게 이어가는 데 중요한 요소이다.

31. 아버지와 상우는 '우정'이라는 화제로 이야기를 나누고 있으며 대화를 통해 서로의 생각을 공유하게 되었다.

32. 꼭대기에서 출발하여 아빠와 함께 우정에 관해 이야기하며 걸어온 길을 뜻한다.

33. 연설이 다른 말하기와 가장 큰 차이점은 여러 사람들 앞에서 자신의 주장이나 의견을 말한다는 것이다. 자신의 주장을 설득력 있게 전달하기 위해서는 주장에 대한 타당한 근거를 제시해야 한다.

34. 연설자는 자신의 이름을 밝히고, 자신이 에코 조직의 대표라고 말하고 있다. 또한 에코 조직이 무언가 변화에 기여하려는 모임이라는 말을 통해 조직 결성의 목적을 짐작해 볼 수 있으며, 모금을 통해 필요한 경비를 마련했음을 알 수 있다.

35. 연설자는 미래의 모든 세대를 위해, 세계 전역의 굶주리는 아이들을 대신하여, 죽어 가고 있는 수많은 동물들을 위해 연설대에 섰다고 말하고 있다.

36. 환경 오염으로 인해 햇빛 속으로 나가기가 두렵고 숨 쉬기가 두렵다고 말한 것은 문제의 원인과 결과를 밝혀서 말한 것이다. 또한 환경 오염의 심각성을 '오존층의 구멍, 공기 속의 화학 물질, 암에 걸린 물고기' 등으로 나열하여 말하고 있다.

37. 연설자는 당면한 환경 문제를 화제로 청중으로 참여한 정부의 대표, 기업가, 기자나 정치가인 어른들을 설득하기 위한 목적으로 말하고 있다.

38. 환경 문제 해결을 위해 어른들이 나서야 함을 강력하게 요구하고 있다.

39. 자신이 어린아이일 뿐이라는 말을 반복함으로써 연설을 듣는 어른들의 감정에 호소하여 생각의 변화를 촉구하고 있다.

40. 연설자가 말하고 있는 하나의 목표라는 것은 오염된 환경을 되살리는 것이다. 어른들의 태도를 비판하는 부분에서 어른들이 할 수 없는 방법들이 나열되어 있다.

41. 이 연설은 환경 문제와 전쟁, 그리고 빈곤 문제의 심각성을 알리고 해결 방안을 촉구하려는 목적으로 행해진 공적인 말하기이다. 따라서, 공적인 문제에 관한 연설자의 개인적인 의견과 주장이 들어 있다.

42. [A]에서는 빈곤 문제의 심각성이 잘 드러나 있다.

43. 바로 앞 부분에서 언급한 내용을 바탕으로 서술하면 된다.

44. 아이들에게 착한 사람이 되라고 가르치고 서로 싸우지 말고 자원을 절약하라고 가르치면서 정작 어른들은 정반대의 행동을 하는 것을 비판하고 있다.

45. 환경 문제와 빈곤 문제로 나눌 수 있는데, 굶어 죽어 가는 어린이들의 문제는 빈곤 문제의 상황에 속한다.

46. 아빠의 말씀을 인용하면서 청중들에게 자신의 바람을 간곡하게 호소하고 있다.

47. '행동을 촉구'하려는 연설의 목적이 제일 마지막 문장에 잘 드러나 있다.

48. ㉢은 말한 대로 행동할 것을 촉구하는 데 이와 같은 의미를 지닌 한자 성어는 ②이다.

오답 해설

① 주인은 손님처럼 손님은 주인처럼 행동을 바꾸어 한다는 것으로 입장이 뒤바뀐 것을 의미

③ 상대방의 처지에서 생각해 봄을 의미하는 말

④ 제자가 스승보다 나은 것을 비유하는 말
⑤ 눈을 비비고 다시 보며 상대를 대한다는 뜻으로, 다른 사람의 학식이나 업적이 크게 진보한 것을 의미

49. 이 연설에서 연설자의 가정 형편을 자세하게 알 수 있는 정보는 나타나 있지 않다.

50. 이 연설은 공적인 상황에서 세계 여러 문제의 심각성을 알리고 그 해결을 촉구하고 있다.

51. 이 연설에서 말하는 이는 환경과 빈곤 문제에 대한 해결 방안을 촉구하고 있다.

52. 연설은 주로 공적인 성격이 강하고 듣는 이와 말하는 이가 분명하게 나뉘어지는 반면, 대화는 사적인 성격이 강하고 듣는 이와 말하는 이의 구분이 분명하지 않다. 그러나 둘 다 말하는 이의 생각과 입장을 나타낸다는 점은 공통적인 요소이다.

53. 여러 사람 앞에서 자신의 의사를 전달하기 위해서 말하는 이는 듣는 이의 지식과 수준, 감정과 태도 등을 충분히 고려하고, 듣는 이는 말하는 이의 의도, 전달하고자 하는 핵심 내용들을 파악하며 들어야 한다.

54. 연설을 들은 대상을 어른과 아이로 나누어 반응을 예측해 볼 수 있다. 연설자가 어른들의 행동 변화를 촉구하는 데 초점을 두고 있다는 점을 염두에 두고 답지를 선택해야 한다.

55. 설득적 말하기는 듣는 이의 태도나 행동 등을 변화시키기 위한 말하기로 이를 위해서는 말하는 이의 주장이 타당성 있게 전달되어야 한다. 따라서 이를 위해서는 주장을 뒷받침하는 충분하고 타당한 근거가 제시되어야 한다.

창의·융합 활동

• 본문 p.146

01. ④ **02.** ⓐ 코끼리를 소화시키고 있는 보아뱀 ⓑ 모자 **03.** ④ **04.** ② **05.** ⑤ **06.** 여러분들의, 겁니다 **07.** ④ **08.** ①

01. 어른들은 '나'가 그린 그림의 의미를 제대로 이해하지 못하고 있으며, 이런 어른들에 '나'는 실망감을 느끼고 있다.

02. '나'는 보아뱀이 코끼리를 삼킨 것을 표현하려고 한 것이고, 어른들은 모자 그림으로 이해하고 있다.

03. 어른들에게 그림을 보여 주면서 자신의 그림이 무엇을 표현하려고 했는지 설명하지 않았기 때문에 어른들이 '나'의 그림을 정확하게 이해하지 못한 것이다.

04. '나'는 자신의 그림이 성공을 거두지 못했기 때문에 화가라는 직업을 포기하게 된 것이다.

오답 해설

④ '부연'은 이해하기 쉽도록 자세히 설명을 덧붙이는 것을 말한다.
⑤ '주지'는 주장이 되는 요지나 근본이 되는 중요한 뜻을 말한다.

05. 이 연설은 청소년의 특성을 열대어에 빗대어 설명하고 청소년들에게 따뜻한 보살핌과 사랑이 필요함을 주장하고 있다.

오답 해설

ⓑ 여기에 소개된 열대어의 특성은 연설자의 개인적인 경험에서 우러나온 것이다.

06. 마지막 부분에 청중들에게 당부하는 말이 잘 드러나 있다.

07. 청소년기의 특성이 열대어와 비슷하다는 점을 들어 청소년에 대한 어른들의 따뜻한 관심과 사랑을 촉구하고 있다.

08. 이 연설은 열대어의 특징과 청소년의 특징이 비슷하다는 점을 들어 청소년에 대한 어른들의 관심을 당부하고 있다. 이를 바탕으로 볼 때 '사랑하는 열대어'는 청소년에 대한 비유적 표현이라 할 수 있다.

소단원 핵심 문제

• 본문 p.151

01. ①, ③ **02.** ⑤ **03.** ② **04.** ① **05.** 서로 믿고, 서로 돕고, 서로 위로하고, 서로 힘이 될 수 있는 친구를 말한다. **06.** ② **07.** ① **08.** ③, ④ **09.** 늦은 밤에 아빠가 친구(기한이 아저씨)가 있는 식당으로 간 일 **10.** ② **11.** 어른들께 살아가는 방식을 바꾸지 않으면 안 될 거라는 말씀을 드리기 위하여 **12.** ⑤ **13.** ② **14.** ④ **15.** ⑤ **16.** 전쟁에 쓰이는 모든 돈을 빈곤을 해결하고 환경 문제를 해결하는 데 쓰일 수 있도록 어른들이 노력해 주십시오. **17.** ③ **18.** ③ **19.** ④

01. 대화를 할 때에는 서로를 배려하는 마음을 지녀야 하는데, 이를 위해 듣고 말하는 과정에서 자신의 생각을 점검하고 조정해야 한다.

02. 이 글에서 아버지와 아들은 '우정'을 주제로 이야기를 나누고 있다.

03. ⓐ (나)에서 옛말의 의미를 자신의 입장에서 해석하여 친구를 사귀는 올바른 태도에 대해 말해 주고 있다.
ⓒ "그럼, 어떻게 해요?"라고 묻는 아들의 질문에 대해 아버지는 자상한 태도로 자신의 생각을 들려주고 있다.

ⓓ 이 대화에서 아버지는 진정한 친구에 대해 자신의 경험과 옛날이야기를 들어 자신의 의견을 말하고 있다.

04. (가)는 대화의 도입부로 대화의 공간적 · 시간적 배경이 드러나 있고, 화제가 제시되어 있다.

05. 아버지가 생각하는 진정한 친구의 의미로서, 앞 부분에 ㉠이 지시하는 내용이 잘 드러나 있다.

06. ㉣는 이해 관계를 이모저모 따져 헤아리는 태도로 이와 같은 의미로 쓰이는 고사성어는 ②이다

오답 해설

① 잘못한 사람이 잘 한 사람을 도리어 나무람을 의미하는 말
③ 다른 사람의 하찮은 언행이라도 자기의 지덕을 닦는 데 도움이 됨을 비유하는 말
④ 자기의 이익을 먼저 생각하고 행동함을 의미하는 말
⑤ 말과 행동이 같음을 의미하는 말

07. 이 대화는 '우정'을 화제로 아버지와 아들 사이에서 자유롭게 이루어지고 있으며, 아버지와 아들은 대화를 통해 서로의 생각을 공유하게 된다.

08. 아버지는 자신의 경험을 바탕으로 아들에게 진정한 친구와 우정에 대한 이야기를 들려주고 있다. 따라서 아버지의 말을 통해 둘 사이에서 공유하고 있는 내용을 확인할 수 있다.

09. 아빠의 친구(기한이 아저씨)가 늦은 밤에 아빠에게 전화를 하여 식당으로 불러냈을 때 아빠가 아무 조건없이 친구에게 갔던 일이다. 여기서 시간은 전화가 온 시간 또는 아빠가 약속 장소에 나간 시간을 뜻하며 장소는 아빠의 친구가 있던 곳을 가리킨다.

10. 연설은 공식적인 말하기로서, 연설자가 청중들 앞에서 연설 주제에 대한 자신의 입장을 분명하게 전달하는 말하기이다. 자신의 주장을 설득력 있게 전하기 위해서는 타당한 근거를 들어 말해야 한다.

오답 해설

ⓒ 공적인 성격의 말하기이므로 격식을 갖춘 정중한 말투를 사용하는 것이 바람직하다.

11. 이 연설에서 말하는 이는 어른들이 현재 지구가 당면한 문제를 인식하고 그 해결책을 촉구하기 위한 목적으로 회의에 참석하게 되었다고 하였다.

12. (마)에는 이 연설의 청중들이 정부의 대표, 기업가, 정치가로 참석했다는 사실이 나타나 있다.

13. '죽어 가고 있는 수많은 동물들', '암에 걸린 물고기들', '사라져 버린 동물', '사막이 된 곳' 등은 환경오염의 실태를 보여 주는 사례들이다. 이들의 원인은 오존층 파괴와 같은 환경오염이라고 할 수 있다.

14. 연설자는 어린아이로 연설을 듣는 어른들에게 해결책을 마련할 것을 촉구하고 있다.

15. 이 연설에서 말하는 이는 청중인 어른들을 대상으로 지구의 환경을 지키고 전쟁과 빈곤이 없는 세상을 만들기를 바라고 있다. 그러나 말하는 이의 자기 반성적 태도는 드러나 있지 않다.

16. 말하는 이가 제기한 문제와 해결책이 (라)에 언급되어 있다. 이 연설에서 문제 해결의 주체는 청중들로 참석한 어른들이다.

17. (다)에는 말하는 이가 이틀 전 브라질에서 몇몇 아이들과 보낸 경험이 잘 드러나 있다.

18. 말과 행동이 어긋나는 어른들의 태도를 비판하기에 적절한 고사성어는 서로 모순되어 양립할 수 없음을 의미하는 ③이다.

오답 해설

① 고향을 그리워하는 마음을 이르는 말
② 정도를 지나치면 모자라는 것과 같음을 이르는 말
④ 정도를 벗어난 학문으로 세상 사람들에게 아첨함을 이르는 말
⑤ 나쁜 사람을 가까이 하면 그 버릇에 물들기 쉬움을 이르는 말

19. 말하는 이는 어른들이 어린아이들을 안심시키고 지구의 미래를 위해 환경과 빈곤 문제를 해결할 의지를 갖고 있는지에 대해 의문을 가지며 비판적 태도로 말하고 있다.

흑설 공주

개념 확인 콕콕 • 본문 p.156

01. 재구성 **02.** 뚱뚱한 **03.** ④ **04.** ②

01. 재구성이란 원작의 내용에 글쓴이의 새로운 상상과 가치를 더하여 새롭게 구성하는 것으로서 원작과는 다른 새로운 가치를 발견하는 즐거움을 느낄 수 있다.

02. 레오나르드 다빈치의 「모나리자」와 달리 보테로의 그림은 원작과는 달리 모나리자를 뚱뚱하게 표현하여 아름다움에 대한 일반적인 인식을 벗어나고 있다.

03. 재구성의 방법으로는 내용, 형식, 맥락, 매체들을 원작과 달리 바꾸는 것들이 있다. 소설이나 웹툰이 원작인 작품을 영화화하는 경우가 작품의 갈래를 바꾼 것이다.

04. 재구성은 원작의 내용에 글쓴이의 새로운 상상과 가치를 더하여 새롭게 구성하는 것이므로 원작에 충실한가의 여부를 전제로 감상할 필요는 없다. 독자들에게 미치는 반응 또한 감상의 핵심은 아니다.

• 확인 문제 • • 본문 p.158

01. ③ **02.** ④ **03.** ③ **04.** • 공통점: 공주가 태어나자마자 왕비가 죽었다. • 차이점: 온몸이 새까만 공주가 태어났다. **05.** ③ **06.** 흑설 공주는 어느덧 책을 좋아하게 되었고, 들쥐나 새 같은 작은 짐승들과도 친해짐. **07.** ⑤ **08.** ① **09.** ⑤ **10.** 하지만, 공주님이십니다 **11.** ④ **12.** 흑설 공주를 죽이려고 할 것이다. **13.** ③ **14.** 다음 페이지에는 그 독을 풀 수 있는 해독제도 발랐다. **15.** ① **16.** ⑤ **17.** ④ **18.** 또다시 다음 장을 넘기기 위해 손가락에 침을 묻혔다. **19.** ① **20.** ② **21.** ⑤ **22.** ①, ② **23.** 유리 관 뚜껑을 열고 공주의 입에 살짝 입맞춤을 해 보았다. **24.** ④ **25.** ③ **26.** 나무꾼의 눈물에 책장에 묻어 있던 해독제가 공주의 입안으로 녹아 들어감. **27.** ⑤ **28.** 검은 태양 **29.** ② **30.** ④ **31.** ⑤ **32.** 자신의 아름다움을 깨달을 수 있도록 도와주기 위해서이다. **33.** ③ **34.** 세상 사람들은 누구나 각각 다른 아름다움을 가지고 있다. **35.** ⑤ **36.** ①

01. 백설 공주의 딸인 흑설 공주를 주인공으로 삼고 있으며(ⓑ), 내용과 주제의 구성에서 작가의 새로운 상상력이 반영되었다.(ⓒ)

오답 해설

원작인 「백설 공주」와 마찬가지로 동화이므로 원작과 매체가 달라진 것은 아니며(ⓐ), 원작인 「백설 공주」도 동화적이고 환상적인 성격을 지니고 있다.(ⓓ)

02. 재구성되는 과정에서 원작의 주제를 창의적으로 바꿀 수 있으므로 원작의 주제 의식이 재구성된 작품에 그대로 반영되는지를 파악하는 것은 적절하지 않다.

03. 왕비가 바라보는 창밖에만 검은 눈이 내린다는 것은 이 글의 환상적인 분위기를 조성하는 요소이며, 검은 눈은 '흑설'이라는 의미를 담고 있는 말이다.

04. 공통점은 공주가 태어나자마자 얼마 안 되어 왕비가 세상을 떠났다는 것이고, 차이점은 원작에서는 흰눈처럼 흰 피부를 가진 공주가 태어났는데 이 글에서는 검은 피부를 가진 공주가 태어났다는 점이다.

05. 공주가 온몸이 까만 피부를 갖고 태어난 것 때문에 사람들로부터 배척을 받고 아버지인 왕으로부터도 외면을 당하게 되었다.

06. 흑설 공주가 자신을 무시하는 사람들의 눈을 피해 아무도 없는 궁궐의 작은 도서관이나 정원 귀퉁이의 덤불숲 같은 곳에서 지내다 보니 어느 덧 책을 좋아하고, 들쥐나 새 같은 작은 짐승과도 친해지게 된 것이다.

07. 검은 피부를 갖고 태어난 것만으로 세상 사람들이 흑설 공주를 손가락질하고 무시하는 것은 아름다움의 기준을 하얀 피부라는 오직 한 가지 기준으로 평가하려는 현실에 대한 비판적 사고가 반영된 것으로 볼 수 있다.

08. 어머니가 떠준 하얀 망토만을 언제나 품속에 넣고 다닌 것은 일찍 세상을 떠난 어머니에 대한 공주의 그리움을 드러내는 행동이다.

09. [중략된 부분의 줄거리]를 보면 새 왕비가 진실의 거울로부터 세상에서 가장 아름다운 사람이 흑설 공주라는 사실을 듣고 난 후 공주를 성 밖으로 내보내고 사냥꾼을 시켜 공주를 죽이게 했다는 것을 알 수 있다.

10. 거짓말을 못하는 거울의 말을 통해 흑설 공주가 살아 있다는 사실을 확인할 수 있다.

11. 이 부분에는 원작과의 차이점보다는 공통점이 많이 나타나 있는데, 새 왕비의 계략을 왕에게 알리려는 공주의 행동은 원작과 이 글 모두에서 나타나지 않는다.

12. 새 왕비는 공주가 살아 있다는 사실을 알고 자신의 계략이 탄로될지 모른다는 사실과 자신보다 아름다운 사람이 나타날지도 모른다는 불안감으로 흑설 공주를 죽이려고 결심하고 있다.

13. 원작에서는 왕비가 사과에 독을 발라 공주를 죽이려고 하지만 이 글에서는 공주가 좋아하는 책에 독을 발라 공주를 죽이려고 한다. 독을 이용하여 죽이려는 계략은 공통적이지만 원

작과 달리 이 글에서는 독을 책에 바른다는 것이 차이점이다.

14. 왕비는 책에 독을 바른 다음 그 다음 페이지에 그 독을 풀 수 있는 해독제도 바르는데, 이는 독으로 죽음에 이른 공주가 다시 살아날 수 있음을 암시하는 장치에 해당한다. 왕비의 행동을 찾아 써야 하므로 해독제를 바른 행동이 들어 있는 문장을 찾아 쓰도록 한다.

15. 평소 책 읽기를 좋아한 공주가 난쟁이네 집에 있는 몇 안 되는 책을 다 읽어 버려 다른 책을 몹시 읽고 싶어 하였던 참에 여자가 아닌 남자가 책을 지고 권하였기 때문에 새 왕비의 계략에 속아넘어가게 된 것이다.

16. 독이 든 사과로 공주를 죽이려는 원작과 달리 책에 독을 발라 공주를 죽이려 한 점이 재구성되는 과정에서 새롭게 변형된 내용이라고 할 수 있다.

17. 새 왕비의 등장은 원작과 공통점이며, 원작과 마찬가지로 이 글에서도 왕비는 아름다움에 집착하는 모습을 보이고 있다.

18. 책장에 묻은 독이 손가락에 묻고 그 독이 공주의 입안으로 들어가서 공주가 죽게 된 것이다.

19. 공주의 손끝에 묻어 있던 독이 공주가 책장을 넘기는 과정에서 입안으로 들어가게 되어 공주가 그 자리에서 죽게 된 것이다.

20. 공주가 죽자 손거울을 공주의 코 끝에 대고 공주의 죽음을 확인하는 행동에서 왕비의 치밀한 성격을 엿볼 수 있다.

21. 원작에는 공주가 죽은 뒤 왕자가 나타나 공주를 살아나게 하는데 이 글에서는 왕자가 아니라 나무꾼이 등장하게 된다.

22. 공주가 책에 묻은 독을 삼키고 쓰러진 것을 발견한 난쟁이들은 예전에도 그런 일이 있었기 때문에 공주의 허리띠도 풀어 보고, 머리에 빗이 꽂혀 있는지, 입안에 독 사과가 남아 있는지 다 뒤져 본 것이다.

23. 옛날이야기를 많이 읽은 나무꾼은 혹시나 하는 마음에 유리관 뚜껑을 열고 공주의 입에 살짝 입맞춤을 해 보았지만 공주는 살아나지 않았다.

24. 혼자 있기를 좋아하고 책을 좋아하는 것은 나무꾼의 내성적이고 지적인 면을 드러내는 것으로 이는 나무꾼의 성격을 드러낸 것으로 볼 수 있다.

오답 해설

공주를 오래전부터 사모하고 있었다는 것(㉢), 나무꾼의 눈에 눈물이 맺힌 것(㉤) 등은 나무꾼의 감정에 해당한다.

25. 원작에서는 왕자가 공주를 보고 첫눈에 반해 공주에게 입맞춤을 하게 됨으로써 공주가 살아나게 되지만, 이 글에서는 이전부터 공주를 사모해 왔던 나무꾼에 의해 공주가 살아나게 된다. 두 작품 모두 공주를 발견한 남자에 의해 공주가 다시 살아난다는 점은 공통적인 내용이다.

26. 나무꾼의 눈물에 책장에 묻어 있던 해독제가 공주의 입안으로 녹아 들어가서 공주가 살아나게 된 것이다.

27. 나무꾼의 눈물에 흘러내린 해독제로 살아나게 된 공주가 나무꾼의 눈에 비친 자신의 모습을 보면서 자기도 아름다운 사람이라는 것을 깨닫게 되는데, 이는 이 글의 주제인 '사람은 누구나 자신만의 아름다움을 갖고 있다.'라는 내용과 관련이 있다.

28. '검은 태양'은 검은 색 피부를 가진 공주의 아름다움을 비유한 표현이다.

29. 이 글은 검은 피부의 공주가 자신만의 아름다움을 발견해 내고 그로 인해 다른 사람들도 저마다의 아름다움을 깨닫게 된다는 점에서 원작과 큰 차이가 있다. 공주를 죽이려고 했던 새 왕비가 결국 벌을 받고 공주는 행복한 삶을 살게 된다는 것은 원작과 이 글의 공통점에 해당한다.

30. 이 글의 주제는 아름다움은 누구에게나 있다는 것이며, 자신만이 가지고 있는 아름다움을 찾아내어 바라볼 수 있는 눈을 키워야 한다는 것이다.

31. 공주의 모습이 예전과 달라진 것이 없는 여전히 새까만 모습이었지만 사람들은 스스로를 아름답다고 느끼고 행복해 하는 공주의 모습에서 아름다움을 느끼게 된 것이다.

32. 공주가 다락방 거울에게 세상에서 가장 못생긴 사람이 누구냐고 물은 까닭은 그 사람에게 자신의 아름다움을 발견할 수 있도록 도움을 주기 위해서였다.

33. 이 글은 주인공의 성격, 새로운 인물의 설정 등을 통해 원작과 다른 주제를 전달하고 있으므로 내용상의 변화를 바탕으로 재구성된 작품이라 볼 수 있다.

오답 해설

⑤ 원작도 이 글도 주인공이 행복한 삶을 사는 방식으로 결말을 맺고 있으므로 행복한 결말로 끝나는 것은 공통점이라 할 수 있다.

34. 흑설 공주와 거울의 대화 속에서 답을 찾을 수 있다. '장미는 장미대로 ~ 제비꽃대로 아름답듯이'는 비유적 표현이므로 이를 빼고 앞 부분의 말을 정리하여 쓰도록 한다.

35. 이 글은 누구나 각각 다른 아름다움을 가지고 있으므로 자기 스스로 자신의 아름다움을 깨닫고 자신감을 가지고 살아야 한다는 주제를 전달하고 있다.

36. '나무꾼의 눈에는 오직 흑설 공주만이 세상에서 가장 아름다운 사람으로 보인다.'는 내용을 드러내기에 적합한 속담은 ①이다. '제 눈의 안경'은 '보잘것없는 물건이라도 제 마음에 들면 좋게 보인다는 말'이다.

오답 해설

② 겉만 그럴듯하고 실속이 없는 경우를 비유적으로 이르는 말
③ 겉모양은 보잘것없으나 내용은 훨씬 훌륭함을 이르는 말
④ 보잘것없는 사람도 제짝이 있다는 말
⑤ 지금 당장은 힘들어도 언젠가는 좋은 날이 있을 것이라는 말

학습 활동 다지기 • 본문 p.167

이해 다지기 문제 **1.** ㉣ – ㉡ – ㉢ – ㉠ – ㉥ – ㉤ – ㉦

목표 다지기 문제 **1.** ① **2.** ③ **3.** ② **4.** ⑤ **5.** ⑤ **6.** ①

목표 **1.** 원작과 마찬가지로 이 소설 속 주인공인 흑설 공주도 일찍 어머니가 돌아가신 상황이며 신분 역시 공주라는 점에서는 달라진 점이 없으므로 이를 살펴보는 것은 적절한 감상의 태도가 아니다.

2. 원작에서는 흰 눈과 같은 피부를 가진 공주가 태어나지만 이 글에서는 검은 색 피부를 가진 공주가 태어나게 된다. 이것은 아름다움을 한 가지 기준으로만 판단해서는 안 된다는 이야기의 주제를 전달하기 위해서 검은 색 피부를 가진 공주를 주인공으로 내세운 것이라 할 수 있다.

3. 글쓴이의 글에서 '아름다움이란 것은 우리 모두에게 깃들어 있는 것'이라는 이야기를 하고 싶었다는 내용을 바탕으로 짐작해 볼 수 있다. 글쓴이는 각자 가진 아름다움을 찾아내서 그것에 자신감을 가지는 것이 중요하다고 말하고 있는 것이다.

오답 해설

④는 이 글의 가치와 관련이 없는 내용이다.
⑤에서 아름답기 위해 자신감을 가져야 한다는 것은 이 글의 글쓴이가 언급한 자신감과 거리가 먼 내용이다.

4. 이 글의 글쓴이는 외모만 중요한 것이 아니며 사람에게는 각자의 아름다움이 있고, 그 아름다움을 스스로 발견해야 한다는 생각을 전달하고 있다.

오답 해설

①은 이 글의 주제와 상반되는 생각이다.
②, ③, ④ 역시 글쓴이의 생각과는 거리가 먼 내용들이다.

5. '아름다움의 기준은 다양하다'는 이 글의 주제를 바탕으로 할 때 타인을 따라하는 것은 주제를 드러내는 적절한 내용이라 볼 수 없다.

6. 이 글은 사람에게는 누구나 저마다의 아름다움이 있으므로 외모만으로 그 사람의 아름다움을 평가해서는 안 된다는 주제를 전달하고 있다. 따라서, 겉으로 보기에는 하잘것없으나 내용은 겉모양보다 훨씬 좋다는 ①이 주제를 뒷받침하기에 적절한 표현이다.

오답 해설

② 무슨 일이나 그 일의 시작이 중요하다는 말
③ 내용이 좋으면 겉모양도 반반함을 비유적으로 이르는 말
④ 아무리 훌륭하고 좋은 것이라도 다듬고 정리하여 쓸모 있게 만들어 놓아야 값어치가 있음을 비유적으로 이르는 말
⑤ 어떤 사물은 보는 관점에 따라 이렇게도 될 수 있고 저렇게도 될 수 있음을 비유적으로 이르는 말

소단원 핵심 문제 • 본문 p.173

01. ④ **02.** ② **03.** ③ **04.** ④ **05.** ⑤ **06.** ① **07.** ③ **08.** 왕비가 직접 나서 흑설 공주를 죽이려고 마음을 먹게 된다. **09.** ② **10.** ① **11.** 왕비가 공주가 읽던 책에 독과 함께 해독제를 바름. **12.** ⑤ **13.** ② **14.** ② **15.** ① **16.** ①, ④ **17.** 나무꾼의 눈물에 책장에 묻어 있던 해독제가 공주의 입안으로 녹아 들어감. **18.** ④ **19.** ③ **20.** ④ **21.** ④ **22.** 세상 사람들은 누구나 각각 다른 아름다움을 가지고 있다. **23.** ⑤ **24.** ②

01. 이 글은 널리 알려진 「백설 공주」를 재구성한 소설이다.

오답 해설

① 이 글은 비평문이 아니라 소설이다.
② 원작과 마찬가지로 이 글 또한 소설이므로 갈래가 변형된 것은 아니다.
③ 이 글에는 역사적 배경이라고 할 수 있는 구체적인 배경이 나타나 있지 않다.
⑤ 이 글은 작가의 상상력에 의해 창조된 허구이다.

02. (나)에서 '검은 눈'이라는 자연 현상은 비현실적이고 신비로운 분위기를 형성하는 소재이다.

오답 해설

① '흰 눈, 겨울날'은 계절적 배경을 드러내는 소재이다.
③ 아기를 낳고 싶다는 왕비의 소망이 왕비의 말 속에 잘 나타나 있다.
④ '몇 달 후'는 시간적 흐름을 드러낸다.
⑤ '흑설은 검은 눈이라는 뜻이었다.'라는 문장에 공주의 이름에 담긴 뜻이 나타나 있다.

03. '검은 눈'은 흑설 공주의 이름과도 관련이 있으면서 이 글의 분위기를 비현실적이고 신비롭게 만드는 역할을 하는 소재이다.

04. 아버지가 자식인 공주가 새까만 피부를 갖고 태어났다고 하여 실망하는 모습을 비판하려면 자식에 대한 부모의 무조건적인 사랑을 담고 있는 속담이어야 한다. ④의 '고슴도치도 제 새끼는 함함하다고 한다.'는 '어버이 눈에는 제 자식이 다 잘나고 귀여워 보인다'는 말로 아버지의 태도를 비판하기에 적절하다.

오답 해설

① 촌수나 친분은 멀어질수록 더욱 사이가 벌어진다는 말
② 자기 혹은 자기와 가까운 사람에게 정이 더 쏠리거나 유리하게 일을 처리함은 인지상정이라는 말
③ 자식을 많이 둔 어버이에게는 근심, 걱정이 끊일 날이 없음을 비유적으로 이르는 말
⑤ 어떤 사물에 몹시 놀란 사람은 비슷한 사물만 보아도 겁을 냄을 이르는 말

05. 이 글은 원작 「백설 공주」를 작가의 개성적인 시각으로 재구성한 소설이다. 재구성 과정에서 등장인물의 성격과 외모를 변형시킨 것은 원작의 주제를 살리기 위해서가 아니라 원작의 주제와 다른 주제를 전달하기 위해서이다.

06. (가)에서 어머니가 떠 준 하얀 망토를 항상 품속에 간직하고 다니는 공주의 모습을 통해 돌아가신 어머니에 대한 공주의 그리움을 느낄 수 있다.

07. (다)의 '새 왕비가 흑설 공주를 죽였으니~'로 볼 때 (나)와 (다) 사이에는 새 왕비가 사냥꾼을 시켜 공주를 죽이려 한 사건이 들어가야 한다.

08. 거울에게 자신보다 흑설 공주가 더 아름답다는 말을 들은 왕비는 직접 나서서 흑설 공주를 죽이기로 결심하게 된다.

09. 왕비는 독 사과보다는 공주가 좋아하는 책으로 공주를 유인하기가 쉽다는 것을 알고 있었기 때문에 독 사과를 들고 가지 않았던 것이다.

10. 원작 「백설 공주」에서는 공주가 독이 든 사과를 먹고 깨어나지 않지만, 이 글에서는 책장에 묻은 독으로 공주가 죽게 된다.

11. 사건의 시간적 전개를 볼 때 빈칸에는 공주가 자리를 비운 사이 왕비가 공주가 읽던 책에 독과 해독제를 바른 일이 들어가야 한다.

12. 흑설 공주가 물을 가지러 간 사이에 왕비는 공주가 읽던 책장에 독을 바른다.

13. ㉡은 앞뒤 문장이 인과 관계로 이어져 있고, ㉢은 역접 관계로 이어져 있다.

14. 독과 함께 해독제도 발라야 한다는 마녀 세계의 법칙에 따라 왕비가 독을 바른 다음 장에 해독제를 발라두는 것은 나중에 공주가 깨어나게 되는 계기가 되는 복선에 해당한다.

15. 공주를 발견한 남자에 의해 공주가 깨어난다는 점은 이 글과 원작의 공통점이고, 남자의 신분이 다른 것은 차이점 해당한다.

오답 해설

② 공주가 난쟁이들의 보살핌을 받은 것은 공통점이지만, 남자가 공주의 아름다움에 첫눈에 반한 것은 원작의 내용에 해당한다.
③ 공주를 깨운 남자의 신분이 평범한 것은 원작과 다른 점이다.
④, ⑤ 남자가 공주를 보고 첫눈에 반하고, 높은 신분의 남자에 의해 공주가 깨어나는 것은 모두 원작에 해당하는 내용이다.

16. (가)에서 난쟁이들이 쓰러진 공주를 보며 예전의 일을 생각해 내는 장면과 (라)에서 나무꾼이 공주를 생각하는 장면은 과거 회상에 해당한다.

17. 공주가 눈을 뜨게 된 결정적인 계기는 책장에 묻어 있던 해독제가 공주의 입 안으로 녹아 들어갔기 때문이다.

18. 난쟁이들이 공주의 관을 숲속으로 옮겼기 때문에 나무꾼이 공주를 발견하여 공주의 잠을 깨우게 된다.

오답 해설

① 관을 숲속으로 옮긴 것과 공주의 죽음 사이에는 연관성이 없으며 사회적 문제로 확대되지도 않는다.
②, ③ 관을 숲속으로 옮긴 이후에는 이전의 갈등들이 해소되는 방향으로 사건이 전개된다.
⑤ 나무꾼은 오래 전부터 공주를 사모하고 있었다.

19. ㉡에는 공주의 죽음으로 인한 슬픔의 감정이 담겨 있다. '한탄'이란 '원통하거나 뉘우치는 일이 있을 때 한숨을 쉬며 탄식함'이라는 뜻이다.

20. 이 글의 글쓴이는 원작 「백설 공주」의 재구성을 통하여 아름다움의 기준이 외모에만 국한되어 있는 것이 아니라는 점과 사람에게는 각자의 아름다움이 있고, 그 아름다움을 스스로 발견해야 한다는 것을 말하고 있다.

21. 이 글은 원작과 달리 검은 피부를 갖고 태어난 흑설 공주의 외모적 특징과 잠에서 깨어난 공주의 말과 행동을 통해 주제를 전달하고 있다. 따라서 거울을 통해 주제를 전달하고 있

는 이유를 묻는 질문은 적절하지 않다.

22. 한 가지 기준만으로 아름다움을 평가하는 사람들에게 공주는 사람마다 각자의 아름다움을 갖고 있다는 말을 해 줄 수 있을 것이다.

23. 거울이 알려 준 사람을 불러다 공주는 자신의 아름다움을 깨달을 수 있도록 도와주었다.

24. ㉢의 '눈'은 '사물을 보고 판단하는 힘'이라는 뜻을 가지고 있다.

오답 해설

①은 시력, ③ · ⑤는 사람들의 눈길, ④는 무엇을 보는 표정이나 태도를 의미한다.

대단원 확인 문제

• 본문 p.180

01. ①, ⑤ **02.** ④ **03.** 서로 믿고, 서로 돕고, 서로 위로하고, 서로 힘이 될 수 있는 친구를 말한다. **04.** ① **05.** ② **06.** ②, ④ **07.** ② **08.** 좋은 친구란 친구를 위해 힘들지만 몸으로 때워 주는 사람이다. **09.** 물질적 대가를 바라며 **10.** ⑤ **11.** ②, ④ **12.** ④ **13.** ③ **14.** 어른들께 살아가는 방식을 바꾸지 않으면 안 될 거라는 말씀을 드리기 위해서이다. **15.** ④ **16.** ④ **17.** 전쟁에 쓰이는 모든 돈을 빈곤 문제를 해결하는 데 사용하자. **18.** ① **19.** ③ **20.** ③ **21.** ② **22.** 굴뚝에서 빼내 온 아이처럼 온몸이 새까맣고, 검은 눈처럼 아름다운 아기였다. **23.** ③ **24.** ① **25.** 왕비는 손거울을 꺼내 공주의 코 끝에 대 보았다. **26.** ① **27.** ③ **28.** ③ **29.** 아름다움은 누구에게나 깃들어 있다. **30.** ① **31.** ③ **32.** ④ **33.** ③ **34.** ③ **35.** ⑤ **36.** ① **37.** ④

01. 대화는 의미를 공유하는 활동으로 대화를 통해 생각과 말이 조정된다.

오답 해설

② 대화는 의미를 공유하는 활동으로 상대방을 설득하는 것도 중요하지만 상대방에 의해 자신의 생각이 바뀌어 설득되기도 한다.
③ 대화의 과정에서 대화 참여자들의 말과 생각, 감정 등은 일정한 변화를 겪기도 한다.
④ 대화의 상황이나 목적에 따라 대화의 주제는 다양하다.

02. (나)에서 아버지는 친구를 사귈 때 수준이 맞아야 하냐는 아들의 질문에서 '수준'이 구체적으로 의미하는 바가 무엇인지 확인하는 성실한 듣기 태도를 보여 주고 있다.

03. '친구란 내가 외롭거나 어려울 때 ~ 위로가 되고 큰 힘이 될 수 있는 친구가 가장 좋은 친구란다.'라는 부분과 그 뒷부분에 나오는 '서로 믿고, 서로 돕고, ~ 서로 힘이 될 수 있는 그런 친구'라는 부분에 아버지가 말하는 좋은 친구의 의미가 나타나 있다.

04. 아버지가 말하고 있는 ㉠ '백 년'은 '대대로 이어온 시간'의 개념인데 아들은 단순한 나이의 개념으로 ㉠을 이해하고 있다. 아버지가 말한 ㉠을 아들은 ㉡과 같은 개념으로 이해하고 있는 것이다.

05. '먹을 가까이 하면 검어진다.'는 '먹을 만지면 손이 검게 물들 듯, 나쁜 사람 옆에 있으면 그 사람의 나쁜 모습을 닮게 된다는 뜻이다.

오답 해설

① 떨어지지 않고 서로 꼭 붙어 다니는 가까운 사이를 의미
③ 그때그때 자기에게 좋은 쪽으로 지조 없이 옮기는 모습을 의미
④ 서로 마음이 통하는 친구와 함께한다면, 무엇을 하든 신이 나고 힘도 덜 든다는 의미
⑤ 오래 사귄 친구일수록 함께한 추억도 많고, 정도 들어서 좋다는 의미

06. 이 대화는 아버지와 아들이 '친구'라는 주제로 서로의 생각을 주고받는 내용으로 이루어져 있다.

07. 이 대화에는 특별히 아들의 고민이 드러나 있지 않다.

08. 기한이 아저씨의 전화를 받고 아빠가 나갔던 일을 통해 아빠는 친구를 위해 몸으로 때워 주는 일이 힘들지만 의미 있는 일이라는 것을 깨닫게 되었다.

09. 친구 사이에 요금을 받지 않은 것은 물질적인 대가를 바라지 않고 친구를 위해 자신의 시간을 기꺼이 내어준 것이다.

10. '어떤 일로든 그 사람이 정말 내 친구구나 하는 걸 확인하게 될 때 다시 커다란 우정이 쌓인다'는 말에서 좋은 친구의 의미를 유추할 수 있다.

11. 이 글은 지구의 환경을 지키고 전쟁과 빈곤이 없는 세상을 만들어야 한다는 바람을 담은 연설문으로 구체적 사례를 들어 듣는 이의 행동 변화를 촉구하고 있다.

오답 해설

① (마)에 이 연설의 듣는 이들이 정부의 대표, 기업가, 기자나 정치가라는 것이 나타나 있다.
③ (라)를 보면 말하는 이가 뚜렷한 해결책을 갖고 있지 않다는 것을 알 수 있다.
⑤ 격식을 갖춘 정중한 말투를 사용하고 있다.

12. 〈보기〉의 대화는 아버지와 아들이 번갈아 말하며 말하는 이와 듣는 이의 상황이 전환되지만, 이 연설은 말하는 이와 듣는 이의 상황이 바뀌지 않는다.

13. (다)의 첫 문장에는 말하는 이의 바람이, 두 번째 문장에는 미래에 일어날 일에 대한 우려와 걱정이 담겨 있다. 또한 마지막 문장에서 말하는 이는 현재 일어나고 있는 문제점에 대한 어른들의 대처 태도를 비판하고 있다.

14. (가)에는 연설자의 신분과 연설을 하게 된 목적이 나타나 있는데, 마지막 부분을 보면 말하는 이가 이 회의에 참석하게 된 목적이 직접 드러나 있다.

15. 연설자는 공식적인 자리에 어울리는 정중한 말투를 사용하고 있다. (다)와 (라)에는 자신이 겪은 이야기가 솔직하게 드러나 있으며 (마)에는 자신의 바람이 청중들의 행동에 반영되기를 원하는 마음이 잘 드러나 있다.

16. (라)의 첫 번째 문장에서 전쟁과 빈곤, 환경 문제가 시급히 해결되어야 한다는 것을 강조하였고 마지막 부분에서 어른들의 모순된 태도를 비판하고 있다.

17. ㉮와 ㉯는 전쟁으로 야기되는 문제들이다. (라)에서 연설자는 전쟁에 쓰이는 돈이 빈곤과 환경 문제를 해결하는 데 쓰인다면 지구가 멋진 곳으로 바뀔 것이라고 말하고 있다.

18. 자신이 제기하고 있는 문제들은 정작 어른들이 나서서 관심을 갖고 해결해야 할 문제라는 인식을 강하게 심어 줌으로써 어른들의 각성을 촉구하는 역할을 한다.

19. 아무것도 가진 게 없는 거리의 아이가 기꺼이 나누겠다고 한 말을 들으면서, 모든 것을 다 가지고 있는 사람들의 인색한 태도를 비판하고 있다.

20. 이 글은 널리 알려진 동화 「백설 공주」를 재구성한 작품이다. 원작의 주인공 백설 공주가 이 글에서는 흑설 공주라는 인물로 재구성되어 이야기가 전개된다.

오답 해설

④ 이 소설은 원작과 마찬가지로 동화적이고 환상적인 분위기를 지니고 있다.

21. 이 글에서 검은 눈이 내리는 것은 온몸이 새까만 흑설 공주의 탄생과 관련이 있는 사건으로 현실에서는 일어나기 어려운 신비한 사건에 해당한다.

22. 검은 피부의 공주를 '굴뚝에서 빼내 온 아이'와 '검은 눈'에 빗대어 표현하고 있다.

23. ㉠의 '길'은 '어떤 일에 익숙하게 된 솜씨'라는 뜻으로 같은 의미로 사용된 것은 ③이다.

오답 해설

① 시간의 흐름에 따라 개인의 삶이나 사회적 · 역사적 발전 따위가 전개되는 과정

② 어떠한 일을 하는 도중이나 기회

④ 어떤 행동이 끝나자마자 즉시

⑤ 길이의 단위

24. 이 글은 널리 알려진 동화 「백설 공주」를 재구성한 작품이다. 새 왕비가 공주를 미워하고 질투하는 모습은 원작과 동일한 내용이다.

25. 왕비는 손가락에 침을 묻히던 공주가 쓰러지자 공주가 진짜 죽었는지 확인하기 위해 공주의 코 끝에 거울을 대보는 행동을 한다. 공주의 숨이 끊어지지 않았다면 거울에 김이 서릴 것이기 때문인데, 이는 왕비의 치밀한 성격을 보여 주는 행동이다.

26. 뒤에 이어지는 내용을 보면 난쟁이들은 예전에 공주가 독 사과를 먹고 쓰러진 것을 살려낸 경험이 있다는 것을 알 수 있다. 따라서 '예전의 일'이란 공주가 독 사과를 먹고 쓰러진 일을 가리킨다.

27. '너머'는 '높이나 경계로 가로막은 사물의 저쪽. 또는 그 공간'이라는 뜻으로 사물의 저쪽이나 공간을 나타내는 말이다. 이에 비해 '넘어'는 "산을 넘어 간다."와 같이 동작을 나타내는 말이다.

28. 이 글은 사람은 누구나 각자의 아름다움을 갖고 있다는 주제를 전달하고 있다. 따라서 아름다움의 기준은 하나가 될 수 없으며, 다른 사람들이 세운 아름다움의 기준은 허약하다고 할 수 있다.

오답 해설

① 원작과 마찬가지로 이 글에서도 새 왕비의 질투로 공주가 죽을 뻔한 위기를 겪게 된다.

②, ⑤ (라)에서 공주가 한 말 속에 들어 있는 내용들이다.

④ 이 글에서는 원작과 달리 나무꾼이 등장하여 공주를 살리고 있다.

29. (다)에서 공주가 가장 못생긴 사람을 불러다가 해 주는 말 속에 이 글의 주제가 들어 있다. 즉 '다른 사람들이 세운 아름다움의 기준 ~ 깃들어 있다는 것을 알려 주었다.'의 문장에서 15자를 구성하는 데 꼭 필요한 말을 찾아 서술하도록 한다.

30. (나)의 '무엇보다도 조금도 달라진 것이 없는 여전히 새까만 공주가 어째서 이토록 아름답게 여겨지는지 사람들은 당황하고 말았다.'에서 공주의 모습은 변하지 않았지만 사람들이 공주를 아름답게 바라보게 되었음을 알 수 있다.

31. (다)에 나타나 있는 '다른 사람들이 세운 ~ 바라볼 수 있는 눈을 키워 주었던 것이다.'에서 공주가 했을 말을 짐작해 볼 수 있다. 즉 공주는 다른 사람이 세운 아름다움의 기준은 허약하다는 것과 아름다움이란 누구에게나 깃들어 있다는 점을 근거로 자신만이 가지고 있는 아름다움을 찾아내어 바라볼 수 있는 눈을 키우라는 말을 했을 것이다.

32. ⓐ는 공주의 모습을, ⓑ는 왕비의 모습을 비유적으로 표현한 것이다.

33. (가)는 대화로 말하는 이와 듣는 이가 자유롭게 자신의 생각을 전달하며 의미를 공유해 가지만 (나)는 연설로 연설자가 자신의 생각을 설득적 어조로 전달하고 있다.

오답 해설

① (나)의 말하는 이는 실제 인물인 반면, (가), (다)는 소설로 말하는 이가 허구적 인물이다.
② (다)만 백설 공주를 원작으로 그 내용을 재창작한 소설이다.
④ (가)는 대화, (나)는 연설로 듣기와 말하기가 의미를 공유 과정임을 보여 주고 있다.
⑤ (가)~(다) 모두 교훈적인 성격을 지니고 있다.

34. 아버지는 아들의 물음에 대해 옛날이야기를 인용하여 어떤 친구를 사귀어야 하는지 말하고 있다. 그러나 옛날이야기는 아버지 자신이 직접 경험한 일은 아니다.

35. 이 글은 1992년 브라질 리우에서 열린 유엔 환경 개발 회의에서 당시 12세 소녀였던 세번 스즈키가 발표한 연설문이다. 이 연설에서 말하는 이는 어른들에게 세계의 환경과 빈곤 문제를 인식하게 하고, 이에 관한 행동을 촉구하려는 목적으로 연설을 하고 있다.

오답 해설

ⓐ 말하는 이는 자신의 불우한 처지를 내세워 말한 것이 아니라 자신이 어린아이라는 입장을 강조하여 말하였을 뿐이다.
ⓑ 말하는 이는 개인적인 문제 해결을 목적으로 말한 것이 아니라 전 세계적인 문제 해결을 목적으로 말하고 있다.

36. 이 소설에서 말하는 주제는 사람은 누구나 각자의 아름다움을 가지고 있으며 자기만의 아름다움을 찾을 수 있는 눈을 키워야 한다는 것으로 ①은 주제와 거리가 멀다.

37. '상부상조'란 '서로서로 돕는다'라는 뜻으로 ㉠과 그 의미가 같다.

오답 해설

① 다른 산의 나쁜 돌이라도 자신의 산의 옥돌을 가는 데에 쓸 수 있다는 뜻으로, 본이 되지 않은 남의 말이나 행동도 자신의 지식과 인격을 수양하는 데에 도움이 될 수 있음을 비유적으로 이르는 말
② 쓴 것이 다하면 단 것이 온다는 뜻으로, 고생 끝에 즐거움이 옴을 이르는 말
③ 먹을 가까이하는 사람은 검어진다는 뜻으로, 나쁜 사람과 가까이 지내면 나쁜 버릇에 물들기 쉬움을 비유적으로 이르는 말
⑤ 도를 지나침은 미치지 못함과 같다는 뜻으로, 중용이 중요함을 이르는 말

5 이해를 돕는 매체

• 본문 p.191

확인 문제 01. ④ 02. 그래프는 글로 제시된 복잡한 내용, 특히 수치를 간단하게 정리하여 시각적으로 보여 주는 효과가 있다.

01. 음성 언어는 일회성을 큰 특징으로 하고 있지만 음성 언어도 문자 언어와 마찬가지로 매체에 속한다.

1 명태의 귀환

개념 확인 콕콕

• 본문 p.192

01. ② 02. ② 03. ① 04. 그림

01. 기사문은 정보 전달을 목적으로 하는 글이다. 일반적으로 이러한 기사문에서 매체 자료를 활용하는 목적은 정보를 효과적으로 전달하기 위함이다.

02. 복잡한 수치나 내용을 시각적으로 정리하여 보여 주기에 적절한 매체 자료는 도표이다.

03. 매체 자료를 제시하는 목적은 글의 내용을 효과적으로 전달하기 위해서이다. 그러므로 매체 자료가 독특하고 개성적인 형태를 지향해야 하는 것은 아니다.

04. 그림은 사진으로 전달하기 어려운 복잡한 상황을 단순화하기에 적절하다.

• 확인 문제 •

• 본문 p.194

01. ② 02. ③ 03. ③ 04. 국산 명태가 우리 식탁에 다시 오르는 것이다. 05. ④ 06. ① 07. ② 08. 알을 밴 어미 고기나 어린 고기까지 마구 잡았기 때문이다. 09. ②, ③ 10. ④ 11. ③ 12. 명태는 차가운 물을 좋아하는 냉수성 어종이다. 13. ④ 14. ③ 15. 수정란을 얻어 인공적으로 부화하게 함. 16. ⑤ 17. ③ 18. ③ 19. ③ 20. 정보를 더 효과적으로 전달하기 위해서이다. 21. ② 22. ② 23. ① 24. 명태가 잘 성장하고 성숙하는 데 도움을 준다. 25. ① 26. ② 27. 양식 명태의 대량 생산

01. 기사문은 정확한 내용을 신속하게 전달해야 한다.

오답 해설

① 기사문은 특정 대상을 독자로 삼는 것이 아니라 불특정 다수의 일반 대중을 대상으로 한다.
③ 기사문은 정보 전달을 주목적으로 하므로 부정확하거나 모호한 표현을 사용하지 않는다.
④ 기사문은 정보를 치우치지 않은 관점에서 전달해야 한다.
⑤ 기사문의 문장은 간결해야 한다. 왜냐하면 독자들이 기사문이 전하는 바를 빨리, 정확히 전달 받아야 하기 때문이다.

02. (가)는 신문 기사에서 '전문'에 해당한다. 전문은 신문 기사 전체의 내용을 요약적으로 제시하는 부분이다.

03. 명태가 값이 싸고 맛있는 생선이라는 점은 언급되지 않았다. 국민 생선이라는 것과 값싸고 맛있다는 것과는 직접적인 관련이 없다.

04. 글쓴이는 마지막 문장을 통해 자신의 바람을 드러내고 있는데, 그것은 우리 식탁에 국산 명태가 다시 오르는 것이다.

05. 우리나라에서 명태는 여러 이름으로 불릴 정도로 요리에서 쓰임새가 많고 소비량도 매우 많아 국민 생선이라고 불린다.

06. 사진 매체는 글로만 상상하기 어려운 내용을 사실적으로 보여 주어 이해를 돕는 효과가 있다.

오답 해설

② (나)의 사진은 글의 내용과는 관련이 있지만 글쓴이의 생각을 돌려서 드러내고 있다고 볼 수는 없다.
③ 글의 내용을 이해하는 데 도움을 주려고 할 뿐 그 신뢰성을 높여 주는 것과는 큰 관련이 없다.
④ 글의 내용과 관련이 있지만 복잡한 내용을 시각적으로 정리한 것이라고 보기는 어렵다.
⑤ 설명한 내용을 한눈에 볼 수 있도록 요약해 주는 기능을 하는 시각 자료는 도표나 그래프이다.

07. (나)의 내용을 보면 명태가 여러 가지 이름으로 불리는 이유가 요리에서 쓰임새가 많아 우리 식단에 가장 많이 등장하는 생선이기 때문임을 알 수 있다.

08. (라)에서 글쓴이는 명태의 개체 수가 줄어든 이유로 알을 밴 어미 고기나 어린 고기까지 술안주로 인기가 좋다고 마구 잡았기 때문에 명태의 씨가 말라 버렸을 것이라고 언급하였다.

09. 국산 명태가 사라진 것은 어린 명태까지 마구잡이로 잡아들였고, 수온이 상승하면서 명태가 살기에 알맞지 않은 바다 환경이 되었기 때문이다.

10. 도표는 본문을 통해 설명하는 내용을 정리하여 일목요연하게 제시해 내용을 더욱 쉽게 이해할 수 있게 한다.

오답 해설

① 수온의 변화는 우리나라 주요 어종이 변한 원인으로 추측할 수 있을 뿐 이 도표를 통해서 직접 알 수는 없다.

② 생김새를 알기 위해서는 사진 자료가 필요하다.
③ 명태의 어획량만을 나타내고 있는 자료가 아니라 다양한 어종의 어획량의 변화를 나타낸다. 또한 명태의 어획량 변화가 해마다 제시되어 있지도 않다.
⑤ 어종의 변화 자체가 어떻게 일어나고 있는지를 구체적으로 보여 주지는 않는다.

11. 이 그림 자료에서 2000년도 지도를 살펴보면 명태가 잡히는 장소가 표시되어 있지 않다. 이 그림은 우리나라에서 잡히는 주요 어종의 변화를 우리나라 지도와 함께 그림으로 보여 주고 있는 자료이다.

12. 우리 바다의 수온이 올라가 명태가 살기 어려운 환경이 된 것과 관계 있다.

13. (바)~(자)에서는 국산 명태 양식 과정을 시간 순서에 따라 설명하고 있다.

14. 국산 명태 어미를 찾는 것은 명태의 완전 양식을 위해 첫 번째로 해야 하는 일이었다.

15. 국산 명태 어미로부터 얻은 수정란을 인공적으로 부화시켜서 다시 수정란을 얻으면 완전 양식에 성공한 것이다.

16. 양식을 통해 키워 낼 수 있는 다른 생선 사진은 이 글의 내용과 관련성이 떨어지므로 굳이 삽입하지 않아도 되는 자료이다.

오답 해설
① (사)에 명태 수정란을 통한 설명이 있으므로 적절한 사진 자료이다.
② (아)에서 자연산 명태를 구하기가 어려웠다는 것을 말하고 있으므로 적절한 사진 자료이다.
③ (아)에 제시되어 있다. '자망'은 독자가 흔히 접할 수 없는 것이므로 사진으로 제시해 주면 글을 쉽게 이해할 수 있을 것이다.
④ (자)에서 설명하고 있는 명태의 인공 부화를 보여 주기에 적절한 사진 자료이다.

17. 인공 1세대의 양식 성공 비율은 밝혀져 있지 않다. 인공 1세대의 일부를 동해안에 방류했음만 알 수 있다.

오답 해설
① 2016년 9월이라고 제시되었다.
② 2018년 12월이라고 제시되었다.
④ 2015년 1월이라고 제시되었다.
⑤ 2017년 1월의 내용을 통해 알 수 있다.

18. '명태 완전 양식 과정'은 시간 순서에 따라 국산 명태의 완전 양식 과정을 한눈에 볼 수 있게 표로 정리해 주고 있다.

19. '명태 난 발생 및 성장 발달 과정'은 사진을 활용하여 난 발생 과정과 명태의 성장 과정을 정리하여 보여 주고 있다.

20. 이 글은 기사문으로 '국산 명태의 양식 성공'을 주제로 하고 있다. 이와 같은 정보를 더 효과적으로 전달하기 위해 다양한 매체 자료를 활용하고 있는 것이다.

21. 연구팀은 고도 불포화 지방산의 종류를 연구한 것이 아니라 고도 불포화 지방산을 포함한 고에너지 명태 전용 배합 사료를 연구, 개발하였다.

22. 이 글에 제시되어 있는 로티퍼 사진은 글의 내용과 관련은 있지만 글 내용을 이해하기 위해 꼭 필요한 자료는 아니다.

오답 해설
① 주제와 관련이 전혀 없다고는 할 수 없지만 긴밀히 연관되는 자료는 아니다.
③ 로티퍼는 새끼 명태의 먹이이므로 글의 내용과는 관련이 있다.
④ 출처를 알 수 없으므로 신뢰성에 문제가 생길 수 있는 자료이다.
⑤ 글의 내용과 관련이 있지만 글의 내용 전체를 한눈에 볼 수 있게 해 주는 자료는 아니다.

23. 이 글에서 소제목은 소제목으로 묶인 글의 중심 내용을 나타내 주고 있다.

24. 연구팀에서 개발한 고에너지 명태 전용 배합 사료는 고도 불포화 지방산을 함유하고 있어 명태가 더 빨리 자라게 하며 알을 낳을 수 있게 성숙해지는 데 걸리는 시간을 단축해 준다.

25. 인공 명태를 바다에 방류한 이유는 인공적으로 키워 낸 명태가 건강하게 자연 환경에 적응할 수 있는지 알아보기 위해서이다.

오답 해설
② (너)를 보면 인공 명태를 대량으로 번식시키는 데는 수조 양식이나 가두리 양식의 활용이 적절함을 알 수 있다.
③ 인공 명태가 자연에 잘 적응해야 국산 명태 양식이 성공했다고 볼 수 있다.

26. (거)와 (너)에는 국립수산과학원 동해수산연구소 박사의 의견이 담겨 있다. 이와 같이 전문가의 의견을 인용하는 것은 글의 신뢰성을 높이는 데 도움을 준다.

27. 현재는 인공 양식 기술을 개발한 수준이므로 당장 식탁에 명태가 오르기는 어렵다고 하면서 대량 생산이 되면 육지와 바다에서 명태를 키워 내 식탁에 올릴 수 있을 것이라고 말하고 있다.

학습 활동 다지기 • 본문 p.201

이해 다지기 문제 **1.** ①

목표 다지기 문제 **1.** ② **2.** ③ **3.** ④ **4.** ④ **5.** ③ **6.** ③

이해 **1.** 명태의 종류가 다양한 것이 아니라 여러 종류의 음식 재료로 사용되면서 그 이름이 다양한 것이다. 수정란을 여러 종류의 명태에서 얻었다는 내용은 확인할 수 없다.

오답 해설

② '명태 완전 양식, 세계 최초로 성공하다' 부분에 잘 드러난다.
③ '명태의 오늘과 내일' 부분을 통해 알 수 있다.
④ "'국민 생선' 명태' 부분을 통해 알 수 있다.
⑤ '국산 명태가 사라졌다' 부분에 드러난다.

목표 **1.** 대상의 사실적인 모습을 보여 주는 사진 자료이다.

2. '명태 완전 양식 과정'이라는 매체 자료는 도표에 해당한다. '명태의 완전 양식 과정'을 일시별로 정리해 두어서 글에서 설명하고 있는 내용을 한눈에 살펴볼 수 있도록 하였다.

오답 해설

① 사진이나 동영상 자료에 대한 설명이다.
② 동영상 자료에 대한 설명이다.
④ 도표 중에서 그래프와 관련된 설명이다.
⑤ 그림 자료에 대한 설명이다.

3. 매체 자료는 글의 내용을 이해하기 위해 도움을 주는 자료이다. 그러므로 글의 내용과 관련성이 있으면서도 쉽게 독자가 접근할 수 있어야 한다. 매체 자료가 글 내용 외에 또 다른 정보를 담고 있으면 독자가 매체 자료 자체를 이해하지 못하게 될 수도 있다.

4. 대상을 생생하고 실감 나게 보여 주는 매체 자료는 사진이나 동영상이다. (가)는 시간의 흐름에 따른 표층 수온의 구체적인 수치 변화를 제시하여 보여 주는 그래프이다.

5. 자료 (나)는 연구팀이 '살아 있는 명태 어미 고기'를 찾기 위해 노력한 '명태 살리기 프로젝트'의 내용을 잘 보여 주는 매체 자료이다.

6. (다)는 동영상 자료이다. 동영상 자료는 시각과 청각을 모두 활용하여 문자, 소리, 영상 등을 통해 복합적인 정보를 전달하는 특징이 있다. 언어적인 정보보다는 영상을 더욱 효과적으로 활용하는 매체 자료이다.

소단원 핵심 문제 • 본문 p.206

01. ③ **02.** ④ **03.** ③ **04.** 동해의 수온 상승에 따른 우리나라 주요 어종의 변화(또는 주요 어종의 어획량 변화)를 나타내는 도표가 필요하다. **05.** ③ **06.** ⑤ **07.** 동해에서 양식 과정에 적합한 명태를 찾기 어려운 문제가 있어서 현상금을 걸어 살아 있는 명태 어미를 찾으려고 노력하였다. **08.** ③ **09.** ⑤ **10.** ① **11.** ④ **12.** 이 글은 정보를 전달하기 위한 글이고 〈보기〉는 자신의 생각을 밝히고 주장하는 글이다. **13.** ④ **14.** ③ **15.** ③ **16.** ⑤ **17.** 명태의 수정란에서부터의 성장 과정을 한눈에 볼 수 있고 그 과정을 이해하기 쉽게 돕는다.

01. 이 글은 기사문으로 글쓴이의 개인적인 견해보다는 사실의 전달을 목적으로 하는 글이다.

오답 해설

① 우리나라 대표 생선인 명태에 대한 기사문이다.
② 기사문으로 객관성과 사실적 성격을 띠고 있다.
④ 수온 변화에 대한 정확한 수치를 제시하고 있다.
⑤ 기사문은 '제목–부제–전문–본문–해설'의 구조로 작성된다.

02. (가)는 기사의 제목과 부제, 전문 부분이다. 전문의 내용을 통해 제목의 의미, 기사의 주제나 기사를 쓴 목적 등을 파악할 수 있다.

03. (나)에 드러나듯이 명태의 이름이 다양한 것은 우리 식단에서 명태의 쓰임새가 많기 때문이다.

04. (다)는 동해의 연평균 표층 수온이 변함에 따라 포획되는 어종이 어떻게 변화했는지를 설명하고 있다. 그러므로 동해의 수온 상승에 따른 어종이나 어획량의 변화를 나타내는 도표를 함께 보여 주면 내용을 더 효과적으로 전달할 수 있을 것이다.

05. 매체 자료는 글의 내용을 이해하는 데 도움을 줄 수 있어야 한다. 그러므로 매체 자료의 적절성은 형태가 얼마나 다양하냐에 있는 것이 아니라 글의 이해에 도움을 주느냐에 있다.

06. 이 글에는 동해 표층 수온 변화와 관련된 내용이 없으므로 이와 관련된 그래프를 추가하는 것은 적절하지 않다.

오답 해설

① (라)에 직접적으로 관련 내용이 제시되어 있다.
② (나)와 관련된 자료로, 함께 제시한다면 독자의 이해를 도울 수 있다.
③ (다)와 관련된 자료로 제시하기에 적절하다.
④ (라)의 내용을 이해하는 데 도움이 된다.

07. (다)를 보면 명태 완전 양식을 위해서 일단 건강한 어미 명태를 구해야 하는데 이것이 쉽지 않자 문제를 해결하기 위해서 연구팀은 현상금까지 걸면서 어미 명태를 구하기 위해 노력하였다.

08. (마)는 표로, 명태 양식 사업의 과정이 현장감 있게 전달되는 자료는 아니다. 현장감 있는 자료는 사진이나 동영상 자료이다.

09. 부화한 어린 고기를 방류했다가 다시 잡는 것은 인공 부화한 고기들이 자연에 잘 적응했는지를 확인하기 위한 것이다. 이것은 '명태 살리기 프로젝트'의 한 과정일 뿐 목적이 아니다.

10. (가)에는 '명태 살리기 프로젝트' 연구팀이 연구한 내용을 소개하고 있다. 연구팀의 어려움이 특별히 나타나지는 않는다.

11. 〈보기〉의 자료는 어린 명태가 방류되는 동영상 자료이므로 (라)의 내용과 어울린다.

12. 이 글은 국산 명태 양식의 성공 소식을 알리는 글이지만, 〈보기〉는 국산 명태 양식의 완전한 성공을 위해 필요한 것이 무엇인지 자신의 생각을 밝히고 주장하는 글이다.

13. 글에 사용되는 매체 자료는 내용과 관련되어야 하며(관련성), 필요한 정보를 담고 있어야 하며(정보성), 출처가 분명하고 믿을 만해야 하며(신뢰성), 글의 내용을 뒷받침하는 데 효과가 있어야 한다(효과성). 그 외에 쉽게 이해되어야 하는 성질 등이 요구되지만 희귀한 자료여야 할 필요는 없다.

14. (가) 자료는 명태를 활용한 우리나라 음식 사진이므로 명태 관련 식단을 언급한 내용과 가장 잘 어울린다.

15. (나)의 자료는 대상의 구체적인 수치와 그 변화 양상을 보여 주는 그래프이다.

오답 해설

①은 사진이나 그림 자료, ②는 그림 자료, ④는 표의 형식으로 된 도표 자료, ⑤는 사진이나 그림, 동영상 자료에 해당하는 설명이다.

16. (다)는 우리나라 연해에서 잡히는 주요 어종이 어떻게 변했는지를 보여 주고 있다.

17. 이 자료는 사진을 활용하여 명태 수정란이 성체가 되는 과정을 잘 보여 준다.

2 내가 보는 세상은 진짜일까

개념 확인 • 본문 p.210

01. ⑤ **02.** 동영상 자료 **03.** ⑤

01. 강연을 할 때 강연자는 청중의 반응을 살피면서 강연을 진행하므로 상호 작용이 많이 일어난다.

02. 매체 자료 중 사실성이 강조되는 자료는 사진과 동영상 자료이며, 이 중 특히 현장감이 극대화되는 자료는 동영상 자료이다.

03. 일반적으로 시각 자료를 먼저 제시하면 음성 언어에 집중하지 않을 수 있으므로 음성 언어를 먼저 제시하는데, 통계 자료처럼 화면을 같이 보아야 하는 경우에는 동시에 제시하기도 한다. 자료를 해석할 시간을 많이 주면 강연 시간이 늘어나고 청중이 지루해할 수 있다.

확인 문제 • 본문 p.212

01. ⑤ **02.** ② **03.** 어떤 대상을 볼 때, 필요 없거나 잘못된 배경지식을 사용하기 때문이다. **04.** ③ **05.** ① **06.** ⑤ **07.** 멀리 있는 것은 작게, 가까이 있는 것은 크게 보임. **08.** ① **09.** ⑤ **10.** ③ **11.** 배경지식 **12.** ⑤ **13.** ① **14.** ④ **15.** 첫 번째는 감각대로 보는 것이고 두 번째는 그 감각에 배경지식을 적용하여 보는 것이다. **16.** ② **17.** ④ **18.** ④ **19.** 멀리 있는 것은 작게 보이고, 가까이 있는 것은 크게 보인다. **20.** ① **21.** ③ **22.** ⑤ **23.** ㉠은 강연자가 설명한 내용을 시각적으로 보여 주어 청중의 이해를 돕고 있으므로 적절하다.

01. 이 강연에서는 청중의 참여가 강연 내용을 보완할 정도로 이루어지지 않고 있다.

오답 해설

①, ② 착시 현상에 대한 정보를 제공하고 있는 강연을 정리한 글이다.

③ 착시 현상이라는 시각 현상을 설명해야 하므로 시각 자료를 적절하게 활용할 필요가 있는 강연이다.

④ 정보 전달을 목적으로 하는 강연이므로 강연자의 개인적인 견해는 배제하는 것이 바람직하다.

02. (가)에는 강연자의 자기소개와 심리학, 인지 심리학에서 다루는 내용이 제시되고 있으며, (나)에서는 착시 현상의 뜻을 설명하고 있다.

03. (나)를 보면 착시가 어떤 대상을 볼 때 필요 없거나 잘못된 배경지식을 사용하는 바람에 실제와 다르게 해석하는 것이라고 말하고 있다.

04. 착시 현상이 독특하고 흥미로운 것이라는 언급은 있었지만 중요하다고 언급하지는 않았다.

05. (라)에 제시된 매체 자료는 사진으로 시각 매체 자료에 해당한다. 이것은 착시 현상을 직접 보여 주는 자료로 강연 내용과 밀접한 관련이 있다.

오답 해설

② 도표 자료가 아니며 착시 현상을 일목요연하게 정리하고 있지도 않다.

③ 착시 현상을 구체적으로 보여 주기는 하지만 동영상 자료는 아니다.

④ 사진 자료로, 착시 현상이 일어나는 과정을 정리했다고 볼 수 없다.

⑤ 강연자의 경험과는 관련이 없는 자료이다.

06. (라)의 사진을 보고 500원 동전이 가장 멀리 있다고 생각한 이유는 500원 동전이 다른 동전보다 크다는 배경지식을 가지고 있었기 때문이다.

07. (마)에 제시된 착시 현상에 작용한 배경지식은 두 가지임을 알 수 있다. 하나는 동전의 크기에 관한 배경지식이고 다른 하나는 멀리 있는 것은 작게 보이고 가까이 있는 것은 크게 보인다는, 원근감에 대한 배경지식이다.

08. 이 강연은 착시 현상의 다양한 예를 연속하여 제시하고 있다. 이를 통해 착시 현상을 더욱 잘 이해할 수 있다.

09. 자료의 내용을 설명할 때 청중과 시선을 교환하면서 자료와 청중을 번갈아 쳐다보며 강연을 진행하는 것이 좋다.

오답 해설

① 자료를 활용하기 전에 자료의 내용이 정확한지 먼저 확인하는 것이 좋다.

② 청중의 수나 강연하는 공간의 크기 등을 고려하여 자료의 크기를 결정하는 것이 바람직하다.

③ 자료는 청중의 관심을 유도하는 역할을 한다. 시각 자료에서 적절한 색깔을 활용하면 더 효과가 높을 것이다.

④ 자료를 제시하는 목적은 청중이 강연의 내용을 더 잘 이해하게 하기 위해서이다.

10. 사진의 배경인 철길 때문에 위의 막대가 더 멀리 있는 것처럼 느껴지고 멀리 있는 것은 작아 보인다는 배경지식의 영향을 받아 위의 막대가 더 길 것이라고 판단하는 것이다.

11. 착시는 필요 없거나 잘못된 배경지식 때문에 우리의 뇌가 잘못된 판단을 내리면서 생기는 현상이다.

12. 강연을 하면서 적절한 매체 자료를 제시하지 않으면 청중들의 집중도가 떨어지고 강연 내용을 효과적으로 전달할 수 없다. 하지만 설명하고자 하는 주제를 전달할 수 없는 것은 아니다.

13. (사)에서 강연자는 청중에게 질문을 던짐으로써 청중이 강연에 관심을 보이고 집중할 수 있도록 안내하고 있다.

오답 해설

② 강연의 내용과 관련이 있는 질문일 뿐 주제를 강조하고 있다고 볼 수는 없다.

③ 새로운 설명 대상이 아니라 착시 현상의 다른 예를 소개하고 있다.

④ 청중이 궁금해 하는 부분을 알려 주는 것이 아니라 강연자 자신이 하고 싶은 말을 질문의 형식으로 바꾸어 전달하고 있는 것이다.

⑤ 강연 내용에 대한 이해 정도를 묻고 있지는 않다.

14. A와 B는 실제의 밝기는 같지만 B가 더 밝아 보인다. 그림자가 드리우면 어두워진다는 배경지식 때문에 B가 더 밝게 보이는 것이다.

15. 착시 현상은 우리가 감각적으로 사물을 보는 것과 배경지식을 적용해 보는 것 두 가지 사이의 불일치라고 할 수 있다.

16. (자)의 사진과 그림 자료는 우리 생활에서 착시 현상을 활용한 경우와 그렇지 않은 경우를 대비하여 이해를 돕고 있다.

17. (자)의 매체 자료에서 문자 언어의 내용 자체가 큰 의미를 지니는 것은 아니다. '어린이 보호 구역'이 아니라도 주의를 끌 수 있는 문구라면 예로 제시되기에 적합하다.

오답 해설

① 사진 자료이므로 시각 자료에 해당한다.

② 도로에 적용되었던 실제 사례이다.

③ 강연 내용과 관련하여 청중들이 참고함으로써 내용을 이해하는 데 도움을 얻을 수 있는 자료이다.

⑤ 착시 중에서 도로 바닥의 글자가 서 있는 것처럼 보이는 착시를 다루고 있다.

18. 강연자는 (자)에서 착시 현상을 우리 생활에 긍정적으로 활용할 수 있음을 설명하고 그 예를 제시하고 있다.

19. 글자 윗부분을 아랫부분보다 두껍고 크게 하여 윗부분이 더 가까워 보이도록 유도한 것이다. 여기에는 멀리 있는 것은 작게, 가까이 있는 것은 크게 보인다는 배경지식이 영향을 미쳤다.

20. (자)의 착시 현상은 어린이 보호 구역이라는 글자를 서 있는 것처럼 잘 보이게 하여 운전자들이 조심해서 운전할 수 있도록 하는 효과를 준다.

21. 강연자가 착시는 옳고 그름을 판단할 수 없는 현상이라고 하며 이를 긍정적으로 활용하자고 말하고 있으므로 객관적인 태도를 취하고 있다고 볼 수 있다.

오답 해설

①, ⑤ 착시 현상의 부정적 측면을 다루고 있지는 않다.

② 착시 현상이 무조건적으로 좋은 것이라고 말하지는 않았다.

④ '옳고 그름을 판단하는 것'이 비판이다. 강연자는 착시에 대하여 옳고 그름의 판단을 할 수 없는 현상으로 규정하고 있으므로 비판의 태도가 나타난다고 볼 수 없다.

22. (차)는 강연자가 착시에 대한 바람직한 태도를 제시하고 청중에게 적절한 활용을 제안하면서 강연을 마무리하는 부분이다. 새로운 문제를 제기하고 있지는 않다.

23. ㉠은 어린이 보호 구역이라는 글자가 어떻게 보이는지 구체적으로 보여 주는 매체 자료이므로 청중이 착시 현상을 이해하는 데 도움이 많이 되는 자료이다.

학습 활동 다지기 • 본문 p.218

이해 다지기 문제 **1.** ⑤ **2.** ⑤ **3.** ②

목표 다지기 문제 **1.** ⑤ **2.** ③ **3.** ③ **4.** ④ **5.** ③

이해 **1.** 착시는 대상을 감각적으로 보는 것과 배경지식을 활용하여 보는 것 사이에 차이가 나면서 생긴다. 즉 필요 없거나 잘못된 배경지식을 적용해서 실제와 다르게 해석하는 것이다.

2. '가'는 실상은 같은 거리에 배열되어 있는 같은 크기의 동전에 대해 동전의 원래 크기에 대한 배경지식과, 멀리 있는 사물은 작게 보이고 가까이 있는 사물은 크게 보인다는 배경지식을 적용하여 멀고 가까운 거리를 사실과 다르게 본 착시 현상이다. '나'는 거리에 대한 정보를 담고 있는 철길 사진을 참고하여 사물의 멀고 가까움을 짐작한 뒤, 멀리 있는 사물은 작게 보이고 가까이 있는 사물은 크게 보인다는 배경지식을 적용하여 사물의 길이를 사실과 다르게 본 착시 현상이다. 두 착시 현상에 공통적으로 적용된 배경지식은 멀리 있는 사물은 작게 보이고 가까이 있는 사물은 크게 보인다는 것이다.

오답 해설

①, ③, ④ 확인할 수 없거나 잘못된 정보이다.

② 원기둥의 그림자 방향에 위치한 네모 칸이 더 밝아 보인 착시 현상에 적용된 배경지식이다.

3. 다른 착시 현상은 긍정적, 부정적 판단을 내리기 어려운 착시 현상이지만 '어린이 보호 구역' 글자가 서 있는 것처럼 보이게 하는 착시 현상은 긍정적 영향을 주는 착시 현상으로 다른 착시 현상과 구별된다.

목표 **1.** 이 강연에 사용된 매체 자료는 모두 착시 현상을 구체적, 사실적으로 보여 주는 사진이거나 그림이다.

2. 이 강연에서 강연자는 자신이 중점적으로 설명하고 있는 착시 현상의 예로 매체 자료를 제시하여 청중에게 직접 보여 주고 있다.

3. 자료의 형태는 다양해도 아무 상관이 없다. 다만 내용과 관련성이 있고 매체 자료를 통해 청중에서 전달하고자 하는 바를 효과적으로 전달할 수 있는지를 점검하는 것이 중요하다.

4. 이 강연은 착시 현상이 무엇이고 왜 일어나는지 설명하는 것을 목적으로 하므로 착시 현상에 대한 학생들의 인터뷰 영상은 매우 불필요하다고 볼 수 있다.

5. (나)에는 동영상과 사진이 매체 자료로 제시되어 있다. (나)에 그림은 제시되어 있지 않으므로 사진과 그림으로 대상을 구체화하였다는 설명은 적절하지 않다.

오답 해설

① 매체 자료를 활용하면 내용을 더 쉽고 분명하고 정확하게 설명할 수 있다.

② 동영상 자료는 쉽게 청중의 관심을 끌 수 있다.

④ 매체 자료는 강연자와 청중의 교감을 이끌어 내는 효과가 높다.

⑤ 강연할 때 내용에 따라 말로 하는 것보다 영상을 보여 주면 더 이해가 빠른 경우가 많다.

소단원 핵심 문제 • 본문 p.223

01. ② **02.** ④ **03.** ⑤ **04.** 착시 현상이 더 잘 일어나도록 하기 위해서이다. **05.** ④ **06.** ⑤ **07.** ② **08.** 착시는 우리가 깨닫지도 못한 채 일어나는 현상으로 의도적으로 이루어지는 것이 아니므로 **09.** ② **10.** ② **11.** 자연스럽게 일어나는 인식의 하나로 받아들이고 생활에 도움이 되도록 이용한다. **12.** • 공통점: 두 자료는 모두 시각 매체 자료이다. • 차이점: (가)의 매체 자료는 사진과 그림으로 설명 내용을 보충해 주지만, 〈보기〉는 그래프로 설명 내용을 한눈에 보여 준다.

01. 강연은 공식적인 말하기로 강연자가 청중에게 필요한 정보나 자기 생각을 전달하는 말하기이다. 따라서 청중은 강연자에게 집중해야지 다른 청중의 반응에 지나치게 신경을 쓰는 것은 적절하지 않다.

오답 해설

① 강연에서는 강연자의 생각이나 정보가 한 번에 많이 전달되므로 필요한 정보를 정리하면서 들어야 한다.

③ 강연 내용을 예측하면서 듣는다면 내용을 이해하는 데 도움이 될 것이다.

④ 강연 중에 주어진 매체 자료가 있다면 이를 적극적으로 활용해야 한다.

⑤ 강연자의 억양, 어조, 표정이나 행동에도 정보나 생각이 담길 수 있으므로 유심히 살펴보는 것이 좋다.

02. (가)에서는 착시의 긍정적인 영향도, 부정적인 영향도 언급하고 있지 않다.

03. 착시는 우리가 그것을 인식했는지 못했는지와 상관없이 불필요한 배경지식으로 인해 저절로 생기는 것이다.

04. (다)의 내용을 살펴보면 착시 현상이 더 잘 일어나게 하기 위해 불을 끄고 한쪽 눈을 감고 집중하도록 했던 것이다.

05. (나)에서는 다른 사람의 말을 인용한 것이 아니라 우리가 일반적으로 가지고 있는 배경지식을 언급하였다.

오답 해설

① 질문을 던져서 청중들의 관심을 유도하고 있다.

② '철길 위의 막대'를 가리키며 설명하고 있으므로 관련된 시각 자료가 필요하다.

③ (나)에는 원기둥으로 인해 색의 명암이 달라 보이는 네모 칸과 관련된 시각 자료가 제시되어 있다.

⑤ (다)는 (가), (나)의 내용을 바탕으로 한 결론이라고 할 수 있다.

06. (가)에서 착시가 생긴 원인은 철길을 배경으로 하다 보니 위 막대는 멀리 있고 아래 막대는 가까이 있다고 생각하게 되면서 위의 막대가 더 길 것이라고 착각하게 되어서이다.

07. B는 옆 네모 칸의 색 자체 때문이 아니라 원기둥의 그림자 때문에 배경지식이 작용되어 A보다 밝아 보이는 것이다.

08. 강연자는 착시 현상이 우리가 의식하지 못하는 사이에 일어나는 현상이므로 옳다 그르다 판단할 문제가 아니라고 본 것이다.

09. (나)에서 시각 자료는 청중이 강연에 집중하면서 설명을 이해하는 데 도움을 주고 있다. 착시를 보여 주는 예에 해당하므로 강연 내용을 정리하는 역할을 한다는 설명은 잘못되었다.

10. (가)에서는 착시 현상의 부정적인 측면은 다루지 않고 긍정적으로 활용할 수 있는 방법을 설명하고 있다.

오답 해설

① 청중의 관심 유도 효과만 고려한다면 동영상 자료가 가장 효과적이다.

③ 〈사진 2〉는 도로 위 글자가 서 있는 것처럼 보이며 강조된다.

④ 〈사진 2〉는 '멀리 있는 것은 작게, 가까이 있는 것은 크게 보인다.'라는 배경지식이 작용하여 착시가 일어난다.

⑤ 글자가 도드라져 서 있는 것처럼 보이기 때문에 운전자들이 경각심을 가질 수 있다.

11. (나)에서 강연자는 흥미로운 착시 현상을 자연스럽게 일어나는 현상으로 받아들이고 생활에 이롭게 활용하는 방법을 찾아보자고 말하고 있다.

12. (가)의 자료나 〈보기〉의 자료는 모두 시각 매체 자료이다. 하지만 (가)의 자료는 구체적, 사실적으로 대상을 보여 주는 사진과 그림이고, 〈보기〉는 복잡한 수치를 간단하게 정리하여 보여 주는 그래프이다.

대단원 확인 문제

• 본문 p.227

01. ② **02.** ② **03.** 어미 고기와 어린 고기를 마구잡이로 잡아들였기 때문이다. **04.** ④ **05.** ⑤ **06.** ③ **07.** 수온에 따른 명태의 성장 결과를 보여 주는 도표 또는 그래프 자료 **08.** ⑤ **09.** ④ **10.** ③ **11.** ④ **12.** 500원 동전이 가장 크다는 배경지식과 멀리 있는 것은 작게, 가까이 있는 것은 크게 보인다는 배경지식이 작용했기 때문이다. **13.** ⑤ **14.** ④ **15.** ② **16.** ① **17.** ③ **18.** ④ **19.** ⑤ **20.** 운전자들이 차의 속도를 늦추고 조심해서 운전할 수 있도록 한다. **21.** ① **22.** 국산 명태가 대량 양식되어 우리 식탁에 오르기를 기대하고 있다. **23.** ③

01. 신문 기사에 의해 여론이 형성되기도 하지만 신문 기사의 목적 자체가 여론 형성에 있는 것은 아니다.

02. (가)는 기사의 표제와 부제, 전문 부분이다. 이 부분을 보면 기사의 대략적인 내용을 파악할 수 있다.

오답 해설

① (가)의 전문 부분에는 특별한 매체 자료가 필요한 내용이 나타나지 않는다.

③ 기사문으로 글쓴이의 주장이 강하게 드러나지는 않는다.

④ 이 글은 우리나라 바다에서 사라진 명태를 살리기 위한 노력을 담은 기사문으로 사회 비판적인 성격이 강하게 드러나지는 않는다.

⑤ 기사의 대략적인 내용은 알 수 있지만 구체적인 내용을 상세하게 알 수는 없다.

03. (다)의 내용을 바탕으로 하면 명태의 어획량이 줄어든 것은 명태를 마구잡이로 포획했기 때문이다.

04. (라)에서는 우리나라의 주요 어종의 어획량이 달라졌고 그래서 명태도 잘 잡히지 않는다는 것을 설명하고 있다. 이를 한눈에 보여 주기에 적합한 매체 자료는 우리나라 주요 어종의 어획량 변화 그래프이다.

05. 이 글은 국산 명태의 완전 양식 성공 과정을 보여 주는 기사문으로 글쓴이의 개인적 경험은 들어 있지 않다.

오답 해설

① 이 기사문은 명태 살리기 프로젝트와 관련된 정보를 전달하고자 한 것이다.

② (가)~(라)에 명태 살리기 프로젝트의 연구 과정이 드러나 있다.

③ 명태를 양식하기에 적절한 수조의 온도, 알맞은 먹이 등에 대해 과학적인 자료가 제시되어 있다.

④ 명태 완전 양식 사업인 '명태 살리기 프로젝트'를 소재로 하고 있다.

06. (가)에는 연구팀이 국산 명태 어미를 구하기 위해 고생하는 내용이 담겨 있다.

07. 연구 과정을 한눈에 볼 수 있는 자료는 도표나 그래프이다. 수온에 따른 명태의 성장 결과를 보여 주는 도표나 그래프 자료를 제시하는 것이 좋다.

08. (다)의 로티퍼 사진은 로티퍼가 무엇인지 보여 주고 있기는 하지만, 내용을 이해하는 데 꼭 필요한 매체 자료는 아니다.

09. 이 강연의 내용만으로는 준언어와 비언어적 표현이 사용되었는지를 분명하게 알 수 없을뿐더러 강연에서 가장 중요한 표현은 주제를 전달하는 언어적 표현이다.

10. 강연자가 착시 현상을 보여 주기 전에 불을 끄고 손으로 한쪽 눈을 가리는 등의 환경을 만든 것은 착시 현상을 더 부각시키고자 한 것일 뿐 착시의 절대적 조건은 아니다.

오답 해설

① (나)에 착시의 예로 독특하고 흥미로운 것들이 많다는 언급이 있다.

②, ⑤ (가)에서 착시는 어떤 대상을 볼 때, 필요 없거나 잘못된 배경지식을 사용하는 바람에 실제와 다르게 해석하는 것이라고 하였다.

④ (가)에서 '착시는 간단하게 말해 그렇게 보았다고 착각하는 현상'이라고 말하고 있다.

11. (가)는 강연의 도입에 해당하는 부분이다. 이 단계에서는 강연 내용에 대한 소개, 강연자의 자기소개, 청중의 긴장을 풀어 주는 말을 통한 분위기 조성 등이 이루어진다.

12. 500원 동전이 가장 멀리 있는 것처럼 보이는 것은 500원 동전이 가장 크다는 배경지식과 가까이 있는 것은 크게, 멀리 있는 것은 작게 보인다는 배경지식이 작용해서 같은 크기라면 500원 동전이 더 멀리 있는 것이라고 판단한 것이다.

13. 자료는 내용에 맞게 다양하게 제시하는 것이 좋다. 하나의 자료에 너무 많은 내용을 담으면 청중의 내용 이해를 오히려 방해할 수도 있다.

14. 그림자가 드리우면 어두워진다는 배경지식이 작용하여 원래 감각이 왜곡되며 착시가 일어난 것이다.

오답 해설

① (나)에 제시된 착시의 예는 긍정적인 것도, 부정적인 것도 아닌 예이다.

② 빛의 굴절과 관련된 것이 아니라 그림자와 관련된 내용이다.

③ B가 밝게 보인다고 해서 부정적인 결과가 초래되는 것은 아니다.

⑤ 거리와 관련된 배경지식과는 관련 없는 착시 현상이다.

15. 착시는 자연스럽게 일어나는 현상으로 옳고 그름을 판단할 수 없는 현상이다. 그러므로 강연자는 사물을 정확히 보라는 등의 요구를 하지 않고 있다.

16. (다)에 제시된 매체 자료는 설명을 위해 필요한 시각 자료이다.

17. (나)에서는 명태를 대량 생산하기 위한 방법을 전문가의 의견을 통해 제시하고 있다. 글쓴이의 의견은 드러나 있지 있다.

오답 해설

① (가)에는 명태의 난 발생 및 성장 발달 과정이라는 사진·그림 자료가, (다)에는 어린이 보호 구역이라는 글자가 서 있는 것처럼 보이는 그림 자료가 제시되고 있다.

② (가)는 명태 난 발생 및 성장 발달 과정을 화살표로 연결하여 과정을 보여 주기에 적합한 자료이다.

④ '도대체 어떻게 했기에 이렇게 보이는 걸까요? 그 해답은 ~'에 잘 드러나고 있다.

⑤ (다)는 착시 현상을 운전자의 경각심을 높여 사고를 줄이는 데 긍정적으로 활용하는 예를 보여 주고 있다.

18. (가)는 명태의 난 발생과 성장 발달 과정이므로 명태를 인공적으로 키워 종자를 생산하는 과정과 관련성이 가장 높다. 이 자료를 통해 독자들은 명태 양식의 과정을 쉽게 이해할 수 있다.

19. 명태를 대량으로 생산하기 위해서는 유전적 다양성이 있는 자연산 명태 어미를 확보해야 하며 질 좋은 수정란을 질병 없이 잘 키워 우수한 종자를 얻어야 한다. (나)에서 양식장에 대한 언급은 하지 않았다.

20. (다)에서 제시한 착시는 바닥에 쓰인 '어린이 보호 구역'이라는 글자를 서 있는 것처럼 보는 것으로, 운전자들에게 경각심을 주는 효과가 있다.

21. 사료를 개발한 이유나 명태의 완전 양식에 성공했다는 내용은 사료 사진이 없어도 충분히 이해할 수 있다.

오답 해설

② 전문가의 인터뷰 내용은 전문가의 권위 때문에 독자에게 신뢰감을 줄 수 있다.

③ (다)에서는 질문을 통해 강연의 내용이 어땠는지 등을 물으며 청중의 관심을 유도하고 있다.

④ (라)에서 '신비의 도로'가 주변 환경에 의한 착시 현상이라고 밝히고 있다.

⑤ 자신이 경험했던 교내 체육 대회의 내용을 다루고 있다.

22. (나)에서 글쓴이는 양식 명태가 대량으로 생산되어서 우리 식탁에 올라 우리가 국산 명태 맛을 볼 수 있기를 바라고 있다.

23. 동영상은 사진, 그림에 비해 사실성, 현장감이 더욱 강화된 매체 자료로, (라)에서는 이를 효과적으로 활용하고 있다.